Pierrette Lebeau

L'oeuvre de chair

IMPRIME au CANADA

Dépôt légal:
Bibliothèque nationale du Canada
Bibliothèque nationale du Québec

ISBN 978-2-922512-42-7

André Mathieu

L'oeuvre de chair

(*Le 5e rang*, tome 2 / 4)

roman

L'éditeur :
9-5257, Frontenac,
Lac-Mégantic
G6B 1H2

Un mot de l'auteur...

Les événements racontés dans ce livre sont inspirés de faits réels survenus au début des années 1930 dans une paroisse beauceronne qui n'est pas celle où je suis né. Certes, les détails ne furent jamais tous racontés devant moi, mais les grandes lignes allaient parfois de bouche à oreille et paraissaient scandaliser ceux qui en parlaient... tout en les délectant très certainement. Oreille collée à la grille de chaleur du deuxième étage, je captais ces propos adultes qui commençaient toujours par des chuchotements et finissaient par des éclats de rire. J'avais 5, 6, 7 ans... Les bouffées de chaleur venues de la fournaise, et qui m'atteignaient en même temps que les secrets sacrés, ne parvenaient jamais à 'brûler' ma curiosité enfantine... Comment ne pas raconter ces souvenirs dans un de mes livres ? Ou bien je n'aurais pas tout abordé des sujets pas toujours ordinaires qui ont façonné ma vie.
Je dédie ce roman, construit à même des faits authentiques, à celles et ceux qui jasaient dans la cuisine au temps de mon enfance : mes parents, surtout mon père, mes oncles et tantes, des amis de mes parents, des visiteurs de toute la paroisse. Car la maison paternelle était un carrefour à confidences où il s'en disait de toutes les couleurs, surtout le dimanche. C'est que ma mère opérait un petit 'magasin de coupons' et qu'elle possédait et utilisait à souhait son double don de faire parler les gens et... de les écouter...
Moi aussi, j'écoutais, mais aux portes, et les oreilles chaudes en diable...
J'ai créé un lieu, Saint-Léon, un rang, le cinquième, où vont s'en donner à coeur joie, le temps d'un trop court été, tous ces couples de cultivateurs qui cherchent à s'amuser en ce temps de misère noire et de grande morosité.
Mais les prêtres et la religion sont en contrôle : n'y voient-ils tout d'abord que du feu avant d'y voir l'enfer ?...

A. M.

L'amour est aveugle, mais le mariage lui rend la vue.
Proverbe allemand

Culpabiliser, c'est contrôler !
A. Mathieu

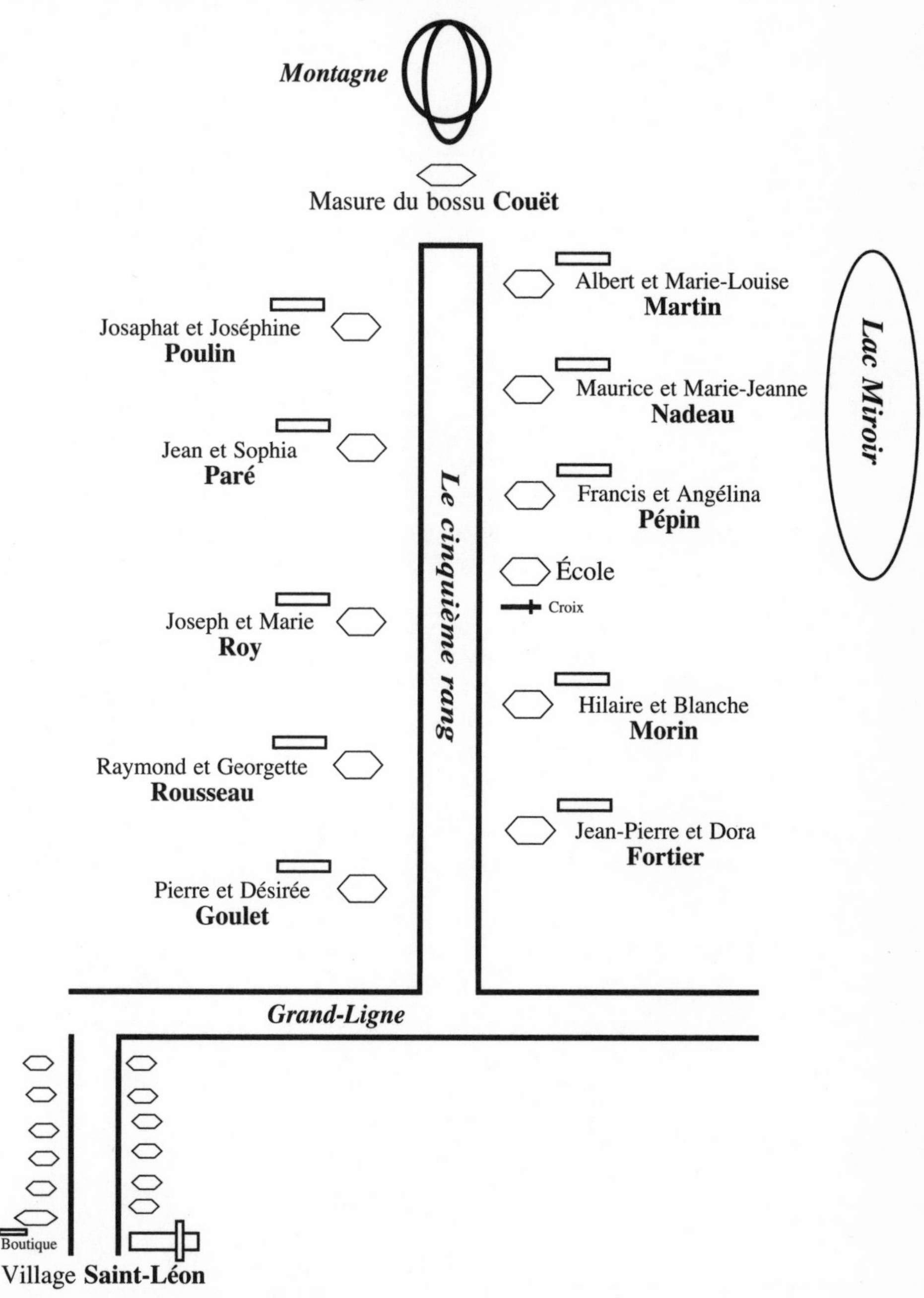
Le 5e rang de Saint-Léon
Montagne
Masure du bossu Couët
Albert et Marie-Louise
Martin
Josaphat et Joséphine
Poulin
Lac Miroir
Maurice et Marie-Jeanne
Nadeau
Jean et Sophia
Paré
Le cinquième rang
Francis et Angélina
Pépin
École
Croix
Joseph et Marie
Roy
Hilaire et Blanche
Morin
Raymond et Georgette
Rousseau
Jean-Pierre et Dora
Fortier
Pierre et Désirée
Goulet
Grand-Ligne
Boutique
Village Saint-Léon

Chapitre 1

Résumé du tome 1...

Incités par les paroles du vieux Théodore Morin, des couples du cinquième rang de Saint-Léon s'adonnent à de l'échangisme en ce début d'été 1930.

Il aura fallu l'intervention du bossu Couët, habitant le fond du rang, au pied de la montagne, pour que le scandale arrive. Car c'est lui qui, pour blaguer et sans penser à mal, a répandu de porte à porte, et par toutes les maisons, les propos scabreux du vieil homme.

Il y a dix familles de cultivateurs dans ce rang : les Goulet, les Fortier, les Rousseau, les Morin, les Roy, les Pépin, les Paré, les Nadeau, les Poulin et les Martin. Sept ont fini par se lancer dans cette expérience à odeur de péché mortel, l'une des pires offenses à Dieu selon la puissante religion catholique qui contrôle tout, y compris la plupart des gestes du quotidien de ces fidèles obéissants aux prises avec la misère partout répandue par la grande crise économique.

Certes, on va à la messe, on récite le chapelet à la croix du chemin, on va nocer sainement mais aussi, l'on part à la conquête de plaisirs interdits voire sacrilèges.

Car les sept couples de 'frappeurs', ainsi que ces gens se désignent eux-mêmes, se sont regroupés en ce mercredi soir du début juillet dans la chapelle nouvellement érigée sur la montagne de la *Craque*, elle-même consacrée par la nouvelle appellation, bien plus décente, de mont *Sainte-Cécile*.

Là-haut, tandis que l'orage menaçait, on a intégré deux nouveaux couples au groupe alors que le vicaire, prévenu, s'en va voir de quoi il retourne sur la montagne. Il découvre le pot aux roses avant même de se rendre à destination et c'est un homme terrible qui fera son entrée fracassante dans la petite chapelle où des couples de hasard n'en sont encore qu'aux préliminaires...

L'abbé craint la colère du ciel et n'est pas loin de l'appeler alors que dans un village au loin, une soi-disant possédée du démon quitte sa demeure pour aller prendre le train qui la mènera à Saint-Léon...

Le ciel a-t-il fait une erreur ou bien son langage se veut-il sibyllin, à moins que ce ne soit la présence d'un serviteur en soutane qui protège la chapelle, toujours est-il que la foudre frappe quelque chose sur la montagne. Elle s'abat violemment sur l'être vivant le plus innocent qui soit en ces lieux exposés, le poney du bossu Couët dit la *Brune*.

Et la pauvre bête, qui n'est pas tuée sur le coup, court à sa perte en se jetant bien malgré elle, dans un réflexe irrésistible, en bas de la falaise, sous le regard allumé par les éclairs et absolument horrifié de son maître, le bossu...

Dernier paragraphe du tome 1

Un petit quart d'heure plus tard, on découvrait le bossu et son cheval au pied de la falaise. Il faisait nuit, mais les fanaux éclairèrent la scène qui fut cernée par les personnes revenues de là-haut.

Rousseau examina la bête morte. Il trouva une brûlure au naseau droit et une autre à une patte arrière.

–Calvènusse de calvènusse, on dirait que le tonnerre a tombé su' la p'tite jument.

Assis par terre près de la tête de l'animal mort, Couët ne

bougeait pas d'une ligne.

–Ça va, monsieur Couët ? demanda le vicaire qui se pencha vers lui pour offrir de la compassion.

Le malheureux redressa la tête tout doucement, comme s'il refusait d'arracher sa tendresse du corps de la pauvre bête mais en même temps pour interpeller, interroger, demander réponse à sa douleur, explication au drame, à cette autre tragédie d'une vie qui en débordait déjà...

Tous purent apercevoir ses grands yeux de petit garçon meurtri remplis de larmes...

Ici débute pour de bon le tome 2...

–Quand je n'ai pas la certitude, j'ai l'inquiétude...

Puis le vicaire se tut, réfléchissant, promenant son regard sur ces couples de si grands pécheurs qui entouraient la scène, afin de les mieux écraser de son accusation muette.

Puis il reprit :

–Je n'ai pas la certitude que cette paroisse obtienne grâce aux yeux du bon Dieu et quand je n'ai pas la certitude, j'ai grande inquiétude...

Plusieurs comprirent que se trouvait une grande doutance dans son coeur. Personne ne savait qu'en plus de leur faire grief de cette épouvantable pratique de l'échangisme, le prêtre songeait à son collègue du presbytère et supérieur qui s'était laissé aller à faire des avances charnelles à cette pauvre Cécile, la servante dépourvue de moyens de défense suffisants pour se protéger devant une autorité abusive.

"*Pourquoi vois-tu la paille qui est dans l'oeil de ton frère, et n'aperçois-tu pas la poutre qui est dans ton oeil ?*"

Ces mots du sermon sur la montagne, que lui-même avait prononcés quelque temps plus tôt, lui revinrent en tête. Et il songea à ces péchés de la chair qu'il avait commis avec lui-même, bien sûr moins graves que ces abominables péchés collectifs des 'frappeurs', mais guère moins que l'abus de pouvoir de son curé.

–J'ai grande inquiétude, surtout quand je vois un désastre comme celui que nous pouvons contempler en cette nuit de profond désarroi. Nous avons tous péché et ces péchés nous ont conduits sur la montagne, et parce que ces péchés nous ont conduits sur la montagne, voici qu'un être innocent l'a payé de sa vie.

–L'orage, c'est de la faute à personne, coupa Hilaire que les allusions du vicaire irritaient passablement.

–C'est un phénomène naturel derrière lequel se trouve la main de Dieu, mon ami.

Tous les 'frappeurs' se doutaient bien maintenant que le vicaire savait quelque chose, peut-être même qu'il était au parfum quant à leur pratique de l'échangisme. Mais peut-être aussi, pour d'aucuns, qu'il n'en savait que ce qu'il supputait et avait vu à son arrivée dans la chapelle plus tôt.

En tous, il y avait l'incertitude.

Et l'incertitude individuelle en pareil temps d'incertitude collective vu la grande crise économique et ce paupérisme généralisé, mondial, devient vite insupportable. Quelques femmes se disaient qu'on se sent bien mieux sous le joug sévère de la religion. Les balises sont là. Les sentiers sont battus. Rocailleux, malaisés, mais bien moins que celui menant sur le dessus de la montagne de la... *Craque*...

Et puis, l'incertitude, c'est aussi la peur de l'inconnu. Et le plus important inconnu qui soit en ce monde est celui qui porte sur ce qui se trouve au-delà de la grande muraille de la mort. Les prêtres, eux, savaient. Ou semblaient savoir. Et disaient savoir. La religion, elle, savait. Ou semblait savoir. Et disait savoir. Autant se fier à eux et vivre en paix. Se laisser faire, se laisser guider, diriger, entraîner...

Mais Hilaire, influencé malgré lui par les propos de son vieux père, exalté par l'expérience de l'échangisme, craignait comme la peste cette réaction des plus faibles éléments du groupe de 'frappeurs'. La religion, via le prêtre, risquait de faire chavirer cette magnifique petite barque à peine construite et si frêle encore. Il se devait de colmater la brèche pour l'empêcher de prendre trop d'eau et couler.

–Monsieur le vicaire, de quoi c'est que vous parlez là, au juste ?

Le prêtre aussi était encadré par des repères à toutes fins pratiques infranchissables. Le secret de la confession en était un. Aller plus loin et confronter directement les 'frappeurs' serait en quelque sorte violer ce secret sacré, et le bossu le premier s'en apercevrait malgré sa vive douleur du moment. Et sinon, ce ne serait que partie remise.

Se faire vague comporte d'énormes avantages également. Cela permet un contrôle par les voies intérieures de la personne en cause. Tous les bons intellectuels savent faire appel à la confusion mentale pour impressionner en un premier temps, subjuguer en un deuxième temps et contrôler ensuite. Le vicaire se fit vague :

–Nous sommes tous des pécheurs. Vous, moi, monsieur Couët même, en dépit de son malheur de ce soir. Or il peut arriver que le malheur soit le salaire du péché.

–Si on est tant pécheurs que ça, me semble que le tonnerre aurait dû tomber su' nous autres au lieu que su' la *Brune* au boss... à Odilon, vous pensez pas, monsieur le vicaire ? demanda Hilaire qui voulait garder un équilibre dans la poursuite du contrôle des âmes.

–Les innocents payent pour les coupables. Attention, je ne suis pas à dire que vous êtes coupables de tel ou tel crime, je dis que nous sommes tous pécheurs, c'est tout. Et je vous dirai que ce moment est très favorable à la contrition pour nos fautes. Avouons nos errements au bon Dieu dans le silence de notre âme ce soir même. Et demandons-Lui pardon pour l'offense qu'on Lui a faite. Le bon Dieu est Miséricorde pour tous ceux qui savent s'agenouiller devant Lui.

–Si monter su' la montagne pour se divertir est un péché

asteur...

Le prêtre coupa la parole à son homonyme :

–Monsieur Morin... je vous en supplie, prions pour monsieur Couët et repentons-nous.

Hilaire frappa un grand coup alors :

–Ben moé, j'ai une idée qui est au moins aussi bonne... on va se cotiser, tout le monde du rang, pis on va acheter un autre poney à Dilon.

Le vicaire s'exclama, souriant faiblement :

–Ça aussi est une belle idée, mais il faut d'abord, ici et maintenant, penser aux choses de l'âme et à la vie éternelle. La mort est si vite arrivée. Vous avez vu ce soir. Le petit cheval était vivant et d'une vivacité peu commune, et, le moment d'après, il était foudroyé et précipité dans l'abîme. Prions. Prions. C'est dans la prière que se trouve la réconciliation. C'est dans la prière que se trouve la cohésion. C'est dans la prière que se trouve la rédemption. Prions. Prions. Prions encore et encore...

L'idée d'un autre cheval sécha quelques larmes du bossu. Il se releva et se recueillit tout le temps que le prêtre récita des Avé. Puis il demanda :

–Y en a-t-il un de vous autres qui pourrait venir avec un ch'fal demain matin, pis une traîne à roches, on va aller enterrer la *Brune* en quelq' part dans une digue.

Albert répondit :

–C'est moé le plus proche, j'vas venir. On va aller l'enterrer en dessour' d'un tas de roches que j'ai au bord du bois. Comme ça, ça sentira pas nulle part la carcasse décomposée.

On avait plus loin des voitures à chevaux, et entre les mains assez d'éclairage pour que tous puissent retourner à la maison en toute sécurité. Ce qui se produisit. Mais dès qu'il fut chez lui, Hilaire se mit au téléphone et convoqua une réunion des sept couples de 'frappeurs' pour le soir suivant. Romuald Rousseau voulut bien que cela se passe chez lui, une demeure où il ne se trouvait pas d'enfants.

Et pour rassurer celles et ceux qui pouvaient sentir un vermisseau ou même un gros ver ronger leur conscience, il dit à chacun qu'une invitation serait faite au vicaire afin qu'il revienne dans le cinquième rang et constate à quel jeu plein de santé on y jouait.

Et comme de bien entendu, un jeu anodin serait inventé pour rouler le prêtre dans la farine et lui jeter le reste de la poudre blanche au bleu des yeux.

*

Pendant cette fin de soirée, la Rose Lafontaine refaisait le même périple que l'autre jour, du moins dans sa première partie. Tout d'abord, elle se rendit à la gare, puis voyagea jusqu'à Saint-Léon où elle descendit d'un wagon à bestiaux. Et subit la violence de l'orage alors qu'elle se trouvait dans le chemin du presbytère. Mais plutôt de se diriger vers la sortie du village pour accéder au cinquième rang via le grand chemin, elle entra dans le cimetière. Qui saurait dire pourquoi ?

À son retour au village par temps d'un noir profond, le vicaire à l'âme sans dessus dessous, chavirée par les événements du soir, aperçut ce drôle d'ange debout près d'une pierre tombale. Familier avec les lieux, le prêtre sut aussitôt que ce n'était pas un personnage de pierre mais bel et bien un être vivant de sexe féminin. Pendant un moment, il crut qu'il pouvait s'agir de Cécile, la servante, venue chercher du réconfort auprès d'un être cher disparu. Il devait savoir si c'était bien elle ou quelqu'un d'autre de la paroisse, ou même un 'étrange'

Et stationna sa voiture dans l'entrée. Et laissa virer le moteur afin de laisser ses phares allumés sans risquer une chute de voltage dans la batterie. Puis descendit et passa la grille en se dirigeant vers le personnage immobile. À peu de distance, l'inconnue se tourna brusquement et le figea sur place. Il ne la connaissait ni d'Ève ni d'Adam. Son image s'imprégna aussitôt dans toutes ses mémoires. Visage encadré par des cheveux charbonneux agglutinés, regard fixe d'yeux brillants, os accusés et pâleur cadavérique : voilà qui ne saurait habiller qu'une âme tordue. Ou perdue.

–Qui êtes-vous ? Que faites-vous donc par ici, mademoiselle ?

La jeune femme ne répondit pas. Mais ses yeux bougèrent à peine. Et un nom glissa sur ses lèvres minces pour atteindre, porté par l'air humide, l'oreille attentive et commotionnée de l'abbé Morin :

–Rose...

Sa mémoire alluma une petite lumière dans l'esprit du prêtre. Il demanda en hésitant :

–Rose... Lafontaine ?

Elle acquiesça d'un faible signe de tête et des yeux.

Le vicaire sut qu'il avait devant lui la possédée de Saint-Évariste. Il l'avait à peine aperçue et de fort loin l'autre matin quand Odilon l'avait ramenée à la gare après sa nuit d'errance de par le cinquième rang et des heures de sommeil à la cabane de Couët. Au moins ne s'était-il rien passé de répréhensible chez le bossu ou bien le malheureux homme l'aurait avoué pendant sa confession du soir même. Les questions se heurtaient, enflaient, explosaient dans la tête de l'abbé. Que faisait-elle là, dans le cimetière de Saint-Léon ? Pourquoi n'avait-elle pas poursuivi sa randonnée nocturne pour se rendre, comme l'autre fois, au fond du cinquième rang ? Mais par-dessus tout, qu'était-elle allée faire là-bas, au pied de la montagne ? Se trouvait-il un élément de réponse dans cette pratique du plus pur paganisme à laquelle se livraient sept des dix couples du cinquième rang ? S'il s'agissait bel et bien d'une possédée, quel démon la poussait à agir les nuits d'orage ? Et seulement, semblait-il, ces nuits profondes ? Mais quoi, Saint-Léon était-il donc une paroisse où fleurissait le chiendent du péché mortel ? Les 'frappeurs', le curé et quoi d'autre encore ?

–Que faites-vous donc ici, à Saint-Léon, si loin de chez vous, mademoiselle Lafontaine ?

–J...

Elle regarda en biais en pleine incertitude.

Le vicaire inquiet pensa que, pour approfondir les choses, le mieux serait de la garder au presbytère pour la nuit. Et s'il devait se manifester un esprit mauvais, il enfermerait la jeune personne dans une chambre sous les combles et lirait devant la porte les prières les plus puissantes d'un rituel d'exorcisme tout en aspergeant les alentours d'eau bénite. Voilà ce qu'il ferait ! Et qu'en dirait le curé à son retour le surlendemain ? C'était à voir. N'avait-il pas confié le presbytère à son subalterne comme chaque fois qu'il s'en absentait pour plus d'une journée ? Et puis, ce n'était pas à fuir le diable qu'on pouvait le mieux le confronter, mais en l'affrontant carrément.

–Désiriez-vous vous rendre chez monsieur Couët, au fond du cinquième rang, comme l'autre soir ?

–Euh !

–Venez avec moi. Venez...

Et pour commencer de sonder la vérité sur elle, le prêtre la toucha au bras. Elle regarda sa main et marmonna :

–J'veux... m'en aller...

–Aller où ?

–À... maison...

–Il est trop tard pour ce soir. Vous allez venir au presbytère et y dormir. Je vous reconduirai chez vous demain matin. Venez, venez...

Il ne perçut chez elle aucune hésitation, pas la moindre insoumission qui aurait pu révéler la présence en son âme d'une entité mauvaise. Elle le suivit docilement et monta dans la voiture dont il venait d'ouvrir la portière. On entendit alors à peine le bruit vague du tonnerre. L'orage grondait ailleurs, sans doute du côté de la Beauce au nord, et ça n'avait plus d'importance, et ça ne parlait de rien comme plus tôt sur la montagne...

Et il la conduisit au presbytère.

Elle le précéda à l'intérieur, et alors vint à l'esprit du vicaire une phrase que lui avait souvent répétée sa mère durant son enfance et sa jeunesse :

"Méfiez-vous des eaux dormantes !"

Comme pour accentuer son inquiétude née de son incertitude, ainsi qu'il l'avait dit aux gens réunis autour du bossu et de sa bête morte un peu plus tôt, le vicaire ne put tirer grand-chose de son invitée. Elle parut se garder de manger les biscuits qu'il mit devant elle à la table, et de boire le lait qu'il lui versa.

–Avant de vous reconduire à votre chambre, je voudrais prier; et vous allez le faire avec moi... si vous voulez.

Elle fit un léger signe affirmatif. Il ferma les yeux pour entamer une dizaine de chapelet. Elle y répondit normalement.

"Méfiez-vous des eaux dormantes !"

Le prêtre y pensa encore et encore en conduisant Rose à la chambre qu'il avait choisie pour elle.

***

Chapitre 2

Le prêtre somnolait. Son être oscillait entre l'état d'éveil et celui du sommeil. Et son esprit courait à travers les fardoches d'un champ interminable. Tout ce qui avait jusque là été sous l'enseigne de l'ordre, de la morale chrétienne, des commandements de Dieu et de la sainte Église avait basculé en quelques jours seulement et se retrouvait en des marais fangeux, dangereux, et pourtant où le chant trompeur des sirènes se faisait entendre. Au séminaire, Moïse avait lu un auteur à l'index, Charles Baudelaire, qui proposait ses noires ***Fleurs du mal***. Et certains poèmes restaient gravés dans sa mémoire malgré tous ses efforts pour les oublier à jamais. Et comme, en ce moment, sa volonté ne pouvait s'exercer à pleine puissance, voici qu'un de ceux-là, appris par coeur à sa première lecture si loin naguère, lui revenait en tête et en bouche. Et il a pour titre ***La cloche fêlée***.

Il est amer et doux, pendant les nuits d'hiver,
D'écouter, près du feu qui palpite et qui fume,
Les souvenirs lointains lentement s'élever
Au bruit des carillons qui chantent dans la brume.

Bienheureuse la cloche au gosier vigoureux
Qui, malgré sa vieillesse, alerte et bien portante,
Jette fidèlement son cri religieux,
Ainsi qu'un vieux soldat qui veille sous la tente !

Moi, mon âme est fêlée, et lorsqu'en ses ennuis
Elle veut de ses chants peupler l'air froid des nuits,
Il arrive souvent que sa voix affaiblie

Semble le râle épais d'un blessé qu'on oublie
Au bord d'un lac de sang, sous un grand tas de morts,
Et qui meurt, sans bouger, dans d'immenses efforts.

Tous les mots, toutes les pauses, tous les sens avaient été exprimés par les sons, les souffles et les silences. Mais alors que se terminait cette récitation involontaire, voici qu'un vacarme fit émerger le prêtre de sa rêverie trop noire et aussi fêlée que le titre du poème effrayant. Cela venait du troisième étage. Quoi, le curé était-il donc revenu à son insu, et voici qu'il bardassait dans son atelier afin de mieux oublier ou bien expier le péché qu'il y avait commis contre Dieu et contre la servante ? On eût dit qu'on frappait sur un mur avec un bout de madrier tant le bruit était sourd et important. Il fallait y voir de près. L'abbé se leva, enfila une robe de chambre noire, des pantoufles mauves et sortit dans le couloir. Alors seulement lui revint en mémoire le souvenir de la possédée et de sa présence sous le même toit que lui.

"Méfiez-vous des eaux dormantes !"

C'est de la chambre de Rose que provenait ce bruit incessant, et c'est contre la porte que l'homme pouvait apercevoir du second étage, que l'on s'acharnait. L'abbé demeura interdit pendant un moment, puis il rentra dans sa chambre et alla y quérir un livre de prières, en fait un livre contenant des phrases rituelles lues lors des séances d'exorcisme. Un froid sourire lui vint, à l'idée d'y trouver une rare et belle occasion de savoir si vraiment cette jeune femme était possédée du diable.

La serrure de la porte de chambre se déverrouillait par une longue clef noire qui se trouvait là, mais à l'extérieur, du côté du couloir. Le vicaire lui-même, en reconduisant Rose, avait changé la clef de place de sorte que la jeune femme ne puisse sortir librement de ce lieu où son soin l'avait confinée.

Il gravit lentement les marches de l'escalier, regard fixé sur la porte quand rien ne l'empêchait de la voir. Son esprit rassemblait toutes ses idées pour n'en faire qu'une seule : exorciser, exorciser, exorciser... Et si aucun démon ne la troublait, l'exercice ne serait pas vain et servirait de prière au ciel, sorte de demande de protection de l'âme de cette pauvre fille couverte par la malédiction.

Et le bruit mat se poursuivait.

Et le prêtre arriva devant la porte.

Et le bruit mat continuait.

Et le prêtre fixa la porte blanche de ses yeux les plus durs.

Et le bruit se répétait.

Et l'exorciste ouvrit son livre.

Et le bruit...

"Guérissez les malades et chassez les démons."

Voilà ce à quoi pensait l'abbé Morin en ce moment. Le Christ l'avait commandé; à lui d'obéir alors qu'il se trouvait à deux pieds joints dans si terrible situation. Et fin seul. Personne d'autre, dans cette grande bâtisse, qu'un démon peut-être et lui, la possédée elle-même étant dépourvue de son âme en ce moment si une entité psychique maléfique s'était bel et bien emparée d'elle. Ce qui lui apparaissait de plus en plus probable.

Fort de l'autorité spirituelle lui venant de Jésus lui-même, et pourtant non autorisé à procéder vu l'absence de permission de son évêque, le vicaire jugea qu'il y avait urgence parce que péril dans la demeure. Puis il se souvint que la dite permission n'était pas requise s'il s'agissait d'un exorcisme privé, ce qui était le cas bien évidemment.

Il pensa qu'il lui fallait non seulement chasser le ou les démons pendant l'exercice et pour la seule durée de la récitation des prières, mais à tout jamais. Libérer Rose Lafontaine, voilà la tâche qui lui incombait, une tâche qui pourrait bien s'avérer glorieuse si les résultats étaient concluants.

Oui, mais il manquait l'étole violette.

Oui, mais il manquait l'eau bénite.

Il fallait commencer sans ça.

Plus tard l'étole, plus tard l'eau bénite.

De sa voix la plus puissante et autoritaire, le prêtre redressé fit tonner les mots:

–Au nom du Père, et du Fils, et du Saint-Esprit. Seigneur Jésus-Christ, Vierge Marie, séraphins, chérubins et autres archanges, anges du ciel et anges gardiens, je vous le demande dans la plus grande humilité, venez assister votre serviteur afin de libérer notre fille Rose Lafontaine de cette possession diabolique... Dieu tout-puissant, venez à mon aide...

Et le vicaire traça plusieurs signes de croix sur son propre corps et sur la porte...

Mais le bruit...

Et l'abbé reprit :

–Esprit malin, je t'ordonne de me livrer ton nom. Quel est ton nom, serviteur de Satan ? Belzébuth est-il ton nom ? Asmodée est-il ton nom ? Es-tu le seigneur des mouches ? Ou bien le seigneur du fumier ?

Mais le bruit...

Pour le mieux sommer, peut-être fallait-il l'assommer. Et quoi de mieux pour cela qu'un psaume contondant ? Le prêtre feuilleta les pages et en trouva un qui pourrait frapper fort. L'abbé Morin, malheur pour lui, ne connaissait pas le rituel de l'exorcisme privé et il improvisait en se disant qu'en cette matière, l'esprit comptait bien plus que la lettre.

Tout était en noir et blanc dans ce couloir aux ombres inquiétantes. La silhouette du prêtre se dessinait, allongée, prolongée par la vertu d'un faible éclairage prodigué là-haut par une ampoule électrique fixée au plafond du couloir du deuxième.

Et le bruit...

–Châtiment du trompeur... Pourquoi te glorifies-tu de ta méchanceté, tyran ? La bonté de Dieu subsiste toujours. Ta langue n'invente que malice. Comme un rasoir affilé, fourbe que tu es ! Tu aimes le mal plutôt que le bien, le mensonge plutôt que la droiture. Tu aimes toutes les paroles de destruction, langue trompeuse ! Aussi Dieu t'abattra-t-il pour toujours, il te saisira et t'enlèvera de ta tente; Il te déracinera de la terre des vivants... Quel est ton nom, démon, quel est ton nom ?

Mais le bruit...

Là, le prêtre fut soustrait à son rituel bricolé, par sa réflexion quant aux symptômes de la possession. Le doute, peut-être insufflé à son oreille par le démon lui-même, revenait le tirailler. Il y a trois symptômes majeurs selon les théologiens les mieux outillés pour comprendre. Un : parler ou comprendre une langue inconnue, phénomène désigné sous le nom de *glossolalie*. Deux : découvrir les choses éloignées et secrètes ou *voyance*. Trois : faire montre d'une force inexplicable par l'habitus physique de la personne considérée, en un mot la *psychokinèse*.

Mais Rose n'avait fait montre encore d'aucuns de ces phénomènes paranormaux. Et si elle ne souffrait que d'hystérie dont les crises étaient déclenchées par un sentiment de frayeur par exemple, comme sa peur de l'orage ? Cela était bien possible.

Et pourtant ce bruit incessant...

Et cette apparition au cimetière, ces yeux perdus, fixes, ces réponses hachurées, torturées...

Mais qui avait dit qu'elle ne comprenait pas une langue inconnue ? Qu'elle était incapable de découvrir les choses éloignées ? Qu'elle ne possédait pas une force bien au-delà de ses forces naturelles ? Il fallait qu'il l'éprouve sur toutes ces choses. Qu'il lui parle en latin. Qu'il la fasse parler du pape. Qu'il tente de la maîtriser, quitte à se faire bardasser, tabasser, casser par le milieu...

Alors il tourna la clef, posa sa main sur la poignée ronde, hésita pendant quelques secondes. Après tout, il n'était pas facile de risquer le pire tandis qu'il pourrait laisser faire, attendre l'aube que la crise de possession soit terminée, puis ramener la jeune femme chez elle. Mais on n'échappe pas à son devoir quand on est prêtre.

Il tira, ouvrit, fut saisi d'effroi.

Figé sur place. Gelé.

Pétrifié à l'exception de son regard qui allait de haut en bas et de bas en haut. Debout dans le clair-obscur, Rose Lafontaine était entièrement nue à deux pas de lui, un gros livre noir à la main, dont elle avait dû se servir pour frapper dans la porte. Les pensées du prêtre se mélangèrent avec ses sentiments. En fait, une pensée générait un sentiment, puis une autre un nouveau. Et cette réaction en chaîne tout à fait désordonnée formait en lui un galimatias inextricable.

Pour un long moment s'envola loin de lui l'idée d'exorciser, de chasser l'esprit du mal. D'ailleurs, le vicaire en oubliait même jusque l'existence du démon. Cette image de la nudité féminine agissait sur lui comme un air doux et chaud qui enveloppe, apaise, caresse...

L'abbé sentit son corps s'ériger fortement entre ses jambes. Et le désir s'empara de ses fibres les plus profondes. Le prêtre disparut bien loin au fond de l'homme. Pensées et sentiments entremêlés s'évaporèrent pour ne laisser en lui que la nature animale demandante. Sa propre chair lui menait le diable. Et continuait de s'ériger sous son noir vêtement de nuit. C'est alors que certains parmi ceux qu'il avait invoqués vinrent à son aide comme il l'avait voulu. En tout cas avait-il tout lieu de le croire puisque, tout à coup, l'image d'un démon hideux vint se superposer sur celle de Rose. Et l'abbé alors mit son livre de prière devant ses yeux pour ne plus voir la tentation et la punition. Puis, sans attendre, il rouvrit le livre et lut un bout de texte en latin pour sonder la 'possédée' :

–Deus, in adjutorium meum intende... Domina, ad adjuvandum me festina...

Ce qui voulait dire : "Ô Dieu, venez à mon aide. Hâtez-vous, Seigneur, de me secourir."

Le résultat obtenu ne fut pas celui qu'il attendait. Il espérait une injure en guise de réponse, une phrase impie et blasphématoire, mais la femme resta muette. Seul le bruit d'un liquide qui frappe le plancher se produisit. Le prêtre vit que Rose était en train d'uriner par terre. Il fixa son regard médusé sur ce tourbillon qui s'échappait de cet endroit intime entouré d'une toison noire. Et le fluide s'échappa encore et encore. Et s'arrêta enfin.

La voilà, la réponse du démon, songea-t-il. Pire peut-être qu'une phrase impie et blasphématoire, le Malin avait forcé celle qu'il possédait à s'emparer de l'attention de son ennemi le prêtre présent qui cherchait à le chasser.

Mais la réponse du diable alla encore plus loin. Rose tourna les talons et se rendit au lit où elle s'étendit en se contorsionnant. Attaqué une fois de plus dans sa libido, le prêtre oublia sa mission, oublia le démon, oublia la possession, et ne songea plus qu'à l'excitation, à son irrésistible envie de la rejoindre, de la toucher, de la pénétrer jusqu'à son coeur... Puis il eut un regain de lucidité. Le combat lui sembla trop ardu, perdu s'il ne battait pas en retraite. Peut-être que ses armes n'étaient pas assez bien fourbies et variées pour avoir raison du succube. Il se devait de courir prendre son étole violette et de l'eau bénite...

Ce fut pour lui une course que son instinct lui disait être une course contre la montre. L'une des chambres du presbytère comportait un placard plein de vêtements liturgiques destinés aux prêtres visiteurs; c'est là, au second étage, au fond, que le vicaire courut pour quérir une des deux armes de destruction massive des mauvais esprits. L'autre, il la prendrait simplement dans sa propre chambre où se trouvait un bénitier fraîchement rempli d'eau neuve.

Mais quand, armé jusqu'aux dents, il fut de retour à la chambre de la possédée, Rose avait remis tous ses vêtements et elle achevait d'essuyer le plancher de bois verni à l'aide d'un chiffon qu'elle avait trouvé quelque part dans un tiroir de commode.

Aussitôt, l'abbé songea à un autre stratagème de la malebête qui voulait mieux camoufler sa présence en ces lieux pour lui mal accueillants. Il plongea sa main droite dans le bénitier qu'il avait apporté et aspergea la malheureuse de cette eau "qui chasse le démon mieux à son aise dans les flammes de l'enfer".

Rose, qui avait levé les yeux à la survenue du vicaire, finit de nettoyer le parquet de l'urine qu'elle y avait déversée, puis se remit sur ses jambes.

Le prêtre songea que les possédés, quand ils émergent d'une crise, ne se rappellent pas de ce qui s'est produit. Il la questionna :

–Sais-tu qui je suis, Rose Lafontaine ?

–N... un prêtre.

–Quel prêtre ?

–Sais pas.

–Sais-tu où est-ce que tu es ici ?

–N... non.

–Dans un presbytère.

Elle regarda tout autour comme si de rien n'était. L'abbé comprit qu'elle avait tout oublié, souffrant, elle aussi, de l'amnésie de la possession diabolique.

–Où est-ce que tu vis, Rose ?

–Chez nous.

–Et c'est où ? Dans quel village ?

–Saint-Évariste.

–Et tu as quel âge, Rose ?

–Ben...

Il y avait en elle la grâce pure et la spontanéité de l'enfance. Ça aussi, le prêtre le perçut. Et voilà qui renforçait considérablement ses doutes. "Satan se déguisera en ange de lumière pour mieux tromper les hommes," disait le saint Évangile.

Le visage de Rose, maintenant qu'il était mieux animé, apparaissait d'une grande beauté froide mais si triste. Et aucune lueur de méchanceté n'émanait de son regard profond, noir plus que la nuit. Difficile de croire qu'une entité maléfique pût s'emparer d'elle les grands soirs d'orage. Qui sait, peut-être n'était-elle rien d'autre qu'un Nelligan au féminin ? On l'avait trouvé, lui aussi, le poète génial à demi-fou dans un cimetière, et interné à Saint-Jean-de-Dieu où il vivait dans une espèce d'état catatonique permanent quand ce n'était pas extatique depuis le début de ce siècle.

Durant ses études, le séminariste Moïse Morin avait été profondément touché par la misère morale du poète morbide. Il lui revint en tête son goût du macabre comme dans son poème le cercueil, et un quatrain s'inscrivait dans le miroir de sa mémoire :

"*Et là, longtemps je suis resté, le regard fou,*
Longtemps, devant l'horreur macabre de la boîte;
Et j'ai senti glisser sur ma figure moite
Le frisson familier d'une bête à son trou."

Nelligan aussi était capable d'exprimer les joies pures de son enfance et toute sa tendresse de cette époque comme dans *Devant deux portraits de ma mère* :

"*Mais, mystère de coeur, qui ne peut s'éclairer !*

Comment puis-je sourire à ces lèvres fanées ?

Au portrait qui sourit, comment puis-je pleurer ?"

Et voilà qu'en passant par l'hypersensible personnalité de Nelligan, l'abbé Morin revenait quasiment à la case départ en se demandant si Rose était atteinte de possession diabolique ou bien simplement de maladie mentale ? Tout indiquait l'une; tout indiquait l'autre.

Il ne dit plus rien, cessa d'interroger et se contenta d'un signe de tête en direction du lit voulant signifier : retourne te coucher. Puis il referma la porte sans la verrouiller et reprit le chemin de sa chambre à l'étage inférieur.

Sa nuit de prêtre fut terriblement agitée.

Sa nuit d'homme plus encore.

Comme Nelligan devant deux portraits de sa mère, l'abbé Morin oscillait devant deux images de Rose Lafontaine : celle où il l'avait vue nue dans toute sa féminité diabolique et celle où il l'avait vue dans sa pleine grâce juvénile expurgée de la moindre trace de péché quel qu'il soit.

Le ciel vint à son aide pour lui donner un minimum de repos quand son corps fut libéré par une pollution nocturne apaisante. Cela survint quand, dans son demi-rêve, il lui fut donné de revoir la jeune femme en train d'uriner sur un des plus beaux parquets du presbytère...

Au petit jour, il se rendit à la chambre de Rose. La jeune femme était debout, bien vêtue, devant la fenêtre, et le soleil du matin faisait briller sa chevelure.

Elle parla la première :

–C'est où ici ?

–Le presbytère de Saint-Léon. Et je suis le vicaire Morin. Je vais te reconduire chez toi à Saint-Évariste. Nous allons partir tout de suite pour ne pas que les gens nous voient et se fassent des idées, vu que monsieur le curé est absent.

Rose se tourna. Son regard interrogeait. Elle ne comprenait pas beaucoup ce que voulait dire le prêtre. Mais elle avait l'habitude de ne pas comprendre ce que les gens d'âge adulte disaient. Et se contentait d'obéir. Elle se savait autrement des autres depuis sa tendre enfance et se laissait vivre autrement. On l'avait battue souvent. Enfermée souvent. On la cachait quand il venait de la visite. On la soustrayait de tout ce que faisaient les autres du même âge. Ses quelques années à l'école, elle les avait passées seule dans un coin de la classe, seule dans un coin de la cour de récréation, seule sur le chemin du retour à la maison. Et quand on avait cessé de se moquer d'elle et de la bousculer, ça avait été pour la craindre et la fuir. Cela s'était produit à cause d'une rumeur répandue sur elle quand elle était en cinquième année, voulant qu'elle soit possédée du diable, rumeur qu'elle-même avait toujours ignorée, et qui s'était transformée en vérité certaine pour la plupart des gens non seulement de Saint-Évariste mais de toute la région.

–Viens, partons. J'ai apporté un peu de nourriture : on va manger en chemin. Viens, partons.

Elle le suivit docilement.

Ils se rendirent au petit hangar blanc servant de garage aux automobiles des prêtres. Il l'y fit entrer par la petite porte et monter à l'arrière de la voiture. Puis ouvrit la grande porte et recula la Ford qui prit le chemin du presbytère entre les arbres jusqu'à la rue principale. Il lui fallait se rendre à Saint-Évariste et revenir pour dire sa messe de six heures et demie. Pas une minute à perdre !

Arthur Maheux était à mettre ses culottes quand la voiture passa devant chez lui. Le jeune homme avait l'habitude en se levant de se mettre devant la fenêtre pour regarder ce coeur de village encore endormi en se disant que l'avenir appartient à ceux qui se lèvent tôt.

Il se mit à rire tout fort dans la chambre, et sa femme endormie ouvrit les yeux.

–J'viens de voir passer le vicaire. Y avait quelqu'un avec lui en arrière. Une femme, c'est 'cartain'. Des ch'feux noirs comme du charbon. Ça sera quelqu'un qui se sera échoué au presbytère durant la nuitte...

–Couche-toi donc encore une p'tite demi-heure qu'on se repose un peu, Arthur.

–J'pense que j'aurais une ben meilleure idée que ça, moé... Après tout', on a ben assez dormi comme c'est là...

Et il ricana d'une autre façon.

***

Chapitre 3

Le prêtre ignorait où se trouvait la résidence des Lafontaine à Saint-Évariste. Sans doute que Rose la lui désignerait quand on atteindrait le village. Le moins de gens pour voir la 'possédée' voyager dans la 'machine' d'un prêtre, le mieux ce serait pour tout le monde.

Ce fut d'un silence total dans la voiture depuis le presbytère de Saint-Léon jusqu'à la traverse à niveau de Courcelles. Là, le vicaire stoppa sa voiture et proposa à sa voyageuse de manger un peu de ce qu'il avait apporté. Elle refusa. Il insista :

–Il faut que tu manges, c'est le matin.

–J'ai pas faim, dit-elle, la voix blême.

–Rien qu'une moitié de sandwich là. C'est du bon pain de ménage avec des oeufs à la mayonnaise.

–N... non... Merci.

–Bon, je vais prêcher par l'exemple et manger un peu. Est-ce que tu voudrais de l'eau, Rose ?

–Non.

Alors le prêtre se retourna vers l'avant, mangea, but en songeant que si le diable était en elle, il ne pouvait accepter qu'elle se nourrisse d'aliments que lui présenteraient des mains habilitées à administrer les sacrements du baptême, de la pénitence, de l'eucharistie, de la confirmation, du mariage, de l'extrême-onction...

Le Malin ne saurait même pas mordre la main qui le nourrit, puisqu'il refuse toute nourriture touchée par des mains consacrées. C'est sans doute la raison pour laquelle il créait dans l'estomac de la jeune femme l'illusion de la satiété. Mais s'il s'agissait d'un épuisement presque total chez elle, qui requérait du repos et non pas quelque chose à se mettre sous la dent ?

Pressé par le temps, le vicaire n'en prit que peu pour se sustenter, puis il remit la Ford en route vers la demeure de Rose. Et il n'eut aucun mal à la trouver, puisque la jeune femme le guida dès leur entrée dans le village.

Devant la porte, il n'hésita pas une seconde à se montrer et descendit de voiture. Puis fit descendre la jeune fille et se rendit frapper. On lui ouvrit presque aussitôt. C'était une femme au regard profondément triste, à la chevelure poivre et sel, ni grosse ni grande, et dont le visage rappelait assez nettement celui de sa fille possédée. Donc sa mère ou bien une parente proche.

–Je suis le vicaire de Saint-Léon. J'ai retrouvé Rose dans notre cimetière tard hier soir. Je l'ai recueillie à notre presbytère. Et je vous la ramène ce matin.

–Vous êtes bien bon, monsieur le vicaire.

–Je n'ai fait que ce que mon devoir me commandait de faire.

–Des fois, quand elle fugue, elle doit revenir à pied.

–Quoi, ça lui arrive souvent de quitter la maison au beau milieu de la nuit ?

Pour le moment, la femme ne voulut pas en dire davantage. Elle demanda à sa fille d'entrer :

–Et va dans ta chambre, je vas aller te voir. Couche-toé pis repose-toé, là.

Rose disparut en silence et l'on n'entendit rien, pas même le bruit feutré de ses pas quand elle gravit l'escalier menant au second étage de la maison.

–Je suis pressé, je dois retourner pour l'heure de ma messe du matin, mais... je peux vous poser deux ou trois questions ?

La femme eut l'air de s'impatienter :

–Vous voulez savoir si elle est possédée du diable ?

Le prêtre bredouilla devant une question aussi directe mais remplie de reproche :

–Pas tout à fait... Est-ce que ça lui arrive souvent de partir au loin comme ça ? Elle est venue deux fois dans quelques jours à Saint-Léon.

–Je l'sais, je l'sais. Elle connaît le bossu Couët pis elle s'est réfugiée là l'autre jour. Pis hier, c'est peut-être là qu'elle s'en allait itou.

–Non, je l'ai trouvée au cimetière, toute mouillée par l'orage, devant une pierre tombale.

–Pas surprenant non plus ! C'est certainement la pierre tombale de sa grand-mère, une personne qui en a pris soin souvent quand elle était petite.

–Ça, j'ignorais.

–C'est comme ça, monsieur le vicaire...

–Morin. Moïse Morin... Mais... pourquoi aller chez monsieur Couët ?

–C'est deux êtres à part, monsieur le vicaire, et ils doivent se comprendre d'une manière qu'on peut pas comprendre nous autres.

–Pensez-vous ?

–Pouvez-vous m'expliquer ça autrement ?

–Et ça lui arrive souvent de partir ainsi ?

–Deux ou trois fois par été. C'est l'orage qui a l'air de lui parler. La peur du tonnerre, sais pas trop. Le docteur dit que ça pourrait être ça. Mais... ça pourrait être le démon qui l'appelle itou.

Voilà qui révélait que la mère et sans doute aussi le père croyaient en la possibilité d'une possession diabolique. Ils devaient donc détenir bien plus d'indices que ceux auxquels le vicaire pensait et se référait. Il lui fallait interroger plus en profondeur.

Ils étaient dans la porte, elle à l'intérieur et lui resté dehors dans un matin doux et humide. Pas grand-chose ne rapprochait cette femme vieillissante accablée par la vie et ce jeune prêtre qui, en plus d'administrer les sacrements, se croyait habilité aussi à changer le monde afin d'en faire un nouveau dit meilleur. Quelle sorte de mari pouvait-elle avoir et qui était ce père de Rose ? Réponse lui fut faite aussitôt par une voix masculine, rauque et lancinante, qui semblait cachée dans l'ombre :

–C'est qu'il veut savoir, le curé, à matin, là, lui ?

–Pourquoi c'est faire que Rose visite le bossu Couët.

–Ça... c'est de ses affaires, si elle pense qu'il faut qu'elle se rende là.

Le vicaire imprima de l'autorité à sa voix :

–Tous ceux qui viennent dans notre paroisse de Saint-Léon, ça nous regarde, nous, les prêtres de l'endroit.

–Agathe, ferme ça, c'te porte-là, là... Que le curé s'en retourne dans sa paroisse !

L'abbé lança :

–Monsieur Lafontaine, je ne suis pas curé, je suis vicaire. Et si je cherche à comprendre, c'est pour aider.

–C'est toujours ça qu'ils disent, ceuses-là qui veulent nous contrôler. La Rose, est-il possédée, est-il pas possédée, ça, on le sait pas 'parsonne'. Ce qui est 'cartain', c'est qu'elle fait pas de mal à 'parsonne'...

–Ce sont justement ceux-là que le démon cherche à posséder... à s'emparer de leur âme, de leur esprit, de leur coeur, de leur corps, de tout l'être...

Slam !

La porte fut refermée avec violence à la face de l'abbé qui eut du mal à contenir sa colère. Il cria à travers la porte :

–C'est pas comme ça que vous allez aider votre fille, monsieur Lafontaine.

Il lui fut répondu avec la même force :

–C'est les curés les premiers qui disent qu'elle est possédée. C'est pas eux autres qui vont nous aider. C'est eux autres qui nous nuisent. Sacrez votre camp par chez vous pis ça presse.

–Bonne journée, monsieur Lafontaine. Bonne journée, madame à vous également !

Il lui fut répondu par deux silences concomitants et définitifs, et le vicaire retourna à son véhicule, puis repartit vers sa messe à dire. Une fois de plus, il se retrouvait à la case départ, hésitant entre la certitude et l'inquiétude. Par moments, il aurait juré que Rose était possédée; par d'autres, sa conscience était harcelée d'interrogations. Comment donc savoir ? Comment donc être bien sûr ? Ce n'était pas à lui de faire enquête, mais bien aux prêtres de Saint-Évariste. Il entrerait en contact avec eux quand cela lui serait possible...

Quand il fut de retour au presbytère après avoir garé sa voiture dans le garage, il tomba dès le vestibule nez à nez avec la servante qui se faisait matineuse ce jour-là, ce qu'il lui fit remarquer :

–De bonne heure, Cécile, ce matin ?

–Me suis levée aux aurores.

–Ah bon ! Comme tous les jours ou bien est-ce exceptionnel ?

–De coutume, je dors un peu plus tard.

Le prêtre comprenait que la femme voulait lui parler. Le

ton de sa voix trahissait son inquiétude profonde. Elle savait le curé absent et en profiterait pour révéler peut-être les avances qu'il lui avait faites dans l'atelier de menuiserie.

Qu'elle le fasse dans le cadre de la confession ! songea le vicaire aussitôt. Et il invoqua l'heure pour se dérober :

–Vous m'excuserez, je dois aller dire ma messe.

–J'voudrais ben vous parler avant que monsieur le curé revienne.

–Mais fort bien ! Il doit revenir de Québec au cours de l'après-midi. Entre-temps, nous aurons la possibilité de nous entretenir. Je serai là toute la journée, bien sûr à moins d'une urgence quelque part au fond d'un rang.

La froideur du ton, l'indifférence que le vicaire fabriquait et servait à Cécile enfoncèrent la jeune femme dans son profond désarroi. Elle regrettait déjà d'avoir voulu se confier à l'abbé Morin. La comprendrait-il ou bien l'accuserait-il ? En pareille matière de la sexualité, si le pécheur était le plus souvent l'homme, l'occasion de pécher était le plus souvent la femme. Malheur à celui (ou celle) par qui le scandale arrive !

Elle songea un moment à se confesser. Puis se ravisa. Comment pourrait-il utiliser ce qu'elle lui dirait alors ? Il serait lié par le secret de la confession. Elle le prévint :

–C'est pas pour me confesser, là, c'est pour vous apprendre quelque chose.

Il la regarda droit dans les yeux, conserva sa mine de glace, ajouta un petit signe d'acquiescement incertain par sa tête en biais :

–Comme je vous l'ai dit : on aura du temps aujourd'hui, tout le temps qu'il faut.

–Merci, monsieur le vicaire !

Il tourna les talons et se hâta de se rendre dans son bureau quérir une note contenant son agenda du jour. Il y ajouta un grand malade à voir dans le troisième rang. Au fin fond du troisième rang. Voilà qui lui permettrait de s'éclipser et de ne pas répondre au voeu de Cécile qui, certainement, voulait se plaindre du curé.

*

Quand elle se rendit compte qu'elle ne pourrait pas rencontrer le vicaire avant le retour de l'abbé Lachance, la servante se rendit chez le docteur Arsenault. Mais à lui, elle ne pouvait parler que de fatigue, que de lassitude. Il ne se rendit pas compte de sa misère morale. Ils étaient rares, les médecins, à fouiller l'âme de leurs patients pour y trouver la cause des maux physiques dont ils se plaignaient.

Il lui présenta une petite fiole :

–Ce p'tit remède-là, ça va vous enforcir. Prenez-en une cuillerée à table matin et soir. Et revenez me voir dans... disons trois semaines.

Elle remercia, paya et partit.

Cécile Bilodeau se sentait seule ce jeudi-là...

***

Chapitre 4

C'est à Dieu et à personne d'autre que le vicaire faisait confiance pour régler la question des 'frappeurs' et surtout, et d'abord, celle de l'attitude du curé envers cette pauvre mère de famille qui ne savait plus où donner de la tête et devait craindre comme la peste noire d'autres avances de ce prêtre revêtu non seulement de son autorité de pasteur de la paroisse mais aussi de celle de patron de Cécile Bilodeau.

Il s'esquiva donc et fit en sorte de ne plus croiser la servante avant le retour de son supérieur ecclésiastique. Et quand, plus tard en milieu de jour, le vicaire revint du troisième rang, l'abbé Lachance, lui, était au presbytère après son voyage à Québec. Quant à Cécile, une fois son ménage terminé, elle avait quitté les lieux et ne reviendrait que vers les quatre heures de l'après-midi pour commencer d'apprêter le repas du soir.

–Vous avez fait bon voyage ? demanda l'abbé Morin qui s'était penché dans la porte ouverte du grand bureau de son curé.

–Excellent !

–J'en suis fort aise.

–J'ai quelques lettres à écrire, je vous raconterai plus tard si vous voulez.

–À votre guise !

Et le vicaire retraita, puis revint dire, l'air en réflexion profonde :

–Y a madame Bilodeau qui voulait me parler ce matin. Je ne sais pas s'il y a un problème quelconque. C'est sûrement en rapport avec son ouvrage ici...

Le curé coupa sèchement :

–Je m'en occupe. Je m'en occupe.

L'abbé Morin avait pris la décision de livrer ce petit message d'apparence anodine à son supérieur afin de le mettre sur ses gardes et peut-être l'empêcher de se livrer de nouveau à du harcèlement auprès de la servante. Mais il n'irait pas plus loin dans cette direction. À moins que les choses ne s'aggravent sérieusement...

*

Maintenant, il devait s'atteler à cette affreuse affaire des 'frappeurs'. Étouffer dans l'oeuf ces folies infernales déjà pourfendues par la foudre aux dépens d'une victime innocente : le cheval du bossu. Il téléphona à Hilaire Morin, celui qu'il devinait être le meneur de ce jeu hautement condamnable pratiqué depuis peu dans le cinquième rang. Et s'il devait naître d'autres bossus, d'autres infirmes, d'autres mal formés qui s'ajouteraient à ceux, rares mais réels, que la paroisse comptait déjà ? C'est dans la troisième génération que cela risquait de se produire, donc dans les années 50, 60, mais c'est dès maintenant qu'il fallait empêcher cela. Et puis là n'était pas la grande préoccupation du prêtre. C'est aux âmes qu'il songeait d'abord et surtout. À l'enfer qui les guettait. On ne pouvait classer l'échangisme comme un péché contre nature certes, on ne pouvait pas le mettre au rang de la sodomie, mais la damnation éternelle n'en serait pas moins le funeste salaire.

Par contre, le vicaire était profondément troublé par cette histoire invraisemblable. Elle remuait, secouait fortement sa propre chair. Accélérait les battements de son coeur. Mais il n'aurait pas pu s'imaginer, comprendre qu'il était l'objet de la tentation. Cette éventualité ne lui venait pas en tête. Le plus ardu pour l'heure, c'était de vouloir intervenir sans violer le secret de la confession, sans utiliser les aveux du bossu contre les 'frappeurs'.

–Madame Blanche ?

–C'est moi.

–Hilaire est disponible ?

–Il arrive de l'étable : je vous le passe.

–Merci !

–Allô !

–C'est l'abbé Morin.

–Je voulais justement vous parler.

–Ah bon ?

–Ben oué, on veut se réunir à soir, plusieurs du rang icitte, pour une partie de... une partie de cartes pis d'autres p'tits jeux... On a pensé vous inviter à vous joindre à nous autres. C'est que vous en dites ?

–Ce soir, ce n'est pas possible.

–Demain d'abord.

–Non plus.

–Samedi soir ?

–Là, oui, ce serait possible, je le crois.

–On va aller su' Romuald Rousseau tout le rang... quasiment tout le rang. L'autre jour, vous nous avez dit que c'est pas parce que c'est la crise qu'il faut 'brailler' comme des veaux, ben c'est ça qu'on fait.

–Ah oui ? Pourvu que vos amusements soient de sains amusements.

–Saints, j'dirais pas tant que ça...

–J'ai bien dit 'sains' sans T... s, a, i, n, s... sans T... Au sens de santé pas de sainteté.

–Ah, j'comprends, là ! Mais, venant d'un prêtre, on s'attend tout le temps à ces mots... ben 'saints'.

–Un prêtre a l'avantage d'être aussi un homme.

–Y a rien de plus certain ! Ça fait qu'on va pouvoir compter su' vous pour samedi soir ? À huit heures, on va se r'trouver...

–Chez monsieur Rousseau, à huit heures samedi soir. J'y serai, j'y serai.

Après quelques autres mots d'usage, le téléphone fut raccroché de part et d'autre. Dès lors, tout le rang, qui avait écouté sur la ligne, savait qu'il y aurait réunion chez les Rousseau non pas ce soir-là mais bel et bien samedi. Hilaire pensa qu'il faudrait inviter tous les couples, depuis les Goulet du bord du rang jusqu'aux Martin du fond, et pas seulement les échangistes. D'autre part, il était requis qu'un des maris soit absent parmi les trois couples non 'frappeurs', donc les Goulet, ou les Poulin, ou les Nadeau.

Lequel choisir et comment l'évincer ?

Hilaire ne fut pas long à débattre avec lui-même et à trouver que, pour le succès du jeu qu'il avait en tête et de la soirée du samedi, l'homme à ne pas voir chez les Rousseau était Maurice Nadeau. Hilaire, fin observateur, n'ignorait pas l'intérêt que la Marie-Jeanne portait au vicaire. Son teint, sa voix, sa gestuelle, tout en elle se modifiait quand elle se trouvait en sa présence. Il avait été à même de le constater une fois de plus le jour du mariage d'Armoza.

Le comploteur avait besoin d'un complice. Et le complice à recruter ne se trouvait pas ailleurs que sous son toit. Les sourires allusifs de son père, ses propos à peine voilés, tout laissait croire que le vieillard en savait plus long, bien plus long sur l'existence des 'frappeurs' et de leur pratique de l'échangisme que ses paroles prises au pied de la lettre ne le révélaient. La source de tout ce branle-bas charnel n'était autre que lui, le père Théodore, qui avait lancé l'idée en y mettant assez de conviction pour qu'on la prenne au sérieux et qu'on en débatte entre partenaires de couples. Le temps était peut-être venu de l'inviter à participer à sa façon à cette pratique dont il avait été l'instigateur, le premier promoteur.

–Le pére, je voudrais vous parler de quelque chose.

–Ben parle, mon gars, parle !

C'était le matin suivant sur la galerie arrière de la maison. Tous les jours, après son déjeuner, le vieil homme allait s'asseoir là sur la plus haute marche de l'escalier et il y fumait sa pipe en promenant parfois son regard sur le panorama lointain qui comprenait comme pièces principales la montagne de la *Craque* et une parcelle du lac *Miroir*. Et puis, le vieillard regardait aussi une tranche ou une autre de sa vie pour se complaire dans la satisfaction du travail accompli et parfois dans le regret des occasions manquées.

–Je compte que vous allez pas vous choquer après moé.

–Se choquer, c'est aisé, mais se 'déchoquer', c'est ben compliqué. Si j'veux pas avoir à me déchoquer, j'ai rien qu'à pas me choquer.

Hilaire descendit au pied de l'escalier et se pencha en avant après avoir arc-bouté son pied droit deux marches plus haut.

–En réalité, j'aurais besoin de votre aide.

–J'vois pas en quoi j'peux t'aider. La terre est à toé. Il me reste rien qu'un peu d'argent pour me faire enterrer.

–Disons que j'cherche à me débarrasser de quelqu'un...

–Ben là...

–... pour une couple d'heures samedi soir.

–Bon...

–Pis peut-être que vous pourriez m'aider.

–Pourquoi c'est faire que tu veux te débarrasser de quelqu'un ? D'abord, c'est qui ?

–Maurice Nadeau...

–Bah ! c't'homme-là, on peut le mener par le boutte du nez. Sa femme fait tout ce qu'elle veut avec lui. Une vraie mitaine pas de pouce !

–Je m'en vas tout vous dire, mais vous devrez emporter ça dans le tombeau avec vous.

–Mon pauvr' gars, sus déjà dans l'tombeau.

–Ben... un mort, ça fume pas la pipe.

–Parle...

–Ben... l'autre jour, vous avez dit devant le bossu des affaires que le bossu a répandues dans le rang ensuite. Odilon Couët a dit, lui, que la femme d'un autre, c'est à l'autre, pis là, vous avez dit ... "*Ça, c'est une ben ben mauvaise idée ! Pourquoi c'est faire que de temps en temps, un homme irait pas faire une p'tite virée dans le clos du voisin histoire de goûter l'herbe ? Pis en r'tour, il dirait au voisin d'aller faire une p'tite virée dans le sien, hein ? Ça serait, comme ils disaient au temps de Laurier, de la réciprocité. Ah, la religion catholique, elle défend ça, mais la religion catholique, elle défend tout'. Tout' c'est qui s'rait plaisant à faire... C'est une religion qui prêche la misère.*"

–Ah, j'me rappelle ben comme il faut d'avoir dit ça, fit Théodore avec un sourire bourré de malice plus que sa pipe ne l'était de tabac. Pis j'me demande si l'idée a pas fait des p'tits. Hein, Hilaire, c'est que t'en dis ? C'est pas moé qui en ferai le reproche à 'parsonne', là, ben entendu...

Hilaire ne put réprimer un sourire :

–Ben oué... L'idée a fait des p'tits. Il s'est passé des choses dans le rang ces derniers jours.

–Malheur à celui-là par qui le scandale arrive ! Malheur à moé ! ironisa le vieux personnage.

–Vous avez pas l'air à voir de péché là-dedans, vous.

–Non, pantoute. Pis toé non plus, autrement t'aurais pas embarqué là-dedans.

Hilaire rougit jusqu'aux yeux et fut sans voix pour un moment. Son père reprit :

–Vous avez commencé ça avec Pit Roy pis sa femme. Pis ensuite avec les Paré, les Martin, les Pépin... J'sais pas tout' c'est qui s'est passé, mais il s'en est passé pas mal. Même que vous êtes allés su' la montagne pour faire j'sais pas trop quoi.

–On vous l'a dit.

–Vous m'avez pas tout dit. T'as dit à table que vous êtes allés là pour fraterniser... mon oeil. Mais le vicaire pis l'orage se sont montrés le grand nez. Pis le poney du bossu s'est fait j'ter en bas de la montagne par le tonnerre. Là, ça me surprendrait pas que le vicaire parle de malédiction à cause des péchés du monde.

–Vous avez l'air de tout deviner, là, vous.

–Pas dur à 'diviner'...

Et le vieil homme cracha à distance avant de remettre sa pipe entre ses lèvres amincies par les années. Quand c'est qu'on travaille pas pis qu'on a rien qu'à r'garder faire les autres, on 'divine' ben des affaires.

–Bon... mettons que c'que vous dites est la vérité, on veut prouver au vicaire qu'il se passe rien de mal dans le cinquième rang.

–Peut-être pas mal pour vous autres, mais mal pour eux autres. Les prêtres pis la religion, ça fait leur affaire quand les 'gensses' souffrent. Pas mal plus aisé de contrôler quelqu'un qui souffre qu'un autre qui a du plaisir, pis de la santé, pis de la vie dans l'corps... Bon, dis-moé c'est que j'peux faire pour vous aider à prouver au vicaire que vous vous amusez...

–Sans offenser les moeurs. C'est lui-même, le vicaire, qui a dit qu'il fallait pas arrêter de rire parce que c'est la crise.

–Servez-vous de ça, de c'qu'il a dit... Mais, pourquoi que le Maurice Nadeau doit pas être en quelque part.

–On organise une soirée samedi soir su' Romuald Rousseau. On va s'amener à manger. Tous les couples du rang. Pas rien que les 'frappeurs'... Là, j'vas vous dire qu'on s'appelle les 'frappeurs', ceuses-là qui...

Et Hilaire exposa toute la vérité ainsi que son plan pour le samedi soir. On monterait une table longue dans la grange de Rousseau. Chacun aurait son manger. On prendrait un repas avec le vicaire pour invité d'honneur. On se cotiserait pour acheter un cheval au bossu. Ensuite, on s'adonnerait à un jeu de société : une chasse au trésor. Et le prêtre formerait la paire avec Marie-Jeanne Nadeau, puisque tous les autres couples du rang resteraient appariés.

–Comme ça, le vicaire va s'amuser autant que nous autres au même jeu.

–Sus fier de toé, mon gars. Ben fier de toé. Ça, c'est un plan qui va marcher. La Marie-Jeanne, les yeux y changent quand elle r'garde le vicaire. Je m'en vas m'arranger pour vous débarrasser de Maurice. Pis la Marie-Jeanne, elle demandera pas mieux d'aller à votr' réunion tuseule, sans son mari. Moé, je vas l'occuper. C'est ça que tu voulais ?

–En plein ça ! Vous avez tout compris, le pére. De quelle manière que vous allez vous y prendre ?

–Je vas y d'mander un accès au lac.

–On en a déjà un par le haut de la terre à Francis Pépin.

–Oué, mais on a pas large. Tandis que par la terre à Maurice, ça serait mieux. On va aller marcher le haut de la terre samedi soir après souper. Comme ça, il pourra pas être avec vous autres su' Rousseau.

–Mais... êtes-vous capab' de marcher une terre, vous ?

–On va monter dans le haut en boghei, pis là, on va marcher dans le trécarré. Pis le vicaire, comme on dit, roulez-le ben comme il faut dans la farine. Jusqu'aux yeux si faut...

–C'est en plein ça que j'ai pensé de faire.

–Maudit que j'chu donc content ! Mais y a une affaire...

–Quoi c'est ?

–Tout d'un coup que le vicaire, il sait pour les 'frappeurs', il sait que vous changez de femme ?

–J'vois pas pantoute comment il aurait pu le savoir ?

–Un ou une de vous autres qui aurait pu se confesser. Tu sais que l'autre moyen de contrôle pris par la religion, c'est la confession.

–J'pense pas. Ça serait la grande surprise de ma vie. Tout le monde était satisfait de ce qui arrivait. J'ai pas senti de remords en 'parsonne' en tout cas.

–C'est la peur qui enfante le remords.

–Justement, on est quatorze dans le groupe pis 'parsonne' a l'air d'avoir peur. Tout le monde est content jusqu'asteur.

Il fut ensuite décidé que Hilaire appellerait Marie-Jeanne pour inviter le couple à la soirée de plaisir du samedi, qu'il lui mentionnerait la présence du vicaire et lui donnerait un petit aperçu de ce qui se passerait. Puis, quelques heures plus tard, Théodore téléphonerait à son tour à Marie-Jeanne pour lui parler du droit de passage et demander que Maurice l'accompagne dans le haut des terres samedi après souper. Elle enverrait sûrement son mari, poussée à le faire pour deux bonnes raisons...

Cela eût été un plan complètement tiré par les cheveux si on avait eu affaire à un autre couple, mais, les Nadeau étant ce qu'ils étaient, ça avait toutes les chances de marcher.

Et ça réussit !

***

Chapitre 5

–Mon cher vicaire, malgré moi, je vous ai entendu parler au téléphone tout à l'heure. Je vois que vous acceptez de vous rendre à une soirée de... divertissement dans le cinquième rang samedi soir. Peut-être qu'il aurait été indiqué que vous m'en parliez avant non seulement d'accepter cette invitation, mais d'en suggérer le moment comme vous l'avez fait, ainsi que j'ai été à même de l'ouïr.

Le curé se tenait debout, noir, le front assombri, le regard durci, dans l'embrasure de la porte du bureau de l'autre prêtre de la place.

–Monsieur le curé, tout de même, je ne peux pas vous rendre compte de chaque détail de mon propre ministère. Vous seriez le premier à vous en fatiguer.

–Le ministère d'un vicaire n'est rien de plus que celui de son curé. Il est son bras droit, son adjoint, son... je dirais même son serviteur. Oui, oui...

L'abbé Morin se leva dans un brusque sursaut de protestation :

–Monsieur le curé, avec tout le respect que je vous dois, je pense là que vous exagérez un peu. Il y a des temps libres qui n'appartiennent qu'à moi seul.

–Vous venez d'affirmer que cette soirée de... plaisir fait

partie de votre ministère.

–C'était là une façon de m'exprimer.

–Savez-vous, je n'en crois rien. Je crois que vous me cachez la vraie raison qui vous conduira dans le cinquième rang samedi. Il y a anguille sous roche.

Le vicaire s'avança vers son supérieur, osa le regarder droit dans les yeux sans broncher, ce qu'il n'avait jamais encore fait depuis son arrivée dans le presbytère, et dit avec le plus grand calme :

–Pour mieux servir ses fidèles, un prêtre se doit d'être au milieu d'eux de temps à autre. Je suis allé sur la montagne hier y retrouver une partie du cinquième rang qui s'y était réunie pour... pour fraterniser...

–Fraterniser ? Cela peut vouloir dire bien des choses. Qu'est-ce que ça veut dire pour vous, ça, fraterniser ? Vous avez parlé de sains amusements au téléphone... C'est peut-être ça, de la fraternisation ?

–Les gens souffrent beaucoup du dénuement que leur vaut la crise économique, et je crois qu'ils doivent réagir en s'amusant sainement.

–Je crois qu'ils devraient plutôt prier de toutes leurs forces tout en se résignant et en offrant au bon Dieu leurs contrariétés d'ordre... économique. Qu'ils fassent de leur misère une *sainte misère* !

–Faisons une histoire courte : me donnez-vous la permission de m'absenter samedi soir pendant quelques heures ?

–Il y a la bénédiction de notre nouvelle chapelle dimanche : y avez-vous songé ?

–Aurons-nous le cardinal dimanche ?

–Bien sûr que non ! Monseigneur a beaucoup d'autres chats à fouetter. Il nous fait confiance pour ce qui est de ce lieu de prière et de pèlerinage. Et pour quelle raison me posez-vous cette question ?

–Parce que monseigneur n'aurait peut-être –je devrais

dire sans doute pas– pas pu escalader le sentier de la montagne, et parce que la seule bête capable de le faire est morte.

–De quoi parlez-vous donc ?

–Du poney de monsieur Couët. Il a été foudroyé sur la montagne et il a plongé dans l'abîme.

–Quand cela ?

–Hier soir, je vous l'ai dit. Nous sommes allés sur la montagne, moi et quatorze personnes du cinquième rang.

–Vous avez laissé le presbytère sans personne ?

–J'ai laissé le presbytère sans personne. Mais il n'y a pas de malandrins dans cette paroisse, vous le dites souvent.

–Il peut venir quelqu'un de l'extérieur.

–Il est venu quelqu'un de l'extérieur.

–Qui ça ?

–La possédée de Saint-Évariste.

–Comment le savez-vous ?

–À mon retour de la montagne, elle était dans le cimetière. Je l'ai recueillie là pour l'emmener ici.

–Ici ? fit le curé dont les yeux ne cessaient de s'agrandir.

–Je ne pouvais tout de même pas la laisser sur place.

–Et vous l'avez reconduite chez elle ?

–C'est bien ce que j'ai fait ce matin.

–Ce matin, dites-vous ? En ce cas, où donc a-t-elle passé la nuit ?

–Ici, dans la chambre des visiteurs du troisième.

–Incroyable ! Inimaginable ! Abominable !

–Attention, là, vous ! Ne jugez pas sans savoir ! C'était la bonne occasion de voir si cette personne est vraiment une possédée ou bien simplement quelqu'un qui est affligé d'une maladie mentale.

–Il est reconnu que c'est un cas de possession diabolique.

–Et j'ai tendance à le croire aussi. Et j'ai procédé à un

rituel d'exorcisme devant sa porte de chambre.

–Mais grand Dieu ! vous n'êtes pas habilité à faire une chose pareille, monsieur le vicaire ! Pas plus que moi d'ailleurs. Qu'est-ce qui vous est donc passé par la tête ?

–Je suis prêtre, et c'est le prêtre en moi qui a fait son devoir de prêtre.

–C'est ça, votre curé s'absente un jour ou deux et voilà que vous accourez sur la montagne de la chapelle par temps d'orage y rejoindre quatorze personnes du cinquième rang, que le ciel y foudroie le petit cheval du bossu... enfin de monsieur Couët, que vous recueillez ensuite une possédée venue d'ailleurs perdue dans notre cimetière, que vous la faites dormir sous notre toit, que vous tentez de l'exorciser pour finalement la reconduire chez elle aux aurores. Ma foi, mais c'est de la pure fiction que tout cela à la fois dans une seule et même nuit. C'est du Victor Hugo de part en part, ça, ce qui est d'ailleurs tout un euphémisme. C'est du roman, et encore, du roman à l'index. Mais que se passe-t-il donc à Saint-Léon ? Mais que se passe-t-il donc dans le presbytère de Saint-Léon ?

Le regard du vicaire se fit sarcastique. Il trouva des mots pour bâillonner son supérieur effarouché :

–Peut-être que madame Bilodeau saurait mieux que moi répondre à cette question ? Peut-être que vous devriez l'interroger quand vous lui parlerez comme vous m'avez dit que vous le feriez...

Le curé baissa les yeux :

–Je le ferai. Je le ferai. Entre-temps, j'aimerais que vous me fassiez rapport par écrit de tout ce qui s'est passé hier soir et cette nuit en mon absence. Et que vous m'expliquiez noir sur blanc les raisons de vos agissements. Qu'au moins je comprenne, c'est l'essentiel pour le moment. Et si vous allez veiller dans le cinquième rang samedi, que vous soyez prêt dimanche pour les événements à survenir sur la montagne : bénédiction, inauguration... Bonne fin de journée à vous, là !

–Tout sera fait selon vos désirs, monsieur le curé.

L'abbé Lachance tourna les talons sans rien dire de plus et il regagna ses pénates, c'est-à-dire qu'il s'enferma dans son bureau en se demandant encore plus sérieusement si son vicaire n'avait pas été témoin de la scène de l'atelier alors qu'un démon de la chair l'avait poussé à faire des avances à la servante.

Il reprit sa place en soupirant.

Pas facile, la vie d'un curé de campagne ! se dit-il.

*

Au village, Romuald Rousseau arrivait à la boutique de forge où il avait affaire pour une histoire de herse à ressorts à réparer. Venu en waguine tirée par une de ses juments, il s'arrêta dans la cour, descendit puis, halant sur l'instrument aratoire, il le fit tomber au sol avec fracas. La *Toinette* réagit par quelques pas de côté et un semblant de hennissement.

–Huhau ! Huhau ! Huhau !

–C'est qu'il arrive après-midi, mon Romu ? demanda la voix puissante d'Arthur Maheux derrière son dos.

Le cultivateur se tourna :

–J'ai trois ressorts de brisés dans ma 'harse'. Quand est-ce que tu pourrais me remettre ça en ordre ?

–D'icitte à dimanche.

–Ah, mon Dieu, c'est pas d'autant de presse ! J'ai besoin de ça pour après les labours d'automne.

–Depuis que j'travaille icitte, y a rien qui traîne ben longtemps.

–On sait ça : t'as ben bonne réputation comme forgeron, mon Arthur.

–J'veux pas m'avantager, mais le forgeron Arguin, ça y prend de l'aide, autrement, il peut pas servir le monde, pis les cultivateurs s'en vont voir Pelchat à Saint-Samuel ou ben Bernier à Lambton.

–Dans ce cas-là, je m'en r'tourne à maison, moé.

–Attends un peu, Rousseau, pas trop vite. Penses-tu que je m'en vas rentrer ça tuseul dans la boutique ? Prends ton bord, on va rentrer ta 'harse' en dedans.

Ce qui fut fait.

Puis le forgeron vint se mettre debout, à deux pas de la face du cultivateur, et lui poussa une halenée de tabac au visage en disant :

–Qui c'est, d'après toé, que le vicaire aurait ben pu avoir dans son presbytère la nuitte passée ? Pis qu'il s'rait allé r'conduire en quelque part à matin, aux aurores ?

Rousseau serait devenu blême s'il n'avait eu la peau cuivrée. Il pensa à tort et sans réfléchir qu'il pouvait s'agir d'une des femmes du groupe des 'frappeurs', mais aussitôt, il songea que ça n'avait pas le moindre sens.

–J'ai pas la plus p'tite idée, moé, Arthur. J'vis dans le cinquième rang, pas au village comme toé.

–En tout cas, le soleil v'nait de se lever pis je l'ai vu passer avec une 'parsonne' en noir... ben qu'avait la crinière noire comme le ch'fal à Maurice Nadeau.

–C'était pas un homme comme ça.

–Ben non, j'viens de te l'dire : une crinière noire comme le charbon.

Romuald regarda dans un lointain connu de lui seul :

–Ben j'pense que j'ai ma p'tite idée là-dessus.

Il se souvenait avoir vu la possédée l'autre jour quand le bossu l'avait reconduite au village. Ça ne pouvait être qu'elle. Mais il dit plutôt, ironie dans l'oeil :

–Ça serait pas le curé ?

–Ben non, ben non, ben non ! Le curé voyage dans son 'char' à lui, pas dans la machine du vicaire, pis en arrière en plus. Pis en plus que le curé est parti depuis une couple de jours pis qu'il vient juste de r'venir au presbytère.

–Ça pourrait être un prêtre étranger.

Arthur s'impatienta :

–Je t'ai dit que c'était une créature.

–Ben, je le sais ben moins que toé; j'sus de la paroisse, pas du village, moé.

–Tu viens de dire que t'avais ta p'tite idée.

–Ben...

–Ben parle.

–Ça pourrait être la Rose Lafontaine de Saint-Évariste.

–La possédée du 'yable' ?

–En plein elle.

–Elle aurait fait quoi toute la nuitte au presbytère ?

–Le bon Dieu le sait pis le 'yable' s'en doute.

Il y avait une grande curiosité de part et d'autre, mais c'était comme si chacun voulait tout savoir sans rien dire de trop. Rousseau se disait que plus il en saurait sur cette histoire, plus fort on serait chez les 'frappeurs' pour tenir le vicaire sur ses gardes et l'empêcher de trop fouiner. Arthur avait une prédilection pour les coins sombres, autant ceux des lieux de son environnement que ceux-là de la vie des autres.

–Ça fait que la folle de Saint-Évariste...

–Pas une folle, une possédée.

–Voyons donc, Romuald, t'es assez vieux pour pas 'crère' des histoires de même. C'est pas une possédée pantoute. Le démon, ça existe pas, c'est une invention de la religion pour faire peur au monde. Le démon, c'est un croque-mitaine pour les crédules. Des histoires...

–C'est tout' ce que tu peux dire !

–Non, c'est pas tout'... J'te dirai itou que si le bon Dieu existe, pis ça, je l'cré, pis le démon, ben le bon Dieu peut pas laisser le démon posséder une 'parsonne' qu'a jamais fait de mal à 'parsonne'... Autrement, ça serait pas un bon Dieu, ça serait rien qu'un crotté, un péteux de broue pis un grand fatikant qu'est même pas capable de faire son ouvrage comme il faut.

Rousseau fut estomaqué d'entendre d'aussi pires injures faites au Créateur de toutes choses :

–C'est du blasphème, ça, baptême ! Pis en calvènusse à part de ça, hein !

–Appelle ça comme tu voudras, mon gars, ça 'm'énarve' pas pantoute ! Moé, quand c'est que j'ferre un ch'fal, j'fais de mon mieux, pis j'endurerai 'parsonne' pour v'nir défaire mon ouvrage après moé. Ça fait que si j'serais Tout-Puissant, encore mieux. Y en a pas un tornon qui viendrait ravauder dans la boutique pour faire du trouble. Il s'ferait donner des maudites jambettes pis il se ramasserait la tête dans le quart à vidanges, tu sauras. Cré-moé Rousseau, cré-moé ! Si le démon possède quelqu'un, c'est ben plus le curé pis le vicaire qu'une pauvre p'tite fille qu'a jamais fait de mal à 'parsonne'.

–Faut j'dise que des fois, Arthur, j'pense de même. Mais... c'est pas ça qu'on nous enseigne pantoute là.

–Y a des affaires, faut en prendre pis en laisser.

–J'en connais dans le cinq qui aimeraient t'entendre, Arthur. Ils disent qu'on est mieux ben souvent de se faire une idée par soi-même...

–Ça, ça ressemble aux idées du vieux Thodore Morin. C'est pas un fou, c't'homme-là. Y en a vu, dans sa vie, des 'afféres', lui. Il a eu le temps de penser, lui; nous autres, on l'a pas, on fait rien que travailler pis aller à messe pour écouter c'est qu'on nous enseigne, comme tu dis. Anyway, moé, j'ai de l'ouvrage asteur pis j'y vas.

Arthur s'éloigna et se rendit au feu de forge qu'il tisonna et ranima par l'action du soufflet. Romuald se rapprocha et voulut poursuivre encore un peu :

–Changement de propos, as-tu su pour la *Brune* au bossu Couët ?

–Su quoi ? Ah oui, est morte ben raide. Georges Boulanger m'a dit ça aujourd'hui. Il l'a su par quelqu'un qui serait allé su' la montagne. Le p'tit ch'fal, il s'est jeté en bas de la falaise. Ben curieux, une 'affére' de même. Curieux à plein...

–Ben... en réalité, c'est le tonnerre qui l'a fessé... mais on a pas trop vu c'est qu'il s'est passé dehors.

–Veux-tu ben m'dire c'est que le monde du cinquième rang, ils sont allés faire su' la montagne un soir d'orage, toé, Romuald Rousseau ? Étais-tu là, toé itou ?

–Ben... oué.

–Vous êtes allés faire quoi là ? La 'courvée', c'était dimanche passé. La bénédiction, c'est dimanche prochain. En pleine semaine. Paraît qu'il y avait des créatures... ben en famille avancé... La femme à Jean Paré, la femme à Albert Martin...

–C'est justement ça. Plusieurs ont pas pu monter dimanche. Pis là, bon on savait que la *Brune* au bossu pouvait monter en haut attelée à une traîne-brancard, ça fait que...

–Toé, Romuald, t'étais là, dimanche. Pis ta femme itou. Pourquoi y retourner hier soir ?

–Pour faire comme les autres. On était quatorze en haut. Même que le vicaire est venu.

–Le vicaire ? Ben ça, je l'ai pas su.

–Ben 'cartain' ! Il est venu. On a fait une prière ou deux. Pis on s'est fait surprendre par l'orage. L'orage est arrivé vite en calvènusse, tu sauras, Arthur.

Les yeux rougis du forgeron s'allumèrent davantage quand parut la flamme bleue d'entre les morceaux de charbon noirs mêlés à d'autres incandescents. Il se remit en mémoire un échange qu'il avait eu avec sa femme quelques jours avant la grande corvée de la chapelle, alors que Rousseau était venu à la boutique...

"*Pis le Rousseau, il m'en a appris des bonnes su' l'monde de son rang. Ouais... ouais... ben ça joue aux cartes à plein dans le cinquième rang. J'ai ben hâte de voir si ça va trouver du temps pour la 'courvée' de dimanche qui vient."*

"C'est quoi le mal à jouer aux cartes ?"

"Des veillées de cartes en plein coeur d'été, tu penses que ça fait rien que jouer aux cartes, toé ? "

La même question revenait d'entre les braises de son esprit, et Arthur tisonna avec vigueur avant de se rappeler de la suite.

"Ils s'appellent les 'frappeurs', ces cultivateurs-là. Ça se dit pas, ça, quelqu'un qui 'frappe'; on dit quelqu'un qui 'fesse'. Tout est là, dans le mot qui sert à en cacher un autre... pis celui-là dit tout."

Tant qu'à l'avoir devant lui, Arthur voulut revenir sur le sujet :

–Pis les 'frappeurs' ?

–Quoi, les frappeurs ?

–Tu m'en as parlé l'autre jour.

–Jamais parlé de ça, moé.

–Maudit torrieu, tu veux rire de moé, mon Rousseau.

Arthur se souvint de la suite de l'échange avec Rose-Anna devant les enfants.

"C'est des imaginations, Arthur, que t'as là.

"Comment ça, des imaginations ? C'est Rousseau qui me l'a dit."

"Il t'a dit quoi au juste ?"

"Que ça 'fesse' dans le cinquième rang... ben que ça 'frappe' si tu veux."

"Il a-t-il vu de quoi de ses yeux, lui ?"

"Ben non, mais... ben ça joue aux cartes en plein été deux pis trois fois par semaine. C'est pas normal, ça."

–Tu m'as dit que ça frappait dans le rang... ben que ça jouait aux cartes.

–Ah, ça ? Y a rien là. Des joueurs de cartes qui ont formé un groupe qui s'appelle les 'frappeurs'. As-tu de quoi à redire là-dessus ?

–Pourquoi c'est faire que tu me parles de même ? Serais-tu un 'frappeur' asteur toé itou ?

–Ça t'occupe tant que ça ?

Et de nouveau, l'esprit du forgeron retourna dans un passé récent pour la suite de la conversation à table.

"Non, mais pourquoi c'est faire que tu dis des affaires de même ? Tu fais des jugements téméraires... le bon Dieu aime pas ceux-là qui disent du mal des autres, surtout sans savoir ce qui est vrai pis ce qui est faux... Au lieu de t'occuper de la conscience des autres, tu f'rais mieux de t'occuper de la tienne."

"C'est qu'il te prend, maudit torrieu, de me parler de même, toé, à midi ?"

"Parce que tu dis n'importe quoi. Tu dis que c'est Rousseau qui l'a dit, mais tu finis par avouer que c'est pas ça qu'il a dit. Tu dis ben c'que t'as envie de dire. Pire que ça, tantôt, tu m'as toi-même dit qu'il faut pas toujours écouter ce qui se dit... quand j't'ai parlé du Sauvage en parlant de Rousseau..."

Et l'esprit de l'homme sombre revint à la réalité du moment :

–Bah ! j'disais ça comme ça. Si t'aimes mieux garder le secret su' tout' ça, c'est de ton affaire, mon gars.

Romuald en savait assez pour l'heure. Il tourna les talons, fit un signe de la main en saluant des mots :

–J'vas revenir j'sais pas quand pour la 'harse'.

–Ça sera prêt pour samedi.

–Salut ben, là !

Arthur ne put s'empêcher de lancer en ricanant :

–Pis que ça 'fesse' pas trop dans le cinquième rang, là !

Il lui fut lancé du tac au tac :

–C'est pas de tes affaires pantoute, Arthur Maheux... pantoute de pantoute comme dirait Maurice Nadeau... Salut ben encore une fois !

Ce fut tout. Le cultivateur repartit dans sa voiture. Il en avait à conter à Hilaire Morin. Et ça aiderait à préparer la veillée du samedi soir...

***

Chapitre 6

Il faisait sombre et frais dans le magasin général, comme tous les jours d'été, même ceux de canicule que l'on traversait alors. Le marchand était à préparer une commande qu'il avait reçue par téléphone de la part d'un cultivateur du cinquième rang, en l'occurrence Maurice Nadeau. Et plus précisément la Marie-Jeanne qui avait vidé ses réserves pour la noce et voulait en refaire une partie. Une voix dans son dos le fit sursauter :

–Monsieur Georges, vous avez l'air occupé sans bon sens aujourd'hui.

–Baptême que vous m'avez fait peur, s'exclama spontanément Boulanger en se retournant derrière le comptoir de la marchandise sèche.

Puis il voulut rattraper son juron vu qu'il se trouvait en présence du vicaire :

–Scusez-moé d'en avoir trop dit...

–C'est rien, c'est rien. Je vous apporte un petit lot de médailles qu'on a reçu de l'évêché. C'est monsieur le curé qui les a rapportées de Québec. Vous pourrez les vendre cinq cents chacune. Elles sont en bronze, paraît-il.

Et le prêtre déposa sur le comptoir une petite boîte que le

marchand s'empressa d'ouvrir tout en démontrant un faux intérêt pour la chose.

–Ça tombe ben : il m'en restait presque pas.

–Et elles sont bénies de la main du cardinal Rouleau lui-même.

–Ça les fait valoir plus cher, dit le marchand de l'ironie plein son oeil droit que grossissait le verre épais de ses lunettes rondes.

La porte du magasin s'ouvrit pour laisser entrer la maîtresse d'école du cinquième rang, Rose-Alma Bilodeau, qui portait, ce jour-là, une robe écourtichée un brin démodée. Elle s'approcha des deux hommes, large sourire aux lèvres :

–Bonjour, monsieur le vicaire. Bonjour, monsieur Boulanger.

–Mademoiselle Bilodeau : comment se passent les grandes vacances ?

–Ah, je travaille encore plus que durant l'année scolaire. C'est ben pour dire...

Le marchand renchérit :

–Rose-Alma, c'est travaillant comme personne, c'est pas quelqu'un pour s'assire sur son...

La jeune femme s'esclaffa devant l'hésitation de l'autre à finir sa phrase et le fit pour lui :

–... sur son derrière pis attendre la fin de l'été. Non, j'aide maman pis autant madame Cécile Bilodeau.

Le vicaire n'avait pas songé que cela se puisse. Débordée d'ouvrage, la servante du curé pouvait compter sur la jeune maîtresse d'école pour la seconder dans ses tâches, au moins durant la belle saison, tandis que la Rose-Alma restait au village chez ses parents en attendant septembre et son retour à l'école du cinquième rang.

–Ah, quand on a pour soi la jeunesse, la santé, l'énergie, dit le prêtre avec un signe de tête affirmatif.

–Pis la beauté, pis la beauté, ajouta le marchand.

Sa remarque fit rougir l'abbé Morin, mais il manquait d'éclairage pour qu'on s'en rende compte, et il maîtrisa son émoi :

–Le bon Dieu en donne beaucoup aux uns pour ce qu'il donne aux autres.

Boulanger sauta sur l'occasion :

–Oué, si on compare Rose-Alma avec la possédée du démon de Saint-Évariste là...

Le vicaire rougit encore davantage. Savait-on au village que la Rose Lafontaine avait passé la nuit au presbytère ? Pourtant, tout Saint-Léon dormait à son départ pour reconduire la jeune femme. Tout le village excepté Arthur Maheux, le forgeron qui non seulement passait pour un écouteux mais aussi pour un placoteux. Boulanger savait. Rousseau savait. D'autres aussi savaient. La nouvelle se répandait de bouche à oreille depuis le petit matin.

La prêtre réalisa pour la première fois qu'il avait commis une erreur en conduisant la possédée au presbytère et en l'y hébergeant pour la nuit. Mû par de bonnes intentions et de nobles desseins, il ne pouvait cependant pas fournir d'explications assez convaincantes pour justifier ses agissements nocturnes. Et son intuition lui disait que le secret était déjà éventé.

Mais il devait agir comme s'il ne l'était pas, comme si le respect dû à un prêtre possédait assez de force pour figer les ragots malsains et tuer dans l'oeuf les conséquences fâcheuses de ceux qui avaient déjà fait un certain bout de chemin dans la paroisse.

Le mieux pour le moment était de se retirer. Il dit, suite à la comparaison du marchand :

–En effet !... Et là-dessus, je vous laisse. Je dois me rendre dans le cinquième rang.

–Ah oui ? fit le marchand surpris. J'ai affaire là itou.

–Et moi aussi ! s'écria la maîtresse d'école.

Boulanger reprit la parole dans l'espoir de s'exempter un voyage de livraison :

–Comme vous voyez, je prépare une commande. C'est pour madame Nadeau.

Le prêtre mordit :

–J'pourrais vous la laisser en passant pourvu que ça vous prenne pas trop de temps à finir de la préparer.

–Même pas cinq minutes, c'est garanti. Ça ferait ben mon affaire. J'aime pas ça, fermer le magasin. Ma femme est pas là pour une 'escousse' pis j'ai personne pour le tenir le temps que je vas être parti.

–C'est d'accord ! Je laisserai la commande chez monsieur Nadeau.

–C'est quasiment gênant de demander ça à notre bon monsieur le vicaire.

–Les prêtres ne sont-ils pas au service des fidèles ? Et puis, je passe devant la porte des Nadeau : je me rends chez monsieur Couët. Et vous, Rose-Alma, de quelle façon allez-vous voyager pour vous rendre dans le cinquième rang ?

–Comme de coutume quand c'est pas l'hiver ou le printemps : en bicyclette. Ça me prend même pas quinze minutes pour me rendre à mon école.

–C'est là que vous allez.

–Oué. J'ai un petit peu d'ouvrage qui traîne là-bas. Et voir si tout est en ordre.

–Pas grand monde ne va à l'école à part vous durant les vacances ?

–J'voudrais ben voir !

Puis la jeune femme s'adressa au marchand :

–Comme ça, madame Boulanger est pas là ? Ben je vas revenir demain d'abord.

Il comprit qu'elle désirait des objets servant à l'hygiène

féminine, mais n'en laissa rien paraître malgré un peu de rouge involontaire aux joues :

–C'est comme tu voudras.

–Ben le bonjour, là, à vous deux.

–Bonne journée, dit le vicaire.

–Oué ! appuya le marchand.

*

Il fallut plus de temps que prévu par Boulanger pour finir de préparer la commande. Puis le marchand se rendit à l'extérieur afin de mettre la grosse boîte dans le coffre de l'auto du prêtre. On se salua, et quelques secondes plus tard, la Ford se mettait en route.

Le forgeron Maheux se tenait debout dans la porte grande ouverte de sa boutique, marteau à long manche suspendu au bout de son bras, le long de sa jambe. L'abbé lui fit un signe de salutation de la main, auquel l'autre répondit par un lent mouvement de la tête ayant l'air de signifier : *j'en sais su' toé, mon gars...*

Puis le prêtre se dit qu'il profiterait de ce petit voyage dans le cinquième rang pour faire le bilan des dernières heures et, du même coup, réfléchir au rapport écrit demandé par son curé. Mais ce qui tout d'abord vint trotter dans son esprit fut la scène de l'atelier alors que l'abbé Lachance avait voulu profiter de la servante d'une façon coupable. Voilà qui lui posait une sérieuse voire terrible question : pouvait-on toute sa vie respecter le voeu de chasteté prononcé à l'entrée de la prêtrise ou bien était-ce trop demander à la chair humaine ?

Le virage en T devint métaphorique en lui disant que le chemin n'était que rarement en ligne droite d'un point A vers un point B. Alors il pria :

–Seigneur, venez à mon aide ! Je ne sais pas si je saurai y arriver tout seul...

Voici qu'il aperçut au loin, sur la portion de rang qui menait vers le cinquième, un cycliste qu'il ne reconnut pas sur le moment. Il ne songeait pas à la maîtresse qui avait dit vouloir se rendre à son école en bicyclette, et ce fut seulement au bout d'une certaine distance qu'il put l'identifier. En fait Rose-Alma était descendue de son vélo et marchait à côté, non pas vers le rang, mais vers le village. Il s'arrêta à sa hauteur :

–Une crevaison, on dirait ?

–En plein ça ! dit-elle sur un air désolé.

–Et tu retournes au village ?

–Ben...

–En as-tu pour longtemps à ton école ? Je pourrais t'y laisser et te reprendre en revenant.

–Où c'est que vous allez, vous ?

–Je vais chez monsieur Couët, au bout du rang. J'y serai environ une heure.

–C'est tout le temps qu'il me faut.

–Cache ton vélo dans le bois et monte.

Ce qu'elle fit. Et on reprit la route dans l'auto du prêtre.

–Je reprendrai mon bicycle en revenant tout à l'heure.

–C'est ça, c'est ça...

La longueur de sa robe fit en sorte que la cuisse de la jolie maîtresse fut dénudée plusieurs pouces au-dessus du genou. Le vicaire ne manqua pas de voir cette peau que le soleil d'été avait sûrement dorée et rendue plus belle encore. Il se racla la gorge et dégagea les élans de sa libido pour les chasser hors de lui.

–Parle-moi de tes élèves du rang... et de leurs parents.

Il n'en fallait pas plus pour que Rose-Alma se lance dans un long propos qui couvrit une à une les maisons du rang. Le prêtre portait une attention mitigée à ce qu'elle disait, et son esprit était emporté par ce qu'il se proposait d'écrire dans son rapport au curé. Trois événements majeurs lui revenaient en tête à répétition et tournoyaient dans sa poitrine comme pour lui faire perdre son équilibre moral. Il y avait la scène de l'atelier entre l'abbé Lachance et la servante. Il y avait la confession du bossu qui lui avait permis d'apprendre que des couples du rang se livraient à une pratique incivilisée et pécheresse. Il y avait cette possible présence diabolique sur la montagne le mercredi soir à travers les éclairs et la pluie poussée par le vent comme une poudrerie d'hiver. Il y avait ce corps nu de la possédée tout près de ses mains, de son regard, de son désir qui s'attaquait à toutes ses résistances pour les mieux trouer et qu'il lui avait fallu écoper, surtout quand la Rose s'était étendue sur le lit en se contorsionnant...

–Que de tentations en si peu de jours ! marmonna-t-il à mi-voix. Que de tentations !

–Quoi ?

–Ah, rien du tout ! Je pensais à ce que tu me disais. C'est intéressant. Ça bouge dans le cinquième rang.

–On dirait que les gens ici, ne sont pas comme ailleurs.

–Explique-moi ça, Rose-Alma ?

–Sont plus ouverts, on dirait. Un petit côté moderne. La crise les affecte moins que les gens du village. Sont moins constipés, si vous me permettez cette expression.

–Elle n'est pas très jolie, ton expression, mais...

Elle s'esclaffa :

–C'est pas à parler de même que je me mériterais la prime de l'inspecteur d'école.

–Certes, non !

–Tu me parlais de...

–De la famille de monsieur Pit Roy.

–Continue, continue...

Et le vicaire retourna dans sa propre réflexion. Mais dans son champ de vision périphérique se trouvait la délicieuse cuisse de Rose-Alma. Et dans sa pensée des scènes imaginées à se passer entre couples du rang. Au moins Désirée

Goulet, Joséphine Poulin et Marie-Jeanne Nadeau étaient, avec leurs conjoints, restées propres, elles.

Il songea pendant un moment à prêcher les beautés de la pureté à sa passagère, puis se ravisa. Ce n'était ni le jour ni l'heure.

Jean-Pierre Fortier, qui travaillait à réparer une waguine, s'arrêta quand il vit venir la Ford, et il salua de la main. Le prêtre klaxonna à deux petites reprises. La maîtresse sortit son bras de l'auto et répondit par un geste à la salutation.

"Je me demande avec quelle femme il a... les animaux font pas pire..."

L'abbé s'interrogeait et ressentait de la honte. Vicaire d'une paroisse qui comptait un rang corrompu quasiment au complet, ce n'était pas glorieux.

Et malgré lui, l'image d'un couple formé de Romuald Rousseau et Dora Fortier lui vint en tête. Comment ces gens avaient-ils pu en arriver là, sinon parce que le démon avait envahi le cinquième rang et s'était introduit dans sept demeures sur dix ? Voilà sûrement la raison pour laquelle la possédée était venue à Saint-Léon, une première fois pour se rendre jusqu'au bout du cinquième rang et une autre pour hanter le cimetière avant de se retrouver au presbytère et de se dénuder devant lui pour le mieux tenter.

Que tout ça lui paraissait compliqué ! Le démon, il le savait, aime passer par la confusion mentale pour se camoufler et se faire oublier. Et si la véritable cible du Malin n'était autre que lui-même, jeune prêtre dévoué, grand admirateur du saint curé d'Ars ? Qui d'autre aurait pu multiplier les situations troublantes ces derniers jours ?

Pourquoi Satan se montrait-il si actif tout à coup ? Pour faire un pendant négatif à l'érection de la chapelle ? Ou bien pour saboter les préparatifs du cinquantenaire ?

–Passez pas droit, là, vous. L'école, c'est ici.

–Mais oui, mais oui ! J'étais captivé par tes paroles et je

n'y pensais plus.

Et l'abbé freina de sorte que la Ford s'arrêta à quelque distance de l'entrée.

–Pas besoin de r'culer : j'vas marcher rien qu'un petit peu plus.

Il vint dans l'esprit de l'abbé une phrase presque sacrilège qu'il retint derrière ses lèvres : "Laisse-moi te dire que t'as une belle cuisse, Rose-Alma."

Mais il dit plutôt :

–Dans une heure, je serai là...

–Merci beaucoup !

–Y a pas de quoi !

Angélina Pépin vit Rose-Alma descendre de voiture et l'auto repartir. Après avoir mis un chapeau de paille, elle sortit de la maison pour saluer le prêtre tout en se demandant ce qu'il venait faire dans le rang. Et 'vernoussa' dans ses fleurs pour faire semblant. Le véhicule s'arrêta à sa hauteur :

–Bonjour, madame Pépin.

Penchée, sa robe laissait voir la naissance de sa poitrine. Elle fit exprès pour réagir en lenteur, afin que le beau vicaire ait d'elle une image troublante. Puis, se redressant :

–Tiens, bonjour, monsieur le vicaire. Ça va bien, vous ?

–Fait chaud, mais ça doit être bon pour les fleurs.

–Sûrement ! Sûrement !

–Alors... bonne journée !

–À vous aussi !

Et l'auto repartit pour s'arrêter bientôt, sous le regard de la femme Pépin, dans la montée de la maison voisine, celle des Nadeau. Le vicaire descendit et dit à Marie-Jeanne qui se présentait sur la galerie :

–J'ai votre commande du magasin.

–Ah oui ?

–Eh oui !

–Ben j'vas demander à Maurice de la quérir... Non, quen, je vas le faire : j'sus pas manchote...

Là aussi la tentation, le trouble de la chair envahirent le pauvre prêtre que le diable semblait pourchasser sans le moindre répit. Quand il ouvrit le coffre, Marie-Jeanne prit la boîte et fit exprès de se frotter l'arrière-train contre lui. Et puis, elle ne s'excusa même pas.

–Monsieur Boulanger est pas gêné de faire faire ses commissions par vous, un prêtre.

–C'est moi qui le lui ai offert.

–C'est pas l'abbé Lachance qui aurait fait ça, avec tout le respect que je lui dois.

–Probablement que oui !

–Ça me surprendrait.

–Enfin...

Elle fit quelques pas vers l'escalier, s'arrêta :

–Il paraît que tout le rang sera chez les Rousseau samedi soir pis que vous serez au milieu de nous ?

–Ça se pourrait.

–Ah ? On m'a dit ça pour certain.

–Ça l'est.

–Tant mieux ! On sera là. Attendez, je vas porter ça pis je vous reviens.

–Non, je dois repartir pour le fond du rang. Mon temps est quand même compté.

–Ben, en tout cas, je vous remercie à plein pour la commission. Si vous voulez arrêter en revenant, vous pourriez prendre un bon verre de limonade.

–J'aime la limonade : ça se pourrait bien. À plus tard... peut-être.

–On va vous attendre en tout cas.

–Ce n'est pas garanti, mais...

Et la Ford reprit la route avec son conducteur qui se demandait s'il devait s'arrêter chez les Nadeau sur le chemin du retour. Certes, il aimait bien la citronnade, surtout par cette chaleur humide, mais aurait-il le temps ? Prendrait-il le temps ? Jamais il n'aurait voulu songer une seconde que la Marie-Jeanne puisse subir une accélération cardiaque en sa présence. Jamais il n'aurait voulu songer une seule seconde que lui-même se sentait attiré par cette personne et que cela avait pesé dans la balance autant que le sucre du marchand quand il avait proposé de livrer leur commande aux Nadeau. Ce que de fins observateurs comme Hilaire Morin avaient pu remarquer de pas catholique entre lui et Marie-Jeanne, le vicaire l'aurait vertement nié, même subissant l'ordalie.

Pendant ce temps, le téléphone ne dérougissait pas dans le cinquième rang. On se parlait de la veillée du samedi à venir dont le premier objectif officiel était de réunir assez de fonds pour que le bossu puisse se gréer d'un nouveau petit cheval en remplacement de sa pauvre *Brune* précipitée dans l'abîme de la mort.

Quant au vicaire, son aide serait morale. C'est la raison qui le menait chez le bossu. Prodiguer des conseils, encourager, bénir, parler de prière, du bon Dieu, bref réconforter.

La combinaison était parfaite. Les petites gens s'entraidaient matériellement; le clergé soutenait spirituellement. De cette façon vue comme la meilleure, on pouvait traverser les épreuves les plus rudes comme cette crise économique dispensatrice de misère, de faim, de dénuement.

C'est un bossu dégonflé que le bon prêtre trouva en franchissant le seuil de la porte du petit 'campe' en bois rond. Couët semblait effondré. Son accueil fut simple, sans le moindre éclat. On lui connaissait plus d'enthousiasme, d'exubérance à l'arrivée de visiteurs.

–Bien le bonjour, monsieur Couët !

–Oué !

–Je suis venu vous faire une petite visite.

–Ah ! Ben venez vous assire à table, là...

–Je sais que vous traversez de durs moments...

Tout en parlant, le prêtre prit place. L'autre fit de même au bout de la table, croisa les bras. Seule sa grosse tête émergeait au-dessus du meuble et ses yeux luisaient dans l'ombre intérieure.

–... je suis là pour vous aider moralement. Je sais que non seulement votre poney vous était utile pour vous déplacer mais qu'il était en quelque sorte un ami.

–Une amie... c'était une p'tite jument.

Le vicaire ricana jaune. Cette réflexion le rendait un peu mal à l'aise, d'autant qu'il avait mis la table pour se la faire servir ensuite.

–D'un autre côté, vous maquignonnez un peu à ce que je sache, et vous ne devriez pas avoir de misère à vous trouver une autre bête.

–La trouver, c'est une 'affére'; l'acheter, c'est une autre histoire.

–Je suis convaincu qu'en grattant les fonds de tiroir, vous trouverez le nécessaire. Et puis, faites confiance au bon Dieu pour ça.

–Monsieur Morin a dit qu'il ferait une quête spéciale.

–Vous voyez : c'est le bon Dieu qui l'inspire. Et j'ai beaucoup prié pour vous, ce qui fait que la quête pourrait bien être suffisante pour un poney tout neuf.

Le bossu hocha la tête négativement :

–Mais faut trente belles piastres pour acheter un p'tit ch'fal.... Une mule à vingt piastres, j'en veux pas.

Le vicaire sourit et voulut détendre l'atmosphère :

–Surtout une picouille oreillarde.

–Quoi ?

–Aux oreilles pendantes.

–En tous les cas, c'est trente piastres qu'il me faudrait.

–C'est beaucoup, je sais; mais une dizaine de cultivateurs qui se mettent ensemble, c'est bien possible. Vous savez, la foi peut transporter des montagnes.

–Peut-être, mais elle a pas empêché le tonnerre de tomber su' mon ch'fal pis de le sacrer en bas de la montagne, par exemple.

–Que vous êtes dépressif, monsieur Couët, aujourd'hui !

–Je r'garde les choses en face.

–Faites un peu confiance à Dieu : Lui voit vos rêves et Il saura les réaliser... pourvu qu'ils soient réalistes et réalisables bien entendu. C'est le grand secret de l'univers, ça...

Instruit, le vicaire pouvait répéter encore et encore les mêmes chansons en modifiant chaque fois les paroles et la mélodie, de sorte qu'il parvenait ainsi à hypnotiser son interlocuteur. Et quand, une heure plus tard, il quitta les lieux, Bossu avant la couette en l'air et une espérance nouvelle au coeur. L'abbé Morin avait apporté son réconfort; aux gens du rang de délier leur bourse maintenant !

Le vicaire devait succomber à la tentation de la limonade. Il s'arrêta chez les Nadeau. On avait mis des chaises sur la galerie. Et une crédence sur laquelle trônait le nécessaire pour étancher la soif la plus intense : pot rempli de citronnade et de glace en éclats, verres d'un cristal étincelant, thé refroidi. Les enfants avaient pour ordre de ne pas apparaître en avant de la maison tant que la 'machine' du prêtre serait dans la montée. Maurice fit un commentaire sur la robe de son épouse alors qu'arrivait la voiture noire :

–Est un peu serrée su' toé, c'te robe-là.

–C'est ma plus propre, tu sauras. On peut pas recevoir un prêtre à maison en linge de semaine. Ben assez que je l'étais quand il a passé par icitte tout à l'heure. Pis à part de ça, astu envie de dire que j'ai engraissé ?

–Pantoute de pantoute ! J'ai dit ça de même, là...

Après le passage du vicaire, Marie-Jeanne avait fait exprès d'enfiler sa robe la plus ajustée. Il y avait en son for intérieur un petit démon agissant qui conférait à son oeil un petit air arsouille. Cet aspect masculin provocateur de sa personnalité altérait aussi sa voix qui devenait chantante, presque langoureuse et capable de s'entortiller autour des mots du vicaire. Si bien qu'échangeant avec le couple, il arriva souventes fois au prêtre de revoir par le souvenir la possédée se contorsionner dans toute sa nudité.

Il fut question de la soirée du samedi chez les Rousseau. Maurice dit qu'il ne saurait y être vu de bonne heure vu qu'il devait marcher le haut des terres avec le vieux Théodore. Et qu'en raison du pas plutôt lent du vieillard, il fallait prévoir une couple d'heures.

–Mais ma femme sera là, elle, assura-t-il.

–Je manquerais pas ça : tout le rang va être là.

–Et j'y serai comme vous le savez.

Le front du prêtre se rembrunit. Il poursuivit :

–Y a une chose qui m'attriste un peu, c'est que monsieur Hilaire Morin, l'organisateur de la veillée, n'ait pas invité monsieur Couët à s'y rendre comme tout le monde du cinquième rang.

–C'est comme pour la noce à ma fille, dit Marie-Jeanne, je l'ai pas invité, le bossu : il aurait pas voulu venir pis ça l'aurait mis à la gêne. C'est une sorte de respect...

–Une veillée, ce n'est pas une noce.

–Parlez-en avec monsieur Hilaire : il doit avoir ses raisons sûrement.

–Non, je ne me mêlerai pas de ça.

–Je vas le faire, moé, intervint Maurice.

–Non, fit Marie-Jeanne, mêle-toé pas de ça ! Si monsieur le vicaire s'en mêle pas, tu vas t'en mêler encore moins, toé.

L'argument n'était fondé sur aucune logique, mais une épouse autoritaire n'a que faire de la raison. De savoir que tout le rang serait chez les Rousseau, et elle sans Maurice mais en la présence du vicaire, excitait Marie-Jeanne au plus haut point. Il lui semblait que le bon Dieu s'en mêlait pour que cette magnifique occasion de côtoyer son serviteur en soutane lui soit octroyée; elle se disait même que le bon Dieu la choyait et prévoyait tout pour elle. Et vive ce gouvernement du bon Dieu, gouvernement du bon sens !

La femme rêvait souvent de tout faire avec ce prêtre, tout sauf l'acte conjugal total qui ne se pouvait accomplir autrement qu'à l'intérieur des cadres rigides du mariage. Il lui revenait en ce moment même ce fantasme de la tasserie survenu un soir de chapelet à la grande croix noire du chemin.

Il fait sombre dans ce trou. Il y fait chaud. Deux corps aussi bien en chair dégagent beaucoup de chaleur dans un milieu aussi étroit et fermé. Par bonheur, il entre parfois par les grandes portes ouvertes donnant sur la batterie de la grange un air frais apporté par un petit vent qui annonce peut-être la venue d'un temps plus gris et de ses orageuses promesses.

Marie-Jeanne ne songe plus qu'à son désir exacerbé par la présence auprès d'elle en ce lit de péché d'un homme qui la trouble chaque fois qu'elle se confesse à lui. Et pourtant, elle veut savoir Dieu de son côté et se dit que si le beau Moïse en est venu à cette promiscuité, c'est parce que le Créateur de toutes choses l'y a conduit ou bien ne l'a pas empêché de s'y rendre par sa grâce, ce qui ne veut pas dire qu'il lui a tourné le dos.

Tout bon catholique n'aurait jamais pu voir Dieu derrière ce couple interdit, et seulement le diable; et l'abbé Morin lui-même craint qu'il en soit ainsi. Il doit réagir. Quitter ces lieux de la tentation, s'éloigner de cette femme diablement attirante et qui devrait le repousser voire le chasser plutôt que de l'aspirer dans sa toile comme elle le fait par ses paroles lénifiantes, par ses odeurs enivrantes, par ces formes qu'il a souvent vues et qu'il sait là, à portée de main, dans la pénombre.

Mais le jeune prêtre suffoque de désir. Sa chair s'érige rien qu'à l'idée de se savoir au bord du gouffre des plaisirs défendus. On l'y pousse inexorablement. Il s'agrippe sur les bords, mais les bords lui échappent et pas même ses ongles ne lui serviraient utilement en si précaire situation qu'il a contribué à créer.

Et Marie-Jeanne ne voit plus rien d'autre que la fusion totale de deux désirs, avec la bénédiction céleste en prime...

L'état d'âme de la femme, révélé par les vibrations de sa voix, eut tôt fait de troubler le prêtre depuis ses oreilles rougies jusqu'à ses orteils agités au fond de ses noirs souliers. Il songea que le moment de partir était venu. Il l'annonça :

–C'est mademoiselle Bilodeau qui doit trouver le temps long à son école. Je l'y ai amenée tout à l'heure, vu que sa bicyclette avait une crevaison.

Maurice tempéra :

–Elle, c'est une maîtresse ben patiente. Elle vous en fera pas grief pantoute.

–S'il fallait, dit la femme. Pas besoin de marcher à pied grâce à monsieur le vicaire. Pis un beau tour de 'machine' : c'est pas à dédaigner.

Quelques répétitions, quelques salutations et le prêtre s'en alla, sourire à l'âme, fraîcheur dans l'être...

***

Chapitre 7

Ce que la Rose-Alma n'avait pas révélé au vicaire, c'était qu'on l'attendait à l'école. Le fils Nadeau s'y trouvait, à l'arrière, adossé au mur, à l'abri de tous les regards, y compris ceux des Pépin d'un côté et des Morin de l'autre, les voisins les plus proches. Pour se rendre là, il avait effectué un long détour par le milieu des terres afin que personne ne puisse l'apercevoir. Il avait longé une clôture de perches et s'était fait petit.

La maîtresse entra dans l'école sans attendre sitôt descendue de la Ford de l'abbé Morin. Puis elle se rendit à la porte d'en arrière et sortit pour y découvrir Lorenzo qu'elle savait se trouver là à l'attendre.

–Salut !

–Salut !

Le jeune homme n'avait pas pu s'endimancher ou bien sa mère aurait aussitôt su qu'il se passait quelque chose de pas normal. Et par conséquent, il avait revêtu ses habituelles fringues de semaine, malodorantes, usées comme des oripeaux. Rien pour séduire une jeune femme de village pas toujours sur son trente-six, elle, mais bien mise de son ordinaire.

Il eût été bien plus facile de se fréquenter ouvertement

sans ce jeu de cache-cache digne de jeunes adolescents. Mais Rose-Alma désirait qu'on attende au moins un an. Pour qu'on ne l'accuse pas de tomber en amour avec un de ses élèves, ce qui aurait été fort mal vu et aurait même pu lui coûter son poste.

"Dans un an, quand tu seras un homme fait, que tu seras parti de l'école depuis deux ans ou plus, on pourra se voir au grand jour."

Voilà ce qu'elle lui avait dit et qu'elle lui répétait chaque fois qu'ils se voyaient ainsi en catimini. Car lui ne comprenait pas cette attente dans le placard de leur relation qui avait du mal à croître dans le noir, privée de la lumière du soleil.

Ce que ne disait pas Rose-Alma, c'est qu'elle hésitait à se laisser courtiser au su et au vu de tous étant donné qu'elle n'était pas très sûre de son sentiment pour lui. Certes, elle l'aimait bien, mais ce pouvait n'être que comme un frère. Elle aurait eu besoin d'émotions plus fortes, de sensations plus grandes en sa présence. Et elle lui trouvait quelques petits côté agaçants. Catiche sur les bords. Comme son père Maurice. Indécis le plus souvent. Lorenzo ne semblait pas rechercher la femme en elle, mais plutôt la maîtresse d'école. Il fallait qu'elle le connaisse mieux. Qu'elle le connaisse comme un homme adulte et non plus comme un élève obéissant et dévoué. Mais il y avait aussi cet autre appel, ce nouvel appel venu embrouiller les cartes...

Ils s'étaient donné rendez-vous par téléphone. Via un code. À la façon des 'frappeurs' en fait. Difficile autrement quand tant d'oreilles accourent au récepteur alors que retentit la sonnerie de l'appareil dans toutes les maisons du rang.

–Ça fait-il longtemps que tu m'attends ?

–Un quart d'heure, vingt minutes.

–J'ai fait un 'flat' avec mon bicycle pis c'est monsieur le vicaire qui m'a fait embarquer. Une chance parce que j'aurais été pas mal en retard.

Lorenzo ne put s'empêcher de regarder les genoux à découvert de la jeune femme. Elle commenta :

–Me trouves-tu un peu... cagneuse ?

–Un peu quoi ?

–Cagneuse. Ça veut dire les genoux en dedans pis les pieds écartés en dehors.

–Ben... non... J'ai pas remarqué ça... Je regardais pas là pantoute.

–Ah ! Ben viens, entre, on va jaser en dedans.

Il la suivit.

–Ça sent déjà le remugle en dedans.

–Ouais, ben tu sors tes grands mots aujourd'hui ! On voit que t'es une 'parsonne' instruite.

–J'suis maîtresse d'école : j'dois en savoir plus que mes élèves. On peut pas en montrer à ceux qui en savent autant que nous autres.

–Monsieur le vicaire doit aimer ça parler avec toé.

–Tu lui demanderas.

–Il devait être content que tu tombes su' le 'flat'.

–Coudon, serais-tu un petit peu jaloux sur les bords, toi ?

–On peut pas être jaloux d'un prêtre, voyons !

–Ça arrive, ça arrive.

–Ça arrive à qui ?

–Je le sais pas, mais j'sais que ça arrive...

Il ne dit rien, baissa la tête, l'air résigné.

–Je vais lever une toile en arrière, mais ça va rester sombre en dedans. En lever une en avant, un passant pourrait nous voir bouger pis venir se mettre le nez dans la vitre pour savoir qui c'est qui se trouve à l'intérieur.

Elle fit ce qu'elle venait de dire. Lui se permit quelques pas timides en avant. Et regarda cet endroit où il avait passé tant d'heures de son enfance. Enseigné par une autre maîtresse les premières années, puis par Rose-Alma les deux dernières. Ses pupilles finirent de s'adapter. Il posa son regard sur les cartons des lettres accrochés en série au-dessus des fenêtres du mur avant. La belle écriture aux courbes si bien dessinées avait toujours été inaccessible à son poignet trop fort, trop rude, trop gauche. Et à sa sortie de l'école, il ne parvenait toujours qu'à écrire dans une calligraphie maladroite et inélégante. Cela traduisait peut-être son caractère pusillanime. En tout cas, c'est ce que la maîtresse laissait entendre aux élèves afin de les stimuler à écrire plus bellement et en harmonie avec leur état d'âme.

–On a une heure à nous autres. Vu que monsieur le vicaire va me reprendre après sa visite au bossu Couët, on va s'arranger pour que ça marche. Quand il va revenir, vu que tu peux pas barrer la porte d'en arrière par dehors, tu vas rester en dedans et moi, je laisserai le cadenas ouvert. T'auras qu'à sortir pis le verrouiller ben comme il faut. Tu comprends tout ça ?

–C'est pas trop dur à comprendre.

–Là, on va s'asseoir pis jaser un peu.

–Je m'en vas reprendre mon banc de sixième année.

–C'était le dernier à droite : je m'en rappelle ben comme il faut.

–Pis toé ? Vas-tu t'assire à ton bureau de maîtresse ?

–Ben non, voyons ! Je vas prendre le pupitre en avant du tiens pis me retourner pour jaser.

Ce qu'ils firent.

Une fois assise, retournée vers lui, tête couchée sur son bras, Rose-Alma se mit à rire.

–Ça fait tout drôle de te voir, Lorenzo, asteur que t'es plus un de mes élèves.

–J'étais pas un premier de classe, mais j'essayais d'apprendre du mieux que je pouvais.

–Je le sais que tu travaillais ben fort.

–Mes devoirs, je les ai toujours faits comme il faut pis de mon mieux.

–Ben comme il faut, ah, ça : oui !

–Mais je r'gardais un p'tit peu trop la maîtresse.

–Tu faisais ça. Quand ? J'te voyais toujours la tête basse dans ton livre ou ton cahier.

–Quand c'est que t'écrivais au tableau. J'en profitais.

–Ça veut dire que tu regardais ailleurs que dans mon visage.

–Les ch'veux. Les épaules.

Elle avait le mot 'fesses' sur le bout de la langue, mais le retint derrière ses lèvres.

–Pis qu'est-ce qui se passait dans toi quand tu me regardais comme ça ?

–Ça virait en maudit.

–C'est que ça veut dire, ça ?

–Ben icitte, là...

–À l'épigastre.

–Quoi ?

–Ce coin-là de la poitrine, ça s'appelle le creux de l'estomac ou encore l'épigastre.

–La culture, tu connais ça, toé. Moé, j'connais rien que l'agriculture.

–C'est pas la première fois que tu me dis ça. Une vieille blague. On dirait que ceux qui ont pas fait des études sont un peu jaloux de ceux qui en ont fait.

–Ben non. J'parle pour parler.

–As-tu lu le livre que je t'ai prêté au moins ?

–*Notre-Dame de Paris* ?

–C'est le seul que je t'ai prêté.

–J'ai commencé.

–T'as pas besoin d'aller à l'école pour lire ça. Pourvu que

tu saches lire. Pis j'sais que tu sais lire. Fais un effort. Un livre, surtout un roman, au début, on a de la misère à entrer dans l'histoire. Les personnages nous sont inconnus. Faut les apprivoiser. Faut y aller lentement. On apprend à les connaître. On se laisse embobiner par ce qu'ils appellent l'affabulation...

–La quoi ?

–L'affabulation.

–Tu m'en r'passes aujourd'hui, des grands mots.

–C'est le dernier : j'en dirai pas un seul autre. Juré !

–Pis ça mange quoi l'hiver, ton grand mot ?

–L'affabulation, c'est la manière d'arranger les choses dans un roman. Les interactions entre les personnages. Les événements. Pense à du tricot. Les mailles qui se croisent. Pense à une catalogne de lit ou de tapis : les retailles qui sont tissées. Les mots, les idées, les émotions dans un roman, c'est comme les retailles de plusieurs couleurs : ça s'entrecroise pour former une laize disons.

–C'est pas dur à comprendre pantoute.

Elle sourit, allongea son bras jusqu'à lui, pinça la peau sur sa main :

–Si c'est pas dur à comprendre, c'est parce que t'as une bonne maîtresse pour te l'expliquer.

Il sourit aussi. Cherchait quoi dire pour réduire la distance entre eux. Dans ces cas-là, ceux qui possèdent moins de mots pour s'exprimer n'ont d'autre choix que celui de se taire. Ou de prendre les armes. Elle parla pour les deux :

–Tu veux pas m'embrasser, Lorenzo ?

–Quoi ?

–T'as compris, crains pas.

–Ben...

–Approche ! J'te mangerai pas. Ma bouche goûte pas la savonnure, tu sauras.

–T'as dit : pus de grands mots.

–Ben quoi ? De la savonnure, c'est de la mousse de savon. Le mot le dit quasiment.

–C'est ça que la marâtre faisait manger à la petite Aurore, l'enfant martyre.

–Elle disait que c'était pour lui laver la bouche de ses 'menteries' pis de ses autres péchés.

Ils se regardèrent dans les yeux. Elle reprit la parole :

–Je t'ai demandé de m'embrasser pis tu me parles de la petite Aurore.

–Ça s'est adonné de même.

Aussitôt, il s'approcha et ils s'embrassèrent. Il était mort de peur. Elle était remplie de curiosité. Ce jour revêtait une grande importance pour elle. Il fallait qu'elle circonscrive ses sentiments pour lui. Qu'elle puisse commencer de se dessiner un avenir avec lui dans le décor. Ou bien qu'elle lui tourne le dos définitivement pour le rejeter à jamais dans sa seule mémoire. Voilà pourquoi elle avait voulu le rencontrer à l'école, dans un lieu discret, sombre, isolé, propre aux meilleures perceptions qui soient. Lorenzo ignorait qu'il était là pour subir un procès et elle ne le lui avouerait pas. Ce n'était pas un jeu, c'était un test sérieux. Une sorte d'examen de fin d'année et le jeune homme devrait obtenir au moins la note de passage s'il voulait graduer dans son coeur et dans sa vie.

–Aimes-tu ça, m'embrasser ? demanda-t-elle quand le baiser eut pris fin quelques courtes secondes après.

–'Cartain' !

–Veux-tu recommencer ?

–'Cartain' !

On en fabriqua un second. Cette fois, ils fermèrent les yeux tous les deux. Au-delà de sa nervosité et au fond de sa timidité, Lorenzo trouva un instinct qui lui fournit de l'audace, et il enveloppa les épaules de la jeune femme et caressa son dos. Il toucha sa nuque de sa grosse main. Flatta doucement et fermement.

Puis, reculant sa tête, il fit la plus grande déclaration de toute sa vie :

–Rose, j't'aime en maudit.

–Qu'est-ce qui te le fait dire ?

Il fit tournoyer sa main droite sur sa poitrine :

–Ça pigrasse en baptême là-dedans.

Elle se mit à rire tout fort :

–Ça pigrasse à l'épigastre.

–J'me rappelais pas du bon mot.

–Oublie ça pis parle comme ça vient du fond de ton coeur. C'est ça, le plus important.

On s'entretint ensuite de tout et de rien. Tout le temps qu'ils furent ensemble, Rose-Alma évalua son prétendant. Et quand la Ford noire du vicaire Morin s'arrêta devant la croix du chemin juste à côté de l'école, et que le conducteur klaxonna, elle attribua une note à Lorenzo. Ce pourcentage suffisait pour que leur relation secrète se poursuive, mais n'était pas assez pour qu'on l'étale au grand jour. Pas encore.

–T'oublieras pas pour le cadenas ! fit-elle avant de sortir.

–'Cartain' !

–Pis au lieu de dire tout le temps 'cartain', dis donc 'certain'. C'est pas un grand mot, ça, c'est rien que la bonne manière de parler. 'Cartain', c'est rien que les vieux qui disent encore ça.

–C'est bon, c'est bon.

–Certain ?

–Certain !

–Tu as fait tout ce que tu voulais faire, Rose-Alma ? demanda le vicaire quand elle fut à bord.

–Tout et un peu plus encore.

–Tant mieux !

De nouveau, sa vision périphérique tomba sur la cuisse de belle image et de tant de santé de la jeune femme. Il reprit :

–En route pour le village !

–Comme dit mon frère : en route su' la croûte !

–Ah, j'te dis qu'on est loin de l'hiver aujourd'hui, par une chaleur pareille. Je viens de boire de la limonade chez monsieur Nadeau : c'est drôlement rafraîchissant. Ils ont pu conserver de la glace jusqu'ici tandis que la plupart des cultivateurs et des gens du village n'en ont plus dans le bran de scie depuis deux, trois semaines ou même un mois. Vive le jour où toutes les maisons posséderont leur réfrigérateur domestique ! Il paraît que ça va venir vite. J'ai lu que la compagnie *Electrolux* de Suède commencera la production sur une grande échelle pas plus tard que l'année prochaine.

–Ah, moi, vous savez, j'connais pas grand-chose aux frigidaires.

–Ça s'appelle réfrigérateur. *Frigidaire*, c'est une marque de commerce tout comme la marque *Kelvinator*. Ça appartient à monsieur Nathaniel Wales, un Américain.

Elle tourna la tête vers lui, sourit, soupira, les yeux agrandis :

–Vous êtes drôlement cultivé, monsieur le vicaire !

–C'est pas de la culture, c'est de la lecture. Je lis les journaux et je me renseigne.

Rose-Alma songea à son échange avec Lorenzo quelques instants plus tôt. Et se dit qu'en ce moment, elle devait ressentir, face à l'érudition du prêtre, la même chose que son ami de coeur face à la sienne, à elle. À ce chapitre, se dit-elle aussi, ce n'était pas la compétition qui valait mais bien plutôt la complémentarité. C'est par la somme des inventions qu'on en arriverait probablement, ainsi que le prédisait l'abbé Morin, à doter tous les foyers d'un appareil qui rendrait obsolète la rude tâche de tailler de la glace sur le lac l'hiver et de la conserver jusqu'au coeur de l'été. Et surtout du soin plus exigeant encore de conserver plus longtemps la nourriture périssable. Quel soulagement pour les femmes au foyer que l'addition au mobilier courant d'un tel appareil à faire des miracles !

–Dites-moi donc comment on a inventé ça, un frigi... un réfrégi...

–Réfrigérateur.

–C'est ça : un réfrigérateur.

Heureux de se savoir écouté autrement que sur un sujet religieux, le prêtre résuma en quelques phrases l'histoire de cet appareil promis à un bel avenir par tout le monde :

–Le premier réfrigérateur fonctionnel a été mis au point à Chicago en 1913. Ensuite, en 1918, il y a eu, je te l'ai dit, le *Kelvinator*. Puis en 1919 le *Frigidaire*. Les appareils étaient coûteux et bien peu fiables. Une caisse isolée refroidie par des serpentins de saumure et un groupe frigorifique utilisant de l'oxyde de soufre. L'année passée, en 1929, deux Suédois, messieurs Munters et von Platen ont mis au point un appareil condenseur à air. Et on annonce une fabrication industrielle de ces nouveaux appareils dès l'année prochaine en 1931. Voilà, Rose-Alma, je t'ai tout dit en le moins de mots possible.

–Ah, monsieur le vicaire, je voudrais vous entendre parler toute la journée !

Le prêtre éclata de rire :

–Que voilà une belle flatterie !

–C'est pas de la flatterie, monsieur le vicaire, c'est de l'émerveillement.

Il se tourna la tête vers elle. Leurs yeux se pénétrèrent un petit moment sans réserve. Une fois encore lui passa par la tête tout ce qui, dans ces jours récents, s'avérait matière à tentation : l'histoire des 'frappeurs' qui le troublait tant et si profondément, la nudité de la possédée qui le troublait encore bien plus, les manières de Marie-Jeanne Nadeau qui ajoutaient à son trouble, et maintenant, cette cuisse porteuse de générations fortes.

L'homme en lui ne trouva pas mieux que d'abaisser sa vitre pour que l'air lui vienne en aide grâce au ciel. Et de s'adresser à la croix du chemin déjà loin derrière pour le soutenir dans cette nouvelle attaque par le Malin à travers sa libido.

La maîtrise de soi passe par la raison. Elle doit s'emparer des émotions pour les museler et même, en certains cas, les emprisonner à clef dans quelque basse-fosse de soi-même. Le prêtre savait fort bien cela et le pratiquait tous les jours. Mais pas toujours, et il lui arrivait, dans un état de semi-conscience, de soulager son corps de ses appels auxquels il ne saurait résister que par la grâce de Dieu ou de ses aides du ciel, anges, saints, disparus et surtout, surtout la bonne Sainte Vierge Marie, mère de Jésus et reine du vaste paradis, le royaume des royaumes.

Il fallait donc faire diversion en parlant simplement d'autre chose.

–Et... que penses-tu de notre nouvelle chapelle ?

–Je ne l'ai pas vue.

–Bien entendu, c'était dimanche passé une corvée d'hommes, mais dimanche à venir, c'est la bénédiction officielle : est-ce que tu seras là ?

–C'est entendu. J'en avais l'intention. Mais il paraît que c'est pas facile de monter sur la montagne.

–Tu n'y es jamais allée ?

–Non.

–Ah, y a certains aménagements du sentier qui ont été faits. Et puis, le cheval de monsieur Couët est capable, lui... Seigneur Dieu, j'oubliais que le poney est mort.

–Tué par le tonnerre. On en a entendu parler au village.

–Une bonne bête... si utile à monsieur Couët. On se demande parfois pourquoi le ciel frappe de cette manière.

–Croyez-vous que le bon Dieu a quelque chose à voir dans cette histoire pas mal triste ?

–Le bon Dieu, non; le diable, peut-être !

Énervée par une pareille réflexion, surtout provenant d'un prêtre, Rose-Alma tourna la tête vers lui et, regard agrandi, demanda aussitôt :

–Le diable ? Comment ça ?

Il esquiva sa propre pensée :

–Non, non, je disais ça comme ça. Ce que je veux dire que si la foudre fait des dégâts, voilà le propre du diable et certainement pas du bon Dieu.

Elle revint vite à son naturel :

–C'est le diable qui doit pas aimer les paratonnerres.

–Ça me fait penser qu'il en faut absolument un sur la chapelle. On va installer une petite cloche dans la chapelle et un fil pour conduire la foudre au sol.

–Comme on dit : aide-toi et le ciel t'aidera !

–C'est bien dit, oui !

Des enfants de cultivateurs regardèrent passer la voiture noire. La maîtresse en salua quelques-uns qu'elle connaissait mieux parce qu'ils étaient ses élèves. On l'enviait de faire cette randonnée en 'machine' et pas un n'y trouva à redire ou à s'interroger.

Devant la maison Goulet, le prêtre bifurqua dans son propos et parla du chat de Juliette qu'il avait écrasé à mort avec son auto.

–C'est une ben bonne petite fille, dit Rose-Alma, mais des fois, on dirait que le malheur la court. Elle a tendance à se blesser. Je me demande des fois si d'aucuns ne sont pas nés pour le malheur. Je pense à monsieur le bossu Couët parmi d'autres. Sa vie doit être terrible.

–Attention, il a des compensations. Il quête. Surtout dans la Beauce. Et voit bien du monde. Je sais qu'il va souvent au cinéma. Il connaît les acteurs et les actrices comme personne. Si tu as l'occasion d'en jaser avec lui, demande-lui, tu verras.

–Je le sais, je l'ai fait. C'est drôle, il compare tout le temps madame Nadeau...

–Madame Nadeau du cinquième rang ?

–Oui, oui, madame Maurice Nadeau... Il la compare à Mae West.

–Ce n'est pas trop flatteur pour elle.

–Il ne dit pas ça pour mal dire. Il trouve que ces deux femmes-là se ressemblent.

–La moralité chrétienne de madame Nadeau n'est sûrement pas la moralité hédoniste de cette... Mae West. Mais je suis sûr qu'il vous parlera d'autres comédiennes du grand écran moins... provocantes. Je pense à Joan Crawford, à Helen Hayes...

–Greta Garbo, Jean Harlow...

–Ces deux-là non plus ne sont pas des modèles de moralité chrétienne. Le cinéma est trop souvent source de dépravation. Le cinéma devrait être consacré aux choses belles et propres et nous présenter des histoires pures. On peut le faire et les gens aiment. Pensons aux films d'avant le cinéma parlant qui nous est venu l'an dernier. Avec Charlie Chaplin, Buster Keaton et combien d'autres. Et puis, il y avait des actrices de bon renom comme Lilian Gish, Loretta Young, Mary Pickford tiens...

La jeune femme grimaça :

–Oué, mais tout ça est un peu... démodé, monsieur le vicaire. En cinéma, on pourrait dire que le parlant a fait taire le muet pour toujours.

–Seigneur Dieu ! quelle belle métaphore, Rose-Alma.

–Ça m'est venu comme ça : des fois, j'ai des inspirations

subites. On dit que l'inspiration vient toujours d'en-haut... comme un coup de foudre...

Cet échange fort agréable à bâtons rompus dura jusqu'au village. Après être descendue de voiture, Rose-Alma se pencha dans l'ouverture de la vitre et demanda :

–Comment s'assurer qu'un mariage sera heureux ?

L'abbé sourit :

–La meilleure réponse se trouve dans le petit catéchisme au numéro 308. La question est : '*Pourquoi beaucoup de mariages sont-ils malheureux* ?' Et la réponse à cette question importante, très importante de la vie est celle-ci : '*Beaucoup de mariages sont malheureux, parce qu'ils ont été contractés sans réflexion, ou avec des motifs peu dignes d'un chrétien.*'

–Comme par exemple ?

–Par exemple... pour certains hommes le seul appel de leur chair.

Rose-Alma rougit. Le soleil révéla au prêtre son embarras. Il salua afin qu'elle prenne congé de lui :

–À la prochaine, Rose-Alma ! Et... bonne réflexion !

–Merci beaucoup pour le tour de 'machine'.

–Paraît qu'il faut dire 'automobile' ou bien 'auto' tout court.

–C'est vrai : une machine, ça pourrait tout aussi bien être une machine à écrire.

–Voilà ! Et bon été !

–On va se revoir aux préparatifs du cinquantenaire.

–Bien entendu ! J'oubliais...

Ce furent les derniers mots échangés ce jour-là.

Le prêtre rentra au presbytère. Il s'enferma dans son bureau pour établir son rapport écrit destiné à son curé. Mais il ne leva pas le voile sur l'essentiel. Pas un mot à propos des 'frappeurs' autrement que pour mentionner l'existence de ce groupe qui jouait aux cartes toutes les semaines et s'adonnait à des jeux sociaux anodins. Pas un mot sur la nudité de la possédée. Rien non plus sur l'attirance qu'il ressentait pour Marie-Jeanne Nadeau quand il se trouvait en sa présence. Tout cela, il le cacha soigneusement sous le tapis. Et ce tapis n'était rien d'autre que la scène de l'atelier alors que le curé avait voulu abuser de la servante, une femme mariée et mère de famille.

Tout au plus souleva-t-il l'idée qu'il désirait, en acceptant de se trouver parmi le groupe du cinquième rang le samedi soir à venir, s'assurer que leurs réunions conviviales étaient irréprochables en tout : pas de boissons alcooliques, pas de jeu à l'argent, pas de danses en dehors des normes acceptables, rien qui se situe en dehors de la grande moralité chrétienne...

Le curé lut ce rapport le soir même et autorisa son vicaire à se rendre veiller chez les Rousseau ce samedi à venir pourvu que la journée du dimanche du vicaire soit bien planifiée. Ce n'était que répétition, puisque l'abbé Lachance, ce jour même, lui avait dit la même chose en des mots très semblables.

***

Chapitre 8

Pour servir de l'original à quelqu'un sans éveiller ses soupçons ni seulement lui mettre la puce à l'oreille, il faut prendre des risques et marcher parfois sur la corde raide. Voilà ce qui attendait Hilaire Morin et son groupe de 'frappeurs' ce samedi soir d'une chaleur endurable. C'est qu'il se trouverait sur place trois couples du rang qui ne se doutaient pas le moins du monde encore de la pratique dangereuse, offensante pour les bonnes moeurs et la moralité chrétienne qui avait cours depuis peu de temps à leur porte et à leur nez. C'est surtout qu'on aurait dans la bergerie un pasteur vigilant capable d'analyser les moindres gestes, de situer le mot le plus anodin dans un contexte général, et qui possédait aussi deux atouts majeurs pour le servir : son esprit de synthèse et le confessionnal.

Hilaire songeait parfois qu'un des 'frappeurs' ait pu ouvrir sa conscience au vicaire, et jamais il n'aurait soupçonné le bossu d'avoir appris le secret entourant l'échangisme et surtout de l'avoir éventé par une confession que sa profonde culpabilité avait rendue nécessaire, essentielle, vitale même pour lui.

Mais il y avait eu cette visite surprise du vicaire sur la montagne le mercredi soir d'orage. Mais il y avait eu les drôles de phrases allusives dites par lui, comme s'il avait été au courant de tout et offusqué terriblement. Voilà pourquoi il avait été décidé de le rouler dans la farine. Du moins d'essayer de le faire...

Mais l'abbé Morin n'était pas le dernier venu. Il possédait des antennes comme un poste récepteur. Aurait-il un doute en se rendant compte que l'on n'allait pas célébrer dans une maison, mais dans une grange ? Aurait-il un doute quand il constaterait que pas la moindre boisson alcoolique ne serait sur table, pas même le plus petit vin de pissenlit ? Aurait-il un doute quand il saisirait au passage, comme un oiseau attrape une mouche et la gobe, un mot échappé de la bouche d'une personne imprudente ? Aurait-il un doute, si, à l'inverse, pas un de ces messieurs présents ne racontait la moindre histoire épicée, ne faisait la moindre allusion aux choses de l'intimité ? Bref, aurait-il un doute à voir cette énorme patte blanche, tout enfarinée qu'on s'apprêtait à lui montrer dans la batterie de la grange des Rousseau ? Aurait-il un doute quand il verrait que tous étaient venus une demi-heure avant lui ? Et une demi-heure avant Marie-Jeanne Nadeau ? Son doute s'enflerait-il à la grosseur de la montagne quand il verrait que Maurice Nadeau était absent ? Tout comme Bossu Couët ? Et Théodore Morin ?

Si l'émotion est mère de l'intuition, la naïveté en est sa grand-mère. Par chance, l'abbé Morin n'était pas naïf. Quant aux émotions, on s'arrangerait pour les diriger à son insu. Donc on endormirait la mère de son intuition; quant à sa grand-mère, elle était morte de sa belle mort voilà bien des années, sans doute au cours de la jeune adolescence du prêtre quand il avait découvert son corps, ses puissances et la violente occasion de pécher qu'il représentait.

Les 'frappeurs' furent les premiers sur place. On s'était donné le mot pour arriver à la grange une bonne demi-heure avant les trois couples encore 'purs', soit les Poulin, les Goulet et les Nadeau. Et à cet égard, tous savaient déjà que le bon et candide Maurice brillerait par son absence une bonne partie de la veillée, qu'il ne serait disponible pour venir qu'au moment où le vieux Théodore retirerait sa patte et ses griffes de la peau de son cou docile. Car à l'exception de Marie-Jeanne, le père Morin était de loin le plus apte à encarcaner Maurice, à l'entraver même ou bien à le clouer au pilori de la crainte et de l'hésitation.

Un homme de guet fut mis au bord de la porte, en l'occurrence Pit Roy qui avait bon pied, bon oeil et surtout bonne voix. Dès qu'un invité non 'frappeur' se montrerait les oreilles, il donnerait l'alerte. Entre-temps, Hilaire, le meneur de jeu de cette soirée bien arrosée d'eau fraîche, de joyeusetés les plus saines et même d'entraide exceptionnelle, étala le menu dans son entier.

Tout d'abord, on mangerait. Il montra la table au bout de laquelle il se trouvait tandis que les gens restaient debout aux alentours, certains appuyés aux poutres, les deux femmes enceintes assises, et les autres bras croisés, bien installées sur leurs jambes fortes, rompues à la marche et aux travaux demandant la station debout.

–Vous voyez, on a du manger en masse. Chacun d'entre vous a apporté quelque chose. Du fromage. Des oeufs à la coque. Du bon pain de ménage. Du beurre salé. Du petit lard. Des bonnes 'binnes'. Soupe aux pois. Des tartes, du gâteau. Des biscuits, du lait. Et quoi encore ! On va prendre un bon repas, les dix couples du rang ensemble. En fait neuf couples et demi étant donné que Maurice Nadeau s'en va marcher le haut des terres au bord du lac avec mon père. Par contre, madame Nadeau sera avec nous autres, elle nous l'a promis. Et surtout, elle avait belle envie de venir. Et puis, bien entendu, notre cher monsieur le vicaire. Vous savez tous pourquoi on l'a fait venir. Il faut qu'il bénisse nos jeux, notre assemblée. Il faut même qu'il prenne part à nos jeux. Il n'y aura aucun échange de partenaires ce soir entre nous. Aucun. J'ai organisé une chasse au trésor, plusieurs le savent. Chacun restera avec sa chacune...

Rousseau lança :

–J'viens de comprendre... Monsieur le vicaire sera pairé avec madame Marie-Jeanne...

–Tu m'ôtes le pain de la bouche, Romuald. Le plus loin qu'un couple pourrait aller dans les circonstances, je parle du jeu de la chasse au trésor dont les règles seront favorables à certaines petites choses que je ne vais pas nommer, le sera par le couple formé par le vicaire et Marie-Jeanne.

–Le trésor, ça sera quoi ? demanda Jean Paré.

–L'enveloppe qui contient nos charités envers le bossu.

Hilaire la montra.

À l'arrivée de chacun plus tôt, il avait procédé à la quête afin de réunir les fonds permettant à Couët de s'acheter un nouveau poney en remplacement de la *Brune*. Non seulement le petit cheval serait-il fort commode au pauvre homme, mais pourrait-on le lui emprunter pour traîner des personnes sur la montagne comme le mercredi soir d'avant, et ce, en attendant les réaménagements prévus au sentier abrupt menant là-haut. Chacun ayant été préalablement contacté sur la question, y compris les trois couples non 'frappeurs', la cote était de trois dollars et demi pour ainsi amasser un grand total de trente-cinq dollars, montant suffisant pour l'achat d'une jeune bête dressée et obéissante.

–Il y a sept fois trois piastres et demie là-dedans. Donc un total de vingt-quatre piastres et demie. Ça fait une belle cagnotte. Mais elle n'est pas pour quelqu'un d'autre que le bossu. Ce qui veut dire que celui qui la trouvera me la remettra pour que je la donne à Couët. On aurait pu le faire venir icitte plus tard, mais ça l'aurait mis à la gêne, le bossu. Il a beau quêter dans la Beauce, il aime pas se faire prendre en pitié par icitte.

–Les autres couples, eux autres ?

–Je vas les avertir en les collectant tout à l'heure. Y a que monsieur le vicaire qui va l'ignorer. Autrement, il croirait que c'est une chasse au trésor bidon et ça éveillerait ses soupçons. Il pourrait croire qu'on veut le tromper sur nos vrais jeux.

–C'est plein d'allure, tout ça ! s'exclama Albert Martin. La religion, c'est à la fois simple et compliqué, ben nous autres, on fait pareil à soir.

On l'applaudit. Hilaire reprit la parole :

–Mais les chances que l'enveloppe soit trouvée par le vicaire sont de une sur... neuf.

–Si ça arrive, on est faits, argua Angélina Pépin.

–Ça arrivera pas parce que je vais mettre madame Nadeau au parfum aussitôt qu'elle sera là.

–Mais là, c'est elle qui aura des doutes, intervint Georgette Rousseau.

–J'ai pensé que le contentement qu'elle va avoir à se trouver avec monsieur le vicaire va endormir tous ses soupçons. Elle dira pas à l'abbé que l'enveloppe a aucune chance de se trouver dans la maison où ils iront tous les deux pour la chercher. Laissez-moé faire, j'vas être capable de la convaincre de jouer le jeu avec nous autres si elle veut que monsieur le vicaire soit ben ben content de sa veillée.

–Parfait, ça ! lança Jean-Pierre Fortier.

–À table, tâchez de parler surtout entre vous autres, les hommes, et les femmes entre vous autres. Ça sera pas trop dur d'abord que c'était pas mal de même tout le temps avant qu'on commence à... à...

–'Frapper', faut dire le mot, ordonna Blanche Morin.

Rires et sourires formèrent un court concert désordonné et mal accordé.

–C'est vrai qu'on s'entend pas mal mieux entre hommes et femmes depuis qu'on a commencé à mieux échanger, vous pensez pas, vous autres ?

Albert commenta :

–On est plus tolérants, moins individualistes, plus propres en tout cas...

Georgette coupa :

–Ça, c'est ben trop vrai !

Romuald rougit jusqu'aux oreilles. Il enterra son embarras en félicitant tout le monde :

–Pis l'idée de protéger les animaux, c'est à l'honneur de tout le monde icitte.

Hilaire souleva de nouveau l'enveloppe jaune et demanda au maître des lieux :

–Romuald, faudrait cacher ça quelque part : le mieux, ça serait où ?

L'autre fit un clin d'oeil et répondit en se servant d'une idée de l'autre :

–Peut-être qu'on ferait mieux de la cacher icitte, dans la tasserie... pis d'envoyer monsieur le vicaire chercher dans la maison avec sa...

Albert trouva le mot que Romuald cherchait :

–Sa coéquipière.

–En plein ça !

La voix de Pit Roy couvrit les exclamations de contentement :

–C'est Josaphat pis Joséphine qui s'en viennent à fine épouvante. On dirait que le feu est pris quelque part.

Hilaire reprit la parole :

–Pour en finir avec ça : je m'occupe d'aller la cacher en quelque part. Oubliez pas, c'est l'argent du bossu : ça appartient au bossu pis à 'parsonne' d'autre.

Une fois dehors, Hilaire descendit du gangway et tomba sur les Poulin qui arrivaient avec leur passagère, Marie-Jeanne Nadeau. On se salua.

–Maurice est pas avec vous autres ? demanda-t-il hypocritement.

–Tu dois être au courant qu'il est parti marcher le haut des terres avec ton père.

–Ah, mais oui ! J'avais oublié ça. Ben attachez le cheval pis montez dans la grange. On va manger, ça sera pas long... dès que les Goulet pis monsieur le vicaire seront arrivés. Tout le monde est déjà là...

Josaphat descendit en disant :

–J'ai affaire à toé, Hilaire, sauve-toé pas, là.

–C'est que j'peux faire pour toé ?

Quand l'autre eut le pied à terre, il fouilla dans sa poche et en sortit deux coupures de deux dollars :

–C'est ma cotisation pour le p'tit ch'fal du bossu.

–Ben j'te dois cinquante cennes. La part de chacun se monte à trois piastres et demie.

–Ah, laisse faire le change ! Ça en fera plus dans le tas.

–C'est comme tu veux. Je mets ça dans l'enveloppe...

Joséphine et Marie-Jeanne descendirent de voiture par leurs propres moyens. Hilaire s'adressa au trio afin d'expliquer le déroulement prévu de la veillée. Il parla de la chasse au trésor et de l'enveloppe, et conclut :

–Ça reste au bossu ! Mais ça, le vicaire le saura pas.

–Pourquoi c'est faire qu'il le saurait pas ?

–Parce qu'il pense que nos amusements dans le cinquième rang sont faux. J'ai parlé avec lui au téléphone. Il pense que nos veillées, c'est pour danser pis jouer aux cartes à l'argent. Il voudrait pas jouer aux cartes à l'argent avec nous autres, mais il embarquera dans une chasse au trésor. Ce qui, dans le fin fond, est à peu près la même chose. Mais si c'est une chasse au trésor bidon, il va pas se sentir impliqué. Pis je compte sur toé, Marie-Jeanne, pour le faire embarquer ben comme il faut. Qu'il s'amuse donc avec nous autres pis ça va montrer que les prêtres sont affectés eux autres itou par la crise.

–Ça, c'est ben trop vrai ! approuva Joséphine qui rajusta ses lunettes sur son nez.

–C'est que tu veux dire par 'compter su' moé' ? demanda Marie-Jeanne.

–Les couples vont se disperser dans tous les bâtiments pour trouver le trésor... Le trésor, c'est l'enveloppe du bossu. Mais vu que le vicaire est tout seul... pis toé itou, Marie-Jeanne, vous allez former un couple de joueurs pour une demi-heure.

Il passa des images excitantes dans la tête de la femme. Le fantasme du soir du chapelet à la croix du chemin lui revint encore une fois. Laissée seule avec ce prêtre durant une demi-heure, voilà qui lui apparaissait comme une chance unique dans une vie. Certes, il y avait le confessionnal où elle cherchait toujours à étirer le temps, mais d'autres attendaient à la porte, et faire durer le plaisir alors, c'était aussi faire penser aux autres pénitents que la liste de ses fautes devait être interminable.

–Si personne trouve quelque chose à redire, je vas m'en occuper, moi, du p'tit vicaire.

Josaphat lança dans un rire fracassant :

–Pas si p'tit que ça !...

Hilaire reprit à l'intention de Marie-Jeanne :

–On se comprend ?

–On se comprend ben comme il faut.

–Bon, asteur, moé, je m'en vas cacher l'enveloppe. Vous r'gardez pas où c'est que j'm'en vas.

Josaphat secoua la tête :

–On a rien vu. On t'a même pas vu. Montez en dedans, les femmes, moé, j'attache mon ch'fal pis j'vous rejoins dans la grange, là.

Marie-Jeanne s'objecta :

–Montez, vous deux. Moi, j'ai quelque chose à parler avec Hilaire en rapport avec le droit de passage en haut de notre terre.

C'était un beau mensonge. Elle voulait savoir mieux à quoi s'en tenir avec cette chasse au trésor et ce pairage avec le prêtre. Les Poulin montèrent sur le gangway et disparurent dans la grange où on les accueillit avec exubérance.

–On dirait que... ben y a quelque chose de monté dans tout ça. J'veux dire que ton père demande à Maurice pour aller marcher les hauts de terre pis qu'en même temps, tu me demandes de m'occuper du vicaire.

–T'es pas mal intelligente, Marie-Jeanne, d'avoir vu ça. T'as l'oeil clair.

–Parce que c'est bel et bien la vérité ?

–Oué. On veut que le vicaire, pis du même coup le curé, nous défendent pas de nous réunir dans le cinquième rang pour se faire du divertissement. On a fait quelques veillées dernièrement. Vous étiez pas là, toé pis Maurice. Le curé a pas aimé ça. Nous autres, on est pas obligés de se morfondre parce que c'est la crise. Le vicaire lui-même nous l'a dit l'autre jour. On va montrer aux prêtres que ce qu'on fait est pas passible de la peine de mort.

–J'comprends... mais j'te demanderai une chose : vas-tu nous inviter quand vous allez vous réunir pour fêter ?

–On l'a fait à soir, comme tu vois.

–Pour vous servir de moi... pis j'ai rien contre, mais ensuite. Après à soir ?...

–Prends pas inquiétude : ç'a juste pas adonné à venir jusqu'asteur.

–Nous autres, on a invité tout le monde du rang aux noces à ma fille.

–Je le sais, Marie-Jeanne. Mais, comme j'te le dis, ç'a pas adonné pantoute les deux ou trois fois qu'on a...

–Y a personne qui aime ça, être mis de côté.

–C'est certain.

–Le bossu, c'est pas pareil, lui, il est tout seul. Il aime pas ça se mêler au monde quand y a trop de monde. Il va nous parler comme ça, un à un ou un à deux, mais ça va pas plus loin.

–C'est pour ça qu'on l'a pas invité. En plus qu'on l'aurait mis à la grosse gêne avec notre quête pour lui...

À ce moment, l'on put apercevoir au loin la voiture du vicaire entrer dans le rang.

–Quen, monsieur le vicaire qui se pointe. Je m'en vas cacher l'enveloppe quelque part dans les bâtiments. On se revoit plus tard.

–C'est bon.

Ils se séparèrent.

Ce que n'avait pas dit Hilaire, c'est qu'il se trouvait deux enveloppes brunes et non seulement une. Celle qu'il arborait ne contenait rien du tout. L'autre, avec l'argent destiné au bossu, il s'était arrangé plus tôt pour la cacher derrière une poutre au fond de la tasserie, près de l'ouverture qui permettait de descendre dans l'étable via une échelle murale.

Pour que tout fasse plus vrai, il se devait de bien mélanger les cartes...

Sur le point d'entrer dans la grange, Marie-Jeanne s'arrêta un court moment en haut du gangway. Elle regarda vers l'entrée du rang pour repérer la Ford noire. Mais le vicaire s'était arrêté devant la maison Goulet...

Le front de l'observatrice se rembrunit quelque peu. On disait que le vicaire aimait regarder les femmes. Quel oeil posait-il donc sur la belle Désirée ?...

***

Chapitre 9

–Juliette s'est trouvé un autre chaton, dit Désirée, l'oeil étincelant, au vicaire qui montait sur la galerie.

–Ah oui ? Merveilleux !

La femme s'était mise dans l'embrasure de la porte, devant la moustiquaire de la porte d'été. Elle reprit :

–Vous avez dit que vous étiez pour le bénir.

–Et je vais le faire. Où se trouve-t-il ?

–Dehors, en arrière de la maison. Peut-être que le chat est avec elle. En tout cas, elle pourrait le trouver vite probablement.

L'homme en noir sourit, injecta aux mots une douceur qu'il destinait en fait à la jeune femme :

–J'y vais tout de suite... Mais je me suis arrêté pour vous offrir de monter avec moi pour vous rendre chez les Rousseau. On vous y a invités tous les deux, ça doit bien, comme tout le voisinage ?

–Oui, on allait partir justement. Mais on peut s'y rendre à pied : c'est voisin... notre premier voisin à côté.

–Mais tant qu'à être là, vous pourriez monter avec moi.

–J'en parle à Pierre le temps que vous bénissez le petit chat à Juliette.

–À tout de suite, là !

–C'est ça !

Le prêtre descendit de la galerie et contourna la maison. À l'arrière, il trouva Juliette occupée à faire du sarclage dans le jardin.

–Juliette, suis venu bénir ton nouveau chat.

La jeune fille sursauta, puis se redressa, plissa les yeux sous les rayons obliques du soleil du soir, fit un signe d'acquiescement :

–Je vais le chercher.

Ce qu'elle fit, sûre de le trouver dans le hangar à bois attenant à la maison. Elle en ressortit, l'animal dans les bras.

–Comment il s'appelle ?

–*Moussu*.

–C'est pas le même nom que l'autre ?

–Oui.

–Ah !

–Allez-vous le baptiser ?

–Non, le bénir seulement. On ne baptise que les personnes humaines, pas les animaux.

–Ah !

Elle regarda le prêtre avec un brin d'ironie dans l'oeil et une touche de provocation maligne :

–*Moussu*, ça s'écrit *M-O-U-S-S-U*. L'autre, là, ben c'était *M-O-U-S-S-U-E*.

Le prêtre sourit finement et parla aussi avec ses doigts boudinés :

–Ah, celui-là, pas de E à la fin de *Moussu*. Et l'autre avec un E... Je comprends. C'est un p'tit gars. L'autre, c'était une p'tite fille.

–C'est ça, oui.

Ces mots qui faisaient allusion au sexe de l'animal alignèrent la pensée de l'homme vers une autre direction que la précédente et tandis que ses gestes et paroles y allaient d'une bénédiction bien sentie, son imagination travaillait malgré son bon vouloir. Juliette commençait de posséder les attributs féminins et cela perturbait le vicaire. Il chassa une vision nette de sa poitrine nue afin de ne pas pécher, mais la nudité de la possédée lui revint en tête. Pour chasser cette nouvelle pensée 'mauvaise', il se mit à se rappeler de Marie-Jeanne Nadeau qui lui avait servi une si rafraîchissante citronnade l'autre jour. Mais c'est le corps de la femme qui en son écran intérieur vint remplacer le service de la limonade. Il lui fallait chasser la rêvasserie par une réalité plus 'saine' :

–Bon, celui-là, je vais faire attention de ne pas l'écraser comme l'autre. Par cette bénédiction, je le mets sous la protection du ciel.

Juliette se signa en même temps que l'abbé traçait le signe de la croix sur la tête de *Moussu*. Et pour montrer qu'il la considérait encore comme une enfant, il lui mit la main sur la tête et la bougea en souriant avec gentillesse :

–Bien le bonsoir, ma petite Juliette. Tu peux continuer de sarcler. Je suis sûr que tu auras de beaux légumes à la fin de l'été, les plus beaux du rang.

–Merci, monsieur le vicaire.

–De rien.

Et il partit.

Les Goulet l'attendaient à l'avant de la maison. Juliette serait la gardienne des autres enfants, et elle en avait reçu le mandat au repas du midi.

–On va y aller en 'machine' avec vous, d'abord que vous nous l'offrez, dit Pierre Goulet en souriant.

–Vous pouvez monter tous deux à l'arrière comme un couple royal. Le roi George et Princess May...

Désirée paraissait plus belle que jamais. Cheveux en vagues profondes au-dessus de sa nuque dénudée, robe pâle en tissu sans motifs mais sorte d'écharpe de même teinte beige avec grands pois noirs, puissant rouge sur ses lèvres suavement dessinées, elle rappela au prêtre une actrice populaire du cinéma américain. Il osa même le dire quand ses passagers furent à bord et qu'il s'apprêtait à mettre la Ford en marche. Regardant le couple par le rétroviseur, il s'exclama avec un signe de tête en biais :

–Madame Goulet, je vous trouve beaucoup de ressemblance avec Loretta Young.

–Qui c'est ça ? demanda Pierre aussitôt.

–Une comédienne de Hollywood. Je l'ai vue dans le film "*Ris donc, Paillasse* !"

–Ah, mais elle est bien plus jeune que moi ! déclara vivement Désirée.

–As-tu vu ce film-là ? lui demanda son mari.

–Non, mais j'ai entendu parler d'elle. Pis de son film. Et de la chanson qui jouait 'au radio'. C'était le même titre que le film.

–Et qui a d'ailleurs largement contribué au succès du film, ça s'est su... Madame Young est née en 1913 et vous ?

–Moi ? En 1900.

–Vous avez donc trente ans ?

Elle fit une moue à l'adresse du reflet dans le rétroviseur, pour mieux dire :

–Eh oui ! J'ai donc déjà trente ans !

–Tu les as pas encore, objecta son mari.

–Je vas les avoir le treize décembre.

–Donc pas encore trente ans.

–Presque.

L'abbé fit démarrer le moteur, puis embraya.

–On va y aller tranquillement : y a rien qui presse. Et comme ça, on va pas s'empoussiérer.

Pierre dit :

–Après l'orage de l'autre nuitte, le chemin fait pas grand poussière.

–J'ai vu ça en venant.

Chez les Morin, deux hommes s'apprêtaient à monter en voiture fine pour se rendre au trécarré. Le vieux Théodore dit à Maurice Nadeau :

–Viens donc me donner un coup d'épaule pour grimper là-dedans, veux-tu ?

–Ben entendu !

Ce fut fait, puis Maurice retourna de l'autre côté et rejoignit le vieillard sur la banquette.

–Quen, prends donc les cordeaux : t'es plus jeune que moé d'abord.

–Ben entendu !

–Veux-tu qu'on prenne par le rang pour monter par ta terre ou ben si tu veux qu'on monte par la mienne, icitte ?

–C'est comme vous voulez.

–Y a la terre à Pépin entre les deux, mais c'est passable jusqu'à la tienne.

–Y a une 'trail'.

–On monte par la mienne d'abord.

–Ben entendu !

"Jamais vu une guenille d'homme de même," songeait le vieux Morin. Il n'aurait aucun mal à en faire ce qu'il voudrait ce soir-là, même à s'essuyer les pieds sur lui comme sur un vulgaire paillasson.

Et l'attelage prit lentement le chemin des vaches, roues qui calaient à mi-rayons dans la terre noire dans un bruit des essieux familier aux deux passagers.

De sa voix faiblarde et traînante, Maurice demanda :

–Ça va-t-il être ben long de marcher ça à soir ? C'est parce que ma femme se trouve à visiter les Rousseau, pis que j'voudrais la r'joindre pas trop tard.

–Tu vas la r'joindre ben assez vite, ta Marie-Jeanne. Pense même pas à ça, mon p'tit gars !

–C'est ben correct d'abord !

Le vieil homme sortit sa pipe, sa blague à tabac et demanda à l'autre :

–Veux-tu charger, mon Maurice ?

–Ben... non...

–Tu fumes pus ?

–Des fois... après souper.

–On est après souper là.

–Ben moé, j'ai pas soupé.

–Comment ça ? Marie-Jeanne en a pas fait ?

–Non.

–Vu que... ben fallait qu'elle se prépare pour aller veiller... pis que... ils vont manger, tout le monde ensemble dans la grange à Rousseau...

–C'est pas une raison. Elle aurait dû t'en faire pareil. Pis les enfants, eux autres ?

–Ben... Charist' a quatorze ans pis il aime ben ça, fricoter, lui. Ça fera un cuisinier de 'chanqué' que ça me surprendrait pas pantoute de pantoute.

–Arrête le ch'fal un peu.

–Quoi ?

–Ben oui, ben oui ! Comment veux-tu que j'charge ma pipe autrement. Ça brasse trop. Pis allumer, j'serais jamais capable. Arrête le ch'fal !

–Huhau ! Huhau !

Maurice tira sur les cordeaux et l'attelage s'immobilisa. Le vieillard prit tout son temps pour charger tout en devisant sur le même rythme lent que l'autre mettait au compte de l'âge alors qu'il lui aurait fallu l'imputer à l'intention cachée du bonhomme ratoureux.

–J'veux pas passer pour un radoteux, mais ça va durer quel temps, nous autres à soir ?

Théodore injecta une légère touche d'impatience à son ton pour répondre :

–Le temps qu'il va falloir, Maurice. Les affaires, ça doit être ben clair, ça. On va marcher le passage pis s'entendre su' le droit de passage et caetera, et caetera... Je t'ai dit de pas t'inquiéter. Ta Marie-Jeanne, elle fondra pas comme du beurre au soleil à soir. T'as ben peur de la laisser tuseule ? Ils vont être une vingtaine su' Rousseau, là. C'est pas mauvais, une p'tite sépârâtion de temps en temps dans un couple de gens mariés.

Puis le vieillard mit le bouquin de sa pipe entre ses dents et frotta une allumette sur son pantalon d'overall pour ensuite coller la flamme générée sur le tabac dont plusieurs brindilles pointaient en dehors du fourneau.

Rejetant une lourde poffe de fumée bleue, il ajouta, l'oeil allumé :

–Tu peux repartir. Mais pas trop vite. À mon âge, on a le squelette pas mal fragile. Trop se faire brasser, ça fait mal trois jours de temps. Ça fait que...

–Prenons le temps qu'il faut, d'abord que c'est de même.

Le prêtre stationna son auto dans l'entrée, devant la maison Rousseau. Il ne voulait pas énerver les trois chevaux attelés qui se trouvaient devant le mur de l'étable.

–C'est pratique, un habillement de prêtre, pas besoin de vous endimancher ! fit Pierre Goulet une fois descendu.

–C'est tout ce que vous pouvez dire. Vous savez, nous avons deux soutanes pour la semaine et une pour le dimanche. Celle du dimanche est faite d'un tissu de meilleure qualité. Sa couleur est plus noire et donc moins grise que les autres. Madame Cécile sait y faire. Surtout pour empeser les cols. Elle est irremplaçable.

Le trio se mit en marche, Désirée encadrée par les deux hommes. Dans la grande porte ouverte, Pit Roy les annonça de sa voix la plus forte et enjouée :

–Pierre pis Désirée Goulet avec monsieur le vicaire nous arrivent dans la minute. Avez-vous entendu, tout le monde ?

Tous restés debout se tournèrent vers la grande porte et y portèrent une part de leur attention tout en poursuivant l'échange déjà engagé. Dehors, Hilaire Morin, qui venait de sortir de la maison où on croyait qu'il était allé cacher l'enveloppe de la chasse au trésor, rattrapa le trio en train de gravir la pente du gangway.

–J'pense qu'il manquait rien que vous autres, leur dit-il dans le dos.

Le vicaire et le couple s'arrêtèrent. L'abbé sourit :

–En faut qui arrivent les premiers; en faut d'autres qui arrivent les derniers.

Pareilles évidences rejoignent tout le monde et rendent intéressants ceux qui les servent.

–Ça, c'est ben dit ! s'exclama Hilaire.

–Arrête le ch'fal ! dit Théodore à Maurice quand le lac fut bien en vue.

–Pourquoi c'est faire ?

–Pourquoi c'est faire ? Mais regarde-moé ça, un beau spectacle de même !

Maurice obéit, l'oeil contrarié.

L'eau brasillait sous les feux couchants du soleil empourpré. Une longue traînée moirée partait de l'autre rive et s'étirait sur une largeur d'un demi-arpent. Maurice n'exultait pas à la façon du vieil homme :

–De chez nous, on voit ça quasiment tous les soirs.

–Ben pas nous autres. Faut se rendre à l'école pour apercevoir le lac, pis pas pantoute comme on le voit là.

–R'garder le soleil, c'est pas ça qui nous fait avancer.

–Au contraire ! Le spectacle, ça fait partie du reste. Pour faire ton prix, tu pourrais mettre ça su' la table. Un jour, dans vingt, cinquante ans, y aura des maisons partout autour du lac, pis ces maisons-là vont valoir le double des autres ailleurs. Un lac, c'est sans prix, ça...

Maurice soupira :

–Mais ça, on sera pas là pour voir ça, nous autres.

–Moé, pas; mais toé, on sait pas.

–Écoutez, père Thodore, j'ai 43 ans. Dans cinquante ans, j'en aurai 93. On sera en 1980.

–J'en ai ben 88, moé, pis sus pas encore mort.

Le vieux s'amusait à perdre du temps en vaines discussions à propos de tout et de rien, et à faire s'arrêter l'attelage pour trois fois peu. Maurice, homme de coutume patient, avait ce soir-là la démangeaison de l'action. Il clappa malgré les voeux de son passager et le *Gris* reprit son vieux pas plutôt lent.

On accueillit le vicaire par de chauds applaudissements. Les couples formaient un arc de cercle autour de la table dressée. L'abbé promena son regard sur eux en se demandant comment ces bonnes gens avaient pu en arriver à se vautrer dans le péché de la chair le plus vil qui se puisse commettre en ce bas monde. Mais il empêcha son front de se rembrunir en y préfabriquant des rides teintées de joie et de bienveillance, plus d'autres couleur de sainteté.

Hilaire se mit entre les arrivants et ceux qui étaient déjà là, en biais, et prit la parole avec un air de chattemite :

–C'est beau de vous voir applaudir comme ça, par vous

autres mêmes. C'qui veut dire que monsieur le vicaire est ben populaire dans toute la paroisse. Parce que j'vous dirai que nous autres, dans le cinquième rang, on est ben difficiles au sujet de nos prêtres. On aime pas le premier venu, même si c'est un homme de prêtrise comme vous.

L'abbé mit sa tête en biais :

–Vous me voyez bien embarrassé devant un pareil témoignage de sympathie. Je suis là ce soir pour partager votre repas, vos jeux, votre optimisme malgré la dureté des jours que nous traversons tous. Je suis là aussi pour vous aider à vous rapprocher du bon Dieu à travers ma modeste personne. Et je crois que le mieux à faire en ce beau début de soirée, c'est encore de vous bénir tous. Je vous bénis au nom du Père, et du Fils, et du Saint-Esprit.

Tous se signèrent. Hilaire parla de nouveau :

–Monsieur le vicaire, on vous place au bout de la table. Pis on a voulu que vous soyez en la meilleure des compagnies. Vu l'absence de monsieur Maurice Nadeau, réclamé par mon père pour une affaire urgente, c'est madame Marie-Jeanne qui sera à votre droite tandis que nos hôtes de ce soir, Georgette et Romuald Rousseau, seront à votre gauche. Est-ce que ça vous va ?

–Mais... très certainement ! D'ailleurs, laissez-moi vous dire que si cela était possible, je voudrais chacun de vous à ma droite. Dans une paroisse, il faut se serrer les coudes et dans cette optique, je vois chacun de vous comme un bras droit du presbytère. Solidaires sous le regard bienveillant du bon Dieu. Tous ensemble comme un beau champ de blé sous le soleil chaud et vivifiant qui représente la lumière divine en quelque sorte. Et maintenant, à table tout le monde !

L'abbé contourna la table d'un bon pas. Il se rendit à la chaise à l'extrémité qu'il occuperait tout seul dans une mise en scène voulue afin qu'il perçoive clairement le respect soutenu et profond que les gens du rang lui vouaient.

–Marie-Jeanne, Georgette, Romuald, vous pouvez prendre place. Et, à votre suite, tous les autres sans ordre. Chacun est aussi important que son voisin du rang. Pis gênez-vous pas pour commencer à vous servir. On a tout ce qu'il faut sur la table. Dans des plats. Dans des linges. Dans des pots. Des sandwichs à ben des affaires. Du thé pas trop chaud. Du lait frais. Des biscuits. De la confiture. Du pain de ménage...

–Tout un menu ! lança le vicaire.

Tous rirent. Tous applaudirent. Pas le menu mais le prêtre qui avait dit n'importe quoi.

Hilaire reprit :

–Mangez comme des oiseaux, mangez comme des défoncés, mais mangez à votre faim.

La voix énorme de Pit Roy se fit soudain entendre pardessus la rumeur, le bruit des chaises qu'on tirait, celui des petits rires des femmes :

–'Chenaille' ! 'Chenaille' à maison !

Marie comprit qu'un de leurs enfants se faisait crier par la tête par son père. Elle rejoignit son mari à la porte.

–C'est le Julien qui vient se lamenter de quelque chose.

–Laisse-le dire c'est qu'il a à dire.

–Pas mal braillard celui-là.

La femme s'adressa à son fils :

–Viens icitte un peu, Julien.

L'enfant que la voix de son père avait sidéré parut se dégeler. Il monta peureusement sur le gangway. Joseph tourna les talons et rentra à l'intérieur. Il ne se mêlait guère de l'éducation des enfants. Et s'il avait menacé son fils, c'est qu'il était entendu depuis l'après-midi que les deux aînés Jean et Julien veilleraient au grain à la maison et s'occuperaient des deux autres garçonnets pendant l'absence de leurs parents au cours de la veillée de ce samedi soir.

Le garçonnet se plaignit à sa mère d'avoir été molesté par

son frère. Elle le consola et lui dit de prévenir Jean en lui disant qu'il pouvait s'attendre à une sévère punition s'il devait recommencer.

–Asteur, tu retournes à la maison. Pis tu te coucheras pas tard.

–Oui, maman.

–Pis dis à Jean de se tenir tranquille.

–Oui.

Et l'incident fut clos.

Pendant ce temps, tous les invités avaient pris place à table. Blanche et Hilaire Morin occupaient l'autre extrémité. Les couples se voisinaient de chaque côté, la plupart des hommes en manches de chemise et les femmes sobrement vêtues sans rien qui puisse affriander ces messieurs ni même ajouter de virgules dans leurs propos.

–On va demander à monsieur le vicaire de réciter le bénédicité, réclama Hilaire à voix dominante.

Cela suffit à réduire le groupe au silence, et le prêtre s'exécuta, heureux de bénir la nourriture mais aussi bien content de pouvoir glisser un message voilé quant à la vraie nourriture spirituelle nécessaire à tout être humain :

–Bénissez-nous, ô mon Dieu, ainsi que la nourriture que nous allons prendre... Et j'ajouterai ceci : comme il est important de non seulement dire le bénédicité avant un repas, mais de prier souvent ! Le petit catéchisme dit qu'il faut prier surtout les dimanches et fêtes, chaque jour, le matin et le soir; dans les dangers, dans les tentations, dans les afflictions. Laissez-moi insister sur le mot 'tentation'. Elle est constante. Elle est omniprésente. Elle est partout. Dans les êtres et dans les choses. Dans la nourriture qui nous incite à la gourmandise. Dans la personne qui se trouve devant nous. Attention, le péché est d'abord en soi, mais l'occasion de pécher est partout, et vous aurez compris que c'est d'elle que je parle en ce moment. Tentation, occasion de pécher : c'est la même chose. Ou presque. Certes, en pourrait, en philosophant un peu, faire des nuances entre les deux concepts...

Faute de bien saisir, quelques-uns croisèrent les bras. D'autres s'échangèrent un regard en forme de point d'interrogation. Rousseau éternua. Pit Roy se moucha copieusement et bruyamment à l'aide d'un mouchoir à pois rouges. Marie-Louise sentit le foetus s'énerver dans son ventre. Dora retint son souffle, pensant que le vicaire était à livrer un message ad hoc et qu'il ciblait la nouvelle pratique des 'frappeurs'. Hilaire en était encore plus certain qu'elle et se disait que le prêtre devait savoir par la confession mais qu'il ne pouvait interdire quoi que ce soit sans violer le secret attaché au sacrement de pénitence.

Et l'abbé Morin, l'oeil rempli de lueurs, poursuivit :

–Et vous savez quel est le meilleur moyen de résister à la tentation ? C'est de faire usage le plus souvent possible du sacrement de pénitence. C'est d'avoir la contrition...

Alors le prêtre changea d'air et en prit un où la condescendance et le paternalisme se penchaient comme des parents sur le ber d'un nouveau-né peu choyé par la nature.

–Et qu'est-ce donc que la contrition ? La contrition, c'est une douleur, c'est la détestation du péché qu'on a commis et la résolution de ne plus le commettre. Et comme vous l'avez tous appris, la contrition doit posséder quatre qualités : elle doit être intérieure, surnaturelle, universelle et souveraine.

Le prêtre s'arrêta, prit une tranche de pain, regarda le silence de tous :

–Vous pouvez manger sans attendre. Et moi, je vais continuer de donner au bon Dieu les quelques minutes de toute une soirée de divertissement qui, vous en conviendrez, doivent lui être consacrées.

Plusieurs signes de tête approuvèrent. Pit Roy s'empara d'un pain non tranché et d'un couteau à longue lame. Il emprisonna le pain sous sa poigne d'acier et coupa. On le regarda faire tandis que l'abbé reprenait son exposé à propos de la contrition :

–Intérieure ? La contrition doit venir du coeur et non des lèvres seulement. Surnaturelle ? Elle doit être inspirée par la grâce de Dieu, et produite par des motifs venant de la foi, et non par des motifs purement naturels. Universelle ? Nous devons avoir le regret de tous nos péchés, au moins mortels, sans en excepter un seul. Je répète : sans en excepter un seul. Enfin contrition souveraine. Nous devons être plus affligés d'avoir offensé Dieu que de tous les maux qui peuvent nous arriver. Et voilà, je tenais à vous rappeler tout cela au commencement d'une soirée prometteuse qui, je le sais, sera sous l'enseigne de l'amour...

Personne ne cilla tandis que le vicaire promenait son regard sur tous les assistants comme pour les sonder individuellement jusqu'au fond de l'âme. Des yeux baissèrent. Des visages rougirent. Des nez expirèrent. Jean-Pierre Fortier se frotta un oeil dans l'encoignure afin d'y ôter une démangeaison. Georgette Rousseau ferma les yeux. Hilaire fit des yeux en coulisse.

L'abbé termina sur un large sourire ouvert au monde entier ou du moins à toute la région dominée par le mont *Sainte-Cécile* :

–Sous l'enseigne de l'amour du bon Dieu, comme vous l'avez tous compris dans le fond de vos coeurs.

On applaudit.

Un coup de vent dehors s'engouffra par la porte et balaya la table des odeurs qu'il transportait, mélange de foin frais, de fumier en décomposition, de poussière de balle accumulée sur le plancher de madriers et jusque de parfums de femmes.

L'air ainsi chargé atteignit le prêtre à l'autre bout de la table. À ce moment, Marie-Jeanne se pencha légèrement vers lui, poitrine qui s'appuya sur la table et parut à l'imagination du prêtre comme ces miches blanches que sa mère boulangeait tandis qu'il était encore enfant. Il ressentit un trouble intérieur que, grâce à Dieu, la femme apaisa par son dire :

–Vous êtes le Cicéron de Saint-Léon.

Le prêtre le prit à la blague et s'esclaffa :

–N'a-t-on pas dit que Cicéron était orgueilleux et pusillanime ?

–J'ai voulu dire que vous prêchez bien en toutes les occasions qui vous sont données. Il y a les occasions de pécher mais il y a aussi les occasions de prêcher.

–En ce cas-là, j'aurais préféré vous entendre me dire que je suis le Chrysostome ou bien le Lacordaire de Saint-Léon.

–Cicéron, c'est quand même pas Chiniquy.

–Et Lacordaire encore moins.

Le prêtre fut étonné de l'érudition de cette femme qui avait l'air de tout sauf d'une personne bien éduquée. Et le lui fit remarquer :

–Vous en savez, des choses, vous, Marie-Jeanne.

–Je fus maîtresse d'école tout comme Rose-Alma Bilodeau; et tout comme elle, j'ai beaucoup lu. Surtout des livres. On a chez nous une encyclopédie Grolier. Notre garçon Lorenzo, asteur, je le vois souvent fouiner dans des livres. Ça fait un peu ménette pour un homme, mais... J'pense que la Rose-Alma l'influence plus que moi. Qu'importe d'où ça vienne, pourvu qu'il s'instruise pis qu'il dépasse sa sixième année.

Le discours de la femme tombait dans le mille. L'abbé Morin n'avait jamais cessé de lire tout ce qui lui tombait sous la main et jusque des livres à l'index comme ceux de Lamennais voire même ceux de Chiniquy.

Il y eut une pause entre eux. Toute la table était en ce moment en conversation et en appétit. On se servait, on mangeait, on savourait les mets simples et bruts préparés par tout un chacun du cinquième rang.

Puis Marie-Jeanne glissa à mi-voix :

–On aurait dit tantôt, quand vous avez parlé, que vous aviez devant vous une bande de pécheurs. Même à l'église, en chaire, c'est ben rare qu'on vous entend prêcher sur ce sujet-là avec autant de conviction... je dirais de mordant.

Le prêtre hocha la tête, soupira, mit un petit morceau de pain dans sa bouche avant de répondre :

–Vous savez, des gens qui... disons bambochent, il y en a partout. Et le message à leur endroit doit être clair. Je ne dis pas que l'on... bamboche dans le cinquième rang, mais les bonnes gens d'ici sauront transmettre mes paroles à d'autres. Surtout qu'ils auront davantage affaire à des étrangers en raison du tourisme religieux que la chapelle sur la montagne nous amènera. Les cultivateurs ici présents seront en quelque sorte en avant-plan du décor à compter de demain alors que la chapelle sera bénie et officiellement inaugurée. Vous y serez, Marie-Jeanne ?

–Pas facile de monter là vu qu'on peut pas compter sur le p'tit ch'fal à monsieur Couët.

–Pauvre lui : perdre sa bête de façon aussi... bête. Je me demande pourquoi il n'est pas parmi vous ce soir.

–Je vous l'ai déjà dit : il serait pas venu. Pas plus qu'il serait venu à la noce de ma fille Armoza. L'inviter, c'est le mettre à la gêne. Autant pas le faire !

–Son état physique le rend si marginal, le pauvre. Lui non plus ne peut escalader la montagne par ses propres moyens. C'est son poney qui lui a permis de s'y rendre. Et maintenant plus de poney ! Pauvre homme ! Quelle misère, quelle misère ! Mais... sa résignation, sa soumission au bon Dieu, sa piété, tout son être moral lui vaudra une belle place au paradis. Il fréquente les sacrements. Il est un des meilleurs chrétiens qui soient. Chaque jour, il offre ses souffrances au Seigneur Jésus. Il les associe à celles du Christ sauveur afin de contribuer à la rédemption du monde. Si la terre était entièrement peuplée d'âmes comme la sienne. Un si bon catholique !

Marie-Jeanne mangeait tranquillement un sandwich aux oeufs fait par Dora Fortier. Il ne manquait pas d'ingrédients entre les deux tranches de pain de ménage qui avaient servi. Et c'est avec un regard à la sensualité qu'elle s'exclama :

–Eh ! que c'est donc bon ! La main qui a fait ça est une main qui sait faire.

Ce fut le début d'un long silence entre elle et lui.

Le vicaire fut de nouveau assailli par plein d'images récentes en lesquelles se trouvait une occasion de pécher. S'y ajoutait celle qu'il percevait dans sa vision périphérique de la femme Nadeau, elle qui bougeait légèrement de tout son corps, sans jamais s'arrêter. Et quand il lui jetait un coup d'oeil, il pouvait s'abreuver à d'autres suggestions venues de sa bouche lascive et de son regard langoureux...

L'abbé savait dès lors qu'il lui faudrait prier très fort tout ce soir-là...

***

Chapitre 10

Ni vin, ni bière, ni alcool sous quelque forme que ce puisse être : cela avait été planifié, décidé, imposé à tous par Hilaire et ceux qui avaient le plus d'influence sur lui et qui lui servaient de conseillers. Quoi qu'il advienne, on ne saurait accuser la boisson.

Des femmes et quelques hommes avaient dégarni la table. On avait porté les restes dans la maison Rousseau. Et on avait défait la longue table qui consistait en une plate-forme de waguine montée sur des chevalets. Et les assistants formaient cercle en un rectangle de chaises toutes occupées par des êtres fébriles.

C'était l'heure de la chasse au trésor. On savait à quoi s'en tenir, mais d'aucuns comme les Goulet, les Poulin, la Marie-Jeanne et le vicaire devaient entendre la version officielle du jeu. Une enveloppe contenant vingt-huit piastres a été cachée par Hilaire, le meneur de jeu; et qui la trouverait serait le grand gagnant.

–On pense, monsieur le vicaire, que vous allez jouer vous itou. C'est une question...

–Pourquoi pas ? dit le prêtre en bougeant un peu sur sa chaise.

–Et... comme un c'est un petit jeu qui se joue en couple,

–disons en équipe– pis vu que madame Nadeau est veuve pour une heure ou deux, on a pensé qu'elle pourrait et voudrait vous seconder dans la recherche de l'enveloppe. D'habitude, dans une chasse au trésor, on peut suivre des signes de piste, mais à soir, pas de signes de piste, vu que le territoire à fouiller est pas mal limité.

–Ah, mais ça me fera plaisir de former une équipe avec madame Nadeau.

La femme concernée déclara, l'oeil vif et clair :

–Pis à part de ça que j'ai pas mal de pif, vous savez. Ça se pourrait qu'on la trouve, nous autres, l'enveloppe.

Le vicaire acquiesça, la tête en biais :

–Et je sais ce que nous ferons avec si nous la trouvons. Notre chapelle sur la montagne aura besoin d'une cloche. Oh, pas une grosse comme à l'église, mais vingt-huit dollars, ça pourrait en payer une bonne partie.

Plusieurs s'échangèrent un regard contrarié. L'argent amassé devait servir au bossu pour son nouveau cheval. On s'était 'peinturé' dans un coin en ne révélant pas au vicaire la vérité vraie... S'il fallait qu'il trouve l'enveloppe, il faudrait lui dire que l'argent était destiné à Couët. Maints regards se tournèrent vers Hilaire qui avait proposé ce secret afin de mieux duper le prêtre. On comprit à son sourire approbatif que le jeu se poursuivrait comme prévu, et les mots que l'homme servit à l'abbé Morin s'adressaient aussi en catimini à tous les 'frappeurs' pour mieux les rassurer.

–Mon cher monsieur le vicaire, vous n'avez qu'une seule chance sur neuf de trouver l'enveloppe.

–Comment ça, sur neuf ? s'enquit Albert Martin. On sera dix équipes à chercher.

–Mais moé pis ma femme, on participe pas, vu que c'est moé qu'a caché l'enveloppe.

–Quelqu'un pourrait vous voir faire, commenta le vicaire.

–C'est déjà fait pis on m'a pas vu, j'en suis certain.

–Le trésor est déjà caché ? dit Jean-Pierre qui le savait pourtant.

–Déjà, répondit Hilaire. Asteur, dispersez-vous pis que le plus chanceux gagne. Vous pouvez aller dans la maison. On a la permission de Romuald pis Georgette. Mais virez pas tout à l'envers là, par exemple. En bas, en haut, dans la cave. Vous pouvez chercher aux alentours : dans le jardin, dans le hangar, le long de clôtures, de la digue de roches, dans les fardoches, dans l'écorce d'un arbre... Allez pas à plus de trois cents pieds des bâtiments. Vous pourrez fouiller dans l'étable, le poulailler, la porcherie, la grange même, on sait jamais...

–Si tu l'avais cachée dans la grange, l'enveloppe, on t'aurait vu faire, intervint Jean Paré.

–C'est sûr, mais...

Là, le vicaire commença d'avoir un doute. Le plus instruit de tous ne saurait être que le plus perspicace, songeait-il sans trop de modestie. Cet échange lui disait que le trésor devait en fait avoir été caché à l'intérieur même de la grange, soit dans une des deux tasseries, soit sur une poutre élevée, soit dans l'espace sombre où se trouvait la trappe par laquelle on jetait le foin dans la stalle libre de l'étable, à côté du bat-flanc de la jument *Toinette*, soit même à travers les roches de l'assise de la bâtisse.

Hilaire reprit :

–Le jeu dure une demi-heure, trois quarts d'heure. Au bout de ce temps, revenez. Si entre-temps l'enveloppe est trouvée, je vas accrocher un mouchoir blanc après la porte de la grange qui restera à moitié ouverte. Comme ça, tout le monde pourra voir. Là, vous reviendrez icitte. On va fêter les gagnants. Pis on va jouer à d'autres jeux. Entre autres, on va jouer au whist. Y a-t-il des questions ?

–Ceux qui ont pas de montre, fiez-vous à votre instinct du temps qui passe ! lança Angélina.

–Et il est interdit de vous servir du feu, d'allumer quoi

que ce soit pour vous éclairer. Là où c'est sombre et où la lumière du jour va pas beaucoup, –je devrais dire la lumière du soir– fouillez à tâtons. Vous pouvez y aller asteur.

Les couples se levèrent, et la plupart prirent la direction du gangway. Dehors, les uns se rendirent à la maison, les autres aux alentours. Les Fortier allèrent au jardin. Les Paré dans le hangar. Les Goulet du côté du cap et du puits artésien. Les Roy dans le secteur de la digue de roches et du petit boisé. Il ne resta plus bientôt à l'intérieur de la grange que les Poulin, les Morin, le vicaire et Marie-Jeanne.

Tout ce brouhaha ludique semblait bien puéril aux yeux du prêtre. Comment des adultes de cet âge, tous entre vingt-cinq et quarante-cinq ans évaluait-il, pouvaient-ils donc s'amuser à des jeux dignes de boys-scouts de monsieur Baden Powell ? Quasiment des âneries, des singeries ! Et la réponse s'inscrivait clairement dans son esprit : on voulait le rouler dans la farine, lui jeter de la poudre aux yeux. Ce sont les 'frappeurs' qui cherchaient ainsi à camoufler leurs actions repréhensibles, leur conduite scandaleuse.

Force lui fut aussi de se rappeler que Marie-Jeanne Nadeau et son époux ne faisaient pas partie du groupe qui se vautrait dans les marais du péché mortel de la chair. L'abbé ne put en déduire qu'on lui tendait un piège en le pairant avec elle pour former une des équipes de la chasse. Il ne lui restait plus qu'à jouer le jeu sans autrement penser aux risques encourus par lui quant à sa propre vertu.

Mais en ce moment, c'est bien moins aux choses de la chair qu'il songeait qu'au contenu de l'enveloppe. S'il trouvait le trésor, il pourrait en disposer à sa guise. Certes, il avait glissé un mot à propos de la cloche, mais cette dépense appartenait bien plus à la fabrique paroissiale, et les vingt-huit dollars serviraient bien plus agréablement à l'achat de pneus neufs pour sa voiture. Car il en fallait, des jours de travail de vicaire, à deux dollars chacun, pour ramasser le montant apte à couvrir pareil achat rendu nécessaire par le gravois des chemins et l'usure du temps.

Josaphat Poulin prit la parole, grand rire à la gorge :

–Ben nous autres, on va rester icitte : me semble que ça sent l'argent.

Il voulait par là inciter le vicaire à faire de même, pour mieux le dindonner, certain que le trésor se trouvait ailleurs. Et l'abbé mordit :

–J'avais dessein de chercher aussi dans la grange.

–Ah, ben dans ce cas-là, on va s'en aller dans l'étable, nous autres. Viens, Joséphine ! Viens.

Elle le suivit. Hilaire dit à son épouse :

–Allons-nous en dehors le temps que dure la chasse. Viens.

Elle le suivit. Le prêtre dit à sa coéquipière :

–Cherchons, c'est l'heure ! Commençons à l'autre bout. Il a dû cacher l'enveloppe dans un coin sombre par là.

Est-ce le ciel qui lui venait en aide ou bien le diable qui lui soufflait à l'oreille pour mieux préparer un piège, une chute en règle pour un serviteur de Dieu ensoutané, toujours est-il que le trésor se trouvait bel et bien dans ce secteur. De l'extérieur, Hilaire les regarda aller et il s'inquiéta par une phrase dite à Blanche :

–Ça parle au sorcier, on dirait que monsieur le vicaire sait où c'est que j'ai caché l'enveloppe. S'il la trouve, on va lui dire que cet argent-là, c'était prévu pour le bossu. Il va pas la garder, c'est ben 'cartain'.

–D'un autre côté, y a pas mieux pour qu'il se passe des p'tites choses entre le vicaire pis Marie-Jeanne enterci une demi-heure.

–Quant à ça...

–Une demi-heure, c'est pas ben long...

–Assez pour mettre le feu aux poudres.

–Pis causer une explosion.

–Souhaitons-le... parce qu'il a une méchante grosse puce à l'oreille par rapport aux 'frappeurs', not' bon vicaire Moïse Morin. Ce qu'il nous a dit tantôt, on dirait qu'il sait tout.

–C'est peut-être un adon itou. Les prêtres ont tout le temps le mot péché à la bouche. Qui dit péché, dit accusation de ses péchés. Qui dit pénitence, dit contrition. Tout ça se tient. Comme dit ton père, c'est le meilleur chemin pour eux autres de nous contrôler.

–T'écoutes plus les sermons de mon père que ceux du curé, on dirait, Blanche.

–As-tu de quoi contre ça ?

–Pantoute, dirait Maurice Nadeau.

Théodore et son compagnon étaient à traverser à pied le haut de la terre des Pépin par le trécarré. Le soleil du soir ne s'endormirait pas avant une bonne heure. On venait à peine de franchir l'équinoxe du printemps, et l'astre du jour aimait, lui aussi, veiller tard. Surtout près du lac grâce à son reflet sur l'eau calme.

–J'me demande ben c'est qu'il se passe à soir dans la grange à Rousseau ?

–Maudit, Maurice, que ça t'inquiète !

–Ben...

–Ben... Ben quoi ? Ta femme est pas en perdition, là.

–Je l'sais, mais...

–Tiens-toé deboutte comme un homme, là. On dirait que t'es pas capab' de faire un pas dans la vie sans ta Marie-Jeanne.

–C'est pas une mauvaise 'parsonne'.

–C'est pas ça que j'dis, pas une maudite minute. Je parle de toé. On dirait que sans Marie-Jeanne, t'es pus capab' de souffler.

–On est ben accoutumés ensemble.

–C'est pas une raison. Faut se décoller de sa femme de temps en temps, je te le disais tantôt.

Embarrassé, Maurice changea le sujet afin de se cacher de nouveau derrière ses façons de faire sous l'enseigne de la soumission à sa tendre moitié. Il parla d'argent :

–Comment c'est que tu vas nous offrir pour l'accès au lac. Ça vaudrait un p'tit peu quelque chose, ça.

–Entr' voisins, on se mangera pas la laine su' l'dos. On avait pensé que tu ferais ton prix, Maurice.

–Je m'en vas te dire, on avait pensé, nous autres, à dix piastres par année. C'est que t'en dis ?

–Dix piastres, c'est pas mal, vu que c'est la crise...

–C'est le temps de la crise pour moé itou.

–Pis ta femme.

–Ben oué.

–Ben on va te le donner, le dix piastres par année. On va faire un petit papier entr' nous autres, histoire de se rappeler. Ça prend une date, pis chaque année, on vous paiera, toé ou ben ta femme.

Maurice oublia l'ironie du vieil homme à son égard et il échappa un aveu :

–C'est Marie-Jeanne qui voit pas mal aux affaires : tu y paieras à elle.

–'Tu' : ben ça voudra dire probablement Hilaire. Parce que moé, j'ferai pas de vieux os su' la terre du bon Dieu. Mon règne achève.

Maurice reprit du pep et taquina :

–On dit que les plus venimeux vivent les plus vieux.

–Dans ce cas-là, sus bon pour cent ans pis plus encore.

Les deux hommes rirent et poursuivirent leur marche à la brune qui s'étirait sur tout le canton et ailleurs, l'un d'eux, le plus jeune, transportant un fanal dont on aurait sûrement besoin au retour. Maurice revint sur le sujet de l'entente à prendre et parla d'un bon papier type bail emphytéotique...

Marie-Jeanne riait à gorge déployée. L'espace de recherche où elle se trouvait maintenant avec le vicaire n'était plus atteint que par les ombres du soir. La lumière de l'extérieur, qui délinéamentait toutes choses dans la batterie, ne parvenait pas dans cette portion de la grange plongée dans une obscurité quasi totale. On ne se voyait ni les mains, ni les yeux, ni les vêtements. On ne pouvait plus se voir que par les oreilles. Et pour ça, il fallait parler, dire, rire...

–Il y a une poutre au-dessus, dit le prêtre. Je parie que l'enveloppe a été cachée là.

–Regardez de votre bout', moi, je regarde du mien. On se rejoint au milieu.

–Belle idée !

Une odeur de fumier séché, bien moins prenante que celle du fumier frais, leur parvenait par la trou de la trappe menant à l'étable en bas, même si, en ce moment, l'ouverture était fermée comme on se l'était fait dire par Rousseau en fin de souper et comme on l'avait vérifié à tâtons en arrivant là.

"Un accident de ferme est vite arrivé !" avait déclaré l'abbé, explorant en prudence le petit territoire qu'on s'était octroyé pour courir le trésor.

Aussi, la senteur poussiéreuse du foin sec, foin de l'année d'avant, se mélangeait à celle de l'étable pour sensibiliser les muqueuses olfactives. Et parmi cette mixture, les parfums de Marie-Jeanne allaient chercher des petites idées dans les tréfonds du coeur du prêtre.

La femme étira le bras droit au dessus de sa tête et glissa sa main sur la poutre. Presque aussitôt, ses doigts palpèrent le papier d'une enveloppe. Elle sut que déjà, elle avait mis la patte sur le trésor. Pas question de le dire ! Ou bien le jeu serait fini tout juste commencé. Une vraie femme à la féminité profonde aurait ressenti une grande inhibition en ce lieu, en cette heure, dans cette noirceur, en cette présence d'un prêtre, à l'idée répulsive qu'elle était quelqu'un que le sacrement du mariage unissait pour la vie et pour une pleine fidélité à un homme autre que celui du moment présent. Mais la Marie-Jeanne portait en elle un puissant côté masculin, et l'appel de la jouissance étouffait dans son esprit toute velléité rédhibitoire. Et c'est sur cette facette androgène que par instinct Hilaire avait misé pour qu'il s'en passe, entre elle et le prêtre, assez pour le compromettre et le faire taire quoi qu'il en vînt à découvrir sur les 'frappeurs'.

–Vous êtes toujours là, vous ?

–Toujours, madame, toujours. Je m'en vais vers vous.

–Pis moi vers vous...

–On finira bien par trouver... Ou ne rien trouver...

–On va trouver, j'en suis certaine.

–Et comment ça ?

–Si on trouve pas un trésor, on en trouvera un autre.

–Qu'est-ce que vous voulez dire par là ?

–Les trésors, c'est pas rien que des bijoux, de l'or ou des espèces sonnantes et trébuchantes, ça.

–Quelle expression ! Vos connaissances continuent de m'étonner et... d'éveiller mon admiration.

–C'est rien à côté des vôtres, cher Moïse... Moïse, quel beau prénom pour un homme devenu prêtre !

–C'est peut-être à cause de mon nom que je le suis devenu. Mais le mérite en revient à ma mère. C'est elle qui choisissait les prénoms dans notre famille.

–Comme moi dans la mienne.

–Quels sont-ils, ces prénoms ?

–Armoza... vous connaissez.

–Mais oui.

–Lorenzo.

–Aussi.

–Ensuite, c'est Euchariste. On l'appelle Chariss...

–C'est dommage de déformer ainsi les prénoms.

–On les appelle de même quand ils sont petits, pis ça reste ensuite. Pis j'ai Valéda, Alfreda, Émilienne pis le bébé Hormidas.

–Que vous devez appeler Midas, j'en suis certain.

–Ouais.

–Mais vous voyez, le roi Midas... vous avez entendu parler du roi Midas ?

–Ben... non.

–Tout ce qu'il touchait se changeait en or.

Marie-Jeanne savait par la force de la voix que le prêtre se rapprochait et qu'ils seraient bientôt en contact physique. Et voilà qui ajoutait à l'embrasement de ses sens.

L'abbé reprit :

–Ce n'était pas commode pour manger. Tout devenait or et il ne pouvait plus se nourrir, le pauvre. En son cas, comme en bien d'autres d'ailleurs, le plaisir a tué le désir. Il désirait être riche et quand il en a connu le plaisir, voici qu'il se mourait de faim et de soif.

Marie-Jeanne se demandait comment le vicaire n'entendait pas les battements de son coeur. Ils étaient si près l'un de l'autre maintenant. Qu'il la touche, et elle se transformerait non en or mais en lave bouillante.

Parce qu'il se sentait assailli par la tentation et sûrement un démon de la chair, le prêtre pérorait sur le premier sujet sans grand intérêt venu à sa tête, en l'occurrence le roi Midas de la mythologie.

–Par chance pour lui, le dieu qui avait exaucé son voeu l'en délivra. Mais ce pauvre Midas se mêla d'un concours entre Apollon et Marsyas et déclara celui-ci meilleur musicien. Indigné, Apollon lui fit pousser des oreilles d'âne.

L'histoire est plus longue, mais...

À ce moment, toujours comme si des esprits, bons ou mauvais, les avaient guidés, l'homme et la femme se rejoignirent au centre, et la main de Marie-Jeanne, en délaissant la poutre, tomba doucement sur le visage de l'homme. Tant qu'à faire, et le sujet lui suggérant l'idée, elle tâta le côté de la tête en disant :

–Ben non, vous avez pas des oreilles d'âne, vous, monsieur le vicaire.

Il rit sachant fort bien que le geste de Marie-Jeanne était un peu incongru tout comme sa réaction, à lui. Et demeura figé sur place, sa propre main au-dessus de la poutre. Elle franchit le dernier pouce qui séparait les corps, et un contact plus qu'électrique se produisit. L'explosion dont il avait été question entre Blanche et son mari un peu plus tôt eut lieu et fut bien plus violente qu'espéré.

En Marie-Jeanne, le fantasme du soir du chapelet à la croix du chemin revint en force dans la mémoire de sa chair, et ajouta à la déflagration sa puissance explosive...

"*Il fait sombre dans ce trou. Il y fait chaud. Deux corps aussi bien en chair dégagent beaucoup de chaleur dans un milieu aussi étroit et fermé. Par bonheur, il entre parfois par les grandes portes ouvertes donnant sur la batterie de la grange un air frais apporté par un petit vent qui annonce peut-être la venue d'un temps plus gris et de ses orageuses promesses.*

Marie-Jeanne ne songe plus qu'à son désir exacerbé par la présence auprès d'elle en ce lit de péché d'un homme qui la trouble chaque fois qu'elle se confesse à lui. Et pourtant, elle veut savoir Dieu de son côté et se dit que si le beau Moïse en est venu à cette promiscuité, c'est parce que le Créateur de toutes choses l'y a conduit ou bien ne l'a pas empêché de s'y rendre par sa grâce, ce qui ne veut pas dire qu'il lui a tourné le dos.

Tout bon catholique n'aurait jamais pu voir Dieu derrière ce couple interdit, et seulement le diable; et l'abbé Morin lui-même craint qu'il en soit ainsi. Il doit réagir. Quitter ces lieux de la tentation, s'éloigner de cette femme diablement attirante et qui devrait le repousser voire le chasser plutôt que de l'aspirer dans sa toile comme elle le fait par ses paroles lénifiantes, par ses odeurs enivrantes, par ces formes qu'il a souvent vues et qu'il sait là, à portée de main, dans la pénombre.

Mais le jeune prêtre suffoque de désir. Sa chair s'érige rien qu'à l'idée de se savoir au bord du gouffre des plaisirs défendus. On l'y pousse inexorablement. Il s'agrippe sur les bords, mais les bords lui échappent, et pas même ses ongles ne lui serviraient utilement en si précaire situation qu'il a contribué à créer.

Et Marie-Jeanne ne voit plus rien d'autre que la fusion totale de deux désirs débridés, avec la bénédiction céleste en prime..."

Elle se colla à lui, glissa sa jambe entre celles du prêtre perceptibles derrière le tissu de sa soutane. Il eut un sursaut défensif :

–Les histoires de la mythologie ne sont que des histoires païennes. Légendes auxquelles on ne saurait, en tant que catholiques et chrétiens, prêter foi. C'est du roman et rien d'autre, vous savez...

Marie-Jeanne frotta sa poitrine contre celle du vicaire. Elle dit sans voix mais dans un souffle puissant :

–Embrassez-moi donc, Moïse ! C'est la seule chance qu'on aura de le faire dans toute notre vie.

–Je...

Les instincts, les sens, les folies, les magies de l'être, tout devint pour chacun féerie aux irrésistibles beautés. Dans sa retenue sacerdotale accusatrice, l'homme réagit aussitôt :

–Venez-vous folle, Marie-Jeanne ?

Elle souffla à son oreille tout en glissant sa main sur lui vers le point focal de sa libido :

–Folle ? C'est sûr... folle de vous, Moïse.

–Nous nous plongerions dans le péché mortel le plus abject, le plus... insupportable.

Elle le toucha :

–Vous voyez, suis pas le roi Midas et ça s'est transformé en or pareil.

Le prêtre se sentait incapable de retraiter. Il s'interrogeait et cela même retardait son recul éventuel, prolongeait la caresse audacieuse de cette femme trop charnelle qui l'inondait d'un désir absolu.

Comment avait-il pu se laisser entraîner dans une pareille chausse-trappe, sachant bien au préalable qu'on voulait couvrir la pratique de l'échangisme ? Son intention au départ était de descendre sur le terrain même des 'frappeurs', de participer à leurs jeux anodins qui leur serviraient de couverture puis de les sortir de gré ou de force du marécage fangeux en lequel ils s'étaient engagés et où chaque jour, ils s'enlisaient davantage.

Néanmoins, son questionnement n'amenuisait en rien, pas du moindre iota, le feu allumé dans toute sa substance.

–Ahhhhh... vous me jetez dans les flammes de l'enfer, Marie-Jeanne.

–On va y aller ensemble, ça va faire moins mal.

–Vous ne croyez donc pas en Dieu ?

–En Dieu, oui; mais pas à la punition pour ce qui fait de tort à personne pis qui nous fait grand bien. Vous me forcez pas à... l'amour... moi non plus, j'vous force pas.

–Pourtant, vous me manipulez.

–Trouvez la force de dire non.

–Je ne la trouve pas.

–Dans ce cas-là, aimez-moi.

Il délaissa la poutre et enveloppa l'épaule de la femme de son bras musclé en une reddition qui se muait en attaque :

–Je vous veux, Marie-Jeanne, je vous veux.

–On a le temps en masse... venez su' moi...

Et la femme se coucha sur le dos et releva sa robe. Par tâtonnements, le prêtre trouva à s'agenouiller entre ses jambes. Il tira sa soutane vers le haut, défit sa ceinture et n'eut même pas à déboutonner son pantalon qui le restait la plupart du temps pour plus de rapidité et de commodité quand il lui fallait uriner quelque part.

De nouveau, elle s'empara de lui qui paraissait encore plus important à chair nue qu'à travers les tissus. Elle n'avait nul besoin de caresses préparatoires. Car elle était préparée à cette fusion depuis longtemps par l'imagination, par les rêves de la nuit et les fantasmes du soir.

Ils ne se voyaient plus depuis un moment.

Ils ne s'entendaient plus maintenant.

Ils ne se disaient plus rien.

C'était la collision de deux grands paquebots du désir et leur naufrage dans les flots bleus du plaisir. Mais ça n'avait rien d'un accident désastreux.

Elle le guida. Ses doigts de fée métamorphosaient la chair bien plus qu'en or, mais en plaisir pur et d'une telle intensité qu'il fait perdre toute notion du temps et du risque. L'éperon s'introduisit dans la brèche déjà grande ouverte. Pour la première fois de sa vie, Moïse Morin, prêtre, connaissait la femme. La réalité dépassait tout ce qu'il aurait pu imaginer. Nul besoin d'expérience en un domaine où la nature sait tout d'instinct. Le mouvement de va-et-vient s'enclencha tout seul.

À son oreille, la bouche de la femme respirait en chaudes saccades qui allaient en se raccourcissant.

Il s'était passé une dizaine de minutes depuis qu'ils avaient disparu au regard d'Hilaire. Il apparut au chef naturel du groupe des 'frappeurs' qu'il devait se passer quelque chose à l'autre bout de la batterie, dans l'espace intime où ne pouvaient rester bien longtemps une femme audacieuse et un homme privé de sa propre chair depuis toujours. Qui donc du ciel voudrait s'interposer entre ces deux-là ?

–On va aller voir de plus proche, dit l'homme à son épouse.

–Une ben bonne idée, ça ! Mais ça prendrait un fanal.

–Rousseau en a mis trois dans la batterie pour éclairer la soirée quand le soleil sera couché. J'en prends un. Sont accrochés au bord de la porte.

Hilaire jubilait. Tout se déroulait comme il l'avait planifié, peut-être même bien au-delà de ses espérances. Il se redisait à lui-même que de surprendre le prêtre dans une position compromettante mettrait les 'frappeurs' à l'abri des foudres du presbytère, que le vicaire soit au courant maintenant ou qu'il le soit plus tard, de la pratique d'échangisme par plus de la moitié du cinquième rang.

Il se rendit prendre une lanterne, revint sur le gangway vers sa femme, trouva une allumette dans sa poche, la gratta contre la rambarde et fit du feu dans l'outil d'éclairage.

–Faudrait baisser la mèche tant qu'on peut.

–Je pensais la même chose.

Pendant ce temps, sous un ciel partiellement moutonné, deux couples revenaient de leur vaine recherche. Ils montèrent et rejoignirent les Morin près de la porte à moitié ouverte.

–Ça pouvait pas tomber mieux ! leur dit Hilaire. Suivez-nous en dedans, on va jouer un tour à monsieur le vicaire.

–Pas un mot su' la game, vous autres.

La venue des Poulin et des Martin ne pouvait tomber mieux pour Hilaire et ses projets. Mieux que deux, on serait six témoins et une douzaine d'yeux pour mieux voir.

On suivit Hilaire qui marcha en douceur, fanal tenu derrière lui pour que le peu de lueur soit encore amoindri. Ainsi, on risquait moins de mettre en alerte l'abbé et sa compagne du moment.

Il n'en fallait pas tant, car les amants de l'heure n'avaient cure de tout ce qui pouvait arriver autour d'eux, tout à leur besogne sensuelle et sur le point d'en finir dans une même apothéose.

Les voies du destin sont impénétrables. On les aménage et les choses n'arrivent pas. Ou bien elles dépassent au centuple ce qu'on attendait d'elles. Certes, les croyants y auraient vu la main du diable. Mais les autres n'auraient pas pu donner meilleure explication, car donner le néant pour cause à un événement n'a guère de valeur à comparer avec une intervention spirituelle.

Ce que la faible lueur permit de voir en premier fut les souliers noirs du prêtre qui, pointant ainsi vers le sol, indiquaient aussitôt la position du corps, et qui, s'agitant de cette manière révélaient l'action du corps.

Quand les autres furent tous à ses côtés, Hilaire ramena le fanal en avant de sa personne et tous purent apercevoir dans le clair-obscur ce moment de copulation rare en son genre, et qui fusionnait un homme de Dieu et une femme du peuple. Plus rare encore devait être l'occasion de le surprendre et de s'en réjouir comme le faisaient en ce moment les Martin et les Morin, ou bien d'y trouver du jus de scandale comme le faisaient les Poulin.

Et l'on assista aux ultimes coups de boutoir. Et l'on put entendre les gémissements retenus de la femme, sorte de couinements mêlés aux grognements étouffés du prêtre. Rien de sous-titré : tout était direct à la vue, clair et net dans la pénombre. Il fallut attendre la fin du prolongement des spasmes de l'homme pour que le couple en action se rende compte de la présence de témoins. Ce fut tout d'abord la femme qui, ouvrant les yeux, vit de la lumière qui n'aurait pas dû se trouver là. Une autre que Marie-Jeanne aurait caché son visage; elle comprit aussitôt que c'était inutile. Et comprit aussi qu'elle s'était peut-être trop bien occupée du vicaire, comme on le lui avait demandé de le faire. Et un bout d'échange avec Hilaire lui revint en tête :

"*On dirait que... ben y a quelque chose de monté dans tout ça. J'veux dire que ton père demande à Maurice pour aller marcher les hauts de terre pis qu'en même temps, tu me demandes de m'occuper du vicaire.*"

"*T'es pas mal intelligente, Marie-Jeanne, d'avoir vu ça.*"

"*Parce que c'est la vérité ?*"

"*Oué. On veut que le vicaire, pis du même coup le curé, nous défendent pas de nous réunir dans le cinquième rang pour se faire du divertissement. On a fait quelques veillées dernièrement. Vous étiez pas là, toé pis Maurice. Le curé a pas aimé ça. Nous autres, on est pas obligés de se morfondre parce que c'est la crise. Le vicaire lui-même nous l'a dit l'autre jour. On va montrer aux prêtres que ce qu'on fait est pas passible de la peine de mort.*"

Sa réflexion déjà brève fut encore écourtée par la double prise de conscience du vicaire qui, reprenant ses esprits, se rendait compte qu'il avait chaviré avec la barque de sa vie dans les tumultueux torrents du péché mortel et, prime du diable, qu'il se trouvait des observateurs au-dessus de son dos et de sa tête.

Souventes fois au cours de sa vie, il s'était trouvé dans des situations alarmantes comme en cette occasion navrante où il avait vu un compagnon d'études en train de se noyer. Il lui avait fallu agir. Mais d'abord réfléchir. Et réfléchir voulait dire ne pas prendre le temps de réfléchir. En fait, tout évaluer en une fraction de seconde. C'était à son tour de se noyer. Et ce qu'il devait sauver n'était pas sa vie mais la face. Malgré la lueur du fanal, on ne pouvait apercevoir de Marie-Jeanne ou de lui-même que les vêtements. Et pas la moindre parcelle de peau à part celle du visage et des mains. Il pouvait s'agir d'un accident survenu à cause de l'obscurité.

On avait cherché le trésor. Elle était tombée. Il s'était enfargé sur elle. Était tombé lui aussi. Et voilà que du monde était arrivé avec un fanal. La scène avait l'air de ce qu'elle n'était pas.

Il se poussa sur ses bras puis se releva avec vigueur, tirant sur la robe de la femme afin qu'elle lui recouvre les genoux, et en disant :

–Excusez-moi, madame Nadeau, d'être tombé sur vous. Je ne vous avais pas vue.

La soutane servit de paravent au pantalon que l'abbé retint de tomber par une main sur la hanche. Deuxième phase du processus de camouflage incongru concocté par un cerveau au bord du précipice : il parla avec l'assurance d'un général victorieux malgré l'histoire à dormir debout qu'il servit aux témoins.

–Tiens, Hilaire et d'autres : content de vous voir ! Un drôle d'accident comme vous pouvez le constater. On s'est enfargés, l'un à la suite de l'autre, et vous nous avez vus dans une drôle de situation. Mais ce n'est rien du tout.

Hilaire osa dire soupçonneusement :

–Ah oui ? On aurait cru...

Le prêtre fit montre d'agressivité dans le ton :

–Vous ne devez croire que ce que je vous dis qui est arrivé, rien d'autre. Pensez-vous que le vicaire de la paroisse est un menteur ?

Josaphat Poulin pensa que oui, mais sans le dire. Et son opinion était confirmée par la main de Joséphine qui lui touchait la cuisse. Il leur semblait à l'un et à l'autre que la scène libidineuse à laquelle ils venaient d'assister les électrisait tous les deux. Albert Martin, quant à lui, toucha dans l'ombre le postérieur de son épouse, geste qu'elle savait vouloir manifester son désir d'une relation conjugale.

Hilaire se contrefoutait de la réaction du prêtre. Il savait qu'il le tenait par les couilles. Il devait laisser penser au vicaire qu'il savait fort bien ce qui était survenu tout en acceptant d'un autre côté le jeu de camouflage auquel se livrait ce personnage pris en flagrant délit, la soutane relevée. Chacun resterait sur ses positions silencieuses et l'abbé n'aurait d'autre choix désormais que celui de se taire et de laisser les 'frappeurs' frapper en paix. Un jeu de cache-cache sans gagnant ni perdant.

Mais le diable, s'il était présent, n'avait pas fini son ouvrage. Ce fut lui qui, peut-être, suggéra à Hilaire de non seulement s'exercer à un chantage muet sur l'homme d'Église, mais de l'intégrer au groupe d'échangistes. Après tout, bien des dames de ce rang auraient connu le septième ciel dans les bras de ce Moïse de bonne carre et de belle apparence. On se le disait même entre hommes. Au plaisir de la chair s'ajouterait sûrement celui de l'esprit à savoir qu'elles étaient 'couvertes' par un homme que tous considéraient comme un bras droit du bon Dieu dans la paroisse de Saint-Léon.

On l'avait bâillonné au-delà des espérances même du fils à Théodore et on ferait maintenant en sorte de le mouiller jusqu'à la racine des cheveux. Marie-Jeanne avait tracé la voie; une autre y entraînerait allégrement ce membre du clergé. Mais qui donc aurait l'audace de le séduire une autre fois après Marie-Jeanne ? Sans doute que Désirée Goulet aurait eu le pouvoir de le faire tomber, mais la femme et son mari ne faisaient pas partie du groupe d'échangistes et, sans même le savoir, ils se trouvaient à un siècle de distance de leurs voisins du cinquième rang, les Poulin et Maurice Nadeau mis à part.

Hilaire se dit qu'il avait tout son temps pour y songer et pour trouver une voie.

–Bon, ben on va vous laisser continuer à chercher. Quen, prenez donc le fanal, ça ira mieux pour vous !

Le prêtre accepta l'objet et son regard brava solidement celui d'Hilaire. Il dit en mordant fort dans les mots :

–Je me demande pourquoi vous êtes venu ici avec les autres, sachant que nous étions à participer à la chasse au trésor. Vous n'avez pas respecté les règles du jeu.

–Un pur adon, c'est moé qui vous le dis ! On n'a pas pensé pantoute à ce qu'on faisait.

Entre-temps, Marie-Jeanne s'était remise debout et, bras levé, elle glissa sa main au-dessus de la poutre jusqu'à y repérer l'enveloppe qu'elle délogea et arbora, parlant sans réflexion préalable :

–Quen, le trésor ! Ben c'est à nous autres, on dirait, monsieur le vicaire.

Par cette manoeuvre, elle espérait elle aussi camoufler l'événement de luxure des minutes d'avant et l'ensevelir rapidement dans les têtes afin que personne n'y repense plus. Car il lui fallait aussi sauver sa peau. Elle savait risquer autant que l'abbé Morin.

Et voilà que cette trouvaille valut au prêtre une autre porte de sortie :

–La voilà, la cloche de la chapelle !

Josaphat dit :

–Peut-être qu'on pourrait faire une quête paroissiale pour la cloche...

Le vicaire énervé se hâta de commenter :

–Assez de quêtes spéciales ! On a l'argent ici, on s'en sert. C'est le bon Dieu qui l'a voulu au fond...

–Oui, mais...

–Non, non, c'est comme ça.

Hilaire prit la parole. Profitant d'une emprise morale toute nouvelle sur le prêtre, il expliqua :

–Josaphat s'inquiète pour le bossu. En réalité, monsieur le vicaire, le contenu de cette enveloppe, c'était prévu pour donner à monsieur Couët... pour qu'il remplace son cheval perdu l'autre nuit sur la montagne. C'était un des motifs de notre petite veillée d'à soir. Comme vous voyez, ce qu'on fait entre nous autres a rien de mauvais.

–Écoutez bien, je compatis avec monsieur Couët, je prie fort pour lui et je sais que le bon Dieu ne va pas l'abandonner, mais cet argent servira autrement. Il est à ceux qui l'ont trouvé. D'abord à madame Nadeau...

–C'est à vous l'enveloppe, monsieur le vicaire.

Et Marie-Jeanne la tendit au prêtre qui la prit après avoir remis le fanal à Josaphat Poulin :

–Mon cher Hilaire, vous pouvez annoncer la fin du jeu de la chasse au trésor. Je vais dire à tout le monde ce que je vais faire avec cet argent, et personne, j'en suis certain, ne trouvera quoi que ce soit à y redire. Car mes causes sont pour le moins aussi importantes que celle, très pathétique au demeurant, de monsieur Couët, un homme qui toutefois ne manque pas de ressources, comme vous le savez...

Hilaire sentit qu'il ne devait pas tirer plus fort sur la corde, même si cette corde était une cravate de chanvre que le prêtre s'était lui-même passée autour du cou.

L'abbé Morin pensa lui aussi qu'il devait rester sur ses positions sans aller au-delà, du moins pour l'heure, pour ce soir-là...

L'argent devait lui rester.

Et le bossu resterait sans cheval.

À moins d'événements imprévus...

***

Chapitre 11

Le prêtre fit glisser l'enveloppe du trésor à l'intérieur de sa soutane dans une poche sur sa poitrine. Elle n'y paraissait guère vu les bourrelets de chair de son ventre, lesquels aidaient à retenir son pantalon dépourvu de sa ceinture, ce qui, en ce moment, lui faisait regretter de ne pas les retenir, ses satanées culottes, avec des bricoles comme le faisait le curé depuis toujours avec les siennes.

–Dans ce cas-là, dit Hilaire, on va retourner au milieu de la batterie. C'est moins chaud qu'icitte. Y a encore de la lumière du soir. Pis on va siffler la fin de la chasse.

–Ben j'vous félicite, monsieur le vicaire ! s'exclama Josaphat qui s'arrangea pour éclairer les pas du prêtre.

Joséphine retrouva Marie-Jeanne, et les deux femmes se parlèrent de n'importe quoi à l'exception du formidable événement qui venait de se produire. Peut-être qu'à travers les mots, le ton et le rythme des phrases, la femme de Josaphat goûterait, elle aussi, à ce qu'avait sûrement prisé au plus haut point sa voisine. Dans un langage exclusivement féminin tout fait de sous-entendus, d'allusions, de perceptions, elle entama :

–Paraît que la Marie Roy nous a préparé une infusion au wintergreen ben savoureuse pis ben... stimulante.

–Quand on a soif comme moi, ça fait du bien, de boire tout notre soûl.

–T'as soif tant que ça ?

–On dirait que ça fait des années que j'avais pas bu... que j'ai pas bu.

–C'est Hilaire qui nous a fait accroire que le trésor était ailleurs. Mais t'as su le déjouer, toi.

–Comme on dit : le bonheur est en soi pis faut arrêter de le chercher ailleurs.

Joséphine éclata de rire et poussa sur ses lunettes pour y voir mieux...

Pendant ce temps, Marie-Louise et Albert, qui s'étaient faits presque muets depuis qu'ils avaient suivi les autres au fond de la batterie, se sentaient tous deux animés du même désir : s'en aller au plus vite à la maison, et là au lit. Mais comment quitter sans faire d'impolitesse ? Seul le prêtre pouvait se permettre d'annoncer un départ prématuré. On se doutait bien qu'il ne le ferait pas ce soir-là : il en avait trop à cacher, à enfouir, et il lui faudrait transformer sa langue en pelle ronde pour y parvenir.

Les couples revinrent tranquillement. Il se forma des petits groupes de parlotte dans la batterie alors que le soleil s'abîmait dans l'horizon rougeoyant. Hilaire parla un moment avec Marie et Pit Roy. L'on remonta une table, puis le couple se rendit au puits y quérir un petit bidon contenant le breuvage non alcoolique préparé par la jeune femme suivant une recette secrète de la famille Bélanger, sa famille à elle. On avait déposé le contenant dans l'eau fraîche et froide du puits des Rousseau à la fin de l'après-midi.

Fort comme un buffle, Joseph mit le contenant d'acier sur son épaule et revint à la grange, accompagné de son épouse qui reçut applaudissements et félicitations avant même que l'on ne goûte à son 'p'tit boire'.

Les Fortier, qui avaient apporté des tasses dans une boîte

à beurre en bois, allèrent les poser au bout de la table avec celles déjà là, fournies par les Paré.

Il était temps d'ajouter à la lumière faiblarde du soir tombé et celle du seul fanal allumé. Rousseau mit une flamme dans les deux autres et les mèches se firent éloquentes.

–À tout seigneur tout honneur ! lança Hilaire à voix forte par-dessus toutes les autres. Monsieur le vicaire, voulez-vous goûter au jus préparé par madame Roy ?

–Mais, sourit le prêtre, s'il est empoisonné, je suis celui qui en subira les conséquences.

–Pas de danger ! s'écria Marie. Les ingrédients ont tous été choisis à la main.

–De l'eau propre, du thé des bois pis on dit pas le reste, cria Pit tout fier de l'habileté de son épouse.

–Du thé des bois ? s'étonna le vicaire. Est-il distillé ?

–Oui, acquiesça Marie. C'est donc de l'essence de wintergreen.

–Je pensais que c'était pour faire des parfums, cette substance qu'on appelle aussi gaulthérie.

–C'est en plein ça, et j'ai parfumé mon mélange avec le wintergreen.

Le prêtre s'était approché de la table où Joseph l'attendait, bidon retenu par un bras et tasse offerte dans l'autre main.

–Je vais me sacrifier, dit-il en acceptant la tasse qu'il retint sur la table devant le bidon.

Et Joseph la remplit jusqu'au-dessus de l'anse.

Tous attendaient maintenant le verdict du prêtre qui ne tarda pas à venir quand il eut goûté le liquide en sapant :

–Jamais rien bu de meilleur. J'ai mangé aussi bon, soit les tartes de madame Goulet, mais rien bu d'aussi bon.

Désirée fut regardée par tous. Elle rougit jusqu'aux cheveux, grand sourire épanoui et généreux plein le visage.

Marie aurait aimé être la seule visée par ces paroles de congratulation, mais il lui fallut partager. Ce qu'elle aurait fait plus aisément avec une femme du groupe des 'frappeurs' et moins avec une personne qualifiée de la plus belle de tout Saint-Léon et des environs.

La Marie-Jeanne se tenait un peu à l'écart, hors du champ de vision direct de l'abbé Morin, à ras de Joséphine qui trépignait d'impatience, bouleversée, elle, par la scène extrême qu'il lui avait été donné de voir au fond de la batterie. Josaphat cria par-dessus tous :

–Bravo pour Marie Roy !

On applaudit.

–Pis bravo pour Désirée Goulet !

On applaudit une autre fois.

–Surtout bravo, monsieur le vicaire, pour avoir trouvé le trésor à soir, comme tout le monde le sait.

Le prêtre hocha la tête :

–Ce n'est pas moi, c'est madame Nadeau. Après avoir failli se casser le cou dans la noirceur, elle a... je dirais senti où se trouvait le trésor et elle a mis la main dessus.

Hilaire ne put s'empêcher d'enchérir :

–Pour mettre la main sur le trésor, elle a mis la main dessus.

On applaudit. Et l'on rit, ceux qui avaient assisté à la fin du saint coït plus que les autres. Les têtes se tournèrent vers Marie-Jeanne qui ne perdit pas contenance :

–De tout nous autres, c'est monsieur le vicaire qui avait le plus besoin de l'argent pis le bon Dieu a guidé ma main.

Plusieurs s'échangèrent un regard désolé. Une désolation à l'idée que le bossu devrait marcher à pied un temps. Car on n'avait pas les moyens de faire pour lui une deuxième quête coup sur coup.

Dans sa coutumière spontanéité, Josaphat lança :

–Dites-nous donc c'est que vous allez faire avec l'argent du trésor, monsieur le vicaire !

–Je vais vous le dire quand chacun aura sa tasse remplie du p'tit boire de madame Roy. Y a pas d'alcool là-dedans toujours ?

Cette fois, il avait parlé à l'intention de Marie qu'il regardait avec intensité. À l'autre bout de la table, cheveux incandescents allumés par les lueurs des lanternes, elle fit signe que non :

–Pas du tout ! Aucune fermentation ! Mais j'ai fait macérer quelques feuilles de cannabis pis ajouté le jus au mélange.

–Excellent ! déclara l'abbé. Le chanvre indien est une excellente plante curative. Il faut en user sans en abuser.

Et quand tous virent leur tasse remplie, l'abbé leva la sienne :

–À la santé de nos hôtes, monsieur et madame Rousseau, à la santé de... ben de nous tous et... pour la plus grande gloire du bon Dieu.

Et toutes les lèvres, toutes les langues, toutes les bouches goûtèrent à la concoction de Marie Roy. Et pendant qu'on s'en délectait, le prêtre ressentait de la honte pour ce qu'il avait fait avec Marie-Jeanne. Mais il ne parvenait pas à atteindre cette contrition dont il avait parlé à table au début du repas. Au moins, était-elle imparfaite et cela suffisait pour obtenir le pardon de son terrible péché.

Les numéros 218 et 219 du petit catéchisme s'écrivaient dans sa mémoire en ce moment.

Qu'est-ce que la contrition imparfaite ? La contrition imparfaite est celle qui nous fait regretter et détester le péché, parce qu'il nous fait perdre le ciel et nous mérite l'enfer, ou encore parce qu'il est en lui-même détestable et que nous devons rougir de l'avoir commis.

La contrition imparfaite suffit-elle pour une bonne con-

fession ?

Oui, la contrition imparfaite suffit pour une bonne confession, mais nous devons tâcher d'avoir, autant que possible, la contrition parfaite.

Imprégné comme une éponge de tout ce qui lui avait été enseigné mais aspiré à des réflexions personnelles par sa propre chair, le prêtre ne savait plus à quel saint se vouer. Il ne parvenait pas à détester l'acte posé avec une femme et en conséquence, pas même la contrition imparfaite n'était à la portée de son âme perdue. Et puis, comment regretter quelque chose quand le diable nous tient dans ses griffes ?

Il se devait à tout prix de rendre quelqu'un d'autre imputable. Cette femme de feu qui avait embrasé toute sa substance. Les instigateurs de ce jeu puéril de la chasse au trésor auquel il avait naïvement accepté de participer. Le groupe des 'frappeurs' qui se livrait sans doute ce soir-là à une véritable opération de camouflage. La trop belle Désirée dont le seul regard faisait fondre toute forme de résistance en lui. Certes, Marie-Jeanne exerçait un attrait important sur lui, mais au moment de la prendre, c'est à Désirée qu'il avait pensé en cet espace de temps ultime.

Et Hilaire riait dans sa barbe. Et Hilaire adressait à sa femme des regards entendus. Et Blanche se disait que le ciel ne pouvait pas condamner **l'oeuvre de chair** quelle qu'elle soit entre deux adultes consentants et sains d'esprit.

Théodore et Maurice étaient assis sur une pagée de clôture dont on avait dégagé la perche du haut pour être capable de prendre place sur la seconde leur servant de banc. Maurice aurait bien voulu poursuivre, mais le vieillard s'était plaint d'épuisement.

On avait marché la portion de terre dégagée sur laquelle les Morin prétendaient vouloir réserver un accès moyennant un bail emphytéotique assorti d'une redevance annuelle. Pour le vieillard, il fallait rediscuter du prix. Cela ferait perdre ou gagner du temps et peut-être qu'il obtiendrait le droit de passage demandé pour moins des dix piastres annuels déjà négociés.

Maurice se fit sec et définitif là-dessus :

–Vous ou ben Hilaire, vous vous arrangerez avec ma femme. Elle va décider. Elle connaît les affaires. Est instruite. C'est de même pis j'en parle pus...

–Ben ben correct !

–Êtes-vous prêt à repartir, là, vous ?

–As-tu envie de me tuer, Maurice ? J'ai le coeur qui bat tout de travers, là. Laisse-moé allumer ma pipe : ça va me calmer le dedans un peu. J'ai pas ton âge, moé. Pis prends le temps de regarder la fin du jour. Du noir. Du rouge. L'eau qu'on peut pus voir mais qui se trouve là, on le sait. Quen, y a encore des reflets par là.

–J'voix rien pantoute, moé.

–Accroche le fanal au piquet de clôture pis regarde ben comme il faut.

–Pis ça va me donner quoi de regarder un reflet sur l'eau, dites-moé ça, vous ?

–Ça va te changer les idées d'abord que tu penses rien qu'à ta bonne femme.

–Ben voyons donc ! Me prenez-vous pour un enfant de nanane, le pére, vous ?

–En plein ça ! Oué... un enfant de nanane qui est pas capable de se passer de sa mére.

–Ma mère est morte c'est pas d'hier.

–J'parle de ta mére, la Marie-Jeanne...

Tout en chargeant lentement sa pipe, le vieillard demanda à son compagnon qui venait de suspendre la lanterne:

–C'est que tu dirais de ça, toé, mon Maurice, de savoir que ta femme saute la clôture avec un voisin ? Mettons Albert, Josaphat ou ben Francis.

–C'est pas dangereux que ça arrive.

–Tu réponds pas. T'as peur de répondre.

–J'ai pas peur.

–Ben réponds comme il faut.

–Pourquoi c'est faire que je répondrais à ça, moé ? On est pas venus icitte pour se confesser.

–T'as peur de répondre.

–J'ai pas peur de répondre.

–Ben réponds !

–Moé pis ma femme, on est mariés. Pis c'est pas demain qu'on va redévirer.

–Tu veux pas répondre.

–Je viens de répondre.

–T'as pas répondu.

–J'ai répondu.

Théodore mit le bouquin de sa pipe pleine entre ses dents et mordit ses mots :

–La question, c'est : quoi c'est que tu ferais de savoir que ta femme Marie-Jeanne a sauté la clôture... disons avec Jean Paré ?

–Jean Paré, c'est pas un homme de même.

–Baptême de viarge, vas-tu finir par répondre à ma question ? T'es donc ben peureux, Maurice ! Jamais vu un homme peureux comme toé dans ma vie de 88 ans, moé.

Piqué au vif, Maurice haussa le ton et affirma sans faux-fuyant :

–Avec Jean Paré ? Ben j'ferais pareil avec sa femme à lui. Il verrait ben c'est quoi...

Théodore fut étonné de cette réponse. Il s'attendait à une autre forme de révolte, à une menace de coups de poing à celui qui le ferait cocu, pas à cette forme de vengeance. Et tant mieux puisque cela traduisait une intention profonde, une idée cachée, soit un certain désir de coucher avec la voluptueuse Sophia Paré.

–Tu serais capab' de faire ça, toé ?

–Faut pas se laisser faire dans la vie.

–Mais... au lieu de ça, tu penses pas que ça serait mieux de changer de femmes entre vos deux sans chicane pis sans refoulement en dedans là ?

–Ah, j'vous vois venir avec vos gros sabots, le père. C'est votre idée qui s'est promenée comme un microbe d'une porte à l'autre par la bouche du bossu Couët l'autre jour. Êtes-vous venu fou ? Dans la vie, c'est un homme avec une femme pis ça finit là.

–Dis-moé pourquoi c'est faire que tous les hommes en viennent à penser aux femmes des autres pis que toutes les femmes rêvent un jour ou l'autre à un autre homme que leur mari ? Explique-moé ça dans le creux de l'oreille, toé, Maurice ?

–Penser pis agir, c'est pas trop pareil, ça.

–Veux-tu dire que t'as pensé à sauter la clôture avec une autre que ta Marie-Jeanne ?

–Batêche de crime, mais c'est pas de vos maudites affaires, ça, père Thodore.

Le vieillard éclata de rire à s'étouffer, pipe tenue à bout de bras, secouée par la saccade :

–J'ai donné dans le mille. Dis-moé qui c'est que t'aimerais des femmes du cinquième rang.

Théodore connaissait par son fils toute la vérité sur le groupe des 'frappeurs', savait qui en faisait partie et qui non. Parmi les non encore admis se trouvaient les Goulet, les Poulin et les Nadeau. En prenant pour acquis que les femmes sont les plus difficiles à persuader en pareille matière, le vieil homme se sentait une mission qui dépassait celle de garder Maurice loin de la veillée chez les Rousseau. En conjuguant ce qu'il pouvait advenir là-bas à ce qu'il dirait au mari de la Marie-Jeanne afin d'imbiber son cerveau, probable que ce huitième couple adhérerait au groupe d'un plaisir défendu par les hommes mais octroyé à la chair des vivants par le Créateur lui-même.

–J'aimerais pas 'parsonne', j'vas pas redévirer, je vous l'ai dit.

–Maurice, fais-moé pas chier à soir. La vois-tu, la lueur, par là-bas, comme je te l'ai dit tantôt ?

–Ça sera la lune, dit timidement l'autre.

–C'est la nouvelle lune. Pas pleine, pas de quartier non plus. Pas de lune pantoute.

–Sais pas... ça sera un restant de soleil.

–Oué... ça, c'est ben dit : un restant de soleil. C'est tout' c'est qui nous reste asteur. On est dans la noirceur par-dessus la tête. Pis la noirceur, c'est la religion. La religion qui défend tout', qui ordonne tout', qui menace, qui rapetisse le monde, qui nous tient tout' not' vie dans la grosse misére. Le plaisir : interdit ! La misére noire : c'est notre ticket pour le ciel. On est pleins de péchés comme des lépreux la gale. C'est quoi, ces maudites folies-là ? C'est la crise, 'parsonne' a d'argent, pourquoi qu'on rit pas pareil avec les moyens que le bon Dieu a mis en nous autres ?

–Arrêtez de parler, faut repartir, monsieur Morin. Pis où c'est que vous voulez en venir avec vos sermons ?

–T'aimes mieux ceux-là du curé ?

–J'écoute les bons sermons.

–D'accord d'abord ! Mais réponds donc à ma question de betôt. Quelle femme t'intéresserait dans le cinquième rang ? Désirée Goulet ? Dora Fortier ? Georgette Rousseau ? Blanche Morin ? Marie Roy ? Angélina Pépin ? Sophia Paré ? Joséphine Poulin ? Marie-Louise Martin ?

–Il en manque une.

–Qui ça ?

–Ben Marie-Jeanne, ma femme.

–Écoute, on partira pas d'icitte tant que tu m'auras pas répondu.

–C'est correct. Mettons que j'tombe veuf pis que toutes ces femmes-là seraient veuves. Ben j'vas vous le dire : je les prendrais toutes. Ben rien qu'une, mais n'importe laquelle. C'est tout' des belles parsonnes à mon goût.

–C'est tout' c'est que j'voulais savoir.

–Pis c'est tout' c'est que j'peux vous dire.

Le vieil homme utilisa ses deux mains pour trouver sa montre dans une petite poche de son pantalon, devant, et il consulta l'heure en tenant l'objet sous la lueur de la lanterne à hauteur de ses yeux.

–Ouais, ben, c'est le temps de s'en retourner. Le *Gris* est pas loin qui nous attend.

–Allonz-y tusuite !

–T'as hâte de r'trouver la Marie-Jeanne, hein, Maurice ?

–Ben... j'aime ça, veiller, moé itou. Tout le monde du rang est là. Pis vous, ils vous ont pas invité ?

–Moé pis le bossu Couët, on a pas d'affaire à veiller avec tout' du jeune monde. Aller aux noces, aller aux funérailles, aller à messe, mais pas aller veiller. Non, mais me vois-tu danser un set canadien avec Dilon Couët, toé ?

Maurice éclata de rire. Veut veut pas, il se sentait supérieur à ces deux-là. Par son âge à comparer avec celui du vieux Théodore. Par son état physique à comparer avec celui du bossu Couët.

Et les deux hommes repartirent contents. L'un d'avoir séquestré l'autre à son insu même et parce qu'il lui avait montré la voie menant au groupe des 'frappeurs'; l'autre parce qu'il était parvenu à hausser le ton pour une fois.

***

Chapitre 12

–Finalement, il nous dira pas c'est quoi qu'il va faire avec l'argent du trésor.

Hilaire et Albert s'entretenaient à voix plutôt basse dans l'embrasure des grandes portes de la grange. Tant de gens se parlaient à l'intérieur qu'on ne risquait pas de surprendre leur échange, d'autant que quatre couples occupaient une table au milieu de la batterie en y jouant bruyamment aux cartes, éclats de voix et de rire y formant duo.

–Peut-être ben qu'on aurait dû insister pour faire valoir tout haut l'idée d'acheter un poney au bossu ?

–On lui a dit deux fois plutôt qu'une. Pour lui, ses causes sont plus importantes que celle du bossu Couët.

–Saint cibole, me semble qu'aider un homme pauvre, c'est plus important qu'acheter une cloche ou ben s'acheter des 'tires' de char.

Albert s'étonna :

–C'est-il ça qu'il veut faire avec l'argent ?

–Ça d'lair.

–Ben on va aller lui parler. J'ai vu le bossu, moé. J'y aidé à traîner son ch'fal mort jusqu'au bois pis à l'enterrer dans la digue. Il a pas assez d'argent pour s'en acheter un autre de ce temps-là. Il est pas capab' de quêter à pied, lui. Il va mourir de faim dans la grosse misère noire. Cibole, c'est le temps de la crise, c'est pas le temps de la prospérité économique.

–On sait ça. Tout le monde sait ça. Mais on dirait que le vicaire veut pas le savoir, lui. Trop gâté dans son presbytère. Pas de misère à avoir dans un presbytère. Tu vis aux dépens de la paroisse pis de tout le monde, riches comme pauvres.

–On devrait aller lui parler ben comme il faut, au vicaire. Il comprendrait la situation du bossu.

–Il la connaît autant que nous autres. Laissons faire. On dirait qu'il veut nous punir de l'avoir surpris...

–Oué...

–Parlons-en ! Faut garder le secret là-dessus. Autrement, ça se retournerait contre nous autres. Tandis que si on dit pas un mot, notre bon vicaire va tout le temps marcher su' des oeufs pis se tenir tranquille. Pis nous laisser tranquilles. Même qu'on pourrait faire ben mieux : on pourrait le faire entrer dans notre... disons notre association pieuse.

Et Hilaire adressa un clin d'oeil à son compère. Albert dit, le regard en point d'interrogation :

–Le vicaire dans les 'frappeurs' ? Mais il a pas de femme à donner en échange.

–Mais une caution morale. Un silence. Ça vaut ben une femme, ça, tu penses pas, mon Albert ?

–Ben... j'dis pas que c'est une mauvaise idée. Mais... faudrait en discuter avec tous les autres pis faudrait que tout le monde accepte.

–C'est ce qu'on va faire à notre prochain party.

–C'est pour quand ?

–J'avais pensé demain soir, vu que dans l'après-midi, c'est l'inauguration de la chapelle. On pourrait passer le mot à soir même. Comme ça, ça serait plus facile. Tu sais à quoi je pense ? On pourrait répéter la veillée d'à soir, mais sans le vicaire, sans les Poulin, les Nadeau pis les Goulet vu qu'eux autres, ils sont pas du groupe. Mais le problème, c'est les Nadeau. La Marie-Jeanne, elle m'a promis de s'occuper du vicaire à condition qu'on l'invite avec son mari à nos petites réunions.

–Pour s'occuper du vicaire, elle s'en est ben occupée, ben comme il faut.

–Ouais, tu peux le dire.

–Mais elle, c'est quasiment chose faite. Elle sait qu'on l'a vue faire avec le vicaire. Elle a le bâillon su' la bouche tout comme notre bon abbé Morin. C'est Maurice qu'il faudrait...

Hilaire fit un autre clin d'oeil :

–Ça me surprendrait pas que mon père lui fasse faire un bout' de chemin à soir.

–Si on est des 'frappeurs', c'est grâce à ton père. Monsieur Morin, c'est lui qui a lancé l'idée. Ben, là, j'parle pour rien : on se l'est dit souvent.

–C'est ce qu'on va savoir plus tard. En attendant, faudrait s'entendre ben comme il faut avec Josaphat pis Joséphine pour qu'ils se taisent sur ce qu'ils ont vu de Marie-Jeanne pis monsieur le vicaire.

–Je m'en occupe.

–Pis tant qu'à faire, on pourrait les embarquer avec nous autres, eux autres itou. Joséphine est une femme appétissante. Josaphat est pas trop propre, mais on lui ferait le message. Romuald, j'te dis qu'il se renippe depuis qu'il est avec nous autres. Se laver, c'est rendu une nouvelle religion pour lui. Il en parle souvent en tout cas.

Albert eut tout à coup une idée que son front exprima en premier. Puis sa bouche :

–Pour ce qui est du problème du ch'fal du bossu, j'pense que j'peux faire quelque chose sans parler au vicaire autrement qu'en parabole, comme Notre Seigneur faisait dans son temps. Sauf que moé, ça serait une fable de La Fontaine.

–Ah, j'sais que t'en connais plusieurs. Ça serait quoi, celle-là ?

–*Le Cheval et l'Âne.*

–Envoye-moé la donc tusuite icitte, si tu veux ben. Je m'en vas te dire si c'est une bonne idée. Je t'écoute, Albert, je t'écoute.

–T'es sûr que tu veux l'entendre. D'aucuns trouvent ça ben plate à écouter.

–Sus pas parmi d'aucuns, sus Hilaire Morin.

–C'est beau !

–Vas-y !

En ce monde il se faut l'un l'autre secourir :
Si ton voisin vient à mourir,
C'est sur toi que le fardeau tombe.
Un âne accompagnait un cheval peu courtois,
Celui-ci ne portant que son simple harnois,
Et le pauvre baudet si chargé qu'il succombe.
Il pria le cheval de l'aider quelque peu;
Autrement il mourrait devant qu'être à la ville.
«La prière, dit-il, n'en est pas incivile :
Moitié de ce fardeau ne vous sera que jeu.»
Le cheval refusa, fit une pétarade;
Tant qu'il vit sous le faix mourir son camarade,
Et reconnut qu'il avait tort.
Du baudet en cette aventure
On lui fit porter la voiture,
Et la peau par-dessus encor.

Hilaire applaudit son ami Albert :

–Faut trouver moyen de lui faire écouter ça. Faut qu'il pense à penser au bossu d'abord !

–On peut toujours essayer. Mais les prêtres ont souvent raison. C'est ben de valeur à dire, mais c'est de même.

Comme s'il avait su qu'il se tramait quelque chose, le vicaire vint aux deux hommes qui se tenaient un peu à l'écart du groupe. Il lui fallait les neutraliser complètement en enterrant définitivement l'idée qu'ils s'étaient faite de l'image reçue plus tôt de Marie-Jeanne et lui-même. Il voulait les entendre dire qu'ils croyaient en l'idée de l'accident. Quoique cette stratégie de camouflage comportât deux tranchants très vifs : premièrement, les deux hommes pourraient se sentir blessés dans leur orgueil devant quelqu'un qui voudrait leur faire prendre de force des vessies pour des lanternes; secondement, ils n'auraient aucune retenue de ragoter si la thèse de l'accident primait sur celle de l'accouplement. Tout un dilemme. Comment manoeuvrer dans des eaux aussi risquées ?

Une fois de plus, l'arme du péché et de sa conséquence, l'enfer garanti, vint à sa rescousse. Il se concentra là-dessus pour animer l'échange :

–Êtes-vous en train de comploter, là, vous autres ? demanda-t-il avec un fin sourire moqueur.

–Jamais de la vie ! s'exclama Albert. J'étais en train de réciter, imaginez-vous, une fable de La Fontaine à mon ami Hilaire. Vous connaissez celle qui a pour titre *Le cheval et l'âne* ?

–Non, mais je sens que je vais la connaître, parce que vous allez me la réciter, mon cher Albert.

–Les fables, c'est comme...

–Des paraboles, coupa le vicaire qui se mit à l'écoute après avoir jeté un regard à Hilaire.

Et Albert Martin se fit fabulant.

Quand il eut terminé, on se tint coi afin de recevoir sa réaction. Aucune ne se produisit. Le prêtre dit simplement :

–Quelle mémoire ! Et on dit que vous en savez une centaine, Albert.

–Ça se pourrait. Mais vous, c'est mieux : vous savez mille prières en latin.

L'autre le prit à la légère :

–Ah, ça !... Au fait, vous serez tous les deux sur la montagne demain ?

–Qui du cinquième rang manquerait ça ? demanda Hilaire. On se tient entre nous autres.

–Ça, je n'en doute pas. Est-ce que je puis vous poser une question, à tous les deux ?

–Ben... oué.

–C'est sûr.

–La question est : avez-vous pleine confiance dans vos prêtres de la paroisse ?

–Pleine confiance ? s'écria Hilaire. Mais totale confiance, absolue confiance.

Albert enchérit :

–Écoutez, ça m'arrive de critiquer les idées de monsieur le curé, que je trouve souvent dépassées, mais ça diminue en rien la confiance que j'ai en lui.

–Je peux vous poser une autre question ?

Les deux autres acquiescèrent via des signes de tête.

–En dehors du blasphème, du meurtre et de l'impureté, c'est quoi, pour vous, le péché ? Connaissez-vous d'autres péchés que ceux-là ?

–Ben...

–C'est sûr que y en a d'autres...

–Le pire de tous les péchés, vous savez lequel ?

–Moé, je dirais l'infidélité conjugale, fit Hilaire sans hésiter.

"Espèce d'hypocrite !" pensa le vicaire. Mais il se contint et se tourna vers Albert qui répondit à son tour :

–Pire que le blasphème, le meurtre, l'impureté...

–Tiens, enlevons le meurtre qui est dans une classe à part et dont on pourrait dire, oui, qu'il est pire que tous les autres péchés. Pire qu'un péché, c'est un crime d'une gravité telle qu'il appelle la peine de mort. Mais ceci dit...

Albert se prit le nez entre deux doigts, cligna des yeux et déclara :

–Je dirai comme Hilaire : l'infidélité conjugale.

–Eh bien moi, je vous dirai que c'est plutôt la calomnie. Vous savez, on peut détruire quelqu'un par la calomnie, tout autant qu'en lui faisant subir des mauvais traitements physiques. On détruit son âme, sa réputation, son image et on peut même en arriver à saccager son état de vie. Si c'est un commerçant, à lui faire perdre sa clientèle.

Hilaire tout comme Albert comprenait fort bien le message. Il dit :

–Pourquoi c'est faire que vous nous dites ça, là, vous ? Pensez-vous qu'on est des calomniateurs ?

–Aucunement ! Ce qui m'a amené à dire ça, c'est pour dire que les gens prennent la calomnie à la légère. Par exemple, quelqu'un pourrait venir près de la grange et entendre de la musique, et se dire que c'est un p'tit bal à l'huile en dedans alors que pourtant, on s'amuse sainement.

–Mais, dit Hilaire, y a pas de musique à soir icitte.

–Il pourrait y en avoir.

–Ce qui veut dire ?

–Que j'ai ma guitare dans le coffre de ma machine et que je pourrais bien aller la chercher pour faire danser les invités.

–Pis danser ? s'enquit Albert, incrédule.

–Pourquoi ne pas danser sur le son de ma guitare ? Et sous mon regard de prêtre ? Quoi de plus santé morale ? Nous allons donner à vos soirées des lettres de noblesse.

Le vicaire faisait fausse route et il le savait. En donnant

sa caution morale à cette soirée, en y participant activement par sa musique, il endosserait toutes les autres veillées où il ne serait pas et où il se passerait le crime de l'échangisme entre couples du rang comme cela était probable. Car la maladie était déjà dans sept maisons. Encore un peu de temps et tout le rang serait souillé, y compris la mystérieuse et si pure Désirée Goulet.

Mais il fallait procéder par étapes. Gagner du temps encore et encore. Pour ce soir-là, il devait abrier ses propres péchés encore et encore. Bâillonner encore et encore. Sinon, on se servirait de son crime charnel pour justifier d'autres crimes charnels

–Ben laissez-moé l'annoncer à tout le monde, que vous allez sortir votre guitare. Voulez-vous que je me rende la quérir ?

–D'accord !

Et l'abbé fouilla dans une poche de pantalon pour y trouver ses clefs. Une section était encore mouillée du glaire de la Marie-Jeanne. Par chance la soutane cachait tout.

–Je vas y aller, moé, fit Albert qui prit les clefs tendues. Dans ce temps-là, Hilaire, tu peux annoncer ça au monde.

–Bonne idée !

Puis le prêtre frotta son doigt sous son nez et huma l'odeur de femme qu'il venait de recueillir en même temps que son trousseau.

Hilaire fit son annonce. Moïse garda la tête penchée en biais en guise d'humilité. On déplaça tables et chaises pour faire un nouveau cercle. Il fut dit aussi que permission était accordée pour danser. Ce fut un coup de joie dans la grange.

Alors, un être apparut dans l'embrasure, qui suscita une réaction, et ce n'était pas Albert de retour avec l'instrument de musique. Le vicaire se déplaça pour aller l'accueillir, main tendue :

–Salut, Maurice !

–Bonsoir, monsieur le vicaire.

–Comment ça va, monsieur Maurice ?

–Pas pire, pas pire. Pis vous ?

–On vous a attendu toute la veillée.

–J'sus allé marcher le haut des terres avec le pére Thodore.

–On a su ça, oui. Et c'est allé à votre goût ?

–Le vieux, il est pas vite su' ses patins.

–Ah, mais il a quasiment quatre-vingt-dix, notre bon monsieur Théodore.

Maurice promena son regard sur les assistants afin de repérer sa Marie-Jeanne, ce qu'il fit rapidement. Sa femme était en grande conversation avec Joséphine Poulin et Marie-Louise Martin, ses deux plus proches voisines de rang du côté de la montagne.

–Pis, dit l'homme, ça va à vot' goût, la veillée ?

–Tout le monde s'amuse sainement et je dirais même saintement.

Hilaire, qui était resté en plan pas loin, entendit et traita le vicaire d'hypocrite en sa tête, de la même façon que l'abbé l'avait qualifié du même attribut plus tôt lors de leur échange sur les degrés de gravité du péché.

–C'est quoi qu'il se passe de bon ?

–Il y a eu une chasse au trésor...

–Pis c'est monsieur le vicaire qui l'a trouvé, intervint Hilaire en s'approchant.

–Ah oui ?

–Quasiment trente piastres, dit le prêtre, l'oeil triomphant.

–Félicitations ! C'est quasiment l'argent qu'on devait ramasser pour le bossu Couët... pour son ch'fal neu'.

Hilaire mit les choses en perspective de sorte que le vicaire reste sur sa décision de garder l'argent, ce qui aiderait à le bâillonner s'il devait savoir –ou même seulement l'entrevoir– ce qui se passait dans le cinquième rang, et que la morale chrétienne réprouvait.

–Ça va être ben utile à monsieur le vicaire, cet argent-là. Les causes du presbytère sont généralement les meilleures dans une paroisse.

Romuald Rousseau s'approcha du trio, mains dans les poches, tout sourire dehors et, suivant son habitude, coupa la parole de tous :

–Pis comme ça, monsieur le vicaire, vous allez nous chanter des chansons.

–Justement, ma guitare arrive.

Albert reparaissait avec l'instrument qu'il donna à son propriétaire de même que ses clefs.

–Et vous savez, fit le prêtre, ma première chanson, elle sera pour monsieur Nadeau qui n'a pas eu la chance de se trouver avec nous ce soir.

Hilaire n'en revenait pas de tant de cynisme de la part d'un homme. L'abbé avait cocufié Maurice et il voulait chanter pour lui et le mettre en valeur. Albert échangea avec son ami et voisin de rang un regard qui en disait long.

–Avez-vous une suggestion, mon cher Maurice ? demanda l'abbé qui empocha ses clefs, puis mit sa guitare en bandoulière. Quelle est votre chant préféré ? Je ne parle pas de chants d'église, bien entendu. Ni de chants de Noël non plus, mais de chansons profanes.

–Je vous dirai la chanson préférée de ma femme.

Le front du prêtre s'illumina :

–Ça serait encore mieux, bien mieux ainsi.

–Ben la chanson qu'elle aime le mieux pis qu'elle fredonne pas mal souvent, c'est *Les cloches du hameau*.

–Ah, magnifique chanson ! C'est une des plus belles qui soient.

Hilaire prit la parole :

–Ben retardons pas, vu que la veillée avance.

Rousseau dit :

–Regardez, monsieur le vicaire, on vous a mis une chaise su' la table. Pis on va vous entourer en bas.

Albert dit :

–Mais on sera pas organisé pour danser, là.

L'abbé commenta :

–Danser rien que sur la guitare, ce n'est pas très... disons efficace, si vous voulez. Il faudrait un violoneux pour ajouter au son de la guitare...

–C'est de valeur que le bossu Couët soit pas là, dit Albert. Lui, il connaît ça, un violon.

–Mais moé, je joue de la ruine-babines, avoua Romuald. J'ai rien qu'à aller la chercher à maison.

–Faites donc, dit le vicaire. Ainsi, nous pourrons faire un set canadien ou deux plus tard.

Maurice sourit à tous :

–Pis je vas la swigner, la Marie-Jeanne, su' la musique à monsieur le vicaire.

De nouveau, Albert et Hilaire s'échangèrent un regard que remarqua le prêtre. Il comprenait qu'on se parlait silencieusement de lui, par lueurs malicieuses des yeux. Pour enterrer leur ironie, il se livrerait à une prestation hors de l'ordinaire, il charmerait comme il se savait capable de le faire, surtout auprès de ces dames.

–Allons-y, c'est l'heure.

Tous à part Romuald qui, lui, sortit de la grange, se dirigèrent vers la table qui servirait de scène. Une chaise d'escalade avait été placée au bout. Le vicaire emprunta cet escalier de fortune, et son geste déclencha aussitôt les applaudissements et les dires joyeux.

Maurice se détacha de ses voisins pour retrouver sa Marie-Jeanne qui feignit ne pas le voir jusqu'au dernier moment alors qu'il lui toucha le bras en l'interrompant dans son échange avec l'autre femme :

–Me v'là revenu.

–Bonsoir, Maurice ! dit Joséphine qui le regarda avec une certaine pitié.

–Salut, Joséphine ! Ça va bien ?

–Sur des roulettes.

–Tout' a l'air de ben aller, icitte, à soir.

–Monsieur le vicaire va chanter pour toé, dit Maurice à sa femme.

Marie-Jeanne se tourna et le dévisagea en se demandant si son nez d'homme pouvait lui avoir révélé quelque chose. Il reprit :

–Ben oué... il m'a demandé ma chanson préférée... j'y ai nommé la tienne.

–Pis c'est quoi, la mienne, d'après toé ?

Il n'eut pas l'occasion de répondre. Le vicaire s'adressa aussitôt au couple :

–Monsieur et madame Nadeau, étant donné que vous n'étiez pas ensemble au cours de la première partie de la soirée, et que monsieur Maurice a dû s'absenter pour une bonne cause, je vous dédie à tous les deux ma première chanson.

Et le prêtre s'assit sur la chaise qui lui avait été destinée tout en poursuivant :

–Et pour ceux qui ne le savent pas, la chanson préférée du couple Nadeau a pour titre –qui ne la connaît pas ?– *Les cloches du hameau*.

On s'exclama de contentement. On applaudit de joie. La plupart maintenant avaient pris place sur des chaises entourant la scène improvisée. Albert avait rejoint Marie-Louise et Hilaire sa Blanche, mais les deux hommes, voisins d'épaule, eurent le temps de se glisser à l'oreille leur intention ferme d'organiser une soirée des 'frappeurs' le lendemain, dimanche, tel que dit auparavant

Et les notes de guitare imposèrent un silence qui s'ajouta à celui déjà installé le moment précédent devant les mots de l'artiste prêtre.

Puis, regard appuyé sur le couple Nadeau, le chant débuta.

Les cloches du hameau
Chantent dans la campagne,
Le son du chalumeau
Égaye la montagne.

On entend,
On entend,
Les bergers,
Les bergers,
Chanter dans les prairies
Ces refrains si légers
Qui charment leurs amis :
Tra la la, tra la la la la la,
Tra la la la la la la la la la
Tra la la
Tra la la la la
Tra la la la la la la la la la.

Ceux qui connaissaient le mieux le chant entraînèrent les autres à entonner en choeur là où c'était coutume de le faire soit en bissant le 'on entend' et le 'les bergers', et en formant une véritable chorale pour lancer au ciel avec la voix du prêtre ces joyeux 'tra la la' imbibés de bonheur.

Et ce fut le second couplet suivi du refrain.

C'est l'heure du retour,
Et la jeune bergère,
Voyant la fin du jour,
Regagne sa chaumière.

On entend,
On entend,
Les bergers,
Les bergers,
Chanter dans les prairies
Ces refrains si légers
Qui charment leurs amis :
Tra la la, tra la la la la,
Tra la la la la la la la la la
Tra la la
Tra la la la la
Tra la la la la la la la la la.

Cette fois, personne n'était resté à l'écart du groupe. Même Romuald, revenu de la maison avec son harmonica, entra dans la chorale improvisée après avoir pris sa place aux côtés de sa Georgette.

Mais ce qui intéressait le plus le vicaire, c'était le troisième couplet qui contenait un extraordinaire message on ne peut plus pertinent dans les circonstances. Il l'annonça sur des notes finement égrainées :

–Mes bons amis du cinquième rang, vous qui êtes capables du meilleur, je vous demande de prendre bonne note des mots du dernier couplet de ce chant magnifique.

L'abbé promenait maintenant son regard sur tous, sans s'arrêter sur aucun en particulier, et surtout pas sur la personne de Marie-Jeanne.

Maurice toucha les cheveux de sa tendre moitié et y sentit des brindilles de foin. Elle s'en rendit compte et lui ôta la main en soufflant vers lui :

–Mets-moé pas à gêne devant le monde, là. Pis écoute comme il faut comme c'est beau...

Le couplet fut chanté un peu plus lentement que les précédents.

Lorsque dans le rocher,
La tempête tourmente,
Autour du vieux foyer
Joyeusement l'on chante.

En son âme, le prêtre était assailli par la contrition, attaqué, heurté, martyrisé par elle. Le regard admiratif de Marie-Jeanne devint pour lui un glaive qui lui transperçait le coeur. Il avait souillé son sacerdoce. Il était en état de péché mortel. Il avait cherché en vain le regret et voici que le remords fondait sur lui comme une tempête de verglas. Et alors pour lui de dire sur d'autres notes en canevas derrière les mots, larmes aux yeux :

–Mes amis, c'est de cette façon qu'il faut s'amuser en groupe par ces temps durs qui auront bien leur fin un jour ou l'autre. En période de disette, vous savez, il faut se rapprocher encore davantage du Seigneur Jésus, de la Vierge Marie, du bon Dieu. Il faut suivre les commandements de Dieu et de la sainte Église, et si par malheur, on en déroge, il faut se confesser et regretter sa faute. Que le bon Dieu nous pardonne à tous nos offenses ! Qu'il nous délivre tous du mal !

Spontanément, les assistants dirent en un choeur mou :

–Ainsi soit-il.

Le vicaire regarda tous et chacun, lentement, intensément, puis entama le refrain pour la troisième fois, animé par la pensée que Jésus, sur le chemin de la croix, s'était relevé trois fois.

On entend,
On entend,
Les bergers,
Les bergers,
Chanter dans les prairies
Ces refrains si légers
Qui charment leurs amis :
Tra la la, tra la la la la la,
Tra la la la la la la la la la
Tra la la
Tra la la la la
Tra la la la la la la la la la.

D'autres chansons suivirent. Romuald forma duo avec le guitariste et ce qu'ils offrirent mit des fourmis dans les jambes des cultivateurs, hommes et femmes, et l'on recula les chaises pour se donner un parquet de danse.

Et l'on dansa sur cette musique où se mélangeaient intimement le céleste et le terrestre : accents agréables qui faisaient l'unanimité et que le prêtre se plut à considérer comme un pas dans la bonne direction soit celle d'une contrition générale pour tous et le retour du cinquième rang dans le droit chemin.

D'aucuns racontèrent des histoires drôles, pas trop salées, et le vicaire n'en fut jamais scandalisé. Il y alla de ses rires les plus profonds et encouragea ainsi les raconteurs sur le ton de la sincérité.

Le mot fut discrètement passé à tous les "frappeurs" quant à la réunion du dimanche soir après la bénédiction de la chapelle.

Les premiers à partir furent les Poulin et les Nadeau, puisque Marie-Jeanne était venue avec eux, sans lanterne pour son propre usage. Les deux couples se rendirent saluer le vicaire qui jasait avec les Goulet de l'autre côté de la table scène.

–En espérant que votre soirée fut agréable...

Marie-Jeanne plongea son regard dans le sien, mais le prêtre ne le supporta qu'une fraction de seconde, et elle répondit :

–Ce fut la plus belle veillée de ma vie.

–J'aurais voulu être là tout le temps, mais j'ai pas pu, commenta Maurice pour sa part.

Josaphat et Joséphine se sourirent à cette conclusion. Il y avait en eux exaltation et désolation qui se tiraillaient dans tous les sens. Survoltés par ce qu'ils avaient vu se produire entre l'abbé et leur voisine, attristés pour Maurice que la vie avait cocufié dans le sacrilège, ils ne pouvaient désormais que se poser des questions sur la morale enseignée par l'Église. Et sur eux-mêmes.

Quand ils furent sur le chemin du retour, les Nadeau sur la banquette arrière, ils gardèrent le silence. Maurice demanda subitement à sa femme :

–Veux-tu ben me dire, t'es-tu couchée dans la batterie, d'abord que tes cheveux sont pleins de balle de paille ?

–C'est quand j'ai cherché le trésor. En passant en dessous de la poutre, me suis salie.

Et elle fit aussitôt bifurquer la conversation vers un autre sujet. Ceux qui avaient été témoins de l'égarement de Marie-Jeanne et du prêtre avaient eu pour consigne de la part d'Hilaire d'en déposer le secret au tombeau pour l'éternité. Aux Martin, il avait été donné pour motif la protection des 'frappeurs'; aux Poulin, la charité chrétienne.

"Si ça se parle, ça sera pas nous autres qu'on l'aura dit."

"Pis nous autres non plus."

Voilà ce qu'avaient déclaré les Morin et les Martin devant les Poulin pour les bâillonner. Et cela avait réussi.

La scène n'en resterait pas moins en Joséphine et son mari et, depuis qu'ils en avaient été les témoins, les allumait fortement tous les deux. Ils avaient hâte de se retrouver à la maison. Et au lit. Et se le disaient par leur silence.

Marie-Jeanne aussi se tut.

Et Maurice ressentait une certaine inquiétude qui le faisait taire tout autant que les trois autres.

Seuls les sabots lents du cheval noir disaient quelque chose. Mais personne n'en saisissait tous les mystères...

Le vicaire fut le dernier à quitter les lieux. Il repartit en compagnie des Goulet. Et les hôtes s'occupèrent des lanternes et du rangement des chaises. Ceux qui en avaient fourni reviendraient les prendre, avait-on dit publiquement. Mais les 'frappeurs' savaient, eux, qu'elles serviraient dès le lendemain soir.

Dans l'entrée, devant la maison Goulet, le prêtre tourna la clef pour que le moteur s'arrête, disant :

–J'aimerais bien vous parler un peu, tous les deux, avant de vous laisser partir.

–Pas de problème ! dit Pierre, un personnage toujours positif et heureux de rendre service.

–Il y aura d'autres veillées dans le rang, allez-vous y être aussi ?

–Si on nous invite, peut-être ! répondit Désirée.

–Savez-vous s'il y a eu d'autres veillées semblables depuis la noce de mademoiselle Nadeau ?

–Nous autres, on sait pas tout ce qui se passe dans le rang vu qu'on est su' la première terre du bord, dit Pierre.

–Vous ne voudriez pas garder un oeil sur ces soirées pour moi ?

Le couple se montra fort surpris :

–On dirait bien que vous redoutez quelque chose, dit la

femme.

–Vous connaissez le proverbe : quand le chat est pas là, les souris dansent. Moïse est parti en montagne et les Israélites se sont mis à adorer le veau d'or en son absence.

–Pis comme vous vous appelez Moïse vous-même, fit le cultivateur en riant un peu.

–Ben c'est exactement ça : vous l'avez, Pierre, Désirée. L'entraide, vous savez, c'est aussi voir à la protection morale des autres.

–On va faire comme vous dites, dit Pierre. C'est pas nuire aux autres que de vouloir les garder dans le droit chemin.

Désirée ne fit aucun commentaire et garda le silence. Il y avait bien plus derrière les mots du prêtre et sa requête qu'il ne le disait.

De retour à la maison, Hilaire, qui avait lancé quelques goujons au prêtre durant la soirée pour le faire danser sur des épines, se rendit voir son père dans sa chambre. Sans préambule, le vieil homme lui dit qu'il avait fait tout son possible pour retenir Maurice loin de la fête. Son fils l'en remercia, puis lui révéla ce qu'il avait vu dans la grange. Théodore éclata d'un long rire de satisfaction et de bien autre chose :

–Le vicaire a fait ça avec la Marie-Jeanne ? C'est l'affaire la plus drôle que j'ai jamais entendue. Comme ça, il va être obligé de se taire si d'aucuns en disent trop au confessionnal. Vous le tenez ben comme il faut. Pour une fois que c'est pas le presbytère qui tient le monde par les gosses.

–J'pensais jamais que ça irait aussi loin.

–Tu le regrettes ?

–Pas pantoute !

–Mais y a un problème.

–C'est quoi ?

Le vieillard était assis dans son lit. Hilaire était resté debout, bras croisés, mi-content, mi-inquiet.

–La Marie-Jeanne a accepté de s'occuper du vicaire à condition qu'on l'invite à nos veillées. En faire des 'frappeurs', elle pis Maurice, c'est un peu risqué.

–Pantoute ! Maurice est un suiveux. Si Marie-Jeanne décide de 'frapper', Maurice va 'frapper' itou. Je lui ai fait dire que les femmes du cinquième rang sont toutes... appétissantes. Il vous reste, à vous autres, de le mener à l'abreuvoir comme un bon ch'fal docile.

–Le vicaire a des gros doutes su' nous autres. Suffirait que Maurice suive pas pour une fois.

–L'abbé Morin est condamné au silence, mon gars. Ce qu'il a fait, ça y met un bâillon su' la bouche, mieux que le secret de la confession, ben mieux. Les gros doutes qu'il a, où c'est qu'il les a pris, tu penses ? Au confessionnal. Dans le fond, c'est pas des doutes, mais une certitude... sauf qu'il peut pas parler clair et net. C'est qu'il vous reste à faire, c'est d'embarquer Maurice pis Marie-Jeanne dans le groupe pis même le vicaire lui-même.

–C'est ça que j'ai dit pas plus tard que tantôt, durant la veillée. Mais comme il a pas de femme avec lui, ça se pourrait que des hommes du rang soient jaloux.

–La pire affaire qui pourrait vous arriver, c'est d'avoir dans la 'gang' un jaloux.

–Comme on dit : on marche su' des oeufs.

–Tu peux le dire. Tu sais quoi faire ? Moé, je l'sais.

–J'vous écoute.

–Toé, t'as de l'autorité su' le groupe ? Tu vas te servir des cordeaux ben comme il faut. Demande à tout le monde de te donner du pouvoir réel. Pis là, attaquez Maurice, attaquez ceux du rang qui sont pas encore des 'frappeurs'...

–Les Poulin pis les Goulet.

–Pis surtout attaquez le vicaire. Faites tomber tout ce

monde-là. Si c'est tout' des 'frappeurs', vous allez faire ce que vous voulez pis avoir la paix. Y a le bossu Couët, mais lui est pas ben dangereux. C'est un homme qui se mêle de ses affaires. Par attaquer, j'veux pas dire leu' faire du mal, j'veux dire les sortir de la domination de la religion pour les conduire vers la liberté. Hésitez pas ! Allez de l'avant ! Vous aimez ça, faire c'est que vous faites ? Ça vous cause pas de tort ? Ça vous fait traverser ben mieux la crise ? Si vous vous posez des questions, vous allez 'fesser' des barrières pis des clôtures en broche piquante.

Théodore sentait de plus en plus l'influence qu'il exerçait sur son fils en cette matière nouvelle qui consistait en la pratique de l'échangisme, une idée qu'il avait lancée un peu en l'air et qui s'était réalisée dans pas grand temps. Voilà qui lui administrait un coup de jeunesse. Enfin, il se passait quelque chose dans le cinquième rang. Quelque chose qui n'était pas coiffé d'une croix. Quelque chose d'humain. Quelque chose qui ne desséchait pas les femmes et les hommes comme le faisait depuis des lunes cette vieille vampire de religion catholique.

L'échange se poursuivit tard.

Hilaire prit ensuite des décisions éclairées...

***

Chapitre 13

–Tu te lèves, mais le matin est pas encore debout, lui.

Rose-Anna avait ouvert un oeil et parlé en apercevant son mari devant la fenêtre de la chambre.

–Je me recouche là. J'voulais rien que voir si on va avoir de la 'plie' aujourd'hui.

–Dis donc de la pluie, pas de la 'plie'.

–De la pluie, de la 'plie', c'est de l'eau qui tombe, c'est tout'.

–Il mouille ?

–Non.

–On voit les étoiles dans le firmament ?

–Oué.

–Ben... il va faire beau.

–C'est important : c'est aujourd'hui que la chapelle de la montagne va être bénie par le curé. Peut-être même le cardinal Rouleau qui viendrait en surprise. C'est le vicaire qui m'a dit ça hier soir. Il allait veiller dans le cinquième rang. J'te dis que ça brasse dans c'te rang-là d'la paroisse. Il s'en passe, du bouillon, par là-bas.

–Recommence donc pas à dire des affaires que tu sais

pas pantoute. Pis dors donc !

–Dors donc. Dors donc. Ça m'énarve, moé, la cérémonie d'aujourd'hui su' la montagne. Vas-tu venir, toé, au moins ?

–J'en ai pas envie pantoute. Ça monte comme dans la face d'un singe pour aller là. Pas besoin de la femme du forgeron pour la bénir, la p'tite chapelle.

–C'est moé qu'a mené la corvée pour la bâtir.

–J'irai un jour ou l'autre.

–D'abord que c'est de même, j'vas y aller tuseul.

*

D'autres yeux du coeur du village regardaient la nuit commencer son agonie. Dans sa chambre du presbytère, le vicaire ruminait sur son péché de la veille. Le seul prêtre à qui s'en confesser était son curé, et il ne pouvait lui avouer sa faute ou bien son supérieur aurait sûrement demandé son renvoi. Trop de liens le rattachaient à Saint-Léon pour qu'il trouve satisfaction ou même indifférence à s'en aller. Et puis maintenant, un grand devoir nouveau le clouait sur place : il lui fallait ramener les pécheurs du cinquième rang dans le chemin de la vertu. Lui seul pouvait y parvenir sans rugir, sans humilier. Si l'abbé Lachance devait apprendre cette sombre vérité, il y aurait du grabuge...

Survint alors une attaque du genre de celles qu'avait subies le saint curé d'Ars dans son temps. Une voix inconnue vint dire à l'oreille du prêtre quelque chose d'insoutenable et pourtant, qu'il laissa l'investir :

"Si le Créateur de toutes choses t'a donné la capacité de la jouissance charnelle, tu ne dois pas la réprimer en suivant des règles stériles inventées par des êtres humains."

D'où pouvait venir pareille idée qu'accompagnaient des images et sensations nouvelles récemment connues par le prêtre à la résistance affaiblie ? La plus intense de toutes, parmi ces expériences à contenu sensuel, était pour sûr l'apothéose atteinte sur le corps de Marie-Jeanne. Elle lui revenait en force par le souvenir en ce moment de tranquillité profonde.

Cette prison de chair à la douceur incomparable et à la moiteur chaude en laquelle sa chair s'était enfoncée, comme aspirée par une éternité bienheureuse, vint de nouveau enfouir son organe de vie où l'entièreté de son être d'homme et de prêtre se trouvait. L'abbé fut incapable de conserver l'idée qu'il pût s'agir d'un démon à l'oeuvre, en train de faire monter en son sexe cette lave brûlante, la même qu'il avait déversée dans le corps exquis de cette femme en feu.

L'oeuvre de chair ne désireras qu'en mariage seulement.

Les mots passèrent en trombe dans l'espace routinier de son esprit.

Et le souvenir vivace et vivant de la pénétration du corps féminin, initiant un puissant désir puis un autre sur le désir de base, ajouta étages sur étages à la tour de sa libido.

Un spasme en provenance de ses reins ceintura tout le bas de son corps, et les muscles enchaînés les uns aux autres, comme des enfants qui jouent au jeu de la queue leu leu appelé par certains le fouet, se rendirent chercher les fluides de l'intérieur profond pour les expulser avec force hors de lui au-delà de sa volonté incapable, pour ce moment d'extase, de s'exprimer.

L'animal Moïse Morin, tête rejetée en arrière, yeux clos, souffle raccourci, éjacula copieusement dans son caleçon.

Sitôt fait, l'homme pensa qu'il lui faudrait nettoyer son vêtement afin que Cécile ne se rende pas compte...

Puis le prêtre songea que ce qui venait d'arriver n'était que le prolongement du péché grave commis dans la batterie des Rousseau avec la tentatrice Marie-Jeanne Nadeau. Il devait s'en laver au plus tôt.

L'animal, l'homme et le prêtre, les trois personnes en lui s'agenouillèrent ensemble...

*

D'autres yeux regardaient le ciel dont le noir profond troué de lumignons commençait tout juste de pâlir devant les premiers cillements du grand astre. Ils étaient mouillés de larmes. Bossu pleurait la *Brune*. Mais il pleurait aussi sa pauvre vie. Une vie qui l'avait fait naître pour la peine. Une vie qui l'avait tenu à l'écart de la vie depuis toujours.

Le petit homme se tenait debout près de la fenêtre arrière de sa masure, toute son attention accordée, semblait-il, à l'énorme masse sombre de la montagne, à se demander combien de temps il lui restait avant d'être lancé à la conquête de l'ultime sommet. Combien de souffrances avant de revoir Delphine ? Combien d'heures de douleur ? Combien de pauvretés ? Combien de remords ? Le cinquième rang s'en allait au diable par sa faute, et le ciel l'en avait bien puni en foudroyant son petit cheval.

Il ne pourrait gravir le sentier abrupt sans la *Brune*. Il ne pourrait assister à la bénédiction de la chapelle. Le maquignon de Saint-Samuel voudrait-il lui vendre un autre cheval à crédit ? Il n'oserait même pas le lui demander. Les temps étaient si durs pour tous.

Albert Martin lui avait confié qu'on organiserait peut-être une collecte pour l'aider à se greyer d'une autre bête de chemin à sa mesure. Hilaire Morin avait été le premier à en parler devant le cadavre de la *Brune*. Ce ne devait être que voeu pieux ou rumeur dans l'air lourd qui l'environnait. Il avait trahi tout le rang ou presque par sa confession au vicaire, comment les gens trouveraient-ils en eux la bonté pour lui donner un coup d'épaule sans lequel il se sentait condamné à mourir de faim avant l'hiver, à moins que ce ne soit de froid quand viendraient les grands gels. Pas de cheval, pas de maquigonnnage; pas de cheval, pas de mendicité; pas de mendicité, pas de survie possible.

Certes, sa trahison demeurait le secret le mieux gardé, mais comment donc en évaluer les conséquences malheureuses pour ces couples qui se livraient au plaisir défendu ?

Comment démêler tous ces écheveaux inextricables formés d'actions, de réactions, de convictions et de malédictions ? Sans rien révéler, le prêtre les avait déjà sermonnés, gourmandés, culpabilisés, autour du cheval mort. Aucun homme n'avait causé autant de tort dans ce rang, dans cette paroisse, dans ce diocèse même, que lui. C'est par sa bouche que le virus de la débauche s'était répandu. C'est par sa bouche que les couples pécheurs avaient été dénoncés. C'est par sa bouche que s'exprimaient un ou plusieurs démons dont il n'arrivait pas à définir nettement l'identité.

En raison des premières lueurs du petit jour, peintes en gris charbonneux, la craque de la montagne lui apparut plus noire que jamais. Bossu crut y voir le cèdre croche, mais ce ne pouvait être que par le souvenir...

*

Désirée Goulet rêvait tout éveillée.

Elle s'était rendue dehors, sur la galerie arrière, tandis que son époux continuait de dormir profondément. Sa robe de chambre "chenillée" blanche paraissait grise dans le noir du matin en éveil. Et son visage de même couleur mettait en lumière des yeux brillants où jeunesse et santé se mariaient dans une très heureuse harmonie.

Une chaleur douillette caressa un moment le mollet de sa jambe droite. Un chaton, peut-être celui de sa fille, se frottait à elle pour en faire sa chose et demander à boire.

–Plus tard, plus tard ! lui dit-elle de sa voix la plus belle et bienveillante.

L'animal reprit son manège. La femme se pencha et le prit dans ses mains puis ses bras. Elle colla sa joue dans la fourrure grise appelée à trouver d'autres couleurs à mesure que le jour ferait la conquête de toutes choses dehors.

–Tu iras pas dans le chemin, toi, comme *Moussue*. Parce que le chemin qui peut mener chez les voisins, à la montagne, au village, à la vie... peut aussi mener à la mort. Tu sais, la mort ne doit pas venir nous chercher avant notre heure. L'heure de notre mort, c'est pas forcément notre heure, tu sais. On peut mourir à toute heure.

La petite bête miaula d'aise. La chaleur de la femme lui convenait. La douceur de sa voix aussi. Il parut que Désirée comprit le bien-être qui enrobait le chaton, puisque le moment lui suggéra de fredonner un bel air de ses jeunes années.

Tu vas partir, charmante messagère,
Pour ne venir nous revoir qu'au printemps;
À ton retour, hirondelle légère,
Avec amour, je guetterai ton chant.
Tu trouveras sous mon toit
Si tu restes fidèle,
Mon hirondelle,
Ton petit nid d'autrefois;
Quand je t'appelle,
Ne sois pas trop rebelle,
Mon hirondelle,
Surtout reviens chez moi.

On ignorait dans le rang que Désirée possédait une si belle voix ou bien, la veille au soir, on lui aurait demandé de la faire valoir. Accompagnée par le vicaire, voilà qui eût été d'un charme incomparable. Pierre le savait lui, mais il n'aurait jamais voulu mettre son épouse à la gêne. Avant même leur mariage, elle lui avait demandé de taire cet aspect d'elle qui ne leur appartiendrait qu'à eux-mêmes et à leurs enfants.

Et pourtant, la jeune femme imaginait la scène réunissant son chant et la guitare du prêtre. Elle aurait chanté pour son futur enfant, celui qu'elle portait depuis trois mois et que la cigogne apporterait à la maison aux environs de la fête de

Noël.

Alors elle se reprit à fredonner encore...

Rempli d'émoi, vers des rives lointaines,
Tout comme toi, je partis en chantant,
Je n'ai trouvé que misères, que peines,
Je n'ai trouvé que chagrins et tourments.
Si je pouvais comme toi
Regagner le rivage,
Le cher village
Que j'habitais autrefois;
Oiseau volage
Soudain devenu sage,
Plein de courage
Je reviendrais chez moi...

–Maman, maman, dit un enfant dans son dos.

Désirée eut un léger sursaut. C'était Juliette qui ajouta, un peu gémissante :

–J'ai un petit peu mal dans mon ventre.

–Qui c'est qui t'a dit que j'étais dehors ?

–Suis allé dans vot' chambre. Pis dans la cuisine, j'vous ai entendue.

Désirée savait que son aînée n'était pas une personne lyreuse, et que si elle exprimait une douleur, elle disait la vérité. S'agissait-il des suites de son accident de l'autre jour à la croix du chemin ? Ou bien de douleurs menstruelles prématurées ? Ou bien, plus simplement, avait-elle consommé la veille de l'eau qui avait trop stagné ?

Il lui fallait voir. Elle déposa le chaton et suivit sa fille à l'intérieur. Dehors, le matin continuait d'embrasser en silence le cinquième rang...

*

Albert et Marie-Louise avaient accompli leur devoir conjugal avec une fougue peu commune la veille, tous deux fort stimulés par l'image indécente voire sacrilège que leur avaient laissée l'abbé Morin et leur voisine Marie-Jeanne. La jeune femme ouvrit les yeux sur le petit jour qui entrait par la fenêtre de leur chambre. Tout dormait encore dans la maison, du moins le silence le disait. Elle se mit à fantasmer sur les événements chauds qui s'étaient produits ces derniers temps. Sa rencontre intime avec Joseph Roy dans la grange des Pépin lui avait valu des plaisirs inconnus jusque là. Avant lui, elle avait reçu les hommages de Jean Paré à leur premier échange. Puis celui d'Hilaire Morin. Ensuite il y avait eu Francis Pépin. Et la fois suivante, elle avait formé couple de hasard avec Joseph Roy. Un sommet du plaisir des sens...

"*Viens sur moi !*"

"*Oui, oui...*"

Il avait fallu trois secondes et la femme avait soufflé :

"*Viens en moi, Joseph !*"

La réponse masculine avait été un immense soupir.

Joseph était fait fort. Son va-et-vient particulièrement puissant et mesuré avait fait grandir en parallèle le désir et le plaisir jusqu'à une apothéose éblouissante.

"*Continue, continue, continue...*"

Ce mot aux accents d'éternité lui revenait en tête en ce moment, allait chercher sa main, la posa un court moment sur la cuisse de son époux qui lui faisait dos dans le sommeil. Elle poursuivit sa progression vers le but de sa recherche : le sexe inerte de son homme qui aurait tôt fait de répondre à sa demande.

Et toucha. Doucement. Effleura. De son seul majeur. Discrètement. Délicatement. Le long imprécis de l'organe enfoui. Dans un sens et dans l'autre. La réaction fut rapide comme prévu. Albert, songea-t-elle, dut entrer dans un rêve érotique s'il ne s'y trouvait déjà. Le tissu de son caleçon se gonfla encore et encore. Sa respiration devenait plus profonde, mais il n'émergeait pas de son univers onirique. Elle avait l'expérience. Femme de chair et de sang, elle n'avait jamais, comme bien d'autres, pris le devoir conjugal en aversion et y trouvait le plus souvent grande satisfaction. Donc, elle le recherchait elle-même d'une fois à l'autre et n'attendait pas toujours les avances de son homme.

En même temps que se poursuivait sa caresse, son propre corps se préparait à recevoir la chair de l'autre. Elle savait doser les progrès que faisaient sa main sur le chemin de la rencontre qui se conclurait sitôt entamée, pour, en ces circonstances particulières, propulser chacun dans les plus hautes sphères de l'extase. Un éclair qui survolterait chacun des partenaires.

"*Continue, continue, continue...*"

Ces mots répétés dits à Joseph avaient témoigné de son désir immense qui effaçait toute autre pensée, tous sentiments, toutes émotions, et ne lui laissait que la pureté du ravissement. Elle avait joui, encore, encore et encore, et chaque sommet appelait un nouveau sommet, encore plus vertigineux.

Elle introduisit sa main à l'intérieur du vêtement et s'empara de cette brûlante force qui finit par sortir Albert de son repos. Le sommeil vola en morceaux, chassé par une excitation venue tout droit des battements du coeur que le désir décuplait.

–Continue, continue, continue...

C'est Albert qui souffla les mots dans l'ombre. Et les mots se superposèrent à ceux que l'imagination de Marie-Louise répétait, et qui lui venaient du souvenir de sa rencontre débridée avec Joseph Roy l'autre dimanche.

Elle demanda :

–Penses-tu à moi, Albert, là ?

–Certain. Pis toé, tu penses à moé ?

–Là, oui. Mais juste avant, je pensais à Joseph.

–T'as aimé ça, avec lui ?

–Beaucoup.

–On les appellera pis on fera un échange un soir.

–J'aimerais ça... Pis toi, tu l'as fait avec Sophia, Marie, Angélina, Blanche pis quasiment avec Dora. Laquelle ta donné le plus de... plaisir ?

–J'pourrais pas dire, j'pourrais pas dire. C'était nouveau chaque fois.

–Donne-moi un nom. Je t'en donne un, moi... Joseph.

–Qu'est-ce qu'il a de mieux que les autres ?

–Fait fort... pis... j'sais pas comment dire...

–Ça s'explique pas. J'dirais Sophia peut-être...

–Ah bon !

Ce furent leurs derniers mots pour un temps. Survoltés tous deux par les attouchements et les échanges verbaux concernant leurs expériences avec des tiers, ils entrèrent dans une phase uniquement de gestes et de progression. Elle l'attira sur elle par un simple geste qui lui était familier, et ce fut la fusion sans réserve. Les deux sensualités chevauchaient ensemble, côte à côte vers l'infini. La femme atteignit les sommets recherchés et l'exprima :

–Continue, continue, continue...

*

Ce fut l'inquiétude pour ne pas dire une certaine angoisse qui réveilla Maurice Nadeau en ce dimanche de bénédiction, lendemain de veillée à moitié manquée pour lui. L'homme se souleva sur un coude et regarda sa moitié dormir du sommeil du juste. Vingt ans de mariage et il n'avait jamais une seule fois songé à une autre femme pour accomplir le rituel de l'amour charnel. Jamais avant la veille alors que le venimeux de Théodore Morin l'avait quasiment forcé à dire qu'il aurait pu, si Marie-Jeanne en venait à partir pour un monde meilleur, coucher avec toutes les femmes du cinquième rang. Mais Marie-Jeanne, elle, se voyait-elle au lit avec un autre que lui parfois ? Sans doute jamais. Ou peut-être chaque fois qu'ils accomplissaient leur devoir conjugal. Elle seule pouvait le dire. Le dirait-elle s'il le lui demandait carrément comme l'avait fait le vieux Morin ? Non seulement la Marie-Jeanne possédait-elle un diplôme de maîtresse d'école mais elle était aussi autodidacte et se renseignait tous les jours par leur encyclopédie, par des livres et par des journaux qu'ils ramassaient le dimanche au magasin général quand il en restait et que le marchand ne les avait pas tous utilisés pour envelopper les sacs de sucre.

Elle avait l'épaule dénudée, sa jaquette ayant glissé, tirée par ses mouvements de nuit et son poids. Cette peau blanche que frappaient les lueurs du jour et cette quiétude qui se pouvait lire sur son visage éveillaient le désir du mari. Il aurait voulu savoir et en même temps, il aurait voulu agir.

Il fallait qu'elle en dise plus de sa soirée avant qu'il n'arrive de cette marche futile dans le haut des terres. Trop de regards indéchiffrables s'étaient posés sur lui le temps qu'il avait passé dans la grange des Rousseau avec le groupe de veilleux. Pourquoi avait-il fallu à tout prix qu'il manque la veillée, lui, pour se rendre là-bas en la compagnie désastreuse du père Théodore ? Il se demandait s'il ne se trouvait pas anguille sous roche.

Seule Marie-Jeanne pouvait le rassurer comme il faut.

Mais elle ne l'avait pas fait la veille, sur le chemin du retour, quand il lui avait demandé pourquoi elle avait tant de balle de paille ou de foin dans les cheveux. À y regarder de plus près, il aperçut dans la lumière du matin d'autres brindilles qui interpellaient sa curiosité lui rappelant autant d'aiguilles de chardon qui piquaient parfois ses bras au temps des foins quand il prenait un ondain à bras le corps pour le déplacer ou le charger.

–La mére ? La mére ?

La réveiller en douceur ne lui vaudrait peut-être aucun reproche et l'homme retenait sa voix déjà monocorde et monotone tant elle était portée par l'indécision et l'indétermination.

–J'aimerais ça te parler un peu à matin...

La Marie-Jeanne continuait de dormir comme une marmotte. Il paraissait que son visage était frappé d'une auréole de bonheur. C'est cette brillance de la peau que Maurice n'avait pas souvent remarquée, qui la teintait ainsi. Elle n'était pas femme à se laisser brunir par le soleil et quand il était nécessaire qu'elle ajoute son bras à celui des hommes aux travaux des champs, elle portait toujours un immense chapeau de paille que respectaient voire craignaient les rayons du soleil les plus agressifs.

Il osa la toucher tout doucement à l'épaule. Elle ne réagit toujours pas.

Et les questions revenaient le harceler. Pourquoi le vicaire avait-il voulu chanter tout d'abord leur chanson préférée, à Marie-Jeanne et à lui ? Pourquoi avait-il surpris Hilaire Morin et Albert Martin à rire, qui regardaient de son côté quand le prêtre chantait ? Pourquoi même Josaphat Poulin avait-il pratiquement gardé le silence total tout le long du chemin du retour, lui qui parlait comme un moulin à vent tous les jours et toutes les heures de sa vie joyeuse de joueur de tours ? Voulait-il cacher quelque chose en se taisant de cette façon ? Et la Joséphine qui n'avait fait rien d'autre que de se remettre sans cesse en position sur la banquette avant du boghei double...

–Marie-Jeanne, Marie-Jeanne, dors-tu ?

Il ignorait qu'en ce moment même, sa femme copulait de nouveau avec le vicaire de la paroisse par un rêve enivrant. Ce qui lui avait apporté les plus hauts degrés du plaisir physique était pourtant quelque chose de moral : être prise par un bel homme instruit, investi au surcroît du sacrement de l'ordre. Une femme pourrait-elle vivre moment plus intense au cours de sa vie ? Quelle femme du cinquième rang n'aurait pas été comblée par un amant rempli de fougue et de grâce ? Et le rêve excitant commandait à son corps. Le mouillement par les fluides de sa substance était abondant entre ses jambes.

L'homme, qui avait légèrement élevé la voix, la ramena à son ton normal, chétif tout comme lui-même :

–Je m'en vas te désabrier un peu... J'ai ben le droit de te r'garder, vu que t'es ma femme 'depus' vingt ans, hein ?

Il examinait le visage tout en glissant ses mots dans l'air ambiant. Aucune réaction palpable. Marie-Jeanne continuait de dormir profondément et, semblait-il, agréablement. Alors il souleva, en la repoussant vers le pied, la mince catalogne qui leur servait de couverture l'été. La jeune personne ne risquait pas d'avoir froid vu le temps chaud de la période. Et la jaquette blanche apparut de plus en plus. Mais l'homme ne tarda pas à la voir relevée par la main de sa femme qui se trouvait entre ses jambes, le majeur sur un sexe dont les environs s'avéraient plus touffus que ceux du lac *Miroir*.

Ce fut tout un choc pour Maurice.

Jamais il n'avait aperçu d'aussi près et aussi nettement le pubis de son épouse. Il lui avait touché, il le savait bien fourni, mais pas aussi foncé, ce qui semblait contredire la blondeur de sa chevelure.

Elle soupira et agita le doigt qui masturbait parfois.

Maurice en fut sidéré, scié par le milieu au godendard. Pour lui, la sexualité humaine se résumait en un homme, une femme et l'accomplissement du devoir conjugal dans la position traditionnelle dont il ignorait qu'elle portait le nom de celle du missionnaire. L'eût-il su qu'il aurait pu songer au vicaire un moment...

Que devait-il donc faire maintenant ? La réveiller et subir une tempête effroyable ? L'abrier de nouveau et se taire à jamais ? La recouvrir et la faire émerger d'un sommeil en lequel peut-être un démon de la chair dessinait les images et s'occupait de la mise en scène ? Savoir à quoi elle rêvait. Savoir peut-être à qui elle rêvait. Lui revint en tête une question fouet du père Théodore :

"*Dis-moé pourquoi c'est faire que tous les hommes en viennent à penser aux femmes des autres pis que toutes les femmes rêvent un jour ou l'autre à un autre homme que leur mari ? Explique-moé ça dans le creux de l'oreille, toé, Maurice ?*"

L'idée scandaleuse du vieillard, véhiculée par Bossu Couët, avait-elle creusé des rigoles dans l'esprit et le coeur de certains voire de certaines ? Et si en ce moment, Marie-Jeanne changeait de mari dans son imagination profonde ? On ne pèche sûrement pas par ses rêves endormis, mais on le peut par ses rêves éveillés. Et s'il fallait qu'elle lui soit infidèle par la pensée... Voilà qui le révolterait. Et il ferait cocu l'homme qui le ferait cocu, tout comme il l'avait clairement fait entendre au père Théodore. D'un autre côté, pourquoi la colère, le conflit, la rage, la peur, la guerre et tout ce négatif humain ? Le vieillard avait suggéré autre chose :

"*Mais... au lieu de ça, tu penses pas que ça serait mieux de changer de femme entre vos deux sans chicane pis sans refoulement en dedans, là ?*"

Maurice secoua la tête. Le microbe était-il donc en train de le pénétrer lui aussi, de l'affaiblir, de le mener mentalement à une pratique abominable avant de l'y conduire pour de vrai avec sa Marie-Jeanne ? Il se devait de revenir à la raison. Après tout, si le cinquième rang lui paraissait différent depuis quelque temps, il n'avait pas sombré dans le marais du péché comme le père Théodore le suggérait de tous bords tous côtés. Et si le vieux était possédé ? Peut-être que c'est lui qui avait attiré la Rose Lafontaine dans le rang l'autre soir ? Mais s'il était possédé, le vieil homme, il avait peut-être une intention derrière la tête la veille en le retenant si longtemps à marcher le haut des terres ? Et à lui rabâcher son idée d'échangisme.

Une autre phrase de la veille lui revint en tête, mais cette, fois, elle était de lui :

"*Mettons que j'tombe veuf pis que toutes ces femmes-là (Désirée Goulet, Dora Fortier, Georgette Rousseau, Blanche Morin, Marie Roy, Angélina Pépin, Sophia Paré, Joséphine Poulin, Marie-Louise Martin) seraient veuves. Ben j'vas vous le dire : je les prendrais toutes. Ben rien qu'une, mais n'importe laquelle. C'est tout' des belles parsonnes à mon goût...*"

Acculé au pied du mur par le vieux, il avait échappé cela. Qui sait ce qu'en ferait le bonhomme Morin, de cette phrase aveu ? Peut-être qu'il la sortirait du contexte, la changerait, l'exagérerait, la soufflerait dans toutes les oreilles à l'affût de ragots ? Et s'il fallait que pareille réflexion enflée parvienne aux oreilles de sa Marie-Jeanne ? Elle le conduirait sur la montagne et le jetterait en bas comme la foudre l'avait fait à la *Brune* du bossu.

Alors qu'il venait tout juste de rajuster la couverture au bon endroit sur le corps de sa femme, les yeux de Marie-Jeanne cillèrent un court moment puis s'ouvrirent subitement.

–Comment, tu dors pus déjà, toi ?

–Bah... j'viens de me réveiller. Mais j'étais pour dormir encore.

–Ben tu dormiras pas.

–Comment ça ?

–Tu vas faire ton devoir conjugal.

–Ah oui ? Comment ça ?

–Parce que je te le dis.

–Mais c'est le matin, de coutume...

Elle le toucha droit au sexe en disant, autoritaire :

–T'as pas ça en forme ? Un p'tit coup de main, ça va t'aider.

Pour la première fois en vingt années de mariage, elle lui faisait pareille avance : sans ambages, droit au but, et vlan !

Il n'eut pas le temps de faire quoi que ce soit. Son corps refusa de faire ce qu'elle avait voulu en ce qu'il se vida comme une chaudière pleine qu'on jette par terre.

–Ah ben maudit, c'est parti malgré moé, là.

Peut-être eût-il mieux valu que la femme soit moins directe et provocatrice ?...

–Ça fait rien, dormons encore une heure.

–Mais les vaches ?...

–C'est dimanche : que les vaches attendent !

***

Chapitre 14

Qui l'eût cru ? Son Éminence, le cardinal Rouleau lui-même était venu à Saint-Léon ce jour-là pour assister à la bénédiction de la chapelle. Le curé Lachance l'y avait formellement invité sans jamais imaginer que le grand homme d'Église daignerait répondre favorablement à la dernière minute à cette invitation qui incluait le détail des événements entourant l'érection de la petite bâtisse sur la montagne.

Un nouveau lieu de pèlerinage institué en pleine crise économique par de braves chrétiens, il y avait de quoi faire monter les larmes aux yeux du bon prélat. Lui, de toutes les humilités, lui qui avait porté l'habit de moine, lui aux origines modestes fréquenterait pour un jour des gens simples, loin des grandeurs et des éminences avec lesquelles il se devait, de par ses fonctions officielles, de frayer régulièrement.

Le beau de l'histoire, c'est qu'il n'avait pas prévenu par téléphone ou autrement le presbytère de Saint-Léon de sa visite ce jour d'inauguration, de bénédiction, de dévotion. Même qu'il n'avait pas dit sa messe ce matin-là pour être en mesure de voyager tôt et de franchir les deux heures qui séparaient le palais cardinalice du village le plus éloigné de son diocèse.

Il faisait un soleil éclatant ce dimanche-là. Le cardinal,

un homme de soixante-quatre ans, à visage harmonieux, avait prié pour que le ciel octroie à Saint-Léon et sa montagne sanctifiée une journée brillante. Et le ciel avait bien répondu en ménageant à tout le pays canadien un autre jour de canicule.

Si on avait su qu'il viendrait un si haut dignitaire ecclésiastique, nul doute que des fidèles de tous les environs seraient accourus en nombre et auraient formé une grappe noire dans le sentier d'accès et sur le plateau de la montagne, comme un essaim de chenilles sur l'écorce d'un pommier.

Mais le prélat étant homme humble, et vu l'invitation tardive, il avait préféré une venue à l'improviste. Les miracles ne sont jamais annoncés, pas plus que les autres interventions divines.

La voiture noire s'arrêta au pied de l'escalier après avoir roulé discrètement entre les deux rangées d'arbres qui bordaient le chemin conduisant de la rue principale au presbytère, le long de l'église.

Le conducteur descendit et contourna l'automobile par l'arrière. Le hasard voulut qu'au même moment débouche du sentier autour de la sacristie la servante qui se rendait préparer le déjeuner des prêtres dont l'un, le curé, achevait de dire sa messe à l'église alors que l'autre était dans son bureau à mettre la dernière main au mot qu'il avait préparé spécialement pour l'occasion du jour.

Cécile s'arrêta net pour tâcher de comprendre. Puis se dit qu'il devait s'agir d'un prêtre étranger et que la chance lui serait peut-être offerte de se vider le coeur au sujet des avances que lui avait faites le curé. Et, au lieu de se faire lente, elle pressa le pas. Si bien qu'elle arriva au pied de l'escalier alors même que le cardinal se redressait dans sa dignité et qu'apparaissait dans toute sa splendeur son flamboyant ceinturon rouge.

–Ah, Seigneur ! échappa la jeune femme qui venait de reconnaître le cardinal Rouleau.

–Je ne suis que son humble serviteur ! dit aussitôt le saint personnage, le visage empreint de bienveillante ironie.

Mêlée, confuse, impressionnée, Cécile se hâta de mettre un genou à terre afin de baiser l'anneau pastoral que ne devait pas lui refuser le vénérable homme d'Église. Et quand elle posa ses lèvres sur cette bague consacrée, une lumière s'alluma en son esprit. Ce n'est pas à un prêtre ordinaire qu'elle devait se confier, car il protégerait le curé comme l'avait fait le vicaire par sa fuite silencieuse devant toutes ses approches pour lui révéler la vérité. C'est au supérieur du curé qu'elle parlerait de ses déboires et du danger qui la guettait. Lui avait l'autorité pour agir. Lui agirait. C'était sûrement le ciel qui faisait briller cette lueur en elle et juste au moment où elle touchait la main bénie.

Cécile se devait de protéger sa vertu et sa famille. Elle n'avait encore rien dit à Arthur à propos de la conduite de l'abbé Lachance envers elle. L'eût-elle fait que son mari aurait pu tirer le curé. Et cela n'aurait pas mis ses enfants à l'abri de la faim et de la misère noire.

Mais elle travaillait de peur dans ce damné presbytère.

–Votre Excellence, je...

–Dites plutôt 'Votre Éminence' !

Elle se relevait, et son erreur la dérangea quelque peu. Mais elle parvint à dire, voix chevrotante, main nerveuse :

–Votre Éminence, si vous êtes venu passer la journée chez nous... à cause de la bénédiction de la chapelle...

–En personne intelligente que vous êtes, madame, vous avez tout compris. Mais... qui êtes-vous à Saint-Léon ? À qui ai-je donc affaire en votre aimable personne ?

–Suis Cécile Bilodeau, la servante au presbytère.

–Mais... vous n'habitez donc pas au presbytère, puisque vous êtes sur le point d'y entrer en cette heure assez matinale quoique, comme on dit, l'heure des poules est bien plus tôt que celle-ci de grand soleil.

Ce fils de cultivateur élevé aux plus rangs de la hiérarchie ecclésiastique n'oubliait pas son langage du terroir, mais sa façon de glisser l'expression 'l'heure des poules' pouvait être perçue de manière peu flatteuse par la jeune femme. Elle y songea et pensa aussitôt qu'un cardinal ne dirait jamais quoi que ce soit d'humiliant à qui que ce soit.

À ce moment, une tête étroite, celle de l'abbé Lachance, parut dans une des fenêtres de la sacristie. Le curé pensa que le simple hasard avait mis Cécile et le cardinal en la présence l'un de l'autre devant le presbytère; mais aussi, il songea à ce qu'il avait cherché à obtenir de la servante dans l'atelier du dernier étage, et voilà qui souleva un de ses sourcils inquiets. Qu'elle s'attarde un moment de plus et sa nervosité monterait de quelques crans au moins. Alors seulement, il fut étonné de la venue du cardinal qu'il avait eu beau inviter mais qui ne lui avait aucunement donné espoir d'une visite si tôt et pour la grande occasion du jour. Et son étonnement tardif l'étonna...

–J'aurais quelque chose d'important à vous dire, monseigneur, et dans le particulier.

–Est-ce que vous êtes une maman, madame Cécile ?

Le cardinal croyait avoir devant lui une personne non mariée vu son corps d'adolescente. Difficile à imaginer dans un temps pareil et surtout à la campagne, une femme qui ne soit pas rondelette ou bien ronde.

–Oui. On a des enfants.

–Et combien ?

–Six en tout. Aucun de mort.

–Ça fait des bouches à nourrir.

Le cardinal pensa que la jeune femme avait à se plaindre à propos de son salaire. Car il se dit que son mari, comme la plupart des journaliers, devait en arracher passablement pour se trouver de quoi gagner le pain de la famille.

Les doigts du curé tapotaient le rebord de la fenêtre.

Peut-être devrait-il accourir auprès du cardinal, le héler de loin en sortant de la sacristie, afin de mettre fin à cet échange avec cette femme indocile et insoumise qu'il craignait de plus en plus depuis son refus et sa fuite devant ses mains entreprenantes.

Et Cécile revint à la charge avec sa demande même s'il lui paraissait que cela n'intéressait en rien le prélat et que ce qu'il voulait entendre n'était que réponses à ses questions.

Le chauffeur, quant à lui, s'était éloigné comme sa fonction le lui demandait chaque fois qu'un interlocuteur se trouvait en face de son supérieur. Ou bien les gens auraient été encore moins eux-mêmes devant le dignitaire.

–Votre... Éminence, je voudrais vous faire une confession si vous avez quelques min...

Sa phrase fut tranchée par le milieu d'un mot :

–Monseigneur, quelle immense surprise ce matin !

C'était le curé qui pressait le pas vers le cardinal, soutane claquant au vent comme un drapeau sous un surplis d'un blanc pur aux dentelles empesées par la servante elle-même.

Cécile baissa la tête, marmonna des excuses mêlées de remerciements résignés et s'engagea dans l'escalier tandis que le cardinal se désintéressait tout à fait de sa personne pour donner toute son attention à l'abbé Lachance, un prêtre qu'il estimait grandement.

–Je vois que vous avez déjà fait la connaissance d'une de nos chères ouailles.

–Ouailles qui, je le lui ai dit, se lève à l'heure des poules.

Les deux hommes s'esclaffèrent alors que la porte du presbytère se refermait sur la personne de Cécile qu'un profond sentiment d'impuissance emprisonnait. Il lui faudrait poursuivre seule son combat pour la vie, pour son âme, pour ses enfants, pour elle-même...

Mais alors qu'elle préparait à déjeuner, le ciel sans doute une fois de plus, lui remit une pelletée de courage dans le coeur. En servant les trois ecclésiastiques, elle s'arrangerait pour questionner le cardinal du regard. Il saurait lire sa détresse au fond de ses yeux. Il connaissait déjà la demande : il saurait sûrement y répondre. Et elle demanda à la Vierge Marie de la soutenir dans sa démarche. Une Mère sainte ne saurait refuser son soutien à une sainte mère.

–Que nous préparez-vous de bon, Cécile, ce matin ? demanda le curé à la servante quand elle vint servir le thé.

Le vicaire intervint :

–Madame Cécile est la meilleure cuisinière de tout Saint-Léon. Vous comprenez, monseigneur, pourquoi elle a été choisie pour travailler comme servante. Et ses tartes... n'est-ce pas, monsieur le curé ?

–En effet ! En effet !

Cécile lança un premier regard au cardinal qui ne le soutint pas plus d'une seconde. Comme si ça n'avait aucune importance pour lui. Elle se promit de revenir à la charge aussitôt que la bonne occasion se présenterait.

Les trois ecclésiastiques avaient accroché leur serviette de table entre deux boutons de soutane, et cela avait pour effet de niveler un peu leurs différences de grandeur. Le plus digne des trois, le cardinal, ne percevait pas en ce moment les niveaux de dignité séparant ses compagnons de table. L'égalité par les signes de la modestie et de l'humilité : rien de plus grand ! Quant au chauffeur, personnage bedonnant et chauve, il était resté dans la cuisine où se trouvait une table modeste qu'il partagerait avec la servante quand la dévouée Cécile s'arrêterait un peu entre deux services.

–J'ai pas fait exprès, mais j'ai entendu que vous voulez voir le cardinal en privé, dit le chauffeur quand il fut possible à la servante de modérer ses transports.

–Qui c'est qui le voudrait pas ?

–Il ne va pas vous écouter.

–Pourquoi c'est faire que vous dites ça ?

–Parce que je le connais.

–On dit qu'il écoute les plus humbles.

–Il parle avec eux, mais il ne les écoute pas. Vous avez pu le constater quand il a échangé avec vous. C'est lui qui dirigeait la conversation.

–J'aurais ben aimé...

–J'essaie pas de vous décourager, mais...

Et le quinquagénaire soupira avant de replonger sa bouche dans la tasse de thé qu'il sirotait depuis tout à l'heure. Elle prit place et but en silence à son tour.

–Pis comme ça, vous avez six enfants. Six bouches à nourrir de nos jours, c'est dur à plein, comme on dit.

–Vous avez l'air de quelqu'un d'instruit, vous. Mais vous êtes le chauffeur du cardinal ?

–En plein ça ! En plein tout ça ! Là où je travaillais, j'ai été mis en chômage. La chance ne m'a pas abandonné. Le chauffeur du cardinal est tombé malade. Je le connaissais. Il m'a fait avoir sa place. Autrement, ça serait la misère noire pour ma femme pis moi parmi bien des pauvres de la ville de Québec. Vivre de nos jours, c'est pas un cadeau du ciel.

–Moi itou sans mon ouvrage icitte. Mon mari, il s'en trouve pas, de l'ouvrage. Saint-Léon, y a rien par icitte pour avoir du gagne. Même le moulin à scie vire au ralenti. Ils ont besoin de personne pour faire le sciage.

–La chance n'est pas de notre côté.

–C'est la deuxième fois que vous parlez de chance. Le ciel, lui, il fait rien dans tout ça ?

–Vous voulez dire le bon Dieu, là, vous.

–Ben... oué...

–J'pense que le bon Dieu, nous laisse vivre comme la vie vient. Pas sûr qu'il intervienne. Pas sûr du tout !

–Mais... vous me faites quasiment redresser les cheveux sur la tête, là, vous, à dire des affaires de même.

–Des fois, les cheveux du cardinal se redressent aussi sur sa tête quand je pose des questions sur le sujet. Je finis par lui faire accroire qu'il m'a convaincu et qu'il m'a ramené dans le droit chemin de la foi catholique, mais... Dire devant lui que je crois peu, je risquerais de perdre ma place.

–J'ai un problème comme le vôtre, dit la femme en regardant là-bas, dans le lointain, les yeux luisants.

–Je l'ai deviné.

Le regard féminin montra de l'étonnement. L'homme aux bajoues pleines reprit :

–Et c'est la raison pour laquelle vous désirez rencontrer le cardinal en privé.

–C'est ça.

Elle n'en dit pas plus. Il respecta son mutisme.

Une clochette se fit entendre depuis la salle à manger. On l'appelait à la table. Cécile se leva aussitôt. Elle revint une fois de plus bredouille pour n'avoir pas pu transmettre un message silencieux par la seule émotion portée par son regard vers le cardinal. Et demanda au chauffeur :

–Est-ce que vous allez repartir aujourd'hui pour Québec ou seulement demain ?

–Le cardinal a tendance à improviser suivant les circonstances. Il s'adapte, comme il dit souvent. Mais il a laissé entendre qu'il voulait rester jusqu'à demain. Je ne peux pas vous en dire plus, Cécile.

–Merci pareil ! Ah, monsieur le curé me renseignera. Me dira s'il faut préparer le souper pour quatre au lieu de deux.

–C'est bien certain.

–Et quel est votre nom déjà ? Vous me l'avez dit tout à l'heure, mais ma mémoire manque.

–Georges. Georges Girard.

***

Chapitre 15

La nouvelle de la venue du cardinal Rouleau se répandit par toute la paroisse comme une traînée de poudre. Une liesse rare courut sur les fils téléphoniques. Arthur Maheux, qui se trouvait à la table du déjeuner, faillit tomber en bas de sa chaise quand Rose-Anna lui transmit la nouvelle qu'elle venait d'apprendre de la bouche d'une voisine.

–Maudit torrieu, comment ça se fait qu'on l'a pas vu passer ? De coutume, on voit tout' d'icitte-dans.

–Ça veut dire qu'on voit pas tout' tout', hein !

*

Les 'frappeurs' du cinquième rang eurent tous une réaction similaire : fesses serrées. Qui sait si le prélat n'avait pas été informé de leur conduite ? Peut-être était-il venu exprès pour les enguirlander voire même les excommunier. Mais comment aurait-il pu savoir ? Par qui ? Par quel chemin ? Par quelle filière ? Hilaire en glissa un mot avec son père qui fit son commentaire :

–Pantoute ! Il vient pas pour ça pantoute ! Il vient pour se montrer.

–Pas pour la gloire de Dieu ?

Le vieillard s'esclaffa :

–Les évêques, les archevêques, ils passent leur temps à parler de la gloire de Dieu, mais c'est leur propre gloire qu'ils 'charchent'. On peut se mettre à genoux devant le bon Dieu, pas devant un homme. Eux autres, faut se mettre à genoux devant eux autres pour leur baiser l'anneau... pour pas dire l'anus.

–Je vous pensais pas renégat de même, le pére.

–Pis ça fait longtemps.

–Vous l'avez jamais dit.

–J'fermais ma gueule. Asteur que j'vois la fin s'en venir, je me rouvre un peu plus la trappe. Mais pas trop pour pas faire de chicane dans la paroisse.

–Comme ça, vous pensez qu'ils sont pas au courant de nos... nouvelles accoutumances ?

–Advenant ça, les prêtres d'icitte en parleraient jamais avec le cardinal. Ça serait une honte pour eux autres de pas avoir plus de contrôle su' leu' paroisse.

–D'abord que c'est de même, je vas rassurer tout le monde.

–Tu peux, tu peux. Dormez su' vos deux oreilles, pis continuez à vous amuser. C'est vous autres qui êtes dans le bon chemin...

*

Bossu Couët n'avait pas le téléphone. Il était seul au pied de la montagne. Seul dans sa misère agrandie. Seul au monde. Seul avec ses souvenirs amers. Seul...

Comment aurait-il pu imaginer recevoir ce jour-là la visite pour le moins inattendue du cardinal Rouleau, le personnage le plus illustre de la province de Québec avec le Premier ministre Taschereau ?

Au presbytère, on parla de lui à table. Et de la visite qu'il avait reçue de cette jeune possédée. Toutefois, aucun des deux prêtres ne souffla mot sur la présence sous ce toit de la même Rose Lafontaine, qui y avait jusque passé une nuit entière. Les deux prêtres s'échangèrent des regards entendus quand il en fut question. Le cardinal leur confia qu'il ferait une sorte de visite d'exorcisme au bossu, puisque, lui avait-on dit, on passerait juste à côté de sa masure. Et le prélat se dit en lui-même que ce serait 'un vrai bon coup d'humilité' à offrir à l'admiration populaire que de s'arrêter ainsi chez le plus humble des plus humbles. On se le dirait trois paroisses autour, et voilà qui ajouterait une autre pierre à sa légende grandissante.

Mais Bossu ignorait ce que l'on disait de lui en ce moment même au village. Il pleurait encore la mort récente et si violente de sa pauvre *Brune*, un cheval si docile et aimant, et qui jamais ne prenait le mors aux dents. Comment le remplacer dans son coeur ? Comment le remplacer sans argent pour s'en procurer un nouveau ? Comment l'oublier, cette compagne fidèle et toujours reconnaissante ? Souventes fois, il s'était demandé si la *Brune* n'était pas la réincarnation de la pauvre Delphine que la tuberculose avait emportée trop tôt. Il pleurait la *Brune* autant qu'il avait pleuré Delphine.

Mais voici que son vieil ennemi, le démon de la chair, ramena en son projecteur d'images intérieur une scène du film intitulé 'les frappeurs' si une telle production cinématographique devait exister un jour.

C'est Joséphine Poulin et Albert Martin que l'homme infirme vit en action quand il ferma les yeux devant sa fenêtre pour ne plus voir la montagne ni quelque autre réalité que ce soit. Pourtant, il savait que Joséphine ne faisait pas partie du groupe, du moins pas encore à sa connaissance. Mais les choses allaient si vite en ce domaine depuis la phrase malencontreuse et scandaleuse du vieux Morin qu'il avait répandue par toutes les têtes adultes du cinquième rang...

"Pourquoi c'est faire que de temps en temps, un homme irait pas faire une p'tite virée dans le clos du voisin, histoire de goûter l'herbe un p'tit peu ? Pis en r'tour, il dirait au

voisin d'aller faire une p'tite virée dans le sien, hein ?"

Bossu vit donc Joséphine dans les bras d'Albert, à demi nue, et Albert en train d'embrasser Joséphine, lui-même, dénudé tout autant. Cela se passait à la cabane à sucre, à l'abri des regards de l'univers, sur une table qui servait de support aux seaux à sève tous imbriqués les uns dans les autres depuis la fin des sucres. Entre deux empilements triangulaires de ces colonnes de récipients de zinc se trouvait un espace que le couple occupait, couché sur des poches de jute superposées formant matelas.

Albert releva la robe, et le pubis noir apparut qui ceinturait une vulve déjà mouillée et luisante. Joséphine toucha le sexe de l'homme qu'Albert venait de dégager. Il émit une plainte, celle de celui qui atteint des cimes et pourtant, veut aller plus haut encore.

Ce qui fascinait le plus Bossu quand on s'emparait de son esprit pour l'emporter dans les territoires libidineux était la pénétration d'une femme par son partenaire masculin. Et de la seule façon avouable en cette époque : la position du missionnaire.

Albert plongea dans ce corps de femme qui n'avait jamais enfanté et qui enserrait donc mieux son organe mâle pas très important à comparer à d'autres comme celui de Jean Paré que Couët avait pu apercevoir l'autre jour dans le boisé du haut de la terre à Maurice Nadeau.

Enchaînée et entraînée par les images trop intenses qu'il regardait de ses immenses yeux fermés, la main de Bossu courut jusqu'à la bosse entre ses jambes. Et en même temps que le couple accédait à l'orgasme, le petit homme se répandit sur lui-même...

Il rouvrit les yeux et eut du regret.

Il avait péché encore une fois.

Comment donc mettre fin à toutes ces misères ?

*

Les plans établis par les prêtres question bénédiction de la chapelle demeureraient inchangés à la demande du cardinal quand on lui en fit part. Il n'y aurait pas de grand-messe à l'église ce dimanche-là, et la messe du vicaire serait dite là-haut, sur la montagne du cinquième rang. Le cardinal assisterait à cette messe et s'adresserait aux fidèles. Quant à la sienne, il y verrait à sa façon...

Et il demanda à se reposer un moment dans la chambre qui lui fut désignée, celle-là même qui avait abrité la possédée de Saint-Évariste l'autre nuit. En l'esprit du curé et du vicaire, la présence du prélat en cette pièce signifierait en quelque sorte un exorcisme des lieux. Aucun démon, s'il devait s'en trouver un là, ne résisterait à la vue de l'aura pourpre du plus haut dignitaire de l'Église catholique dans la province de Québec.

Et pendant que l'éminent personnage allait reprendre du poil de la bête par une demi-heure de repos et de réflexion tranquille, le curé et le vicaire discutèrent des nécessités du jour, l'une surtout, celle de reconduire le prélat sur la montagne et de l'en ramener sans risque pour son coeur de 64 ans dont on disait qu'il fatiguait assez vite maintenant.

–Voyez-vous ça, qu'il nous tape une crise cardiaque sur le sentier difficile ? s'inquiétait le curé qui avait pris place à son bureau, vicaire assis devant lui.

–Un cheval est trop lourd pour monter là-haut. Seul un poney le peut; or le poney du bossu est mort comme vous le savez.

–Il n'en a pas acheté un neuf ?

–C'est trop récent. Ça vient d'arriver, le coup de foudre qui a frappé sa monture.

–Monture, monture : je ne pense pas que monsieur Couët puisse monter à cheval.

–Vous avez raison, j'ai erré dans mon vocabulaire. Ce n'était pas sa monture et bien plutôt son cheval.

–C'est sans importance, mais... il nous reste un grand problème sur les bras. Le cardinal est venu pour l'inauguration; il nous faut trouver un moyen de le faire accéder à la chapelle sans le tuer en chemin par trop d'efforts.

–S'il y avait d'autres petits chevaux dans la paroisse, mais je n'en connais pas, moi.

–Ni moi non plus, hélas ! Quelle situation impossible !

–Peut-être que monsieur Maheux aurait une idée. C'est un homme plein de ressources, vous savez.

–Il n'est pas toujours de bon accueil, le forgeron. Quand il ne peut répondre à une question, il lui arrive de grogner assez fort. Sa fierté d'homme peu instruit en prend alors un bon coup.

–On peut toujours essayer. Je vais lui téléphoner, tiens. Et tout de suite.

Le curé se rendit aussi près de l'appareil mural afin d'entendre ce que dirait le forgeron sans lui parler lui-même.

–C'est sûr que non, y'a pas de p'tits ch'faux dans la paroisse, dit Arthur d'une voix si forte qu'on aurait pu la percevoir au fond de la pièce. Mais j'vous dirai que par exemple, y'a des 'beus'.

–Des quoi ?

–Des 'beus' de labour, c't'affaire ! Y en a dans le troisième rang pis un su' la grand-ligne qui va à Saint-Sébastien, là. Pis un 'beu' ben c'est pas mal plus fort qu'un ch'fal su' ses pattes, vous saurez ça, hein, hein, hein ! C'est Fridou Gilbert qui a ça. Appelez-le pis on va l'atteler, son 'beu' à une bonne traîne à roches. J'en ai une icitte. Pis peut-être ben que ma femme voudrait v'nir su' la montagne dans c'tes circonstances-là.

–C'est que la traîne serait occupée par le cardinal Rouleau. Y a-t-il moyen d'ajouter une banquette le moindrement confortable à la traîne ?...

–C'est ben sûr ! On y fera pas assire le derrière à terre,

au cardinal. J'm'en occupe, de la traîne pis du siège. Ça va être ben solide à part de ça.

–Je n'en doute pas, monsieur Maheux. Vous êtes un forgeron hors pair.

–J'fais d'mon mieux avec les moyens que j'ai.

–Ah, vous faites plus que de votre mieux.

–Bon, bon, bon, arrêtez de me louanger, là, parce que j'ai d'l'ouvrage à faire pour que la traîne soit prête en temps. Ça prend une heure ou deusse pour ça, là...

Le curé poussa gentiment son vicaire et prit sa place au téléphone :

–Monsieur Maheux, c'est monsieur le curé qui vous parle. Je vous remercie beaucoup. Quand on a besoin d'une bonne idée, on fait appel à vous. Et ce matin, vous nous en avez donné deux bonnes : l'idée du boeuf et celle de la banquette.

–Vous voulez dire "l'beu pis l'siège" ?

–Si vous voulez. Merci encore.

–C'est beau de même. Pis appelez Fridou au plus vite, là, vous.

–Bien évidemment !

Et l'on raccrocha de part et d'autre.

*

–V'nez donc faire un p'tit tour, d'abord qu'on va pas personne à grand-messe, dit Romuald Rousseau à son voisin Pit Roy. Une couple d'heures avant-midi là...

–J'dis pas non. J'vas en parler avec ma femme pis peut-être qu'on va 'retontir' chez vous dans la demi-heure, là.

–Ma femme pis moé, on vous attend tous les deux avec impatience.

Il y avait un 'non-dit' dans cet échange. Romuald s'était levé avec le goût d'une femme ce matin-là. Mais d'une autre que sa Georgette qu'il pensait ne pas aimer moins pour autant. Et comme, par les yeux de son imagination, il avait toujours regardé avidement la voisine, la grande Marie Roy, voici qu'il avait amené subtilement Georgette à l'idée de recevoir le couple proche voisin. L'homme était mû par la perspective d'un échange des partenaires. Mais il n'en dit rien en un premier temps. Il verrait à diriger la conversation quand les Roy apparaîtraient.

La proposition venait de se faire en personne. Raymond avait dit à Georgette qu'il allait prendre une petite marche de bonheur dans la clarté matinale et avait fait exprès de traîner aux environs de la maison de son voisin jusqu'à le faire sortir par curiosité.

Et celui qui, le dernier du groupe, avait adhéré à l'idée de l'échangisme voulait maintenant s'en faire le plus ardent pratiquant. Romuald était maintenant un fervent prosélyte de l'hédonisme...

De retour chez lui, il demanda, sitôt le seuil franchi :

–Tu devrais préparer un peu de quoi à manger : on va peut-être pouvoir les garder à dîner.

–Qui ?

–Ben les Roy.

–Vont venir ?

–S'en viennent.

–C'est sûr ?

–À peu près.

–Ben, à peu près... moé, je peux-t-il faire à manger à peu près ? À part de ça qu'on monte su' la montagne su' le coup du midi. On va pas manquer de se trouver là d'abord que le cardinal nous visite. Les Roy sont là tout le temps, mais le cardinal Rouleau vient nous voir une fois tous les quatre ans, lui. Faut pas manquer ça.

Romuald grimaça d'hésitation :

–Justement, des voisins qu'on vit avec tout le temps, c'est

plus important qu'un cardinal qu'on voit jamais. Si, d'une manière ou ben d'une autre, on a de besoin, c'est pas le cardinal qui va venir nous aider. À part de ça que l'un peut aller avec l'autre. On peut manger avec les Roy à onze heures pis partir tous ensemble pour la montagne de la *Craque* à midi ou ben quand le cardinal passera devant la porte.

–Oublie pas, Romuald, que montagne de la *Craque*, faut pus dire ça encore. Asteur, c'est le mont *Sainte-Cécile* pis rien d'autre.

–Coudon Georgette, il te prendrait-il donc une crise de 'religionnite' à matin, toé ?

–C'est pas parce qu'on est 'frappeurs' qu'il faut agir autrement qu'avant dans tout le reste. Au contraire, quand on veut pas se faire découvrir, on fait attention pour pas se faire remarquer.

Romuald alla prendre place sur une berçante, se gratta la tête, ayant l'air de réfléchir, et dit :

–Ben j'pense que t'as raison. Su' la montagne, on y sera. Peut-être même avant le cardinal tout à l'heure.

–Moi, j'vas appeler Marie pour savoir si ils viennent.

–Attends une seconde que je r'garde par le châssis. Peut-être qu'ils s'en viennent déjà.

L'homme avait raison. Georgette oublia l'idée du téléphone et se mit à fricoter.

–Ça va être tout des restants de notre dernière veillée par exemple.

–C'est mangeable, des restants. À soir, y en a plusieurs qui vont apporter quelque chose pour prendre un p'tit lunch après la veillée. Pis j'me demande ben c'est qu'il va arriver dans le cas de Marie-Jeanne Nadeau.

–Comment ça ?

–Si elle est pas invitée à notre soirée, elle va faire de la boucane. Si elle vient, on pourra pas se mélanger. Pis si on se mélange, elle pourrait prendre le mors aux dents. C'est pas une jument ordinaire, la Marie-Jeanne Nadeau. Pis en plus qu'on va avoir le bon Maurice su' l'dos.

–Pas question d'échange entre couples si les Nadeau sont avec nous autres, tu le sais ben.

–Ça va donner quoi de se réunir entre 'frappeurs' si rien doit se passer ?

–On jouera aux cartes coudon.

–Quand on a commencé à changer de femme...

–Pis de mari...

–Quand on a commencé ça, les cartes, ça nous dit pas grand-chose.

Georgette, qui était penchée sur son travail au comptoir de l'évier, se racla la gorge avant que de sonder son compagnon :

–Dis-moi donc, toi, t'aurais pas une idée en arrière de la tête en invitant les Roy icitte à matin ?

–Ben... heu...

–J'pense que oui, moi.

–Ça te fâche ?

–Pas du tout, pantoute !

–Si... il se passe des choses, tu serais pas de contre ça ?

–Pourquoi ? J'ai autant le goût que toi de faire un peu de changement dans notre vie. Ça fait au-dessus de vingt ans qu'on vit ensemble. Asteur que notre Arthurette est partie de la maison, on se retrouve rien que tous les deux, pis des fois, c'est ennuyant. Pis avec la crise, ben, c'est morose partout. Ça fait que se réunir pour changer de partenaire, c'est la meilleure affaire qui pouvait nous arriver. En plus que l'idée vient d'un vieux sage, le père Théodore.

–L'enfer, ça te fait pas peur.

–Pas du tout, pantoute ! Si le bon Dieu veut pas qu'on ait du plaisir, il avait rien qu'à nous en couper la possibilité à ras le bonheur... avant qu'on vienne au monde. Pis qu'on se reproduise par du pollen dans l'air... comme les fleurs pis les plantes.

–Calvènusse, j'pensais jamais que t'avais autant réfléchi su' la question.

–Pis j'te dirai mieux : c'est pareil pour les autres femmes du cinquième rang. J'veux dire celles de notre groupe : Sophia, Marie-Louise, Marie, Dora, Blanche pis Angélina.

–Sept hommes pour sept femmes : le paradis sur terre.

–Sept femmes pour sept hommes : satisfaction garantie ou argent remis. Comme dans le catalogue Eaton.

Bientôt arrivèrent les Roy.

Marie rejoignit aussitôt Georgette pour l'aider.

Romuald trouva vite un prétexte pour conduire son voisin dehors, sous l'appentis, et lui faire un message à la Ponce Pilate :

–Ma femme, elle s'est levée avec une idée en arrière de la tête. Elle m'a parlé de toé, elle avait le goût de tu sais quoi. J'te dis ça de même, j'sais pas vous autres...

–On est venus en se disant que ça pourrait arriver, mais que nous autres, on ferait pas d'avances.

–Ça veut dire que la Marie, elle a pas peur de moé ?

–Marie, elle veut un homme ben propre. Si t'es ben propre pis que t'as pas d'odeur de tabac dans la bouche...

–Ben ça parle au yable, j'ai pensé la même maudite affaire à matin. Me sus lavé ben comme il faut aux aurores dans la grande cuve pis pas fumé une calvènusse de fois. Pis j'vas te dire mieux : j'pense que la pipe, j'vas abandonner ça. C'est du trouble. Ça pue. C'est dangereux pour le feu. Les femmes aiment pas trop ça, la cendre à terre des fois, le 'spitoune' dans le milieu de la place, les crachats noirs...

–Ça me donne une idée qu'on devrait proposer ça à tous les hommes du groupe. Les 'frappeurs' frappent, mais fument pas. Qu'est-ce t'en penses, toé ?

–J'pense que tout le monde du rang s'améliore de ce temps-citte. Pis c'est ben tant mieux.

L'échange ne dura pas davantage, et l'on rentra.

–On a fait des plans pour la prochaine heure, annonça Romuald, mais si vous êtes pas d'accord, on changera...

Marie se tourna et déclara, souriante :

–On a notre petite idée pis on en a justement parlé, Georgette pis moi...

Elle fit une pause, devint plus sérieuse, comme pour annoncer un refus, reprit :

–Ben on a rien contre.

Les deux femmes se libérèrent bientôt de la mangeaille à préparer.

Georgette et Joseph prirent une chambre d'en bas, tandis que Marie suivait l'autre homme au deuxième.

Un peu et les vitres des fenêtres auraient éclaté sous l'impact des apothéoses répétées survenues ce beau dimanche matin plein soleil aux deux étages de la maison Rousseau...

*

–Hilaire Morin a téléphoné pour nous inviter tous les deux à un bout' de soirée à soir. Ça va se passer su' Romuald Rousseau.

–Pourquoi c'est faire que Raymond appelle pas lui-même pour ça ? Ça fait curieux, ça.

Elle hésita :

–Ben... sais pas trop. Ça change quoi ? Si Hilaire invite, c'est parce que Rousseau invite itou.

–D'abord que c'est de même.

Maurice n'avait pas entendu sa femme parler au téléphone puisqu'il se trouvait aux bâtiments quand l'appel d'Hilaire avait été fait. Il se dit que cette soirée lui permettrait peut-être d'avoir quelques réponses aux interrogations qui le tenaillaient, le harcelaient depuis la veille...

Marie-Jeanne, quant à elle, savait par Hilaire que le vicaire Morin ne serait pas de la soirée comme la veille. La femme forte du cinquième rang ne savait plus où donner de la tête suite à l'aventure extraordinaire, mais terriblement dangereuse pour son mariage et pour son âme, qu'elle avait vécue la veille. À qui se confesserait-elle de son péché mortel ? Le vicaire, qui avait été son partenaire, conservait-il le pouvoir de lui obtenir le pardon du ciel ? Le pire, c'est qu'elle ne parvenait pas à regretter ce qu'elle avait fait. Et si elle ne devait jamais trouver de remords, c'était l'enfer garanti.

Et puis, moins pire mais tout aussi fatigant, il y avait cette impression d'avoir été vue en train d'accomplir l'oeuvre de chair avec le prêtre. Qui plus est par ses deux plus proches voisines du rang : Joséphine et Marie-Louise. C'est à l'une d'elles qu'il lui fallait se confier. D'abord la sonder pour savoir. Ensuite, lui demander conseil si la femme savait ce qui s'était vraiment passé au fond de la batterie de la grange à Rousseau.

Elle choisit Marie-Louise. Et lui téléphona pour lui donner rendez-vous dans l'heure suivante.

***

Chapitre 16

L'initiative pensée par le forgeron et lancée par le curé connaissait son accomplissement. Fridou Gilbert arriva dans la cour de la boutique de forge avec son boeuf pour l'atteler à la traîne qu'Arthur avait trafiquée dans le but d'en faire une espèce de sedia gestatoria sans porteurs pour cardinal vieillissant.

–T'as pas perdu de temps, mon Fridou, fit Arthur en sortant de son atelier de travail pour accueillir l'homme serviable.

–Aussitôt que j'ai eu l'appel du curé, j'ai mis le 'harnois' su' l'dos du 'beu'. Pis j'ai pris l'chemin avec.

Wilfrid Gilbert dit Fridou était bel homme à la fin de sa trentaine, châtain, frisé comme un mouton, visage sanguin, dévouement à pleines mains et, de surcroît, des yeux bleus émerillonnés. Fier comme un paon de voir que son animal servirait au cardinal Rouleau, il espérait aussi que le digne prélat bénisse tout son monde, ses animaux, sa ferme par l'entremise de son boeuf *César*. Une bénédiction de cardinal avait son pesant d'or en ce temps de pareille misère.

–J'vois que t'as installé un bon banc pour le cardinal, constata Fridou en regardant la banquette noire solidement fixée à la fonçure.

–Une bonne avec des ressorts. De même, le cardinal se fera pas trop bardasser la 'karassine'.

–Pis toé, tu vas monter comment su' la montagne ?

–Je l'sais pas encore. Y a ma femme qui veut pas v'nir parce qu'elle trouve que la montagne est trop à pic. L'beu, monter pis descendre, ça va y prendre pas mal plus de temps que le p'tit ch'fal au bossu Couët.

–Oué, mais on peut mettre plus de monde su' la traîne avec un bon 'beu' devant qu'avec un poney.

–C'est entendu, c'est entendu. Un 'beu', c'est fort comme... comme un éléphant, ça. J'te cré, oué...

Survint un visiteur inattendu qui fit réponse à l'interrogation du forgeron à propos de sa femme qui voulait rester à la maison toute la journée.

–Arthur, toi et ta dame, si vous voulez vous rendre à la montagne avec nous autres, ça nous fera plaisir de vous faire monter dans notre automobile jusqu'au fond du cinquième rang. Par la suite, ce n'est plus de mon ressort.

–Vous feriez ça ?

–Comme maître d'oeuvre de la chapelle, tu mérites bien ça. Et plus encore...

–Ben ça sera pas de refus. Pis parlant de ressort, r'gardez le siège que j'ai posé su' la traîne. Quand le cardinal sera en haut, Fridou va redescendre avec le 'beu' pour prendre d'autre monde. On peut embarquer huit 'parsonnes' ben tassées là-dessus. Vous pis votre dame, vous prendrez le banc à ressorts.

–C'est donnant donnant. Ma 'machine' jusqu'au fond du rang pour vous deux; la traîne ensuite pour nous deux.

Plus tôt, en voyant Arthur travailler sur la traîne, le docteur avait pris information auprès de lui et appris à quoi elle servirait. Puis il avait imaginé un échange avec le forgeron. Ça venait de se faire tout seul, comme de soi.

Arthur promena son regard sur le ciel bleu en disant :

–Le bon Dieu nous envoye une ben belle journée pour une bénédiction de chapelle. En plus qu'il nous envoie le cardinal pour plus d'honneur dans la paroisse.

Le docteur s'adressa à Fridou :

–Si la traîne appartient à Arthur, le boeuf t'appartient, mon Fridou. Ça va dépendre de toi si...

–C'est entendu, je vas faire tous les allers-retours qu'il faudra de la cabane au bossu jusqu'à la chapelle su' la montagne. Inquiétez-vous pas !

–C'est ben bon de ta part, mon Fridou. La paroisse te devra ben de la reconnaissance.

–Que le monde dise 'marci' à mon 'beu', ça serait encore mieux.

–Ben merci mon cher 'beu', dit le joyeux docteur à l'animal en lui caressant le cou.

–S'appelle *César*.

–Merci d'avance... *César*...

Arthur intervint :

–C'est le temps d'atteler, parce que ça va te prendre une heure pour te rendre au fond du cinquième rang, mon cher Fridou.

–Oué...

*

Marie-Jeanne rencontra Marie-Louise dans le jardin des Martin, à l'écart des bâtiments et des oreilles enfantines. Elle avait voulu que sa voisine l'y attende pour ne pas l'obliger à marcher trop, vu que l'épouse d'Albert portait un enfant depuis plusieurs mois déjà.

On échangea à propos des légumes pendant un temps assez court, puis on se dit quelques phrases à propos de cette journée dite de la chapelle. Il fut question des difficultés du sentier et de la tragédie ayant frappé le bossu.

–Tu voulais me voir pour parler de quelque chose d'autre,

ça doit ? finit par dire Marie-Louise dont les cheveux d'or brillaient sous le soleil d'argent.

–On s'entend pour que ça reste entre nos deux à tout jamais, là ?

–On s'entend ben comme il faut.

–J'veux que tu me répondes franchement, Marie-Louise.

–Compte su' moi.

Contrairement à son habitude, Marie-Jeanne hésita en soupirant. Puis elle plongea et dit tout d'une traite :

–J'ose te le demander : c'est quoi que t'as vu dans la grange hier quand c'est que j'étais au fond de la batterie avec le vicaire à chercher l'enveloppe du trésor pis que vous êtes venus, toi pis les autres ?

À son tour, Marie-Louise hésita. Elle regarda le ciel bleu puis la terre noire sous ses pieds, écrasa une petite motte avec son pied droit, finit par plonger son regard dans celui de sa voisine :

–J'ai vu ce qui s'est réellement passé.

–T'as pas cru c'est que monsieur le vicaire a dit pour... pour notre défense ?

–C'était trop clair. Clair comme de l'eau de roche. Son histoire en était une à dormir debout.

–Ton mari, lui ?

–Même idée.

–Les Poulin ?

–Pareil, mais on n'en a presque pas parlé.

–Hilaire Morin ?

–Comme pour les Poulin. Chacun a choisi de garder ça pour soi-même, pis sans même en parler aux autres qui se trouvaient là pis qui ont vu. On s'est juste dit qu'on avait vu rien que c'est que le vicaire a dit qu'il s'était passé.

–Je le sais pas, c'est qui s'est passé : j'ai perdu la tête complètement. Un bel homme de même et pis en plus un prêtre : ça doit être le démon qui nous a fait succomber. Si faut que ça se sache...

–J'peux te dire que ça se saura pas.

–Comment on peut coudre la bouche à six personnes ?

–Je m'en vas te donner le fil pis l'aiguille qu'il faut pour ça. Pis tu vas les coudre, toutes les bouches.

Fort étonnée, Marie-Jeanne secoua doucement la tête d'incrédulité. Sa voisine reprit après une courte pause :

–Tu sais, quasiment tout le monde s'attendait à ce qu'il arrive quelque chose entre toi pis le vicaire. C'est pour ça que notre Hilaire s'est arrangé pour éloigner Maurice de la grange à Rousseau.

Marie-Jeanne était sidérée :

–Mais pourquoi donc ? J'arrive pas à comprendre pourquoi c'est faire qu'on a voulu me pousser dans les bras d'un prêtre. Tu dis 'quasiment tout le monde' : c'est qui, ça ?

–En réalité, c'est le vicaire qu'on a voulu... comment on dit ça... compromettre.

–Pourquoi ?

–Parce qu'il se doutait de quelque chose pas mal fort.

–De quoi ?

–De ce que font sept couples du cinquième rang asteur.

–C'est quoi, ça ?

–On est sept couples, les Fortier, les Rousseau, les Morin, les Roy, les Pépin, les Paré pis nous autres... ça fait ben sept... on se réunit...

–Ça s'est su.... Pour jouer aux cartes, des affaires de même.

–Ben plus que ça... Pour tout te dire, on fait de l'échange entre les maris des unes pis... les femmes des autres. Autrement dit... ben on se mélange pour faire... pour faire... ben pour avoir du plaisir... défendu... en tout cas défendu par la sainte Église...

–Viens-tu folle, Marie-Louise Martin ?

Marie-Louise regarda le ciel et dit en appuyant cette fois sur les mots :

–Si tu veux savoir, Marie-Jeanne, J'ai couché avec Jean Paré, avec Francis Pépin, avec Hilaire Morin pis avec Joseph Roy.

–Mais... mais c'est épouvantable... abominable !

–Pas plus que de faire ça avec un prêtre.

Marie-Jeanne hocha la tête :

–Me semble que c'est pas pareil pantoute. Changer de mari, c'est pas rien, ça. Mais... ça se fait pas...

–Quand on regarde ça avant de plonger dedans, c'est sûr qu'avec nos valeurs, ça prend un air de scandale, mais quand on l'a fait une fois, après ça, c'est ben plus facile.

–T'aimes ça, on dirait ?

–Je dois te dire que oui... pis à dire vrai... à plein à part de ça. Ça fait donc changement, pas toujours le même homme...

–Ben j'en reviens pas ! Des plans pour tomber su' l'cul.

–Scandalisée ?

–Ben... un peu disons, c'est le moins qu'on peut dire.

–Tu pourras jamais en parler à personne à part qu'à Maurice. Pis peut-être que vous pourriez embarquer avec nous autres. Il resterait rien que les Poulin pis les Goulet en dehors du groupe.

–Tu me fais confiance à plein en me disant ça, là. T'es certaine de ce que tu dis ?

–Regarde, Marie-Jeanne, nous autres, on sait ce que t'as fait avec le vicaire. Pis toi, tu sais que nous autres, le groupe des 'frappeurs', ben on 'frappe', comme disent les gars. Va falloir qu'on se taise... pis toi itou. On a la bouche cousue par un échange de secrets... disons... inavouables.

–C'est donc ça, l'aiguille pis le fil pour coudre les bouches ben comme il faut ?

–En plein ça !

Marie-Jeanne soupira. La croyante en elle s'interrogea tout haut :

–Pis le péché dans tout ça ? L'enfer au bout...

–Regrettes-tu tant que ça, c'est que t'as fait avec le vicaire, toi ?

L'ombre d'un sourire d'acquiescement apparut au visage de Marie-Jeanne :

–Franchement non !

–Ben c'est pareil pour nous autres.

Après une courte pause, Marie-Jeanne parla :

–Reste une question qui me turlupine, moi. Quelqu'un de vous autres aurait-il avoué au vicaire que les 'frappeurs', ils existent ?

–On est tous pas mal certains que non.

–Comment le vicaire aurait-il pu le savoir autrement que par le confessionnal ?

–On se le demande. On est tous sur les dents à cause de ça. On dirait qu'il a tourné autour du pot, monsieur le vicaire quand le p'tit ch'fal est tombé de la montagne après que lui soit venu dans la chapelle. Mais il a rien vu parce qu'il se passait rien dans la chapelle quand il est arrivé au coeur de l'orage l'autre soir.

Marie-Jeanne regarda tout autour en s'interrogeant mentalement. L'autre demanda :

–Si j'peux t'aider plus pis mieux.

–Tu m'as aidée à plein, mais... j'ai pas mal d'ouvrage qui m'attend. Hilaire nous a invités à une autre veillée su' Rousseau à soir. Vu qu'on est pas des... 'frappeurs', on a quasiment pas d'affaire là, moi pis Maurice.

–Il se passera rien si vous êtes là.

–C'est quoi qu'Hilaire a derrière la tête de nous inviter...

Ah, j'me rappelle hier, je lui ai dit que je m'occuperais du vicaire si, à l'avenir, nous autres, on était invités aux veillées de rang comme les autres.

–Hilaire aura voulu tenir sa promesse.

–Ou ben il voudrait qu'on fasse partie du groupe, nous autres itou ?

–Pourquoi pas ? Les moins faciles à être acceptés parce que les hommes sont pas assez propres, c'est les Rousseau pis les Poulin. Mais les Rousseau sont des nôtres asteur.

–C'est pour ça que Romuald se tient tant su' son trente-six depuis quelque temps !?

–Tu peux en être sûre ! Romuald, ça l'excite comme un enfant devant un arbre de Noël, tout ça, lui, là.

–Les Goulet, eux autres, ils sont un peu à part, vu qu'ils sont de la première maison du rang. Pis la Désirée, elle est pas mal catholique, pas mal su' les principes.

–Une bonne amie du vicaire.

–Ah oui ?

–T'as pas vu quand il a chanté pis qu'il la regardait...

–Désirée est tellement belle, cette femme-là : c'est normal que les hommes la regardent de même.

–Je comprends.

–En tout cas, c'est mieux qu'elle soit pas dans votre groupe parce qu'elle rendrait toutes les femmes jalouses.

–Y a pas de jalousie entre nous autres. C'est ça qui est beau dans le groupe. On se sent du meilleur monde depuis qu'on fait ça, c'est curieux, tu trouves pas ?

–Dur à croire ! Ben dur à croire que personne se montre jaloux.

–Viens avec nous autres, tu vas ben voir par toi-même !

Marie-Jeanne regarda au loin, l'air d'entrevoir l'avenir :

–Ah, comme tu dis, ça serait pas pire que... ce qui s'est passé avec le vicaire. Mais... le Maurice... comment l'amener à ça, lui ?

Marie-Louise arbora un large sourire :

–Marie-Jeanne, tu le mènes par le bout du nez, ton mari, depuis que je vous connais. Tout le monde le dit. C'est toi qui portes les culottes dans votre ménage.

–C'est vrai qu'il suit tout ce que je dis. Mais, des fois, il se conduit comme un âne. Il obéit, obéit, obéit, pis tout d'un coup, il arrête de bouger pis se plante là comme un âne têtu. Pus moyen de le faire bouger, même avec un fusil. Si il se sent pas à la hauteur, si il sent que le ménage pourrait être en danger, –pis les deux se pourraient ben–, il va s'enfoncer les deux pieds dans le ciment. Pus moyen de faire quoi que ce soit avec lui. On dirait pas, mais de tous les hommes du rang, c'est lui le plus dur à convaincre parce qu'il se sent petit pis que je le fais se sentir encore plus petit, ça, j'te l'avoue. Moi, sus une 'bosseuse' pis lui, c'est un suiveux. Suiveux jusqu'au jour où c'est que la peur le poigne. Mais on s'entend assez ben de même. Y parler des 'frappeurs', y conter tout ce que j'sais, y dire qu'on pourrait embarquer nous autres itou, il pourrait courir tout droit au presbytère, lui.

–Ça serait peut-être pas une si mauvaise idée : le vicaire le neutraliserait en le faisant taire avec ses moyens de prêtre qui sont pas mal plus forts que les nôtres. Le vicaire, il a la bouche cousue lui-même, comme Hilaire pis tout nous autres, on le voulait. Il peut pas parler à cause de ce qu'il a fait avec toi hier soir...

–Oué, mais si c'est au curé Lachance qu'il se confie, not' Maurice, ou se confesse, ça serait l'enfer dans Saint-Léon pis mille fois l'enfer dans le cinquième rang.

–Là, moi j'sais pus trop quoi dire.

–C'est à moi de prendre la situation en main. J'sais pas encore comment je m'en vas m'y prendre, mais je devrais trouver. Pis faut pas que ça traîne !

–Comme ça, toi, t'embarquerais dans le groupe ?

–Ben... j'haïrais pas ça... Moi, le devoir conjugal, j'ai jamais craché là-dessus, si tu vois c'est que j'veux dire... Essayer autre chose, pourquoi pas ? Vous l'avez fait, vous autres, pis vous êtes pas morts.

–Le péché pis tout ça ? Ça te fait pas peur ?

–Le péché, c'est quand on fait du mal aux autres, ça. D'après moi, ça serait pas autre chose...

Elles s'entendirent tout à fait sur ce point par un échange de regards...

*

Le forgeron prévint le vicaire à propos de l'attelage à Fridou Gilbert.

Au presbytère, on put ainsi établir un horaire de la journée. Et l'on ne tarda pas à se décider à partir pour la montagne. Quand il fut dans le vestibule d'entrée, face à la porte ouverte du bureau du curé, le cardinal aperçut la servante qui balayait le plancher, la tête basse, attentive à sa tâche.

En réalité, Cécile avait fait exprès de se trouver là avec son balai-prétexte dans l'espoir que le prélat lui donne un signe d'espoir. Mais le saint homme lui jeta un coup d'oeil furtif sans plus.

Et l'on monta dans l'imposante automobile du cardinal, une rutilante Packard 1930, modèle 745 Roadster, 8 cylindres en ligne, payée une piastre la livre soit 3590$. Le soleil dansait sur les chromes et la tôle de couleur bleu marine. Et le blanc des flancs de pneus conférait au véhicule une pureté dont l'intensité approchait celle qui baignait l'âme du prélat. Qui, à Saint-Léon, eût pu savoir et penser que dans la ville de Chicago se baladait dans pareille voiture de luxe un certain Alphonso Capone, personnage populaire qui lui aussi avait le respect total des petites gens. (Toutefois les promenades en ville du plus célèbre criminel de l'époque prendraient fin un an plus tard quand il se ferait coincer par le fisc américain puis condamner à onze années d'emprisonnement.)

Le vicaire prit place sur la banquette avant en compagnie du chauffeur Girard, et les deux autres s'installèrent confortablement à l'arrière.

–Vous ai-je dit, mon cher curé Lachance, que je viens en visite à Saint-Léon pour la toute première fois ? Je m'imaginais une paroisse agricole comme les autres, comme la mienne de l'Isle Verte, encore que de vivre au milieu du fleuve pour ainsi dire, ça nous différencie pas mal des autres, et je trouve un coin de verdure dominé par une belle montagne...

–Que nous venons de renommer, soit dit en passant.

–Ah oui ? Et quel était son nom auparavant ?

–Ce n'était pas très joli... un nom choisi par le peuple.

–Mais le peuple est intelligent.

–C'était la montagne... de la *Craque*.

–Le peuple, il est vrai, n'est pas toujours intelligent. Et quel nom avez-vous choisi pour l'avenir ?

–Le mont *Sainte-Cécile*.

–Félicitations ! Excellent ! N'est-ce pas le prénom de votre servante ? C'est vous qui avez choisi ce nom ?

–Absolument pas ! On a fait un concours via les maîtresses d'école et c'est la petite fille du forgeron qui a gagné.

–Ah bon ! Rien de plus honnête ! Et puis, la gagnante est une enfant du peuple.

–Très petite fille du peuple !

–Sera-t-elle sur la montagne ? Je pourrais mentionner son nom et la féliciter publiquement.

Le vicaire intervint :

–Arrêtons voir ! C'est ici, le forgeron.

On fit un arrêt devant la porte. Le vicaire descendit et se rendit dans la maison. Il expliqua la raison de sa courte visite à Rose-Anna qui hésita un moment, puis répondit que sa fille serait sur la montagne ainsi qu'elle-même et son mari.

En son for intérieur, la jeune mère se dit qu'elle irait, même si elle devait gravir le sentier à pied. Car elle ne pouvait priver sa fillette d'un tel honneur.

Et quand le prêtre repartit, elle ne put s'empêcher de se rendre à la porte pour voir partir l'imposante voiture dans laquelle se trouvait un personnage tout aussi imposant : le très vénéré cardinal Raymond-Marie Rouleau.

En route, le vicaire parla de la chatte de la petite Juliette Goulet. Dit qu'il l'avait accidentellement écrasée avec son automobile peu de temps auparavant. Raconta que la jeune fille avait adopté un nouvel animal et qu'il l'avait béni en passant pour compenser sa perte. Le curé glissa pudiquement que la mère de la fillette passait pour une réincarnation de la Vierge Marie tant sa beauté physique et morale rayonnait.

–Nous allons faire de même ! déclara le cardinal.

–Vous voulez dire ?

–Que je bénirai son nouveau chat de ma main aussi.

Le curé intervint :

–Mais...

–Il n'y a pas de mais, ça ne prendra même pas deux minutes, et l'investissement, pour ainsi dire, en vaudra grandement la peine.

Le cardinal voulait montrer à quel point l'humilité paie quand on est grand, à quel point cela fait grandir l'admiration qu'on vous porte déjà. Et en son for intérieur, il avait envie de la voir, cette créature que l'on disait si magnifique et dont le prénom à lui seul rendait rêveur...

On s'arrêta donc chez les Goulet.

Désirée faillit s'évanouir quand, la première de la maison, elle vit s'arrêter cette 'machine' grand luxe et en descendre trois hommes en soutane dont l'un portait un large ceinturon rouge, un ecclésiastique qu'elle sut aussitôt être le cardinal Rouleau venu inaugurer la petite chapelle de la montagne. Car tous les foyers savaient déjà la nouvelle grâce au téléphone dont la ligne n'avait pas dérougi pendant une demi-heure tôt cet avant-midi-là.

La jeune femme pensa aussitôt à son âme qu'elle savait propre et apte à côtoyer de proche des personnages de cette sainteté et de cette brillance. Et pourtant, son état ressenti de petite épouse de petit cultivateur occupait un autre côté de sa personnalité. Tiraillée, elle avait chaud dans sa robe fleurie du dimanche dont il ressortait des formes fort attirantes pour les regards masculins.

–Allez devant afin de nous introduire, monsieur le vicaire, ordonna le cardinal qui souriait et rajustait son ceinturon autour de sa taille.

L'abbé Morin ne fit ni un ni deux et se pressa vers la galerie dont il franchit l'escalier d'un saut. Alors, il s'arrêta net devant l'image divine de cette femme à travers la moustiquaire. Une apparition céleste vraiment. Que de beauté, que de féminité, que de grâce divine, que de grandeur chez cet être de si haute qualité !

–Qu'est-ce qui nous vaut l'honneur à matin ? fit-elle, émue au plus haut point.

–J'ai parlé à monseigneur de ma mésaventure à propos de la petite chatte à Juliette, et il a voulu bénir son nouveau chat. Seriez-vous d'accord ?

–Mais ça se demande même pas, une chose comme celle-là ! Le cardinal, entrer dans notre petite maison du cinquième rang de Saint-Léon, c'est... inimaginable.

Les deux autres prêtres avaient suivi. Ils apparurent derrière le vicaire tandis que Désirée ouvrait largement la porte d'été.

–Votre Éminence, voici madame Pierre Goulet. Madame Désirée, vous avez reconnu Son Éminence, le cardinal Rouleau venu bénir notre chapelle. On lui a appris que vous étiez capable de préparer les meilleures tartes au monde.

En la voyant, le prélat ne douta plus une seconde de la

parole du vicaire : pareille créature devait, en effet, être capable de cuisiner les meilleures tartes dans tout l'univers. Un frisson lui passa dans le dos. Ce n'était pourtant pas le froid que l'avait provoqué. Il lui passa une idée souvent remâchée au cours de sa vie sacerdotale : si les petites gens savaient à quel point il est difficile de tenir ses voeux quand on est prêtre, jamais plus ils ne se plaindraient de leurs petits bobos, et ils cesseraient leurs éternelles jérémiades.

Au moment où les trois soutanes furent réunies dans la cuisine, Pierre entra par la porte arrière, venu des bâtiments où des tâches matinales l'avaient retenu. Ébloui par l'automobile inondée de soleil, il n'en avait pas pour autant déduit que l'honneur même se trouvait en cette heure sous son toit. Aussitôt entré, il se précipita devant le cardinal qu'il venait de reconnaître, mit un genou à terre et baisa l'anneau pastoral, un geste que la belle Désirée n'avait même pas pensé à poser, ce qui lui valut la naissance d'un remords. Si bien qu'elle voulut faire de même. Le cardinal s'y opposa :

–Mais non ! Mais non ! Nous sommes là pour bénir la petite chatte de Juliette, votre fille.

–C'est un chat, intervint le vicaire avec un large sourire.

–Je vais la chercher : elle est en haut avec les autres enfants.

–Vous en avez plusieurs ?

–Trois. Et trois petites filles.

Pierre glissa :

–Pis on espère que celui qui est en route, ben ça sera un garçon.

Personne ne vit la rougeur monter au visage de la jeune femme. Il n'y paraissait pas encore qu'elle était enceinte et elle n'aimait guère qu'on le sache avant que son corps ne le dise de lui-même.

Juliette s'attira énormément de sympathie par ses sourires, ses rares mots, ses yeux luisants aux paupières qui battaient de bonheur.

Quand les prêtres furent repartis, gardant son chat dans ses bras, elle dit à sa mère :

–*Moussu*, il va-t-il avoir la vie éternelle itou, lui ?

–Sûrement, ma fille, sûrement !

*

Sur le chemin, plus loin, on dépassa Fridou et son 'beu'.

Le cardinal éclata de rire en demandant :

–Quel est donc cet attirail ?

Le curé et le vicaire s'échangèrent un regard inquiet, et ce dernier parla :

–Faut vous dire, Votre Éminence, que le sentier qui mène sur la montagne est très abrupt. Il faudra le réaménager, mais on n'en a pas eu le temps encore. En conséquence, il nous a fallu improviser pour vous un moyen de transport. Le forgeron a fait avec les moyens du bord.

–Mais... je ne comprends pas. Pourquoi un boeuf et pas un cheval ? Pourquoi une traîne et pas une voiture à roues ?

–Il faudrait un petit cheval, mais celui de monsieur Couët a été foudroyé cette semaine.

–Monsieur Couët ?

–Oui, le bossu dont nous vous avons parlé.

–Ah ! Et que je me proposais de visiter avant de... monter sur la montagne. Mais, dites-moi, vous n'avez pas pensé que je pourrais gravir le sentier par mes propres moyens ? À 64 ans, je ne suis pas à bout d'âge, vous savez.

–On dit que votre coeur...

Le curé avait marché sur de la glace mince. Le cardinal s'insurgea :

–Mon coeur est en très bon état. Il est bon pour un autre quart de siècle, le ciel aidant. Bien entendu, si le bon Dieu veut à tout reste me rappeler auprès de lui... Mais je crois que ma mission terrestre n'est pas accomplie et qu'il me faudra bien du temps encore pour atteindre le sommet. Ce que je devrai faire par mes propres moyens. Tout comme escalader cette montagne aujourd'hui.

–Vous êtes le seul juge de vos forces. Mais... à quoi bon vous donner toute cette misère ? Et puis, vous décevrez bien des gens, à commencer par monsieur Maheux, le forgeron, qui fut maître d'oeuvre à la construction de la chapelle, celui qui a conçu ce moyen de transport pour vous, et aussi monsieur Fridou Gilbert que nous venons de dépasser...

–Sans compter le pauvre boeuf *César*, enchérit le vicaire.

Voilà qui fit rire le prélat :

–En ce cas, je me soumets de bonne grâce. Ce sera une première dans ma vie que de monter sur une montagne... en 'beu', mais on apprend à tout âge, n'est-ce pas ?

L'atmosphère fut ainsi plus détendue sur le reste du parcours qui mena l'auto à mi-chemin entre l'extrémité du rang et la cabane du bossu. Quelques courtes minutes à pied et on y serait.

L'abbé Morin s'exclama quand on fut hors de l'auto :

–Je me plais à imaginer la tête que fera monsieur Couët en apercevant Son Éminence devant sa porte. Il pourrait bien être victime d'aphasie, le pauvre.

–Je ne m'arrête pas chez lui pour l'impressionner, ainsi que je vous en ai fait part tout à l'heure.

En lui-même, le vicaire s'inquiétait. Que penserait Couët de pareille visite ? Croirait-il que le secret de la confession avait été éventé, et qu'il avait confié au cardinal ce qu'il avait appris du dévergondage en cours dans le rang ? Le cardinal avait bien insisté sur le fait qu'il ne dirait pas un mot de la possédée; en conséquence, l'homme visité ignorerait le motif réel de la visite du prélat dans une aussi modeste demeure pour ne pas dire une bicoque. Motif d'exorcisme sous camouflage.

Bossu entendit des voix s'approcher. Il se leva de son lit

où il s'était couché pour regretter. Regretter encore et encore. À peu près tout ce qu'il avait fait dans sa vie de misère. D'autres qui se dirigeaient vers la montagne pour assister à l'inauguration annoncée, se dit-il. Ils passeraient leur chemin tout droit en frôlant sa masure comme l'étroit sentier l'exigeait, à moins de se perdre dans des fardoches intenses. Mais il avait le goût que l'on brise un peu sa solitude par quelques mots échangés avec des connaissances de la paroisse. Alors il décida de sortir par l'arrière et se rendit à la porte qu'il ouvrit. Ses yeux s'agrandirent plus que la montagne dont, si près, on ne pouvait même pas embrasser du regard toute l'importance.

–Monsieur Odilon Couët ? fit le cardinal en tendant la main.

Le bossu regarda de côté. Il aperçut en un léger retrait les prêtres de la paroisse. Et réalisa qu'il avait devant lui le cardinal Rouleau dont les photos, présentes un peu partout, lui étaient familières, et partant, son visage réel à deux pas de lui maintenant.

Le curé s'était agenouillé devant le bon pape Pie XI certes, mais le cardinal, lui, avait été élevé aux plus hautes fonctions ecclésiastiques par le très saint Père. Avoir devant soi un homme si proche de la papauté, un personnage de pareille importance quand on n'est que le plus misérable citoyen du pays, c'était comme de se mesurer à la montagne à côté, là, derrière. La montagne de la *Craque* se serait incarnée pour frapper à sa porte que le bossu n'en aurait pas été autant abasourdi. Ce ne pouvait être qu'un drôle de rêve comme il en faisait tant. Un rêve impossible, impensable de plein jour, de pleine connaissance.

Comme s'il avait entendu sa pensée, le curé déclara :

–Eh bien non, vous ne rêvez pas, monsieur Couët, c'est bien le cardinal Rouleau qui se trouve dans toute sa dignité devant vous. Nous lui avons parlé de vous, de votre courage dans cette vie, et il a tenu à s'arrêter vous visiter.

–Je... j... j'sais pas comment vous r'cevoir trop...

Le cardinal, qui avait dû rappeler sa main tendue, fit une moue bienveillante :

–Recevez-nous simplement. Sans cérémonie. Vous savez, je suis moi-même un fils de cultivateur. J'aime tout ce qui est modeste puisque je fus taillé à même la modestie. Dans la poussière de la terre. Et puis nous ne sommes tous que poussière ainsi qu'on le dit le jour des Cendres.

Et quand il vit les yeux de Couët s'abaisser et embrasser ses mains, le cardinal tendit de nouveau la gauche afin que le bossu puisse baiser l'anneau pastoral. Ce qu'il fit sans avoir à s'agenouiller vu sa petite taille, laquelle n'avait pas que des inconvénients.

–Rentrez, rentrez : j'ai deux chaises berçantes qui vous attendent.

–Je resterai debout, lança le vicaire par-dessus l'épaule du cardinal.

Bossu laissa le passage en disant :

–Y a toujours mon 'bed', mais il a pas été fait à matin.

–Ne vous en faites pas. Ne vous en faites donc pas ! lança le cardinal à voix forte en levant les deux bras au ciel pour appuyer son dire.

–Je comprends monsieur Couët, dit le curé. Une visite comme la vôtre, ça n'arrive qu'une fois dans une vie.

–Pis surtout la vie d'un quêteux de grand chemin, enchérit le bossu en regardant le prélat de ses yeux brillants et ronds comme la pleine lune.

Guidé par son flair sacerdotal, le cardinal tâchait de repérer quelque démon en la masure sombre du petit homme. Succube qui y était venu avec la possédée et s'y était établi à demeure ou bien une autre sorte d'entité maléfique. C'est à parler avec le bossu qu'il pourrait mieux y voir clair. Il n'était pas interdit de croire que les esprits malins recherchaient la compagnie des infirmes, surtout les bossus et ceux qui avaient les pieds bots. En plus, on disait que les anges noirs avaient un faible pour la proximité des montagnes jusqu'au jour où la croix venait sanctifier de tels lieux comme aujourd'hui le mont *Sainte-Cécile*. Le cardinal et les deux autres prêtres ne doutaient pas qu'après la bénédiction de la chapelle, des retombées souhaitables assainiraient, si cela était seulement possible, tous les environs et particulièrement le cinquième rang et toutes ses demeures.

Le curé reçut une berçante près de celle du cardinal.

Le vicaire resta debout près de la porte, adossé au mur, bras croisés.

Le bossu alla s'accrocher une fesse à son 'bed', tremblant de tous les embarras.

Chacun se demandait qui prendrait la direction de la conversation. Trois d'entre eux se disaient qu'il était poli, respectueux d'attendre les mots du cardinal. Qui d'autre aurait bien pu avoir préséance en cette matière ?

–On m'a appris qu'il vous était arrivé une véritable tragédie ces jours-ci. Votre poney...

–Tué par le tonnerre. Tombé de la montagne à mes pieds. Pas beau à voir. C'est la volonté du bon Dieu, que voulez-vous ?

Bossu soupira. Ses yeux clignotèrent pour ne pas s'embuer.

–Et... qu'allez-vous faire désormais pour vous transporter d'un lieu à un autre ?

–Ben... je m'en vas marcher... en attendant d'avoir un autre ch'fal.

–C'est déplorable, vraiment déplorable, ce qui vous arrive. Je compatis. Et, soit dit sans prétention, je suis sûr que ma visite ici aujourd'hui vous fera avancer dans la bonne direction.

Le vicaire cessa d'écouter à ce moment. S'il devait se trouver un démon en cette pièce, c'est en lui qu'il se trouvait.

Un être mauvais aux millions de griffes plantées dans ses cellules profondes. Comment l'en extirper sans détester le péché qu'il avait commis dans la grange des Rousseau avec la trop désirable Marie-Jeanne Nadeau ? Ah, mais quel péché détestable pourtant, le pire de tous : un acte sexuel interdit par les commandements, commis de surcroît entre un prêtre et une femme mariée. Pire qu'un sacrilège. Triple péché. Triple misère. Il lui aurait fallu un triple remords; or, pas même un simple regret ne parvenait à s'enraciner dans les souvenirs exaltants de la prise de possession de cette femme. Toute sa substance n'avait cessé d'en être remuée depuis qu'il avait accédé à ces grandioses folies par la fusion des chairs.

Peut-être devait-il plaider devant Dieu l'aliénation mentale temporaire au lieu de chercher à tout prix à trouver du haïssable dans ce libertinage de la veille. Dieu seul pouvait comprendre. Dieu seul pouvait le comprendre. C'est à Lui seulement qu'il s'adresserait. Et sa confession, il la ferait au père Fortin (ou autre prêtre étranger) quand il viendrait les seconder, lui et le curé, lors des fêtes du cinquantenaire.

Les questions du cardinal au bossu fusèrent. Couët en vint même, au bout de quelques minutes, à parler de Delphine Robert qui l'avait peut-être sauvé de la mort par hypothermie ce jour de récréation de son enfance. Le prélat comprit alors qu'il ne saurait se trouver aucun démon dans les environs d'un homme aussi souffrant, aussi bien moralement que physiquement.

Et même s'il avait pensé ne point lui parler de la possédée, il le fit, maintenant qu'il y voyait mieux et savait que le bossu n'était rien d'autre qu'un bon et fervent chrétien vivant dans la misère la plus abjecte.

–On m'a appris que vous aviez reçu la visite dernièrement d'une pauvre malade...

–Vous avez ben raison de dire 'malade', parce que moé, j'pense pas pantoute que c'est une possédée. J'ai douté, mais j'vois pas pourquoi c'est faire que le démon s'emparerait d'une 'parsonne' aussi jeune pis sans méchanceté.

–Vous pourriez bien avoir raison, dit le cardinal. Par contre, il n'est pas impossible que le démon s'attaque à des êtres bons. Voyez ce qu'il a fait avec le saint curé d'Ars. Il peut même s'attaquer à des enfants sans défense. Mais... pour ce qui est de cette jeune femme de Saint-Évariste, seul l'avenir nous le dira, seul l'avenir éclairera nos lanternes. Je veux toutefois retenir votre témoignage. Il nous sera fort utile dans l'étude de cas de cette... Quel est son nom ?

–Rose.

–Rose...

–Lafontaine.

On entendit du bruit venir de l'extérieur. Le vicaire se pencha à une fenêtre et aperçut Fridou Gilbert et son attelage particulier.

–Votre taxi est arrivé, monseigneur.

–Le 'beu' à Fridou est déjà là ? blagua le cardinal, histoire de faire peuple par les mots du commun.

–Eh oui, semble-t-il.

Le bossu s'inquiéta. La seule façon de se rendre sur la montagne à part ses propres pieds était la *Brune* et la traîne à Martin. Une concurrence survenait-elle ? Il s'approcha de la fenêtre tandis que le cardinal et le curé s'apprêtaient à partir. Le vicaire le renseigna, lui dit que le forgeron avait bricolé un 'véhicule' au minimum convenable pour le bénéfice du cardinal et des autres qui, à sa suite, voudraient se laisser emmener là-haut sans trop d'efforts. Les femmes d'abord et surtout les femmes enceintes.

Voilà qui sapait sérieusement ce petit grand bonheur ressenti par Couët grâce à la visite du prélat. Qui, désormais, songerait à lui donner un coup d'épaule lui permettant de se procurer un nouveau cheval ? Quand le besoin n'est pas là, l'oubli est proche.

–Serez-vous présent sur la montagne aujourd'hui, à l'occasion de la bénédiction de la nouvelle chapelle ? s'enquit le cardinal qui arrivait à la sortie.

–Moé ?

–Qui d'autre ?

–Ben... j'ai pas mal de misère...

–Venez tout de suite. Accompagnez-moi dans la... (le prélat sourit) dans le carrosse à Fridou. Venez. Il y a une banquette à laquelle vous pourrez vous agripper.

–Le pire, c'est pour redescendre.

Le cardinal fit une blague de fort mauvais goût :

–Vous n'aurez qu'à sauter en bas comme votre cheval l'autre soir.

Mais il se rattrapa aussitôt :

–J'ai dit ça pour vous dérider un peu. Non, vous reviendrez aussi en traîne, tout comme moi.

Voilà qui était impossible. Le cardinal n'avait pas les deux pieds sur terre quand il disait cela. Un boeuf pouvait tirer une traîne vers le haut, mais dans le sens inverse, ce serait la catastrophe. Comment un fils de cultivateur avait-il pu se faire une pareille idée ? Le bossu n'y songea pas non plus. Quant aux deux prêtres, ils s'échangèrent un regard entendu. Chacun pensa laisser à Fridou le soin de juger de la façon dont il véhiculerait les moins en force désireux de se rendre là-haut malgré la pente raide de certaines portions du sentier montant.

Fridou baisa l'anneau pastoral. Puis le cardinal monta sur la banquette qui l'attendait.

–J'espère que c'est du solide !

–Quand notre forgeron fait quelque chose, c'est toujours du solide ! s'exclama le vicaire.

–Vous pouvez en être certain, enchérit Fridou.

Puis le cardinal s'adressa au bossu qui se tenait un peu en

retrait :

–Monsieur Couët, montez... une façon de dire, puisque la traîne est à ras le sol... montez à ras moi comme on dit.

Le bossu obéit et alla s'agenouiller derrière la banquette. Il préférait de cette manière à cause de sa bosse. Et le cardinal préférait de cette manière afin d'occuper seul ce siège qu'il ne saurait partager.

–Vous n'allez pas devant ? demanda le cardinal à ses prêtres.

–Je pense que nous allons plutôt vous suivre, assura le curé qui toucha le bras du vicaire dans un geste de retenue que l'autre comprit.

Et le boeuf se mit en marche lente sur le commandement de Fridou qui le guidait à l'aide d'un câble entourant les cornes.

–Prions pour qu'il n'arrive rien, dit le vicaire à mi-voix.

–Il n'arrivera rien. Le bon Dieu protégera le cardinal.

–Et monsieur Couët.

–Et monsieur Couët.

–Croyez-vous que le cardinal ait pu nettoyer la place chez monsieur Couët ?

–Vous voulez dire des esprits malins qui auraient pu s'y trouver ?

–C'est cela.

–Aucun doute là-dessus ! À un moment donné, il s'est recueilli, et je suis certain qu'alors, il a chassé tous les démons s'il s'en trouvait dans la place.

–À la bonne heure !

Et le vicaire porta son regard au loin, dans les fardoches emmêlées, embrouillées qui bordaient l'étroit sentier que l'on prit l'un après l'autre suite à la traîne de monseigneur...

***

Chapitre 17

C'était noir de monde sur la montagne bleue.

Fridou avait fait de nombreux allers et retours en bas pour 'embarquer' femmes enceintes, vieillards y compris le père Théodore Morin, d'autres boiteux, quelques-uns pris des poumons et qui crachaient parfois dans les aulnes, et puis un certain Armand Grégoire de Saint-Honoré-de-Shenley, tuberculeux et alcoolique de 23 ans venu contempler la naïveté du peuple et heureux d'apprendre que le cardinal serait sur place pour entendre comment il s'y prendrait afin de perpétuer voire faire grandir son emprise sur les fidèles. Armand accompagnait sa grande soeur Bernadette qui là-bas, en Beauce, avait eu vent de l'existence de ce nouveau lieu de pèlerinage pas si loin, et où elle pourrait aller s'épancher une fois l'an, y égrainer des chapelets aux quatre vents, y trouver grand bonheur à se rapprocher du ciel, y rêver à ce fiancé qui ne serait jamais son époux parce que futur prêtre, y espérer un miracle comme il en arrivait souvent là où l'on se réunissait pour invoquer la Vierge Marie ou le Sacré-Coeur.

Parce que ses pieds étaient très affligés par plein d'oeils-de-perdrix, la jeune femme de 26 ans dut emprunter la traîne elle aussi. S'y trouvaient Rose-Anna et sa fillette. On fit connaissance. Et une fois là-haut s'était nouée une belle amitié entre ces deux étrangères presque du même âge, pas encore dans la trentaine.

Des gens s'étaient apporté à manger. D'autres s'étaient rempli l'estomac à moitié avant de partir en se disant qu'il était moins ardu de gravir une montagne grâce à des aliments qui donnent des forces mais sans excès qui ralentit.

Il était venu du monde de toutes les paroisses voisines. Et de là-haut nombreux étaient ceux qui comptaient tous les clochers visibles.

–Un peu plus pis on verrait l'église de par chez nous, dit Armand à sa soeur.

–Regarde comme il faut : si tu veux la voir, tu vas la voir.

–J'ai une bonne vue, mais j'vois pas pantoute.

–Quand on veut voir, on voit; quand on refuse de voir, on voit pas.

–Coudon, Bernadette, as-tu envie de nous prêcher en parabole, toi, pis de nous faire un sermon sur la montagne ?

Elle ne répondit pas et reprit la parole à l'adresse de Rose-Anna Maheux :

–Y a une boutique de forge à vendre par chez nous. En plein coeur du village. Peut-être que ça intéresserait ton mari.

–Quoi ? s'écria Rose-Anna. Mais je le saurais : c'est ma soeur Marie-Louise pis son mari Siméon qui ont ça. On y va une fois par année.

–Et dire que j'vous connais pas.

–Dis-moi tu, on a quasiment le même âge.

–Mais j'tai jamais vue là.

–On y va en voiture à ch'fal. C'est pas à porte.

–J'te pense. Ben quand tu viendras, tu me le feras à savoir. Pis tu viendras prendre une tasse de thé à ma maison.

–Ça se pourrait ben.

Arthur venait dire un mot à sa femme. Elle lui présenta aussitôt les visiteurs de la Beauce. Et Bernadette refit sa suggestion aux deux :

–D'abord que vous êtes pas propriétaire de la boutique à Saint-Léon, venez par chez nous pis installez-vous dans la place. On va avoir besoin d'un bon forgeron. Monsieur Rodrigue veut aller s'établir en Abitibi. Vous devez être un bon forgeron, vous ?

–Pour être bon, il passe pour bon, dit Rose-Anna. Bon en menuiserie itou : c'est lui qui a dirigé les travaux pour bâtir la chapelle l'autre dimanche.

–Vous me dites pas ! s'écria Bernadette aux yeux agrandis par un profond étonnement.

–Est pas finie ! déclara Arthur. Il manque une cloche. Pis... le lambrissage en arrière est pas fini. On a manqué de bardeaux. Mais ça va se faire. Pour le moment, l'important, c'est la bénédiction du cardinal.

Visage plus éclairé voire sanctifié, Bernadette déclara :

–Ah, j'sus venue proche de perdre connaissance quand j'ai su ça, que le cardinal Rouleau se trouvait ici.

–Y a personne qui l'a su avant à matin, madame.

Armand, qui restait un peu à l'écart, mains croisées derrière le dos, intervint :

–On pourrait penser que là où il se trouve une vedette, y a du monde, mais c'est le contraire : là où se trouve du monde, une vedette se montre le ceinturon pis la cappa rouges.

–Ah toi ! Un vrai rebelle ! lança Bernadette. Il dit toujours du mal de la religion pis des prêtres, même des fois du pape. C'est l'enfer qui te guette, Armand Grégoire, l'enfer.

Puis s'adressant aux Maheux, elle ajouta :

–Faites comme moi, écoutez-le pas, lui. Il dit n'importe quoi pour se faire remarquer.

Qui eût pu croire que d'aucuns sur cette montagne de

piété auraient pu penser un seul instant aux ivresses de la sensualité ? Et pourtant, tous les 'frappeurs' y pensaient. Car l'occasion de plaisir était devenue multiple et si excitante par sa nouveauté. Albert, s'il apercevait Marie, se souvenait de ce qu'ils avaient fait ensemble dans la maison Pépin, et s'il voyait Sophia, il se rappelait avec bonheur la rencontre intime qu'il avait eue avec elle en pleine nature dans le haut de la terre des Nadeau, le jour de la noce d'Armoza. Il en était ainsi pour tous ceux du même groupe qui se trouvaient dispersés sur le plateau, soit les quatorze qui partageaient maintenant une même philosophie de vie où la jouissance avait repris tous ses droits.

Et Jean-Pierre se revoyait faire l'amour avec Georgette.

Et Hilaire se sentait remué en regardant Marie-Louise qui l'avait fait monter plus haut encore que les célestes lambris.

Et Angélina rêvait de souvenirs, ceux de toutes ces apothéoses atteintes avec Albert Martin aux délicatesses féminines, Jean Paré à la toison laineuse, Joseph Roy aux longueurs impressionnantes et même Romuald Rousseau qui, malgré les apparences, savait y faire avec une femme et possédait une résistance incomparable.

Des éclairs traversaient l'air doux ambiant et allaient d'un regard à l'autre chez tous ces couples marqués du sceau de leur libération. Ils défiaient la religion sans défier le ciel par cette pratique, et cela leur apportait un plaisir intellectuel à l'égal du plaisir physique ressenti lors des rencontres intimes avec un autre que le partenaire d'habitude, et de règle, et de sacrement.

Bossu Couët s'approcha du bord de la falaise. Se tint à l'endroit même où la *Brune* avait été précipitée dans le vide par la colère du ciel. Hilaire Morin s'inquiéta de le voir si près du gouffre et s'en approcha :

–Comment que ça va, toé ? J'ai su que t'as reçu le cardinal dans ta maison tout à l'heure.

–Un ben grand honneur pour moé !

–Et... ben... il t'a pas posé trop de questions su' tout' nous autres ?

–Pourquoi c'est faire qu'il aurait fait ça ?

–Bah ! Ben... j'dis ça comme ça. J'ai su que des rumeurs se promènent d'une maison à l'autre dans le cinquième rang.

–Des rumeurs de quoi ?

–Dis-moé lé, j'vas te le dire.

L'oeil du bossu devint plus luisant encore :

–Y a-t-il tcheuq' chose qui se fait pis qui devrait pas se faire dans le cinquième rang ?

–Aucune idée. Pas au courant de rien.

Hilaire avait la démangeaison de lui dire qu'on avait risqué l'argent collecté pour son nouveau cheval au jeu de la chasse au trésor, et que le vicaire avait décidé de garder l'argent pour ses causes à lui. Mais le pauvre homme semblait si malheureux déjà qu'il ne voulut pas ajouter à son désarroi. On ferait une autre quête pour lui dans quelque temps et on ne le laisserait pas mourir de faim.

Une brise se leva. Et plutôt que d'apporter là-haut la fraîcheur des conifères qui s'agrippaient un peu partout dans les flancs rocheux de la montagne, c'est une odeur nauséabonde qui envahit les environs. Bossu comprit et dit, navré :

–C'est la *Brune* qui vient nous dire sa mort.

–J'comprends pas trop là.

–On a eu beau l'enterrer de roches, Albert pis moé, la p'tite jument doit commencer à se décomposer avec une chaleur comme ça.

–Ouais, peut-être qu'il aurait fallu mettre de la terre pardessus les roches.

–On a pas eu le temps. Albert devait y retourner.

–Justement, le v'là pas loin avec Marie-Louise...

Et Hilaire lui fit signe :

–Hé ! Albert, viens donc par icitte un peu !

Le jeune homme laissa son épouse avec deux couples qui formaient un petit groupe de placotage et s'amena.

–Ça sent pas plus loin, commenta-t-il. Mais quand même je vas aller mettre un voyage de terre su' la roche cette semaine. Autrement, ça va empester tous les environs.

Puis, s'adressant à Hilaire :

–Tu lui as dit pour la quête d'hier ?

–Non, mais là...

–On a ramassé quelques piastres pour ton nouveau ch'fal, Odilon, mais, finalement, c'est le vicaire qui a empoché. On s'en veut un peu, mais c'est partie remise à plus tard. T'as besoin d'un poney, on va s'occuper de trouver l'argent qu'il faut pour l'acheter. Même qu'on pourrait l'acheter à crédit pour toé. C'est que t'en penses, Hilaire ? Pis le payer dans six mois, le maquignon de Saint-Samuel.

–J'avais pas pensé à ça. C'est pas une mauvaise idée.

Couët s'insurgea :

–J'achète jamais à crédit pour moi-même, y a pas 'parsonne' qui va le faire à ma place.

–Mais... faut que tu gagnes ta vie, pis pour ça, t'as besoin d'un ch'fal.

–Je m'arrangerai !

–Comment ?

–J'vas aller à pêche. Aux framboises, aux noisettes. Je vas étendre aux lièvres. Chasser un peu autour de mon campe. Y a souvent des chevreux qui viennent aux alentours.

–Pis ton chien, tu vas y donner quoi à manger ?

–Mon Teddy, il est ben débrouillard.

–Mais pour aller à messe pis tout' là ?

–Si le bon Dieu veut me voir à messe, qu'il me trouve un ch'fal ! sourit le petit homme contrefait.

Albert et Hilaire éclatèrent de rire. Et le bossu rit aussi. Mais le pauvre riait jaune en pensant qu'il lui faudrait peut-être attendre une année complète avant de pouvoir acheter un autre poney.

Le cardinal se trouvait en ce moment à l'intérieur de la chapelle, à évaluer le dévoué travail des gens de Saint-Léon. Flanqué de Arthur Bilodeau, Arthur Maheux entra. Aussitôt, le curé présenta le forgeron au prélat. Il n'y eut ni poignée de mains ni baisage de l'anneau pastoral. Et personne ne présenta Bilodeau qui salua simplement de la tête et se mit à l'écart en toute humilité.

Exalté, le forgeron-menuisier se lança dans toutes sortes d'explications sur la journée de la corvée tandis que le cardinal écoutait attentivement. Du moins en donnait-il l'air.

–Et qui est donc votre discret compagnon ? dit-il à la fin du propos qui n'avait pas capté son attention plus que ça.

–Arthur, viens icitte !

Pendant ce temps, les deux prêtres avaient quitté la bâtisse pour fraterniser un peu avec leurs ouailles après des excuses en gestes à l'endroit du cardinal et une réponse tout aussi muette.

Bilodeau s'approcha :

–C'est Arthur Bilodeau. Sa femme travaille au presbytère pour monsieur le curé.

–Vraiment !? Je crois bien que je l'ai croisée ce matin en arrivant. S'agirait-il d'une dame... Cécile ?

–C'est ben elle, ma femme.

–Vous pouvez baiser mon anneau, fit le cardinal en tendant la main et tenant sa tête un peu plus haut.

Bilodeau s'exécuta. Le forgeron se dit qu'il était trop tard pour lui de le faire. Et puis, de toute manière, il détestait ces courbettes, fussent-elles sacro-saintes.

–Eh bien, messieurs Arthur, j'aurai l'occasion de vous revoir et aussi de féliciter toute la population de Saint-Léon un peu plus tard, au cours de la sainte messe qui sera célébrée à l'occasion de cette inauguration à caractère religieux. Pour le moment, vous m'excuserez, je vais aller me mêler un peu au bon peuple et lui montrer que je suis véritablement un des siens.

Derrière lui, Arthur Maheux avait le visage aussi rouge qu'une fraise. Avec des points sombres laissés là par la houille indécrottable qui, chaque jour depuis qu'il avait délaissé l'agriculture pour le métier de forgeron, s'y incrustait de plus en plus profondément. Il avait l'orgueil d'une fraise mûre et il en avait les picots noirs.

Près de la sortie, en bas des deux marches de l'escalier, deux couples de 'frappeurs' s'entretenaient. C'étaient Dora et Jean-Pierre Fortier ainsi que Angélina et Francis Pépin. Ils n'avaient pas échangé ensemble encore mais étaient à se donner un consentement mutuel par le propos qui tournait autour du pot et les embrasait tous les quatre en des rires féminins aux allusions masculines.

Le cardinal déclara en s'approchant d'eux :

–Ah, mes chers fidèles, je vous sais en train de vous réjouir de cette belle occasion de fraterniser, qui vous rapprochera les uns les autres.

L'anneau pastoral reçut quatre bouches qui s'imprimèrent par-dessus toutes celles qui avaient laissé là des traces microbiennes depuis le matin.

–Nous sommes de bons voisins du cinquième rang, dit Dora dans son langage le plus châtié qui sonnait plutôt faut et boitilleux.

–Proches voisins ?

–Y a l'école qui nous sépare, répondit Francis.

–Sans oublier Hilaire Morin, ajouta Angélina.

–Donc deuxièmes voisins les uns des autres ? fit le cardinal.

–En plein ça ! dit Jean-Pierre à côté duquel le prélat avait l'air d'un personnage de petite stature.

–J'aimerais bien connaître le nom de chacun d'entre vous quatre.

Francis prit l'initiative :

–Elle, c'est Angélina, ma femme. Angélina Pépin. Elle, c'est Dora Fortier, la femme à Jean-Pierre. Et lui, ben, c'est Jean-Pierre Fortier.

–Et vous-même ?

–Francis Pépin.

Le prélat leva vers le ciel ses mains ouvertes, disant :

–Des Pépin, des Fortier : de la bonne race venue de France pour peupler notre beau pays, le Canada.

Francis commenta joyeusement :

–On est Canayens ou ben on l'est pas.

–Vous parlez comme madame Bolduc chante. Le bon, le très bon terroir de chez nous !

Tout en devisant, le cardinal évaluait chacune des créatures devant lui : Angélina au visage juvénile, petite brunette, agréable à regarder; Dora, maigre comme un pic mais au regard chaleureux. Toutefois, il ne pouvait s'attarder, et son devoir de se partager en vingt, en cinquante ou plus le rappela à l'ordre. Il salua :

–Là-dessus, je vais dire bonjour à d'autres. Vous comprenez, il faut donner un peu de soi à tous. Je ne suis pas le bon Dieu qui Lui, peut se trouver partout à la fois.

On acquiesça du rire et du geste. Le personnage de marque marcha vers un autre groupe de fidèles. Partout, on se disait que le cardinal Rouleau devait être le seul prélat au monde à aller vers les gens plutôt que de les laisser venir à lui. Tout à son honneur, pareille humilité !

Le vicaire Morin ne s'en était pas rendu compte, mais, en allant de l'un à l'autre, il s'approcha du couple Nadeau. À tel point qu'il fut bientôt tout près de Marie-Jeanne qui, elle non plus, ne savait pas qu'il se trouvait si près. Ils se faisaient dos et pas même une personne n'aurait pu s'immiscer entre les deux sans bousculer un peu chacun.

Maurice, lui, vit le prêtre par-dessus l'épaule de sa femme et de Marie-Louise Martin à côté. Il écouta moins attentivement le propos d'Albert et sa pensée se concentra sur l'abbé et sur sa femme. Il lui paraissait que quelque chose d'indicible rapprochait ces deux-là. Qu'était-ce ? Des souvenirs récents lui revinrent en mémoire. D'abord il revit Marie-Jeanne dans une autre robe pour recevoir le vicaire. Il avait dit à sa femme :

"*–Est un peu serrée su' toé, c'te robe-là.*

–C'est ma plus propre, tu sauras. On peut pas recevoir un prêtre à maison en linge de semaine. Ben assez que je l'étais quand il a passé par icitte tout à l'heure. Pis à part de ça, as-tu envie de dire que j'ai engraissé ?"

Et, à la noce d'Armoza, il avait surpris plusieurs regards de sa femme adressés au prêtre tandis que celui-ci ne le savait même pas puisqu'il se trouvait dos à eux...

Mais l'image la plus révélatrice quoique sans rapport avec le prêtre à première vue, était celle que lui avait livrée son épouse en train de toucher à son corps dans son sommeil. Au fait, dormait-elle vraiment ? se demanda-t-il.

"*Et la jaquette blanche apparut de plus en plus. Mais l'homme ne tarda pas à la voir relevée par la main de sa femme qui se trouvait entre ses jambes, le majeur sur un sexe dont les environs s'avéraient plus touffus que ceux du lac Miroir.*

Ce fut tout un choc pour Maurice.

Jamais il n'avait aperçu d'aussi près et aussi nettement le pubis de son épouse. Il lui avait touché, il le savait bien fourni, mais pas aussi foncé, ce qui semblait contredire la blondeur de sa chevelure.

Elle soupira et agita le doigt qui masturbait parfois.

Maurice en fut sidéré, scié par le milieu au godendard. Pour lui, la sexualité humaine se résumait en un homme, une femme et l'accomplissement du devoir conjugal dans la position traditionnelle dont il ignorait qu'elle portait le nom de celle du missionnaire. L'eût-il su qu'il aurait pu songer au vicaire un moment..."

Et puis la veille au soir, pourquoi l'avait-on retenu loin de la grange des Rousseau ? Que s'était-il passé dans son dos là-bas avant qu'il ne parvienne à s'y rendre ? Quelque chose lui échappait de ce qui se passait dans le cinquième rang depuis quelque temps ? Qu'est-ce qui perturbait la vie de tout le monde ? Peut-être cette chapelle qu'on avait construite à la hâte, sans quasiment prévenir ? Une décision subite du presbytère et que peu de gens avaient osé contester malgré la pauvreté généralisée engendrée par la crise. Et maintenant le cardinal qui arrive comme un cheveu sur la soupe. Et cette possédée venue dans le rang un soir d'orage... Que diable se passait-il donc ? Tout se mélangeait, tout se heurtait dans l'esprit du pauvre Maurice. Mais les mots qui lui sortaient de la bouche semblaient tous si soupesés, si fatigués, si peu éloquents : comment aurait-il pu trouver des réponses aux questions auxquelles personne ne voulait répondre ?

–Attention, y a quelqu'un en arrière de toé ! dit-il à sa femme qui reculait sans même s'en apercevoir.

Elle n'entendit pas son avertissement, et son postérieur fessu toucha celui du prêtre. Elle se retourna et aussitôt, éclata de rire, soutenue dans son éclat par Marie-Louise, Albert et, après un sursaut, le vicaire lui-même. Maurice demeura sombre.

–Les chasseurs de trésor se portent bien ? dit l'abbé Morin qui adressa au cercle plusieurs signes de tête affirmatifs.

–C'est une ben belle journée ! s'exclama Marie-Jeanne de sa voix la plus chantante.

Ce ton, Maurice ne lui connaissait guère pour l'entendre rarement. Il contenait de l'exaltation, un plaisir intense, de l'excitation... Elle n'était pas en son état normal. Certes, la situation était anormale, avec tout ce monde sur la montagne et la présence surprenante du cardinal, mais... Que de brouillard dans la tête de Maurice et que de questions dans le brouillard ! Et la plus pointue de toutes ces questions était de se demander à lui-même comment il s'y prendrait, avec une bouche molle comme la sienne et pareille volonté de guenille, pour savoir ce qui se cachait derrière toutes ces attitudes, ces regards, ces sourires et ces rires pas ordinaires. Comment mener son enquête secrète ?

–Et comment allez-vous, monsieur Nadeau ? demanda hypocritement le prêtre à Maurice.

–Comme c'est mené.

–Ce qui veut dire : bien.

–Pas si pire.

–Tant mieux !

–Pour vous, c'est le grand jour ! dit Marie-Jeanne à l'abbé.

–Pour nous tous.

–Mais... vous êtes derrière cette construction, intervint Albert.

–Moi ? Non. La suggestion est venue de monsieur le curé. La décision fut de lui. Et la construction fut de monsieur Maheux et son monde de la corvée.

–Sûr, mais vous étiez là tout le temps pour diriger.

–Superviser n'est pas diriger. C'est monsieur Arthur Maheux qui a tout dirigé. Et j'ai demandé au cardinal de le souligner quand il s'adressera aux fidèles durant la messe tout à l'heure.

–Elle est pour quand, la messe ? demanda Maurice.

Il ne lui fut rien répondu. Comme si personne n'avait entendu sa question. L'homme se renfrogna comme de coutume et attendit. L'attente, c'était l'essentiel de sa vie.

Le vicaire se détourna tout à fait de ceux avec qui il s'entretenait le moment d'avant pour s'intégrer au groupe des Nadeau et des Martin. À peine avait-on échangé quelques phrases que vint à eux le cardinal en personne. Anneau baisé. Dos courbés. Sourires embarrassés. Le rituel de la première minute, histoire de rappeler la différence de niveau spirituel entre lui et eux.

Très vite s'introduisit entre ses deux parents tit-Pat Martin qui n'aurait pas voulu manquer cette chance de voir le cardinal de près pour tout l'or du monde. Le garçonnet de neuf ans à la noire chevelure avait du mal à voir le visage du cardinal car celui-ci était éclaboussé par la lumière du soleil.

–Mais qui est donc ce jeune homme vif et enjoué ? questionna le prélat en s'adressant à ceux qu'il devinait être les parents de l'enfant.

–Notre garçon Patrice, dit Albert.

–Mais tout le monde l'appelle tit-Pat, marmonna Maurice Nadeau.

Cette fois le cardinal l'entendit. Il retint le surnom du petit gars et s'en servit aussitôt :

–Eh bien, mon tit-Pat, tu peux venir vénérer l'anneau pastoral.

–Quoi ?

Sa mère intervint. Elle le prit par le bras et le conduisit devant le cardinal en disant :

–Devant monseigneur, faut que tu te prosternes et que tu embrasses son anneau.

Mais l'enfant gardait les deux mains dans son dos.

–Caches-tu quelque chose ? lui demanda son père.

Le visage de l'enfant tourna au rouge.

–Sois pas aussi gêné, mon petit, je ne suis qu'un homme comme ton père.

Et le cardinal se pencha pour parler au garçon de plus près encore :

–Je vois, d'après la forme de ton crâne, que tu dois être fort intelligent à l'école.

Puis, regardant ses deux parents, le prélat posa sa main sur le front puis la tête du garçonnet. Il frotta doucement tout en y allant d'un commentaire explicatif suite au précédent, celui-là plus général.

–Vous voyez, les bosses du crâne indiquent les forces du cerveau. Celle que je trouve, là, à l'arrière, me dit qu'il doit être fort en arithmétique.

Le vicaire fut fort étonné de constater que le cardinal semblait se référer à une pseudo-science du siècle précédent, la phrénologie, basée sur l'hypothèse que les facultés mentales sont situées dans des 'organes' du crâne, à la surface du cerveau. Comment un tel homme d'Église pouvait-il croire en de pareilles sornettes dont la fausseté avait été maintes fois démontrée scientifiquement ?

–Et puis celle-ci indique 'l'esprit métaphysique'.

–Le quoi ? demanda Marie-Louise.

–Théorie des idées, glissa aussitôt le vicaire.

–Science des premiers principes, enchérit le cardinal.

Et il poursuivit son exploration du cuir chevelu du garçon. Sa voix changea. Il lui vint de l'eau à la bouche. Pour coiffer ses gestes du bonnet scientifique, il reprit :

–Ah, et tiens, voici la bosse de la présence d'esprit.

Alors le vicaire se demanda si ce 'taponnage' aux airs anodins ne camouflait pas un prétexte à l'obtention de plaisir par attouchements d'enfant.

Et voilà qui fit dégringoler son âme au fond des abîmes.

S'ajoutèrent les uns aux autres en se bousculant tous ces événements à caractère sexuel survenus dans un passé récent, tout frais à sa mémoire et à celle du calendrier. Le curé et ses avances à Cécile. Son péché grave commis avec la femme Nadeau. Les 'frappeurs' qui s'adonnaient au vice. La possédée venue deux fois plutôt qu'une à Saint-Léon. Et maintenant le cardinal qui, au su et au vu de tous, touchait à un enfant de la manière la plus hypocrite qui soit.

Mais quoi, Dieu du ciel, la belle paroisse de Saint-Léon était-elle en train de devenir la paroisse de la débauche et de la luxure ? La capitale du vice ? Et pourtant, elle passait aux yeux des grands alentours pour la paroisse la plus pieuse, elle qui, par temps de crise, avait trouvé moyen d'ériger une chapelle sur sa montagne.

–Et comme elle est accusée, cette belle bosse ! Tit-Pat, tu dois apprendre très vite à l'école.

Sa mère répondit pour lui :

–Des fois, on dirait qu'il en sait plus que la maîtresse Bilodeau.

–Je l'aurais parié, dit le prélat. Tourne-toi, je vais examiner comme il faut l'arrière de ton crâne.

Le garçon hésitait, rougissait encore davantage. Marie-Louise le prit par l'épaule et, aidée par le prélat, elle fit tourner l'enfant, puis le força à décroiser les mains en arrière de son dos pour découvrir un accroc dans son pantalon qui laissait voir une petite partie de fesse. Le cardinal plongea son regard dans ce trou, et son trouble augmenta encore. Tit-Pat baissa la tête, humilié jusqu'aux os.

–D'autres attendent de vous voir, monseigneur, dit le vicaire pour que prenne fin cette douteuse exploration.

Mais en son for intérieur, une voix lui dit qu'il n'avait de leçon à faire à personne, lui qui se trouvait en ce moment même en état de péché mortel. Et quel péché !

–Cette bosse-là, juste ici, eh bien, c'est celle de l'estime de soi. Je suis certain que tit-Pat doit être fier sans orgueil. Fier dans la bonne mesure.

–Ça se pourrait, dit Marie-Louise que le prélat interrogeait du regard.

À ce moment leur parvint à tous une odeur nauséabonde, insupportable. Albert et le vicaire s'échangèrent un regard qui en disait long. L'abbé dit :

–Ça sent plutôt mauvais tout à coup. Ce sera le poney...

–Probablement, approuva Albert. Il faut que j'aille recouvrir la carcasse de terre ces jours-citte. Des roches, c'est pas assez pour emprisonner l'odeur de décomposition.

Le cardinal sourcilla :

–C'est très incommodant en effet !

Il délaissa la tête de l'enfant, et le garçonnet se dépêcha de s'en aller pour cacher sa honte d'avoir brisé son pantalon en escaladant la montagne plus tôt.

–C'est rien qu'un petit tourbillon de vent, dit Albert. C'est arrivé tantôt, mais ça dure pas.

–Espérons que pareille senteur n'atteindra pas la chapelle durant la messe ! gémit le cardinal.

–Nous allons prier pour que ça n'arrive pas, assura le vicaire Morin.

*

Un observateur à vol d'oiseau aurait eu grand plaisir à étudier les groupes formés sur le plateau du sommet de la montagne.

Du côté nord-est, des gens de Saint-Hilaire fraternisaient avec d'autres de Sainte-Martine. Près d'eux, des familles entières de la Beauce formaient cercle de bavardage. Plus loin, vers la chapelle, trois couples du cinquième rang se tenaient ensemble : les Goulet, les Rousseau et les Poulin.

Il y avait une affinité certaine entre Romuald et Josaphat, tous deux très sociables, volubiles, démonstratifs, et une autre sorte d'affinité entre Georgette et Joséphine, toutes deux autonomes, volontaires et impulsives. Et peu inhibées. Et lunettées... Mais le couple Goulet détonnait parmi les deux autres, Pierre étant un homme d'ordre, de propreté, d'une certaine réserve, et Désirée la mystérieuse étant femme de bonne volonté, de grande douceur et d'un charme indicible qui émanait de chaque partie d'elle.

On parlait de l'inauguration de la chapelle. Josaphat, toujours le premier à savoir quelque chose dans le rang et pourtant qui ignorait encore l'existence des 'frappeurs', dit qu'une surprise se produirait au cours de la journée.

–C'est quoi, ça ? demanda Rousseau qui n'y croyait pas.

–C'est Arthur Maheux qui a dit ça, mais il a pas voulu en dire plus.

–Le cardinal, c'est la grande surprise du jour ! déclara Pierre de sa voix toujours mesurée et bienveillante.

–Non, c'est d'autre chose que ça ! commenta Josaphat de sa voix toujours forte et nerveuse.

–Moi, je la connais, la surprise ! fit Désirée en regardant au loin. Mais j'ai promis à monsieur Maheux de tenir ma langue. Et quand je fais une promesse...

–Tu peux nous le dire, on le dira à personne, lui dit son époux, surpris de son extrême discrétion puisqu'elle lui avait aussi caché la chose.

–Tu le sais, que je tiens mes promesses comme celle qu'on s'est faite au pied de l'autel en 1920.

–Envoye, Désirée, dis-nous c'est quoi ! insista Josaphat.

Joséphine intervint :

–Arrête de la questionner de même ! Pis toi, Désirée, garde la bouche cousue.

Georgette prit la parole :

–Pas besoin de lui dire, elle le fera. Quand Désirée sait une chose qu'il faut pas répéter, on peut compter sur elle.

–La tombe ! s'exclama Romuald.

–C'est une grande qualité ! de dire Georgette. Ça compense pour tout le placotage inutile qu'il se fait dans la paroisse pis dans le cinquième rang.

Et l'échange se poursuivit joyeusement.

Et l'observateur à vol d'oiseau aurait vu aussi le cardinal aller vers le trio formé par Rose-Anna Maheux et les deux Grégoire, frère et soeur, venus de la Beauce pour assister à la bénédiction officielle, chacun pour des motifs opposés à ceux de l'autre.

Bernadette sentit ses jambes vaciller. Un peu et elle perdrait connaissance. Et sa nervosité la fit parler la première, impoliment, sans attendre que le prélat daigne entamer la conversation :

–Si c'est pas notre bon cardinal Rouleau qui vient à nous autres ! Sainte bénite que c'est grand, ce qui nous arrive aujourd'hui !

–Tu penses ? allongea Armand.

Mais en lui-même, il songea plutôt : 'Haut, peut-être, mais grand, tu parles ?...

Aux anges, Bernadette s'exclama :

–Si j'pense, si j'pense ! Ça se voit tout seul.

Rose-Anna, quant à elle, se mit en expectative. Et le cardinal parvint à eux en tendant la main suivant sa vieille habitude. Bernadette fut la première à se pencher pour baiser l'anneau. Rose-Anna suivit. Armand se détourna et, regardant au loin, déclara :

–Il nous vient donc des mauvaises odeurs par icitte.

–On a bien vu ça tout à l'heure, dit le prélat. Pour ne pas dire : on a *senti* ça. Ce serait un poney en état de décomposition au pied de la montagne.

–C'est la *Brune* au bossu Couët ! lança spontanément

Rose-Anna.

Et voici que de nouveau, le récit de la fin tragique du petit cheval fit l'objet d'un échange où la désolation paraissait plutôt vaporeuse et risquait de s'envoler avec l'odeur de putréfaction au prochain tourbillon de la brise fraîche.

–D'après moi, fit Bernadette le regard grand comme le ciel, c'est le démon qui a sapré son camp de la montagne à cause de la chapelle qu'il pouvait pas sentir. Pis en partant, il a entraîné le pauvre petit ch'fal avec lui. Vous pensez pas, monseigneur, vous ?

–C'est une très, très, très bonne explication. Je n'y aurais pas songé moi-même. Mademoiselle, vous vous y entendez fort bien dans les choses spirituelles.

Bernadette éclata de rire, ferma l'oeil gauche et leva un peu la jambe droite de pur contentement. L'autre en rajouta :

–Éclairer un cardinal sur les choses spirituelles, ce n'est pas donné à tous, ça.

Bernadette rit de nouveau, secondée par Rose-Anna, tandis que son frère Armand gardait tout son sérieux, le front sceptique, l'oeil désabusé, le sourcil soupçonneux.

Et voici que du côté du sentier qui amenait les pèlerins sur la montagne s'éleva une rumeur qui s'amplifia. Les plus près du bord virent quelque chose et le dirent à d'autres. Et la surprise annoncée par quelques-uns fut ainsi révélée à tous par le bouche à oreille avant qu'elle ne leur soit visible à l'oeil nu.

Fridou précédait son boeuf *César* qui tirait une charge lourde. Sur la traîne, derrière la banquette de Son Éminence, on avait mis un objet de bronze et d'airain familier à tous : une cloche récupérée dans les ruines de l'incendie d'un couvent d'une paroisse beauceronne, et dont le son était à peine altéré. On l'avait eue pour une chanson. Arthur Maheux l'avait secrètement nettoyée, redorée et, aux aurores de matin-là, aidé par Arthur Bilodeau et six autres forts en bras, on l'avait hissée sur une waguine à destination du pied de la montagne au fond du cinquième rang. La voiture avait été camouflée dans les aulnes en attendant que tout le monde soit rendu là-haut. Puis les mêmes hommes étaient descendus pour transférer la cloche de la waguine à la traîne. Les prêtres étaient du complot, mais ils n'en avaient pas soufflé mot au cardinal.

De plus, à bras d'hommes, la veille, on avait hissé là-haut tout l'attirail, palan, câbles, treuil et mis sous une toile de jute derrière la petite bâtisse. Ce serait un jeu d'enfant de mettre la cloche à sa place dans le beffroi.

Arthur accourut au-devant de l'attelage. Que pouvait-il faire sinon trépigner de joie autour de la cloche tout en écoutant les exclamations de la foule qu'il s'empressait de recueillir et de mettre dans sa besace.

–Fridou, emmène la cloche su' l'côté de la chapelle mais *au vis-à-vis le clocher*. Après ça, avec Arthur Bilodeau pis les autres, on va la monter à sa place. Elle pourra sonner durant la première messe. C'est le cardinal qui sera content.

–Il est mieux, parce que c'est dur, monter ça su' la montagne. Dur pour moé pis dur pour *César*.

Sans se rendre compte qu'il avait le bossu Couët sur ses proches arrières, Arthur lança :

–C'est pas le p'tit ch'fal au bossu qui aurait pu traîner ça icitte, hein, hein !

Couët se sentit encore plus inutile dans son inutilité.

Et l'observateur du haut des airs, entendant ces choses, aurait voulu se déplacer pour voir ce qui se trouvait derrière la chapelle. Ce bataclan requis pour hisser la cloche où il le fallait. Surprise, ce n'est pas cela qui devait attirer son attention mais bien la présence de deux couples de 'frappeurs' qui s'étaient mis à l'écart de la foule, et à l'abri des regards et des écoutes indiscrètes pour mieux fraterniser. Pit et Marie Roy,

Jean et Sophia Paré, deux proches voisins de rang, se tenaient fort près les uns des autres, les femmes adossées au mur et les hommes devant elles. On se parlait d'un échange de partenaires qu'on avait eu récemment et qui n'avait abouti à rien du tout.

Cela s'était passé le soir de l'orage à l'intérieur même de la chapelle. Jean avait été pairé avec Marie, et Joseph avec Sophia.

–En tout cas, nous autres, on était prêts, hein Sophia ? lui dit son époux.

Elle se contenta d'un oui agrémenté d'un fin sourire.

–Par chance qu'il s'est rien passé ! fit Joseph. Le vicaire nous aurait surpris.

–Imaginez le scandale ! enchérit Marie.

Jean reprit :

–Étant donné qu'on était destinés à le faire tous les quatre ensemble, on devrait se reprendre, rien que nous quatre, un bon soir cette semaine. C'est que vous en dites, vous autres ?

On se souriait, personne n'osant répondre en premier. Sophia et Joseph avaient eu un rapport ensemble, mais pas Jean et Marie.

–Sophia ? lui demanda son mari.

–Si eux autres sont d'accord, moi, c'est beau.

Marie acquiesça d'un signe de tête :

–Pourquoi pas ?

–C'est pas moé qui vas dire non ! affirma Joseph qui en profita pour évaluer les formes arrondies de Sophia.

Il y eut une pause et il ajouta :

–Pourvu que ça dérange pas trop le bébé, là.

Jean blagua à son tour :

–Sais pas s'il va se rendre compte que c'est pas son père qui va lui faire une p'tite visite.

–On lui dira pas, commenta Marie qui osait souvent plaisanter à la manière des hommes.

–En tout cas, l'autre fois, il s'est pas plaint, enchérit Sophia en s'adressant à Joseph qui plongea son regard dans le sien pour dire :

–C'est de valeur qu'on soit en plein jour.

Marie fit une moue de grand sérieux :

–Savoir attendre, ça rend tout meilleur.

–Un p'tit bec, ça serait pas dangereux.

Jean vit arriver des hommes qui furent surpris de voir du monde à l'arrière de la petite bâtisse.

–On vient chercher le palan pis les câbles, dit Fridou. Pis à part de ça que des bons bras comme vous autres, ça aiderait en maudit à monter la cloche à sa place.

–La cloche ? dit Jean.

–Ben oué, venez donc voir ça... Arrêtez de vous minoucher, là, pis venez aider !

Il y eut un échange de regards narquois entre Marie et Jean d'une part, et Sophia et Joseph de l'autre. On se faisait déjà l'amour par la pensée... Pour l'heure, c'est de faire sonner la cloche qui importait.

***

Chapitre 18

Le vicaire avait l'impression de commettre un autre sacrilège, pire que le premier, en disant la messe en état de péché mortel. Comment des mains qui la veille avaient touché une vulve de femme pouvaient-elles le jour d'après manipuler la sainte hostie ?

Bien pire encore, il lui faudrait tout à l'heure distribuer la communion à tous ces gens venus sur la montagne pour se rapprocher de Dieu, eux qui, à l'exception de ces malheureux 'frappeurs', étaient tous déjà dans les bonnes grâces de leur Créateur. Transmettrait-il par ses mains souillées par un sexe féminin le goût du vice, le virus du péché de la chair à toute une population. Bien assez que sept couples du cinquième rang se vautraient depuis quelque temps dans les marais fangeux de la luxure !

Il y avait une vingtaine de personnes en tout à l'intérieur de la chapelle. On n'y disposait pas de place pour un écureuil de plus vu l'exiguïté des lieux. Les autres assistants à l'inauguration étaient à l'extérieur, devant la petite porte grande ouverte et jetaient parfois un oeil à l'intérieur dans l'espoir d'y apercevoir la silhouette du cardinal. Car plus on le regardait, plus on croyait devoir capter la grâce du ciel émanant de sa personne sacrée.

Étant donné qu'elle était l'épouse du forgeron, Rose-Anna eut une place à l'intérieur. Avec son mari, elle encadrait sa fille, la gagnante du concours pour trouver et donner un nouveau nom à la montagne. Et Bernadette, jasant comme une pie avec cette nouvelle connaissance, avait réussi à se faufiler à l'intérieur pour assister à la cérémonie faite d'une messe et de discours religieux. Elle occupait un des bancs que les hommes avaient bricolés en même temps qu'on hissait la cloche à sa place. Armand avait choisi de rester dehors, adossé au mur, oreille à l'affût, non pour entendre la messe, mais pour écouter ce qu'il appelait les 'folies abusives' du clergé, soit les sermons des prêtres et, exceptionnellement, du cardinal en personne.

Le cardinal avait demandé que le bossu ait sa place au premier banc d'en avant. Couët, qui ne voulait pas défaire le décor avec sa personne contrefaite, refusa. Le prélat insista par l'entremise du forgeron, et le docteur Arsenault conduisit le gnome à l'endroit voulu. Même qu'il prit place à son côté.

D'autres notables se trouvaient dans la chapelle. Notables aux femmes prudes et hautaines. Notables qui, une fois bien installés, ne se préoccupèrent plus de ceux restés dehors, sinon pour se réjouir de ne pas faire partie de cette plèbe aux odeurs de terre et de fumier.

Quelques 'frappeurs' aussi qui se sourirent les uns les autres, se sachant appartenir à un groupe secret qui avait inauguré la chapelle avant l'heure pour en faire un lieu de plaisir avant qu'on en fasse un lieu de prière, de résignation, de tristesse et d'humiliation. Hilaire et Blanche, Raymond et Georgette, Albert et Marie-Louise avaient été désignés par le vicaire qui, ainsi, voulait faire mieux réfléchir ces couples sur leur péché si condamnable... mais pas plus grave que le sien au fond. Et peut-être bien moins, lui disait parfois –mais pas à tous les coups– sa conscience embrouillée.

Un événement extraordinaire devait se produire au cours de la messe. Personne ne s'attendait à pareille chose. En préalable, le médecin céda sa place au vicaire qui vint s'asseoir le temps des sermons prévus, à être prononcés par le curé puis le cardinal. Et le docteur demeura debout, adossé au mur, bientôt oublié quand l'inattendu se produisit.

Et c'est le curé qui l'annonça, lui qui occupait une chaise voisine de celle du cardinal près de l'autel.

–Parmi les surprises du jour, il y a eu l'arrivée de la cloche tout à l'heure et il y a aussi celle que je vous ai préparée... à la demande, je dis bien à la demande du cardinal Rouleau lui-même. Ce que Son Éminence nous a dit ce matin, je vous le répète mot pour mot. Il a dit : "Il serait bon et agréable au Seigneur Dieu que la plus belle voix de cette paroisse nous chante quelque chose. Et par quelque chose, j'entends un chant profane et non point un chant religieux. Et ce chant profane, parce que nous serons tous là, à l'écouter et à l'aimer, deviendra sacré."

Voilà, mes bien chers frères... et soeurs, ce que nous a demandé Son Éminence ce matin au presbytère. Mais il se trouve que la plus belle voix de la paroisse n'est pas celle d'un homme. Et nous l'avons alors dit à monseigneur qui nous a aussitôt répondu : "Voilà qui est encore mieux, car la femme nous apparaît plus spirituelle que l'homme. La femme est mère. La femme est dévouée. La femme est généreuse. La femme est la moitié de l'humanité. Il se pourrait même qu'un jour ou l'autre, il lui soit accordé le droit de voter aux élections. La femme n'est pas quantité négligeable, et la modernité lui permettra de s'affirmer de plus en plus. Quelle est donc cette femme ? Quelle est donc cette voix d'or ?"

Nous avons donc fait un appel téléphonique et obtenu l'accord de cette personne à la voix d'or qui a accepté de chanter a cappella un chant de son choix. Il vous est permis d'applaudir, chers frères, chères soeurs, la maîtresse d'école du cinquième rang, Rose-Alma Bilodeau, qui va nous offrir un bouquet de notes de sa composition... enfin peut-être pas de sa composition, mais de son interprétation...

Restée dehors avec ses parents, la jeune femme entra dans la chapelle sous le regard amoureux de Lorenzo Nadeau et admirateur de plusieurs. Josaphat Poulin fit le braque suivant son habitude :

–Bravo, Rose-Alma, bravo !

Elle était vêtue sobrement d'une robe brune serrée au cou, et son visage ne portait pas le moindre fard. C'est dans cette modestie loin de la coquetterie qu'elle se rendait toujours à l'église d'ailleurs.

Tous applaudirent comme le curé le leur avait permis de le faire. Elle se rendit à l'avant, une feuille de mots à la main, regarda dans toutes les directions avec ses yeux luisants et chaleureux avant de dire :

–Un chant profane, c'est vrai, mais inquiétez-vous pas personne, je ne vais pas chanter une chanson de madame Bolduc. Ce n'est pas la place pour ça.

–Bravo ! Bravo ! s'écria encore Josaphat Poulin.

Il déclencha une autre salve d'applaudissements.

–Étant donné qu'on bénit et qu'on baptise la montagne aujourd'hui, étant donné qu'on inaugure la chapelle et sa nouvelle cloche, et parce que je voulais que tout le monde participe au chant, j'ai choisi en conséquence. Essayez d'imaginer... *Le clocher du village* ? Non. *Mon église* ? Non plus. *Les clochers d'Acadie* ? Non, c'est un peu loin d'ici tout de même. *Les cloches du vieux clocher* ?... (Elle fredonna) *Il est neuf heures du matin, C'est le dimanche, il fait beau temps. Et le cheval qui va grand train*... Eh bien non ! Je ne vais plus vous laisser languir...

Josaphat, debout dans la porte, ne put retenir sa langue et son cri :

–*Un clocher dans la forêt*. Bravo ! Bravo !

–Je ne connais pas ce chant-là, fit Rose-Alma.

–D'abord... *Les cloches du hameau*. Bravo ! Bravo !

Tous avaient deviné en même temps que lui voire avant. Le sourire approbatif de Rose-Alma dit qu'il avait vu juste. Et on applaudit pour la troisième fois avant même d'entendre le premier mot, la première intonation.

Le cardinal se sentait très heureux. Pour une fois, il avait devant lui un auditoire décongelé. On s'adressait au bon Dieu de façon originale ce jour-là, et voilà qui lui plaisait au plus haut point. Un chant profane, une femme pour le présenter, des fidèles qui applaudissent, certains même qui crient leur joie, il y avait matière à scandaliser tout un clergé qu'il trouvait si constipé.

La pieuse Bernadette n'en croyait pas ses oreilles. Mais puisque le cardinal approuvait, elle approuvait aussi. Même Armand descendit de la montagne de sarcasme élevée dans son âme pour s'intéresser au chant. Car s'il était rebelle à toute autorité, aussi bien religieuse que politique, par contre, il était homme aimable envers son prochain. Comme ses parents et tous ceux de sa famille du reste.

Alors, il eut une pensée pour sa mère gravement malade et alitée. Émélie Grégoire avait l'âge du cardinal Rouleau, soit soixante-quatre ans, mais son corps était usé à la corde pour avoir porté trop d'enfants et travaillé d'une étoile à l'autre depuis l'âge de quinze ans alors qu'elle était devenue responsable et gérante du premier magasin général à Saint-Honoré en 1880, cinquante ans plus tôt.

Bernadette n'avait dit à personne qu'elle espérait un miracle pour sa mère en venant sur la montagne. La médecine s'avouait impuissante devant le cancer d'Émélie, (Émélie Grégoire mourrait le 13 octobre suivant) mais le bon Dieu, Lui, n'était impuissant devant rien. Armand ne croyait pas aux miracles, mais, se disait-il, mieux valait mettre toutes les chances de son côté. Et c'est pourquoi, il avait reconduit sa soeur à Saint-Léon avec la 'machine' à son père que lui avait prêtée son frère Pampalon, le chauffeur officiel des Grégoire.

–C'est un chant joyeux, heureux, et je voudrais vous voir

tous joyeux et heureux, dit Rose-Alma, l'oeil généreux.

–'Cartain' ! 'Cartain' ! lança Josaphat que Joséphine retint par le bras pour le faire taire.

–On y va ? Quand je vous ferai signe des deux mains, vous bisserez. C'est d'accord ? On y va...

Autre surprise du jour : le vicaire se leva et leva les bras pour interrompre Rose-Alma et accaparer l'attention. L'inattendu se poursuivit quand il fit un signe vers une petite fenêtre de côté, ce qui fit comprendre à quelqu'un quelque chose. Arthur Bilodeau, qui avait apporté avec lui sur la montagne une boîte sans dire à quiconque ce qu'elle contenait, entra, une guitare à la main. C'était celle du vicaire Morin. Tant qu'à étonner avec un chant profane, une voix féminine et des applaudissements dans un lieu sacré, aussi bien accompagner la chanteuse avec un instrument de musique du populo. L'homme vint porter sa guitare au prêtre qui parla :

–Hier soir, au cours d'une petite fête de rang chez monsieur Rousseau, nous avons justement chanté en choeur *Les cloches du hameau*. Mais de le faire ici, dans cette chapelle, voilà qui confère au chant un caractère bien spécial... presque religieux.

Le cardinal fit de légers signes de tête affirmatifs. L'abbé Morin poursuivit :

–Donnez-moi quelques secondes pour me permettre d'enlever quelques vêtements liturgiques et je mets cet instrument au service de notre soprano paroissiale.

Ce qui fut fait. Le prêtre se tint debout à quelque distance de la jeune femme et gratta les cordes à la recherche des bons accords. Rose-Alma s'élança de sa voix pur cristal, le rouge aux joues, encouragée par tous et surtout Lorenzo qui avait la larme à l'oeil. Il savait que Rose-Alma chantait bien mais ignorait qu'elle possédât la plus belle voix de la paroisse. Raison de plus pour vouloir l'épouser au plus vite.

L'on bissa sur 'on entend', 'les bergers', puis tous entrèrent dans le mélodieux refrain aux longs 'tralala'.

La montagne était en liesse et le chant joyeux se répandit sur tous les environs. Les animaux sauvages s'inquiétèrent moins de l'automne qui les chassera bientôt et en tuera plusieurs. Les oiseaux du ciel imprimèrent dans leur mémoire cet élément neuf venu modifier le dessus de la montagne, un de leurs points de repère. Et les bénédictions divines accrochées aux notes essaimées se répandaient sur toutes les habitations visibles et peut-être d'autres plus loin.

Troisième couplet, celui qui parlait à chacun par ses mots qui semblaient choisis exprès pour lui :

Lorsque dans le rocher,

La tempête tourmente,

Autour du vieux foyer

Joyeusement, l'on chante.

On entend... On entend...

Les bergers... Les bergers...

Au coeur du cardinal, ces paroles ramenaient le temps de son enfance. À celui du vicaire, elles disaient "À tout péché miséricorde !" À Marie-Jeanne Nadeau, ce couplet rappelait un autre dicton aux vertes espérances : "Après la pluie, le beau temps."

Dehors, en discrétion, Jean Paré glissa à l'oreille de Marie Roy qu'en ce moment même, il rêvait de posséder :

–Joyeusement, on chante... on devrait dire... "on frappe".

Sophia, qui avait entendu, les regarda en souriant. Et dit à Joseph suite à l'entente tacite survenue plus tôt à l'arrière de la chapelle à propos d'un échange prochain :

–Vu qu'on a une rencontre générale à soir, on pourrait attendre un orage pour se voir à quatre.

Joseph comprit qu'elle avait créé un lien entre les mots tourmente et chante, et une rencontre d'échange. Il acquiesça d'un signe de tête et d'un sourire entendu.

Ce fut la fin du chant.

Les deux artistes en vedette reçurent de chaleureux applaudissements, à commencer par ceux du cardinal qui poussa la bienveillance jusqu'à se lever pour ovationner debout, ce qu'imitèrent les occupants de la chapelle et parut naturel à ceux qui, dehors, n'avaient de toute façon rien pour s'asseoir.

Bossu fut le seul à ne pas se lever de sa place, et on le comprit vu son handicap et ses difficultés de se mouvoir. La raison toutefois n'était pas là. Le petit homme rêvait. Pendant qu'on priait en chantant, lui assistait par le souvenir à un film qu'il avait vu dans la Beauce quelques semaines plus tôt. Le titre en était '*Une femme à aimer*'. Et le sujet en était l'adultère. Le film n'avait gardé l'affiche que trois jours à Saint-Georges, et le curé Hilaire Fortier l'avait alors interdit. Mais le public s'était rué pour le voir, suite à cette interdiction. Alors le curé avait pris les grands moyens et sommé le propriétaire du 'théâtre' (salle de cinéma) de retirer le film ou bien il risquerait l'excommunication.

Il n'y avait aucune scène explicite dans cette production de 1929, mais tout y était trop suggestif à l'instar de tous ces films de bas étage où se pavanait la voluptueuse, la scandaleuse Mae West, un symbole sexuel qui avait la prétention de faire rire les spectateurs.

Mais le cinéma n'est que du rêve, et le bossu devait se contenter de cela pour agrémenter sa vie alors pourtant qu'il percevait comme un péché l'agir des 'frappeurs' dont il se sentait une énorme responsabilité sur le dos...

Le curé prit la parole.

–Mes bien chers frères, remercions mademoiselle Rose-Alma Bilodeau pour sa prestation digne de notre grande Albani qui, vous le savez tous, nous quittait hélas ! le trois avril dernier à Londres après une carrière prestigieuse là-bas et partout dans le monde. Vous savez, le talent, le bon Dieu l'a répandu tout autour de la terre. Et comme vous avez pu le voir, il nous en a prodigué une part en nous donnant la voix de Rose-Alma. Qu'est-ce qui fait que certaines personnes font une grande carrière internationale et d'autres pas ? Ce n'est pas le talent, ce sont les circonstances. Une voix comme celle de Rose-Alma, qui aurait pris racine et se serait développée dans un milieu semblable à celui de madame Emma Lajeunesse, –ceci est le nom véritable de madame Albani– peut-être que Saint-Léon aurait aussi, dans quelques années, son illustre cantatrice de réputation mondiale. Qu'est-ce que vous en dites, Rose-Alma ? On ne sait jamais... Vous pouvez parler tout fort...

La jeune femme regarda ses parents au fond de la salle. Puis au fond d'elle-même. En une fraction de seconde, là, dehors, le pauvre Lorenzo eut à voir des images insupportables. Il y avait dans son esprit la Rose-Alma qui prenait le train pour s'en aller à Montréal, y prendre des cours de chant puis entreprendre une carrière au loin, dans les grandes capitales. Que serait-il, lui, alors, petit fils, de petit cultivateur d'un petit bled comme Saint-Léon ? Pas même une chiure de mouche.

Qui sait si le curé n'était pas en train de semer une graine dans la tête de la jeune femme, graine qui, germant, la dirigerait vers la gloire autre part. Il aurait voulu se boucher les oreilles quand Rose-Alma commença de répondre :

–Bien... je crois pas que je voudrais d'une carrière comme madame Albani. Non... J'aime mieux faire l'école par ici, à Saint-Léon, au pied de la montagne, parmi des gens en bonne santé physique et morale.

–S'il s'agit d'un choix senti, il s'agit d'un choix intelligent, de dire le prêtre qui ajouta encore quelques mots à propos du chant sans une seule fois féliciter le vicaire pour son accompagnement.

Puis l'abbé Lachance procéda à la présentation du visiteur illustre.

–Je vous dirai maintenant quelques mots de notre cardinal qui a tenu à prendre la parole et le fera dans quelques instants. Comme vous le savez probablement, il est fils de cultivateur et fier de l'être. Fier avec raison puisque le métier de cultivateur, c'est le plus beau du monde... après celui de prêtre...

Voyant que le vicaire, en train d'endosser ses vêtements sacerdotaux, et le cardinal se mettaient à rire, l'assistance fit de même. Et le curé reprit :

–Il a vu le jour à l'Isle Verte en 1866, plus précisément le 6 avril. Son enfance s'écoula joyeusement dans la belle île, face au fleuve majestueux dans une famille chrétienne. Un oncle chanoine venait souvent à la maison. Dans pareille ambiance, son âme s'est donc formée à la piété envers le bon Dieu. Il est entré au séminaire de Rimouski et, à l'âge de 19 ans, il prenait la soutane.

Le cardinal fit la moue, ouvrit les mains en voulant exprimer : "N'en faites pas tant, monsieur l'abbé, n'en faites pas tant !" Mais le curé, qui avait un objectif en tête, celui d'impressionner les fidèles par les grandes lignes de vie du prélat, poursuivit :

–Mais son travail trop intense amena un dépérissement de sa santé. On le crut atteint de phtisie. Mais Raymond-Marie –on peut se permettre de le nommer ainsi, puisque c'était longtemps avant d'avoir été élevé à la dignité cardinalice par le pape Pie XI en 1927– un grand dévot à la Vierge Marie, redoubla de ferveur. Voici ce qui est arrivé. Écoutez comme il faut, mes bien chers frères. "Il fut arraché à la mort par celle qui le destinait à faire partie d'un ordre voué à son service et dont les membres portèrent longtemps le surnom de fils de la Vierge." On parle ici, bien sûr, des Dominicains dont fera partie Raymond-Marie à compter de l'année 1886...

Le cardinal se leva subitement en coupant la parole au curé Lachance :

–Je me dois de vous interrompre, monsieur le curé. Nous

ne sommes pas ici pour faire l'apologie d'un cardinal, mais bien pour inaugurer, bénir cette petite chapelle appelée peut-être à devenir le témoin de miracles bien plus grands que celui dont je pourrais avoir été l'objet dans ma jeunesse, encore qu'il faudrait une expertise de la sainte Église en pareille matière pour affirmer qu'il y a eu intervention divine – ou mariale– dans mon cas.

–Précisément, je ne voulais mentionner que cette grande guérison qui fut la vôtre dans votre jeunesse.

–Eh bien, c'est fait ! Et maintenant, comme prévu. je vais adresser quelques mots à ces bonnes gens d'ici qui, malgré les malheurs que nous traversons, n'ont pas lésiné pour ériger à la gloire du bon Dieu cette chapelle qui, comme je le disais, pourrait bien changer la vie de plusieurs...

Couët pensa que c'était déjà fait dans son cas. Sans cette chapelle sur la montagne, la *Brune* serait vivante, et son hiver s'annoncerait moins misérable.

Hilaire Morin pensa lui aussi que la chapelle avait aidé les 'frappeurs' à se réaliser. Le soir de l'orage, elle leur avait permis de s'abriter, de fraterniser et même de neutraliser le vicaire une première fois avant la veillée chez Rousseau. Surtout, on y reviendrait à plusieurs afin de poursuivre la veillée manquée de ce soir de tempête. Dans le groupe, plus personne ne croyait dur comme fer comme auparavant en l'association plaisir-péché pour avoir fait l'expérience de son contraire, plaisir-grâce du ciel. Il se dit que tous les 'frappeurs' présents devaient sourire sous cape en entendant les propos du grand ecclésiastique.

Et Bernadette se disait que oui, la chapelle pourrait bien changer le cours de sa vie. Car elle retournerait chez elle en emportant toutes ces bénédictions aptes à ramener sa mère à la santé. Ou sinon, pour lui garantir encore un peu plus la vie éternelle.

Marie-Jeanne Nadeau continuait, quant à elle, de se demander comment elle s'y prendrait pour bien atteler son

Maurice et le mener par la bride à la soirée des 'frappeurs' où elle voulait qu'ils deviennent le huitième couple actif. Tous les hommes du rang ne présentaient pas les attraits du vicaire, mais elle n'avait de répugnance pour aucun d'eux.

Et le cardinal toucha sa cappa magna pour la redresser avant de poursuivre :

–Quand on m'a fait part de cet élan spirituel de tout Saint-Léon, je fus édifié, croyez-moi bien. Alors que la pauvreté est partout, que l'argent se fait si rare, vous avez trouvé moyen de réaliser ce que je vois, eh bien bravo ! comme le disait le monsieur tantôt. Monsieur, vous pouvez le crier de nouveau, votre bravo.

Josaphat rougit jusqu'aux yeux. L'assistance rit. Et lui lança un nouveau cri qui fit plaisir à tous :

–Bravo ! Bravo Saint-Léon ! Bravo notre cardinal !

À ce moment précis, le prélat sentit une douleur dans la poitrine. La montée vers le dessus de la montagne l'avait pas mal secoué et surtout l'avait retenu un long moment en équilibre sur la clôture séparant l'anxiété de l'angoisse. Il n'avait pas l'habitude de telles randonnées, et n'en avait même pas faites durant son enfance ou sa jeunesse. Il crut qu'il s'agissait d'un problème de digestion. La servante avait fait ses plats gras. Et le gras trop abondant lui causait problème.

Dehors, les couples Pépin et Fortier continuaient de se tenir côte à côte. Dora avait fait garder les enfants par la jeune voisine Cécile Morin, une adolescente d'environ quatorze ans, très responsable, qui agissait souvent comme gardienne pour Roland, Louiselle, Luc et Henriette.

On s'en parla à mi-voix tandis que le cardinal poursuivait sa prédication.

–Mes bien chers frères et mes bien chères soeurs, "*tollite portas, principes vestras: et elevami portae aeternales : et introibit Rex gloriae*."

On baissa un peu la tête dans et autour de la chapelle.

Entendre du latin, c'était entendre une prière. Surtout de la bouche d'un prêtre. A fortiori dans la bouche d'un grand de l'Église. Le curé sourit pour montrer qu'il avait compris. Et le prélat y alla de sa traduction en français :

–*Élevez vos portes... et vous, élevez-vous, portes éternelles, et le Roi de gloire entrera.* Je vous dirai plus et mieux encore de ce même graduel. "*Quis ascendet in montem Domini ? aut quis stabit in loco sancto ejus ? Innoncens manibus et mundo corde.*"

Le curé sourit encore, et le vicaire aussi. Ils avaient compris, sembla-t-il à l'assistance.

–Ce qui veut dire ceci. "*Qui montera sur la montagne du Seigneur, ou qui se tiendra dans son lieu saint ? Celui dont les mains sont innocentes et le coeur pur.*"

Le front du vicaire se rembrunit. Ses mains n'avaient pas l'innocence ni son coeur la pureté. Hilaire Morin, qui avait l'âme enduite d'une nouvelle couche de doute, ne broncha pas. Plus sceptique encore était Armand Grégoire qui ne croyait pas en une religion couleur rouge feu un jour et bleu ciel un autre. Lui n'y voyait que menace, peur, souffrance et parfois une lueur d'espoir utilisée pour étançonner encore mieux le pire et le plus noir.

Quelques femmes parmi les 'frappeurs' sourcillèrent. Il y avait Dora Fortier, tiraillée entre son côté charnel et son côté spirituel. Il y avait Sophia qui se reprochait d'avoir goûté à des plaisirs d'une rare intensité avec d'autres hommes que son mari, surtout Joseph Roy qui serait de nouveau son amant d'un soir bientôt comme on se l'était dit plus tôt derrière la chapelle. Il y avait même Blanche Morin à qui il arrivait de se dire que son beau-père et son mari, qui donnaient les cartes et servaient de locomotive dans cette pratique de l'échangisme, erraient peut-être, déraillaient peut-être, entraînant à leur suite, en dehors de la voie normale tracée par l'Église, la plupart des couples du rang. Sauf que le doute ne l'égratignait guère et pas bien longtemps. Elle avait vite fait de le chasser. Ce qu'elle fit pour continuer d'écouter le prédicateur du moment.

–Parmi les coeurs purs, il en est un ici que je vais maintenant nommer. Il s'agit de la jeune demoiselle Maheux qui, comme plusieurs enfants de la paroisse voire des adultes aussi, a suggéré un nouveau nom pour cette belle montagne sur laquelle nous sommes en ce moment... Je prierais la petite Rolande qui se trouve ici avec ses parents de bien vouloir s'avancer pour que je puisse la mieux citer en exemple à tous. Et quel bel exemple !

–Bravo ! Bravo ! dit à deux reprises Josaphat Poulin que la demande du cardinal avait enhardi.

Rolande espaça des petits pas timides vers le prélat qui se pencha vers elle et traça le signe de la croix dans sa chevelure brune se terminant par deux nattes sur la nuque. Puis il se redressa en poursuivant :

–Rolande a trouvé un nouveau nom pour la montagne comme plusieurs, mais c'est le sien que le comité de sélection a retenu. Et nous sommes donc aujourd'hui dans la chapelle sur le mont *Sainte-Cécile*. N'est-ce pas magnifique ? Sainte Cécile, vierge et martyre, le saviez-vous ? Sainte Cécile, patronne des musiciens, le saviez-vous ? Cécile était la fiancée de Valérien, un païen. Elle l'a convaincu de respecter sa virginité dans la chambre nuptiale. Tous deux ont été martyrisés. Elle a eu le cou mal tranché et elle a agonisé pendant trois jours. Une grande sainte de l'Église catholique, une grande chrétienne qui a tout donné à son Seigneur. Donnons tous une belle main d'applaudissements à mademoiselle Rolande pour avoir pensé à ce nom et l'avoir soumis à sa maîtresse d'école.

On applaudit. La fillette rougit jusqu'à la racine des cheveux. Sa mère encore plus qui, en fait, avait suggéré le nom de Sainte-Cécile pour la montagne parce que Rolande avait l'air de se passionner, malgré son si jeune âge, pour le violon qu'on avait dans la maison. Rose-Anna avait donc naturellement songé à la patronne des musiciens, ignorant toutefois la fin tragique de la pauvre martyre de l'époque romaine ou bien elle aurait peut-être choisi le nom d'une sainte moins malheureuse.

–Tu peux retourner à ta place, ma fille, dit le cardinal à l'enfant.

Et il poursuivit :

–Le moment est venu de procéder à la bénédiction de cette magnifique petite chapelle à laquelle je prédis un grand destin, un avenir glorieux... Si le nom de la montagne est issu d'un coeur pur, celui de la chapelle le sera du mien...

Le prélat perdit son sourire. La douleur dans la poitrine venait de s'intensifier. Il s'en remit à la Vierge Marie comme d'habitude. Elle le soulagerait. Et puis ne s'apprêtait-il pas à dédier la chapelle à la mère de Jésus ? Se trouvait-il un esprit malin qui tâchait de l'empêcher de faire de cette construction la maison de Marie, et lui tordait-il l'estomac pour parvenir à ses fins ?

–C'est donc dans la chapelle du Coeur-Immaculé-de-Marie que nous sommes réunis en ce moment, sur la montagne *Sainte-Cécile*.

Le prélat tourna la tête à la recherche d'un servant d'autel qui lui apporterait un bénitier et un goupillon. Il n'en vit aucun. Quelqu'un n'avait pas fait son travail. Il fallait improviser.

–Quelqu'un a-t-il apporté de l'eau sur la montagne ?

Personne dans la chapelle ne se manifesta. Mais Josaphat Poulin s'écria :

–Oué, nous autres, on a de l'eau.

–Vous pourriez m'en porter ?

–Ben 'cartain', ben 'cartain' ! J'arrive...

Quelques instants plus tard, l'homme accourait dans l'allée menant à l'avant, à l'autel près duquel se trouvait le cardinal. Il emportait avec lui une bouteille à verre clair remplie d'eau. Et vint la présenter au prélat.

En prenant la bouteille, le cardinal sentit un clou lui traverser la poitrine de part en part. Il crut défaillir tant la douleur était aiguë. Son regard rencontra celui de Josaphat qui sut y lire une souffrance profonde.

–Besoin d'aide ?

–Vous venez de me la donner. Et vous pouvez rester ici, là, avec monsieur...

–C'est le docteur Arsenault.

–Je crois qu'on me l'avait dit.

Il fallait en finir avec cette cérémonie. Le cardinal n'en pouvait plus. Sitôt après, il irait s'étendre quelque part afin de se reposer et, peut-être endormir cette douleur, attendre qu'elle s'amenuise et s'efface.

Alors, il se fit expéditif.

–Je bénis cette eau et l'utilise afin de bénir officiellement ce lieu de culte et le dédier au coeur immaculé de Marie.

Il ouvrit la bouteille et fit couler de l'eau sur les doigts de sa main droite puis s'en servit comme goupillon.

–Bénie soit cette chapelle, au nom du Père, et du Fils, et du Saint-Esprit. Que Saint-Léon reçoive aussi la bénédiction du Seigneur et de la Vierge Marie ! Ainsi soit-il.

–Ainsi soit-il, fut-il répété en choeur.

Tous se signèrent. Plusieurs pensèrent à leurs propres demandes au bon Dieu. Toutefois, le moment, certes manquant de solennité, n'atteignit pas les 'frappeurs' qui, pour la plupart, songeaient à la soirée qui les attendait à la fin de cette journée pieuse.

Le curé, qui lui-même commençait de ressentir les malaises de l'âge, avait remarqué les moues dans le visage du dignitaire et deviné que l'homme souffrait. Il alla souffler un mot à l'oreille de Rose-Alma Bilodeau qui lui sourit et parut lui répondre favorablement. Et l'on se demandait quel était l'objet de sa requête auprès d'elle.

Puis l'abbé Lachance se rendit conférer à voix basse avec le cardinal et le vicaire. Il parut qu'on s'entendait sur quelque chose. Alors, pendant que Son Éminence reprenait sa place, le curé s'adressa à l'assistance afin de satisfaire la curiosité de tous qu'il savait éveillée par ce qu'il venait de faire.

–Mes bien chers frères... et soeurs, voilà faite l'inauguration de votre chapelle...

Une rumeur marmonnée lui fit comprendre qu'il aurait dû s'exprimer autrement, et il se reprit :

–Disons *notre* chapelle... Maintenant, parce qu'il lui a fallu se lever avant l'aube et faire le voyage depuis Québec, en plus de subir l'escalade de la montagne malgré les bons offices de monsieur Fridou et de son bon boeuf *César,* monseigneur aurait besoin d'un certain repos, et c'est pourquoi lui et moi allons vous quitter avant la fin de la messe et redescendre de la montagne. Rendez grâce au Seigneur pour toutes ses bontés et passez tous une bonne suite de journée. Ainsi soit-il.

Le curé alla chercher le cardinal et tous deux quittèrent les lieux par l'allée centrale. Chacun fut à même de voir cette forte transpiration sur le front et tout le visage crispé du malade. Ceux qui connaissaient les symptômes de l'angine devinèrent que le prélat n'allait pas bien et devait souffrir du coeur.

Dehors, le curé réquisitionna Fridou seul, sans son attelage. Car il fallait que le cardinal redescende sur ses pieds, la traîne n'étant d'aucune utilité au retour. Le jeune homme précéderait le prélat et lui servirait en quelque sorte de rambarde mobile.

Le vicaire reprit le cours de la messe.

Rose-Alma fit de nouveau entendre sa voix. Ce furent quelques chants liturgiques. Et à la fin, elle servit, comme le curé le lui avait demandé, un second chant profane après *Les cloches du hameau*. Même que le vicaire se remit à la guitare pour l'accompagner. Ce fut *Le coeur a besoin de l'amour*. Un ravissement pour tous. Surtout pour Lorenzo qui se permit d'entrer dans la chapelle pour voir et admirer Rose-Alma en plus de l'entendre.

***

Chapitre 19

Le cardinal eut beau ne pas avoir trop d'efforts à faire pour accomplir la désescalade par le soin que prit de lui Fridou Gilbert, l'anxiété qu'il subissait n'atténuait en rien la douleur qu'il ressentait dans la poitrine.

Un deuxième couple les suivait, formé celui-là du curé et du bossu Couët. Il arrivait au prêtre de tendre la main au petit homme, mais il lui fallait d'abord s'occuper de sa propre personne. Après tout, il était le gardien spirituel de toute une paroisse, et il n'aurait pas fallu qu'il se casse le cou en descendant. D'autre part, il ne devait pas risquer non plus de recevoir dans les pattes le bossu qui, dans sa descente maladroite pouvait s'enfarger dans ses propres jambes, tomber, débouler et faucher celui qui se trouvait sur son passage.

–Monsieur Couët, lui dit-il alors qu'on faisait une pause en attendant que progressent le cardinal et Fridou, vous n'aimeriez pas me précéder plutôt que de me suivre ?

–Ben... j'me disais que... si j'tombe, vous seriez là pour me garantir.

–Et peut-être dévaler la pente tête première avec vous.

Couët rit de sa grosse voix basse, dit simplement :

–Prenez pas d'inquiétude, j'tomberai pas.

Le prêtre voulut camoufler sa véritable intention :

–Ça ne m'inquiète pas du tout.

Chacun s'agrippait au passage à un pan de roc, à un tronc d'arbre, à une branche, une aulne, même parfois, dans les endroits les plus abrupts, à des pieux que des hommes du cinquième rang avaient plantés exprès pour la protection de celles et ceux qui empruntaient le sentier trop raide.

Et la descente, lente et prudente, des deux couples d'hommes se poursuivit...

Sur la montagne, après la messe, tandis que plusieurs s'attablaient pour manger ce qu'ils avaient apporté dans des sacs et des paniers, Marie-Jeanne Nadeau, inspirée par l'événement et le lieu, crut que c'était le moment ou jamais de 'convertir' son époux à l'idée de l'échangisme et de lui faire accepter leur entrée dans le groupe des 'frappeurs' en tant que huitième couple du rang sur les dix qui le composaient 'honorablement' déjà.

Les quelques tables encore disponibles ne permettaient qu'au petit nombre de s'asseoir comme à la maison. Tous les autres qui avaient à manger faisaient office de pique-niqueurs et trouvaient un coin d'arbustes, une table naturelle faite de pierre, un petit tertre au bord de la falaise pour s'y installer.

Mais la majorité des pèlerins n'avait rien apporté et se nourrissait de paroles échangées à propos de l'événement du jour, de la présence du cardinal et de son état de santé qui semblait plutôt défaillant.

–Viens là-bas, Maurice, on va pouvoir parler tout en mangeant.

L'endroit désigné se trouvait au bord de la montagne, à l'opposé du sentier d'escalade, direction sud. Il était entouré d'un petit bosquet de sapins, et la femme l'avait repéré dès son arrivée sur le plateau avant la messe.

Lui avait traîné le panier à provisions qui en contenait pour plusieurs. Des sandwichs, des oeufs à la coque, des gâteaux, du pain et de la confiture. Leurs enfants, qui s'étaient rendus là-haut eux aussi, Lorenzo, Euchariste et Alfreda, avaient leur propre nourriture. Quant à Valéda, elle était restée à la maison; c'est elle qui avait la garde des deux autres enfants, Émilienne et Hormidas.

À quarante ans très bientôt, Marie-Jeanne se laissait guider autant par sa raison que par son intuition de femme. Elle en avait l'aptitude par son côté plus masculin. Aussi, avait-elle préparé cet échange avec son mari, qui l'obligerait à marcher sur le bord de la falaise. Autant s'y trouver aussi avec son corps, avait-elle songé. Et alors, elle avait choisi cet endroit unique sur la montagne. Quant à sa préparation, elle comprenait le plan d'intervention à un moment donné du couple Morin. Blanche et Hilaire savaient à quelle sorte de conversation s'attendre. Ils connaissaient l'objectif visé par Marie-Jeanne et viendraient lui prêter main forte au moment opportun. De plus, ils feraient barrage aux importuns qui ne pourraient s'approcher de ce côté. Enfin, un signal avait été convenu. Quand Marie-Jeanne déposerait un linge blanc à côté d'elle, sur la droite, les Morin s'amèneraient avec leur douceur persuasive et la force de leur exemple.

Mais les choses arrivent rarement comme on aurait voulu qu'elles se passent. Maurice et Hilaire, deux hommes dans la jeune quarantaine, le premier à 43 ans et le second à 42, savaient cela. Mais chacun savait aussi qu'on se rapproche mieux de ce qu'on veut réaliser quand on prend soin de le planifier d'avance.

Et les Nadeau s'installèrent sur l'herbe maigre qui poussait entre les petits conifères accrochés au bord de la falaise. Elle eut tôt fait de les servir en silence. Puis quand ils commencèrent de manger, que la tension en chacun eut le temps de diminuer, elle lui dit de sa plus belle voix chantante :

–Sais-tu que t'étais le plus bel homme su' la montagne à

matin, toi ?

–Pourquoi c'est faire que tu me dis ça, tout d'un coup, de même ?

–Parce que je le pense.

–Eh ben !

–Mais y avait ben des belles femmes, as-tu trouvé ?

–Ben...

–Non, mais as-tu vu la Désirée Goulet ? On dirait qu'elle se rembellit d'un jour à l'autre. Elle vieillira jamais, elle. Le secret de l'éternelle jeunesse, c'est elle qui l'a à Saint-Léon.

–Tout le monde finit par vieillir un jour ou l'autre.

–En tout cas, toi, tu vieillis pas, Maurice. Toujours aussi vigoureux ! On vu ça de bonne heure à matin. Prime comme jamais !

–J'avais envie de... ça faisait un bout de temps. J'te r'gardais dormir, pis...

–La Désirée à ma place, aurais-tu filé autant ?

–C'est quoi que tu dis là, toé ?

–La Désirée, la Désirée... oublie la Désirée... D'abord que tous les hommes la regardent autrement qu'ils regardent les autres femmes... Mais disons Blanche, tiens, qu'on voit là-bas avec Hilaire.

–Pis quoi ?

–Ben... tu réponds pas à ma question ?

–C'est quoi, ta question ?

–Blanche... dans le lit à ma place à matin... aurais-tu filé autant ?

–J'sus pas marié avec Blanche, j'sus marié avec toé.

–Mettons... mettons. C'est une supposition que j'fais.

–Blanche, elle m'intéresse pas pantoute.

Marie-Jeanne se mit à rire le temps d'une pause.

–T'as ce qu'on appelle un jardin secret, mon mari.

–Un quoi ?

–Un jardin secret... qui contient des affaires que tu gardes pour toi, que tu voudrais jamais me dire.

–Pantoute de pantoute !

–Le preuve, tu viens de me la donner.

–Comment ça ?

–Tu te réveilles un matin. Au lieu de moi dans le lit, c'est Blanche. Tu filerais pas autant ?

–Je le sais pas, c'est jamais arrivé.

–Mettons que ça arriverait.

Maurice ne mangeait plus. Toutes ses inquiétudes voire ses angoisses des vingt-quatre dernières heures se ruèrent sur lui pour l'avaler tout rond. Il haussa le ton, ce qui lui arrivait rarement :

–Ça, on dirait que c'est les maudites folies du père Thodore qui te passent par la tête.

–C'est pas péché, penser à ça, voyons, Maurice.

–Ben moé, j'pense que c'est péché. Pis qu'il faut pas penser à des affaires de même.

–Moi, j'ai envie d'en parler. Je veux savoir ce qui se cache dans le jardin secret de mon mari.

–Pis toé, tu me dis tout'?

–Pas toujours.

–Ah.

–Ça serait justement le temps de tout' se dire.

–Commence.

–Suis prête à tout te dire si j'sais que tu vas me dire la vérité.

–Je vas te la dire.

–Réponds à ma question... Si ça serait Blanche à ma place...

–C'est sans bon sens : j'me sauverais tusuite.

–Serais-tu prêt à l'essayer pour voir ?

–Pourquoi c'est faire ? D'abord que j'te dis que j'sais la réponse d'avance.

–Tu me contes des menteries. Tu présumes de tes propres forces. L'esprit est fort, mais la chair est faible.

Alors Marie-Jeanne étendit un linge blanc à l'endroit prévu. Alertés, les Morin s'amenèrent aussitôt.

–Va jamais parler d'une affaire de même devant eux autres, toé, là ! avertit Maurice.

–Pourquoi pas ? D'abord que c'est pas péché.

–C'est gênant en batêche.

–C'est gênant avant. Mais quand on va être dedans, on va se dégêner.

–Dis rien pantoute !

Hilaire entendit cette dernière parole de Maurice. En déposant leurs propres affaires par terre, il demanda en riant :

–C'est quoi que Marie-Jeanne doit pas nous dire ?

Maurice s'empressa de faire bifurquer la conversation :

–Pis, ton père t'a-t-il parlé de notre marche d'hier ? Le prix pour le droit de passage, ça marche ?

–Tout est beau : pas de problème. Mais là, on va revenir à ce qu'il faut pas que Marie-Jeanne nous dise.

Elle se lança aussitôt pour empêcher son mari de tenter une autre manoeuvre de diversion :

–Je lui disais que si un matin, à ma place dans le lit conjugal, devait se trouver Blanche, c'est quoi qu'il ferait. Lui, il me dit qu'il partirait en courant. Moi, je lui dis qu'il parle à travers de son chapeau. C'est quoi que t'en penses, toi, Hilaire ?

–Je dis qu'il faudrait essayer ça une bonne fois. On peut pas savoir sans faire.

–C'est en plein ce que je lui disais. C'est quoi que t'en penses, toi, Blanche ?

Maurice était certain de trouver une alliée en la femme d'Hilaire. La réalité fut bien différente pour lui. La phrase qui suivit faillit le jeter en bas de la montagne :

–Si tu me trouves un peu de ton goût, Maurice, on pourrait essayer ça. Comme ça, tu parlerais pas à travers de ton chapeau comme dit ta femme.

Maurice tâcha de hausser le ton de plus d'un cran :

–Le monde est-il en train de virer fou ?

–Ben non, on fait juste explorer un peu plus loin que d'aucuns qui nous contrôlent le voudraient.

–De qui tu parles ?

–Du pouvoir religieux pis du pouvoir politique... qui couchent ensemble dans notre pays.

–Tu parles donc comme ton père, Hilaire, aujourd'hui !

–Pis il m'a ben dit qu'il t'avait parlé de ce qu'on parle là. Pis il m'a dit... Attends que je me rappelle les mots exacts... "*Mettons que j'tombe veuf pis que toutes ces femmes-là seraient veuves. Ben j'vas vous le dire : je les prendrais toutes. Ben rien qu'une, mais n'importe laquelle. C'est tout' des belles 'parsonnes' à mon goût.*"

Maurice rougit comme jamais. Un soleil couchant n'eût pas fait mieux. Hilaire reprit :

–Ça, c'est toé, Maurice, qui a répondu ça au père hier soir quand il a voulu te faire dire que tu pourrais pas haïr ça, te retrouver au lit avec une autre que Marie-Jeanne.

–Écoute, là, j'ai ben dit au père Thodore... mettons que j'tombe veuf.

–Oui, mais t'as ben dit itou : "*C'est tout' des belles 'parsonnes' à mon goût.*"

Marie-Jeanne sauta sur l'occasion de démontrer une fois de plus que 'ce que femme veut, Dieu le veut'. Elle dit :

–Ah ! Ha ! tu m'aurais jamais dit ça, à moi, hein ?

Confus, le petit homme cerné ne sut que murmurer :

–D'abord que tout le monde est de contre moé, j'sais pus quoi dire.

–Comment ça, de contre toé ? Y a personne de contre toé, dit Hilaire.

–Vivre quelque chose à notre manière, enchérit Blanche, c'est pas être 'de contre personne'.

–Moi, fit Marie-Jeanne, ce que je propose, c'est qu'on laisse tout le monde repartir de la montagne pis qu'on soit les derniers à s'en aller. On pourrait reparler de tout ça. En attendant, on continue à pique-niquer.

–Bonne idée ! dit Hilaire.

–Ben bonne idée ! dit Blanche.

–Bon ! se résigna Maurice.

Le cardinal, escorté par Fridou qui le soutenait, entra dans la cabane du bossu et se rendit s'allonger sur le 'bed' à Couët. Le bossu et le curé avaient eu tout le temps de rattraper ce couple d'hommes qui les précédait, formé d'un jeune cultivateur vigoureux et d'un vieil ecclésiastique en proie à la douleur, probablement une douleur cardiaque.

–Faudrait tenir secret mon état de santé, dit le prélat sur le ton de la demande.

–Prenez pas d'inquiétude ! dit le curé. Monsieur Gilbert et monsieur Couët sauront tenir leur langue. N'est-ce pas, messieurs ?

–Je vas m'en faire un devoir ! assura Fridou.

–Pis moé itou ! acquiesça le bossu à son tour.

Le malade grimaçant et qui se tenait la poitrine parvint à dire encore :

–Vous comprenez, un cardinal malade, c'est un peu comme un Premier ministre, on met ça au rancart. Et puis... qui sait, le bon Dieu pourrait bien me redonner la santé demain et pour longtemps. La Vierge Marie saura intervenir après s'être vu dédier une chapelle en son honneur.

–Je crois qu'il serait bon, messieurs, de prier tous ensemble afin que cette crise de notre bon cardinal se termine au plus vite. Agenouillons-nous !

Ce qui fut fait.

Le prêtre choisit un endroit où se trouvait une petite laize de tapis afin de protéger ses genoux. Fridou, qui s'était retiré près de la porte, imita le curé. Quant à Couët, il se mit à genoux près de la table, après s'être accroché les mains à un dossier de chaise afin de pouvoir s'exécuter sans tomber ni trop de mal.

–Je vous salue, Marie, pleine de grâce; le Seigneur est avec vous, vous êtes bénie entre toutes les femmes et Jésus, le fruit de vos entrailles, est béni.

L'on répondit :

–Sainte Marie, Mère de Dieu, priez pour nous, pécheurs, maintenant et à l'heure de notre mort. Ainsi soit-il !

Le cardinal marmonnait des lèvres mais répondait fort du coeur. Il parut que le pieux exercice le soulageait. D'autant que la prière s'adressait à sa protectrice, la Vierge Marie.

L'on ne put terminer la dizaine que survint le vicaire. Il poussa discrètement la porte en se demandant si le cardinal et le curé se trouvaient à l'intérieur. À part Fridou, on ne le vit pas, on ne l'entendit pas, et l'abbé demanda au cultivateur en apercevant le prélat couché :

–Est-ce qu'il ?...

Il ne termina pas sa question, et Fridou lui répondit à mi-voix :

–Il a une crise, mais... ça va passer. On prie pour ça.

–Quelle belle idée !

Alors le cardinal prit conscience de la présence du vicaire et crut bon de rassurer tout le monde :

–Mon état s'améliore depuis que nous prions tous ensemble. C'est ça, la puissance de la prière collective. Notre Seigneur l'a bien dit, lui...

–Quel est votre mal ? demanda le vicaire.

–Une crise d'angine sans doute. C'est la première vraie, mais j'en connaissais les symptômes avant par la bouche de mon médecin, et je les ai tous. C'est l'effort de la descente de la montagne s'ajoutant à l'anxiété de la montée qui...

Il ne finit pas sa phrase et se redressa sur son séant en ajoutant :

–Prenons encore quelques minutes de repos et ensuite, retournons au village. Vous pouvez cesser le chapelet et vous remettre debout tous... Je suis sur la bonne voie... Bon, et vous, monsieur le vicaire, dites-nous que tout s'est bien déroulé après notre départ. Tout le monde était content, édifié ? Mademoiselle Bilodeau devait chanter de nouveau à ce que m'a dit monsieur le curé ?

–Il s'est produit quelque chose d'important qui, je le pense, en rendra plus d'un heureux. Mais un surtout.

–Dites-nous ce que c'est.

Le vicaire entra sa main dans sa soutane et en sortit une enveloppe en disant :

–Il y a là-dedans la somme de quarante-cinq dollars. On a fait une quête là-haut.

Le cardinal ouvrit les mains semblablement à la façon du Sacré-Coeur-de-Jésus sur les icônes en disant :

–Ce n'était pas nécessaire, vous savez.

Le vicaire comprit que le prélat s'attendait à recevoir l'enveloppe alors qu'il la tendit au bossu :

–C'est pour votre nouveau cheval, monsieur Couët. Hier, le cinquième rang s'est cotisé et a réuni une trentaine de piastres pour vous. Et aujourd'hui, à la fin de la messe, j'ai demandé aux gens là-haut de se montrer généreux pour réunir la somme qui vous permettra de vous procurer une nouvelle bête sans besoin pour vous de vous endetter.

Chaque mot du prêtre aspirait vers l'extérieur les larmes du bossu, si bien qu'à la fin, en prenant l'enveloppe, il éclata en sanglots.

Tous en furent émus. Et le cardinal se sentit honteux d'avoir cru que l'argent était pour lui.

Et le vicaire, en son for intérieur, fut forcé d'admettre que c'était son remords d'avoir couché avec Marie-Jeanne qui avait attendri son coeur et incliné à rendre à César, en l'occurrence le bossu et non le boeuf, ce qui appartenait à César. Mais quoi, songea-t-il, le péché, surtout celui de la chair, porterait-il en lui la graine de la bonté ?

Pourquoi donc avait-il mesquiné la veille et pourquoi s'était-il senti si généreux ce jour-là ? Il demeura songeur tandis que l'on félicitait Couët et que l'on s'apprêtait à partir afin de regagner l'auto en attente qui les ramènerait au presbytère.

***

Chapitre 20

Tous repartirent heureux et satisfaits sauf peut-être Armand Grégoire. Bernadette fit un crochet par la chapelle pour y réciter un dernier Avé avant de quitter les lieux la larme à l'oeil.

Rolande Maheux était gonflée de fierté.

Son père gonflé d'orgueil.

Sa mère de contentement.

D'aucuns parmi les 'frappeurs', qui savaient où se trouvait Hilaire, lui firent un signe de la main pour lui signifier ce qu'il n'ignorait pas, soit qu'ils seraient présents au rendez-vous du groupe ce soir-là chez les Rousseau. On y passerait une soirée comme la veille, mais sans le vicaire pour brider les moeurs. Et le plaisir sensuel serait cette fois au rendez-vous pour tous et non seulement pour l'abbé Morin et la Marie-Jeanne Nadeau.

Certes, quelques-uns seulement savaient ce qui s'était passé entre celle que d'aucuns appelaient la Mae West du cinquième rang et le vicaire de la paroisse, mais la plupart s'en doutaient, qui respecteraient la consigne tacite du silence à ce propos.

Et puis le prêtre, par son bon geste d'après la messe envers le bossu, avait démontré que plaisir et méchanceté ne sont pas forcément liés à la manière de la chair et des os comme on le faisait croire depuis toujours. C'est ainsi que plusieurs 'frappeurs' avaient décodé les éléments de sa conduite depuis les vingt-quatre dernières heures.

En ce moment, le quotidien le plus marquant parce que porteur de changements et sujet à conséquences, était celui de Maurice Nadeau qu'entouraient trois personnes désireuses de le voir sortir, lui aussi comme elles-mêmes, de sa coquille pour ainsi éclore à la vie. Mais, songeait Hilaire, les bébés qui sortent du ventre de leur mère crient leur colère et leur contrariété pour avoir été expulsés d'un si confortable univers. Ce pauvre Maurice pousserait-il ce cri primal ?

Tout était si bien pesé, compté, divisé dans la vie de cet homme que le moindre changement de programme lui apparaissait être une montagne bien plus importante et abrupte que celle de la *Craque* à escalader.

Marie-Jeanne ne le savait que trop, qui avait entrepris de lui pousser dans le dos, histoire peut-être aussi, de dédouaner son péché avec le prêtre. Et, pour mener à bien sa tâche sans risques de chute pour quiconque, surtout le groupe des 'frappeurs', elle avait voulu s'adjoindre des aides, les Morin, ces sherpas du très petit monde exploratoire de l'échangisme à Saint-Léon.

–On devrait redescendre en bas nous autres itou. Tout le monde, ils sont partis.

Après avoir marché au-delà du bosquet pour y voir le plateau déserté par les fidèles, les pèlerins et chasseurs de miracles, Maurice revenait faire sa suggestion. On l'ignora. On ignora les mots. On ignora le ton faiblard.

–Assis-toi, on va reparler de ce qu'on parlait tantôt ! lui dit sa femme qu'il écouta.

Hilaire passa aussitôt à l'attaque après un regard entendu avec Marie-Jeanne et Blanche :

–T'as ben dit au père, Maurice, que toutes les femmes du

cinquième rang sont à ton goût. Ben j'te dirai que c'est pareil pour moé.

–Ton père, il m'a poussé au pied du mur pour que je dise ça. J'ai ben dit que ça serait de même mettons que je tomberais veuf.

–Moé, j'sus obligé de te dire qu'on peut pas trouver toutes les femmes à son goût une fois veuf pis pas avant. On les trouve de notre goût ou ben on les trouve pas de notre goût.

–Ma femme, elle sait quoi c'est j'veux dire.

Marie-Jeanne fit signe que non :

–Maurice, Hilaire a raison. Si t'es capable de les trouver à ton goût une fois veuf, t'es capable de les trouver à ton goût asteur... tusuite... en plein icitte...

–Vous trois, là, j'pense que vous êtes en train de me jouer un maudit bon tour. Vous avez dû penser à ça hier soir. On va le faire étriver ben comme il faut demain, le p'tit Maurice, que vous vous êtes dit.

Marie-Jeanne, qui menait le jeu, jugea le moment venu de heurter son mari, de lui faire subir un électrochoc pour lui mettre les deux pieds bien sur terre et lui faire accepter le questionnement du moment. Elle adressa un clin d'oeil à Blanche qui se rapprocha aussitôt de Maurice. De toutes les femmes du rang, sans doute que la moins menaçante pour cet homme obscur et effacé était celle-là qui donnait la même impression, bien qu'à tort.

Et elle-même se rapprocha d'Hilaire qui dit aussitôt :

–C'est le temps ou jamais d'essayer ça avec quelqu'un d'autre, Maurice.

L'intéressé en fut sidéré. Tout tourbillonnait en lui. Il était clair que sa propre femme voulait accorder son pas à celui des Morin. Devait-il sauter dans le précipice juste là ou bien dans le marais inconnu et dangereux vers lequel on le poussait. Puis l'image de Marie-Jeanne en train de jouir dans sa somnolence du matin lui revint en tête. Puis lui succéda l'image de lui-même en train de manipuler son propre corps à l'abri de tous les regards. Il se croyait seul au monde à commettre ce péché-là. Et voici que brutalement, il découvrait la sexualité brute des autres. En tout cas une certaine sexualité bien loin des commandements de Dieu tels qu'enseignés par le petit catéchisme et par les prêtres en chaire. Des impulsions le poussaient à fuir, d'autres le clouaient sur place.

Marie-Jeanne, qui avait observé le crapaud depuis vingt ans, le devinait par ses attitudes. Elle comprit à son immobilité qu'il fallait lui donner un autre choc. Et entoura Hilaire de ses bras en disant :

–Regarde, Maurice, ça fait pas mal pantoute, d'embrasser un autre homme.

Et elle posa ses lèvres sur la joue de son nouveau partenaire.

–Essaye avec Blanche !

Mais il ne bougea pas d'une ligne et ce fut Blanche qui prit l'initiative. Elle s'empara de sa tête à deux mains, lui déposa un baiser sur la joue, puis un autre directement sur la bouche. Et sans attendre, elle laissa glisser sa main entre les cuisses de l'homme pétrifié.

Les trois comploteurs savaient qu'il ne fallait surtout pas s'arrêter là, dire des phrases appelant le recul dans le genre : "Aimes-tu ça, Maurice ?" ou "C'est-il assez bon quand c'est du nouveau ?" En fait, le nom même de Maurice ne devait plus être prononcé, pour ne pas effrayer la bête charnelle cachée en lui comme en toute personne humaine.

D'autre part, Marie-Jeanne avançait en prudence, se disant que rien, en cette minute délicate, ne serait pire que de prendre trop d'avance sur l'autre couple. Trop l'observer comportait les mêmes risques. Hilaire savait d'instinct quoi faire pour entraîner l'autre homme sans lui faire peur. Blanche le savait encore mieux, qui colla le haut de son corps à l'épaule de ce partenaire inactif.

–On est donc bien, tous les quatre ensemble ! s'exclama Hilaire sans grand éclat de voix.

Il rassurait.

Marie-Jeanne rassura elle aussi :

–À deux, c'est mieux; à quatre, c'est encore ben mieux.

Et elle lança un soupir de ceux que son mari connaissait quand, souvent, elle l'émettait lors de l'accomplissement de leur devoir conjugal.

Personne ne voulait plus dire. Personne ne voulait plus intellectualiser. Personne ne voulait plus questionner sa conscience. Pas même Maurice mais pour d'autres raisons que celles, trop sensuelles, du trio autour de lui. Lui se sentait devenir un pur objet. Il s'abandonnait à la volonté de son entourage comme il l'avait toujours fait au cours de sa vie. Et ce cocon immédiat lui était bien plus significatif en ce moment que celui des us et coutumes, de la religion, des moeurs d'habitude.

Blanche lui souffla à l'oreille alors qu'elle le touchait de la façon la plus directe qu'il soit possible de toucher à un homme :

–Oui...

Maurice Nadeau trébucha alors. Son regard porta sur l'autre couple, et il vit Hilaire prodiguer de longues caresses habiles et généreuses dans le dos de sa femme. Au précipice de la montagne, l'homme traqué choisit le marais de l'amour humain. Enfin, quelque chose avait bougé en lui. Mais alors, il devint d'une ardeur incroyable, irréversible.

Et il s'empara des épaules de sa partenaire pour les coller au tapis d'herbe. Emporté par le désir, il commença de la fouiller aux deux endroits interdits à tous, à part aux hommes possédant leur permis d'amour intitulé mariage catholique. Pendant un court moment, Marie-Jeanne et Hilaire l'observèrent, sourire en coin, tous deux contents de cette difficile conversion. Ils pouvaient maintenant donner libre cours à leurs pulsions que la situation décuplait.

L'homme timoré venait de disparaître. Un nouvel homme se manifestait, agissait avec fougue, fonçait tête baissée dans le marais vers lequel on l'avait dirigé. Toute crainte avait disparu, toute hésitation était chose du passé...

Blanche continua de le toucher pour qu'il reste de feu. Ils se dévêtirent l'un l'autre sans même s'en rendre compte, aspirés par le désir de la fusion totale.

L'autre couple fut plus modéré. Marie-Jeanne savait que l'âne têtu en Maurice pouvait tout à coup émerger et bloquer net dans sa course. Sauf que pour elle et Hilaire, la situation s'avérait très stimulante en ce lieu bien particulier près de la falaise, en cette nature pleine d'un soleil que l'altitude dégriffait, après ce bain de foule où on s'était senti différent, et surtout devant le spectacle fort excitant de partenaires d'habitude devenus des partenaires d'occasion d'une tierce personne.

Et puis quelque chose de mystérieux, peut-être de surnaturel, poussait Marie-Jeanne à empêcher la semence de son partenaire de se déposer en elle. Son corps se dirigeait vers la période la plus féconde du mois et elle n'avait aucune envie de concevoir maintenant, encore moins avec un voisin du rang. Elle se gouverna donc en conséquence. Et quand ils furent en partie dénudés, elle travailla avec un tel empressement sur lui que l'homme ne parvint pas à s'empêcher de se déverser dans son vêtement.

L'autre homme ne se préoccupait plus maintenant que de son couple, que de son envie de pénétrer le corps féminin, que de son désir devenu grandiose de connaître une autre femme que celle de sa vie.

Marie-Jeanne et Hilaire, à moitié assouvis, furent à même de le voir s'enfoncer dans la substance de Blanche, de s'y enfouir en grognant son contentement, de s'y agiter à travers les gémissements de la femme jusqu'aux spasmes à la violence inouïe.

Fallait savoir maintenant si le remords serait au rendez-vous après cette vertigineuse escalade. Maurice se dégagea de Blanche, remit son habillement en ordre. Il se rendit compte qu'on l'avait épié, en fut embarrassé, et la rougeur de son visage augmenta.

–Vous devez être contents de votre coup asteur ! marmonna-t-il pour enterrer sa gêne.

Marie-Jeanne lui dit avec autorité :

–Y a pas icitte trois personnes d'un bord pis toé de l'autre, Maurice. On est quatre. Ensemble. On a eu des bons moments... ensemble... à quatre. Comme un quatuor qui chante la même chanson. Chaque voix ajoute quelque chose à la voix des autres pis la voix des autres ajoute à la sienne. Chaque plaisir ajoute au plaisir des autres pis le plaisir des autres ajoute au sien. Il faut que tu comprennes ça ben comme il faut.

–Je le comprends, je le comprends. J'ai voulu vous faire étriver.

Hilaire prit la parole :

–Si t'es pas jaloux, si t'es content, si t'as pas peur...

–J'ai pas peur, j'ai pas peur...

–D'abord, on va te dire quelque chose que tu sais pas, mon Maurice Nadeau.

–Pis que moi-même, j'savais pas avant à matin quand j'ai vu Marie-Louise Martin.

Hilaire reprit :

–C'est qu'on vient de faire, ben plusieurs le font déjà dans le rang. Oué, oué, dans le cinquième rang. Pis on aimerait que tout le cinquième rang soit des nôtres. Au lieu de boire ensemble, on se donne du plaisir qui coûte rien pis qui est pas nuisible à la santé. Le mot 'frappeurs', ça te dit quelque chose ?

–Oué... j'ai entendu ça su' la ligne du téléphone. Même que t'en as parlé, toé, Marie-Jeanne.

–Mais j'savais pas au juste de quoi que je parlais.

Hilaire alors révéla au néophyte l'existence du groupe et ses pratiques ainsi que l'identité des couples qui en faisaient partie. On exposa les règles. Maurice en fut fort étonné. Il lui apparut que cette pratique interdite n'était pas forcément source de mal, surtout quand on lui apprit que Bossu Couët retrouverait un poney de service grâce à cette nouvelle mentalité de fraternisation spéciale.

Marie-Jeanne lui avoua qu'elle avait participé la veille à la course au trésor en compagnie du vicaire. Elle se garda de lui révéler son rapport intime avec le prêtre; le moment n'était pas venu pour un aveu de cette taille. Peut-être plus tard, peut-être un jour...

On prit bien soin de lui dire que la veillée du samedi en était une de couverture et que celle prévue pour le soir en serait une où les activités secrètes des 'frappeurs' reprendraient. Au lieu de sept couples, on serait huit. À moins que d'aucuns soient dans l'impossibilité de venir.

–Pis Josaphat pis Joséphine ? demanda l'homme à la voix plus solide.

–On sait pas encore comment on va s'y prendre.

–Pis le bossu ?

–C'est sûr qu'on peut pas l'embarquer su' not' bateau.

–C'est sûr, c'est sûr.

Blanche, silencieuse jusque là, intervint :

–Quant aux Goulet, on pense pas pouvoir arriver à les embarquer, eux autres... Sont trop catholiques convaincus. Pis nous autres, les femmes, on pense que Désirée est trop belle. Que ça pourrait créer de la jalousie. En plus que c'est une femme réservée, secrète... non.

–Il en a été question entre nous autres, pis on pense pas que les Goulet...

Marie-Jeanne ne termina pas sa phrase. Maurice lui coupa la parole :

–Ben moé, j'pense que si on est neuf couples sur dix du cinquième rang, on devrait être dix sur dix.

Sa femme fut surprise de l'entendre affirmer ainsi une opinion contraire à la sienne. Et elle pensa que l'événement survenu sur cette montagne, cet échange de partenaires dont la préparation avait été si compliquée, produirait peut-être comme première conséquence de faire de Maurice un homme comme les autres, capable enfin de s'atteler au ménage pour le traîner en avant, à sa place à elle, ou du moins en 'team' avec elle. Et ça ne lui déplaisait pas. Même les femmes fortes aiment les hommes forts...

Il y a les forts en gueule, il y a les forts en muscles, il y a les forts en spiritualité. Ceux-là, parfois, sont élevés à la dignité cardinalice. Le plus illustre d'entre les prélats canadiens vivants avait regagné le presbytère de Saint-Léon avec son mal de poitrine en diminution mais toujours présent. Il demanda à se reposer dans la même chambre qu'il avait occupée un court temps durant l'avant-midi et exprima le désir d'une tasse de thé chaud qui aurait pour effet, pensait-il, de calmer son estomac si c'est lui qui faisait des siennes ou son coeur si la douleur était plutôt cardiaque.

–Je vais prier, et priez pour moi, dit-il aux deux prêtres en gravissant en toute lenteur les marches de l'escalier menant au deuxième.

–Madame Cécile va vous porter votre thé, lui dit le curé de sa voix la plus paternelle.

–Je vous en sais gré... Et à part cela, qu'on ne vienne pas me déranger, je veux avoir tout le temps nécessaire pour récupérer à cent pour cent.

–C'était notre intention de vous laisser vous reposer à votre guise, selon votre besoin.

–Vous êtes un homme soucieux des autres, mon cher curé Lachance. Et cela, je vous le dis sincèrement, est tout à votre honneur.

–C'est ça, un curé !

Et le cardinal fit son entrée pour la seconde fois ce jour-là dans la chambre dont le dernier occupant était peut-être une possédée du diable. Ce qu'il ignorait toujours. Mais il lui parut qu'une drôle d'odeur circulait dans l'air ambiant. Il attribua cette perception à son état de santé du moment qui devait certes altérer ses sens en leurs fonctions ordinaires.

Tout était sombre en ces lieux chargés. Il voulut que rien de mieux ne vienne l'éclairer. Car il était là pour se reposer, prier et attendre que disparaisse la douleur déjà bien moins accusée.

Sur le mur, face à son lit, se trouvaient deux photographies ovales d'anciens curés, les abbés Ponceaux et Duval. Le premier, aux airs du curé Labelle de l'autre siècle, possédait un ventre que la vitre bombée rendait encore plus proéminent. Le second exprimait par son regard une sorte de refus d'aimer et de se laisser aimer, une menace, une distance en même temps qu'une certitude hautaine.

Sans se défaire de son ceinturon, de sa soutane ou de quoi que ce soit d'autre à l'exception de ses souliers noirs et de sa barrette rouge, le prélat s'étendit sur le lit, après avoir rejeté vers l'arrière la catalogne servant de couverture de surface, geste qui valut à ses narines une odeur vague de soufre qu'il identifia sans en chercher mentalement l'origine.

Ses yeux explorèrent les murs un à un. Aucun signe religieux en dehors des photos des prêtres anciens. Pas de crucifix. Pas de branche de rameau. Pas de bénitier. Pas d'image pieuse. Pas de chapelet suspendu. Que des objets profanes. Le presbytère n'avait encore que vingt ans : avait-on oublié cette pièce ou bien voulait-on que les âmes s'y impriment dans les choses, quelles qu'elles soient, pour leur donner un caractère sacré ?

Puis son attention fut arrêtée par une main noire. Il s'agissait d'une empreinte faite dans une vitre de la fenêtre. Qu'était-ce ? Qui avait bien pu laisser là pareille trace ? Il le demanderait à la servante qu'il attendait avec son service du thé. Et il ferma les yeux pour se concentrer sur sa douleur qui s'amenuisait chaque minute en même temps que l'inquiétude l'accompagnant.

On frappa délicatement à la porte. Il n'entendit pas. On frappa de nouveau, plus fort.

–Entrez ! Entrez !

Et la porte s'ouvrit qui livra passage à la servante. Elle apportait avec elle un cabaret portant une petite théière et une tasse de porcelaine mais aussi la ferme intention de se confier au cardinal, de lui révéler les avances du curé assorties de son obligation de travailler pour gagner la vie de sa famille. Il saurait, lui, déblayer le chemin sans issue où la vie l'avait menée.

–J'vous emmène votre thé, monseigneur Rouleau. C'est monsieur le curé qui l'a demandé.

–Bien cordialement, je vous dirai qu'il faut dire 'je vous apporte' et non 'je vous emmène'. Subtilité de la langue parlée française. Je vous dis cela comme je l'ai souvent dit à ma mère.

Et le cardinal se redressa sur son séant pour constater que toute souffrance l'avait quitté. La Vierge Marie venait sans doute d'intervenir en sa faveur comme au temps de sa jeunesse. Il s'assit sur le bord du lit tandis que Cécile venait déposer le plateau sur la table de chevet.

Quand elle se pencha, l'homme eut un coup au coeur à voir cette juvénile féminité tout près de lui. Tout était fin en cette jeune femme à l'exception de ses sourcils noirs très fournis, signe qu'elle devait posséder un pubis très...

Aussitôt venue, aussitôt chassée impitoyablement, cette pensée que le cardinal attribua à son retour à la normale après une douleur intense aussi prolongée. Comme si une sorte de besoin instinctif de reproduire la vie se manifestait avec force après cette menace à la vie que son être avait subie depuis la messe sur la montagne.

Il remarqua que la servante avait poussé la porte derrière elle, ce qui n'était pas chose normale. Elle aurait dû la laisser entrouverte. Mais quoi, y avait-il dans l'air ambiant ou dans quelque chose, objet, mur, plafond un esprit tentateur ? Car tel esprit ne se pouvait trouver en lui-même. Il s'était tenu trop près du bon Dieu, de la Vierge Marie et du pape toutes ces années pour qu'un Malin osât jamais s'infiltrer en lui. Quoique le curé d'Ars... Mais le curé d'Ars n'était pas devenu cardinal tout de même...

–Quel est votre nom déjà, madame ?

–Cécile Bilodeau.

–Et votre nom de fille ?

–Cécile... Deblois.

–Vous êtes originaire de Saint-Léon ?

–Oui.

–Et j'ai cru deviner, devrais-je dire comprendre ce matin que vous aviez quelque chose à me confier de façon bien particulière.

La voix chevrotante, elle dit :

–Il y a que... bien un des prêtres s'est pas conduit... comme il faut avec moi. Pis j'veux pas perdre mon ouvrage au presbytère.

–Un des prêtres, dites-vous ? fit le digne prélat sans sourciller.

Elle répondit par un signe de tête silencieux. Il reprit :

–Voulez-vous, Cécile, vous agenouiller comme à la confession ?

Elle s'apprêtait à le faire à une certaine distance de lui, au moins trois pas, mais il lui fut demandé autre chose en quoi elle ne perçut rien d'anormal :

–Venez ici, à ras moi comme on dit. Il faut que la bouche et l'oreille soient le plus proche possible... comme dans un véritable confessionnal. Et vous allez me dire à voix basse vos péchés.

Elle obéit tout en disant :

–C'est pas un péché, c'est une angoisse. J'ai besoin de votre aide pour éviter le péché.

–Pour ça, il faut tout me dire, ma fille, tout. Quel âge avez-vous donc ? Autour de trente-cinq ans ?

–Oui.

–Combien d'enfants ?

–Six, monseigneur.

–Mais votre corps, vos hanches, tout est si... petit chez vous.

–J'fais ben mon ouvrage.

–Ah, vous savez, les petites femmes sont généralement bourrées d'énergie. Et c'est pourquoi vos six enfants vous ont laissée... disons... intacte.

–Ça doit ben être ça.

–Bon... alors dites-moi vos péchés.

–Mais... j'ai pas de péchés.

–Qui n'en a pas ?

–J'en ai pas.

–Même le pape en commet. Alors...

–Ben...

–Soyez sans crainte, vous êtes au confessionnal en ce moment.

Et l'homme lui posa la main sur la tête, puis la fit glisser sur son oreille, sa nuque, y exerçant une pression suffisante pour ne pas chatouiller :

–Ma petite Cécile, je suis là pour soulager votre coeur.

–Ben...

–Dites, dites-moi vos péchés. Vous affirmez n'en point avoir. Bon, je vous aide. Est-ce que vous auriez dit du mal de votre prochain ? Vous dites qu'un des prêtres vous a... Ce qu'il a fait, l'avez-vous raconté à quelqu'un d'autre ? Par exemple à votre époux ?

–Non, vous pensez pas.

Le cardinal continuait de tapoter le cou de la pénitente. Il demanda :

–Et ce prêtre, il s'agit probablement de monsieur le vicaire, n'est-ce pas ?

–Comme j'veux pas dire du mal de personne, ça serait dur de le nommer.

–Ce n'est pas en dire du mal, puisque vous êtes à la confesse, ma belle Cécile.

La jeune femme ne se rendait pas compte encore que le cardinal ravalait souvent de la salive, et elle le percevait comme un père à travers ses attouchements qui ne cessaient pas mais se limitaient à la région du cou.

Puis il glissa sa main jusqu'au menton qu'il prit entre deux doigts, autre geste paternel qu'elle attribua à son désir de la rassurer pour qu'elle lui dise tout.

–J'aimerais mieux pas, soupira-t-elle.

–C'est comme vous voudrez. Alors dites-moi ce qu'il vous a fait.

–Il a voulu... me prendre dans ses bras.

–Ce pouvait n'être que l'affection d'un père qu'il voulait vous livrer.

–Non, il voulait plus.

–Alors narrez-moi la chose.

–Quoi ?

–Narrez... dites... racontez.

–Ben... ça s'est passé dans l'atelier du troisième. J'étais allée faire du ménage là comme chaque fois que quelqu'un va travailler le bois. Pis le prêtre... il est venu à moi, il m'a dit : "*Collez-vous contre moi. Allez... Collez-vous...*" Pis moi, j'ai répondu : "*Ben... j'peux quasiment pas là...*" Et lui m'a dit : "*Ah oui, ah oui, vous le pouvez !*" Ensuite, il m'a dit : "*J'veux savoir si t'es en santé, ma petite mosus.*"

–Mais, mon enfant, ce ne sont que des mots. Vous a-t-il fait quelque chose ? Comme ceci par exemple ?

Et le cardinal s'empara de la tête de la pénitente pour la coller sur sa poitrine, puis la relâcha au bout d'un moment afin de ne pas éveiller ses soupçons. Il reprit :

–Mais... vous a-t-il touchée en des lieux de votre corps qui doivent être réservés à votre époux légitime et dans le seul cas de l'accomplissement de votre devoir conjugal ?

–Oui.

–Et... à quel endroit précisément ?

La jeune femme montra sa poitrine menue en la désignant par ses deux mains qui enveloppaient l'air à quelque distance des seins qu'une robe au corsage lâche rendait encore moins apparents.

Mais que le cardinal imaginait.

–Mais vous, est-ce que vous vous êtes dégagée, débattue, défendue ?

–J'essayais, mais il était plus fort que moi.

–C'est souvent cela quand un être humain subit l'assaut du démon de la chair.

–Un être humain ? Vous voulez dire un homme ?

–Un homme, une femme... Vous savez, le démon de la chair s'attaque aussi bien à elles qu'à eux. Il veut des âmes pour l'enfer, qu'il s'agisse d'âmes masculines ou féminines, peu lui importe.

Elle demeura silencieuse. Il reprit en lui posant une main sur l'épaule :

–Et... vous a-t-il touchée ailleurs ? Je veux dire dans l'autre région interdite de votre corps ?

–Il a essayé de relever ma robe.

–Et... il a réussi ?

–Ben... là, j'me suis mis à pleurer. Et lui, il m'a offert une augmentation de salaire de trente sous par jour.

Le cardinal pensa alors qu'il s'était trompé, et que l'agresseur était le curé et non pas le vicaire.

–Et vous avez accepté, bien entendu.

–Non, non, j'ai refusé. J'ai dit : "*J'aimerais mieux pas en avoir pis que tout se continue comme avant si vous voulez.*"

–Et qu'a-t-il répondu, monsieur le curé ?

Cécile tomba dans le piège et confirma ainsi, par sa réponse, qu'il s'agissait bel et bien de ce prêtre et non du plus jeune et plus beau.

"*Justement, j'veux pas. Faut que soit apaisé le feu qui brûle en moi. Tu peux le faire. Tu vas le faire. T'as qu'à me laisser faire sur toi. Je ne vais pas me substituer à ton mari pour le devoir conjugal, je vais seulement toucher ton corps... Comme quelqu'un qui s'approche du feu pour se réchauffer mais ne veut pas se brûler.*"

–C'est ça qu'il m'a dit.

–Et vous, Cécile, quelle fut alors votre réaction ?

Sous la soutane, le cardinal était maintenant érigé à pleine capacité, et son corps, à l'abri du regard, pointait le ciel autant qu'une flèche d'église. Entendre cette tentative du curé décuplait la tentation en lui. Il mit son autre main sur l'autre épaule de Cécile et les pétrit toutes deux comme des fesses en pâte de pain destinées au four.

–Là, moi, j'priais tout le temps. Pis monsieur le vicaire a frappé à la porte. Là, monsieur le curé m'a lâchée. Mais depuis ce temps-là que j'ai peur que ça recommence. Pis comme vous savez, j'ai sept bouches à nourrir.

–Votre mari ne travaille pas ?

–Il travaille tout le temps, mais il gagne rien. Personne veut d'un homme engagé. La pauvreté est partout. Par chance qu'il va chasser pis pêcher : ça nous amène du manger dans la maison.

Le prélat parut alors se ressaisir. Il frissonna puis posa ses mains sur le lit :

–Et... vous ne vous êtes pas confiée à votre mari ?

–Il aurait pu tirer sur monsieur le curé.

Voilà qui refroidit encore bien plus la chair chaude du cardinal. Heureusement pour lui car si l'excitation avait monté de quelques crans encore, il aurait pu subir bien plus qu'une crise d'angine et claquer un infarctus du myocarde par trop d'efforts demandés à son coeur vieillissant.

–Tirer, dites-vous ?

–Tirer du fusil, oui ! Arthur est ben ben malin.

–Le problème est plus complexe que je ne l'aurais cru. Je me doute bien en ce cas que vous ne lui ferez jamais la confidence.

–Jamais, non, jamais !

–Et... vous n'avez pas mis monsieur le vicaire au courant de la situation ?

–J'ai essayé, mais on dirait qu'il veut pas m'entendre. Des fois, j'me demande s'il aurait pas vu monsieur le curé faire dans l'atelier.

–En confession, il aurait bien été obligé de vous entendre.

–J'y ai pas pensé. Tout ça vient d'arriver, ça fait rien que quelques jours.

–Je vois. Et puis vous n'avez pas commis de péché... à moins que...

En se rendant compte que l'enfermement du secret pouvait être étanche, le cardinal remit ses mains sur la jeune femme. Cette fois, il prit ses avant-bras qu'il caressa doucement, ses doigts et ses paumes percevant la fine toison qui s'y trouvait et dont chaque poil paraissait aiguiser tous ses sens, celui du toucher en tête de liste.

–N'avez-vous pas, Cécile, fait quelque chose qui incite

monsieur le curé à vous demander ces choses-là que vous m'avez décrites ?

–J'fais mon ouvrage comme je dois. Je balaie. Je fais de la cuisine. Je fais du ménage. Je range. Des fois, je travaille dans son bureau ou dans celui de monsieur le vicaire. J'fais ce qu'une servante de presbytère doit faire. En plus que j'sus toujours habillée, vu que je passe mes nuits à la maison, pas icitte.

–Des fois... dans votre manière de marcher. Vos hanches qui bougent trop... Tiens, levez-vous et marchez jusqu'à la porte de votre pas normal.

La femme obéit en toute candeur. Le prélat en profita pour se rincer l'oeil à son goût, et sa vigueur un moment bridée se réinstalla en la partie la plus brûlante de son anatomie.

–Venez vous remettre à genoux afin que votre confession se poursuive.

Elle obéit encore sans voir que les approches du cardinal étaient les mêmes que celles du curé l'autre fois, habit de camouflage en plus et grande subtilité de surcroît.

–C'est votre façon de marcher qui vous rend... il faut bien le dire, désirable. Votre démarche ressemble à celle des actrices de cinéma qui portent des souliers à talons hauts comme mesdames Crawford ou West. Il est évident que c'est le démon de la chair qui a inventé les talons hauts...

Elle l'interrompit vivement :

–Mais j'en porte pas, moi !

–Je sais, mais avec votre démarche, c'est tout comme. Je vous ai regardée quand vous avez marché jusqu'à la porte et, par chance que j'ai la grâce divine accordée à un cardinal sinon je connaîtrais... la tentation.

Il lui reprit les bras et dit après une pause :

–Et... quand des mains d'homme vous touchent comme je le fais, est-ce que cela vous remue à l'intérieur ?

–N... non... C'est que vous voulez dire ?

–Bien... est-ce que ça pourrait vous donner des... disons des petites envies ?

–Envie de quoi ?

–Il me semble que c'est clair : quelque chose qui va dans le sens de votre devoir conjugal.

–Ben non ! Vous êtes un cardinal.

–Bien évidemment ! Ce que je voulais dire, c'est... si vous fermez les yeux et oubliez que mes mains sont celles d'un cardinal et pensez que ce sont tout simplement celles de votre mari...

–Mon mari, il me touche jamais de même.

–Quoi donc ? Il ne vous fait jamais de caresses agréables quand vous vous préparez à accomplir votre devoir ?

–Ben non !

–Alors, vous faites votre devoir sans préparation ?

–Aucune, non.

–Ah bon ! Je vois. Et je dois dire qu'il a bien raison : le devoir conjugal est chose sérieuse. Le mot le dit : c'est un devoir. Et il faut l'accomplir sans fioritures.

–Sans quoi ?

–Eh bien... sans... caresses comme ce que pourraient être mes gestes sur vos bras si je n'étais en recherche de la vérité en vous... et si je n'étais cardinal.

–Pis je vas faire quoi pour monsieur le curé ?

–Mettez des robes amples. Des talons très bas. Traînez-vous les pieds sur le plancher quand vous balayez. Beaucoup de modestie dans votre regard. Par contre, ne donnez pas l'air d'un chien battu non plus. Ne montrez pas d'hésitation dans vos attitudes. Et quand il se trouve dans son bureau et que vous devez vous y rendre, puis que vous en sortez, tâchez de le faire de reculons. Vous savez, la femme peut devenir d'une heure à l'autre une véritable occasion de pécher.

Vous comprenez ?

–Ben... oui.

–Je vais vous dire ce que défend le sixième commandement. Le sixième commandement défend toute familiarité indécente et toute immodestie sur soi-même ou sur d'autres, par regards, paroles ou actions. Le sixième commandement défend toute indécence dans le vêtement. Le sixième commandement défend tout ce qui conduit à l'impureté comme les tableaux, spectacles, danses, livres. Il est bien possible que, sans même vous en rendre compte, vous ayez... disons provoqué monsieur le curé. Soyez décente, modeste, réservée en tout, et je suis assuré que monsieur le curé sera envers vous décent et réservé.

Le cardinal n'en pouvait plus. La charge en lui devenait trop puissante. Ces caresses sur les bras d'une jeune mère de six enfants, mais qui ressemblait à une très jeune fille, aspiraient hors de sa chair cette lave incontrôlable que la pensée seule ne pouvait plus retenir, contenir, refouler comme il y arrivait généralement si aisément. Ni la prière non plus. Ni rien d'autre. Alors il grimaça, retira ses mains, les mit sur sa poitrine et se tourna pour que le bas de son corps échappe au regard de la pénitente. Et il glissa ses mains vers le bas et se toucha à travers la soutane. L'explosion eut lieu à l'instant même. L'homme délivré haletait. Il frissonnait.

Il fallait qu'il rassure. Mais tout juste avant de le faire, son regard sur la fenêtre lui apprit que la main noire ne s'y trouvait plus. Il eut peur. S'agissait-il d'un démon de la chair qui voulait lui manifester sa victoire ? Mais il y avait une autre possibilité à laquelle le prélat ne songea pas vu l'intensité du moment : il pouvait aussi s'agir de reflets d'ombres que le jeu soleil-nuages avait créés ou venait d'effacer...

–On vous a dit que... je faisais...

–Une crise d'angine, oui, monseigneur.

–Le mal vient de me foudroyer, on dirait bien. C'est la crise qui recommence de plus belle.

–Qu'est-ce que je peux faire pour vous ?

Il se retourna :

–Levez-vous ! Je vous donne l'absolution de toutes vos fautes. Et laissez-moi me reposer !

–Pis si monsieur le curé essaie de me faire encore des approches ?

–Faites ce que je vous ai dit et rien de tel ne se produira. Maintenant allez, Cécile, allez !

***

Chapitre 21

Les deux couples Paré et Roy ne purent se voir avant la soirée de ce dimanche. Problèmes à la maison dans les deux cas. On se téléphona. On s'excusa. On se reverrait à la veillée chez les Rousseau.

Et l'on y fut parmi les tout premiers en espérant qu'il puisse se faire un échange entre eux quatre, de préférence à un échange avec d'autres 'frappeurs'. Il appartenait aux Rousseau de déterminer les règles du jeu pourvu qu'elles ne viennent pas en contradiction avec celles, préétablies, du groupe.

Tous avaient pris leur repas du soir avant de s'amener, et la réunion du groupe se faisait dans la cuisine d'été du couple hôte. Vu la distance, les Martin vinrent en voiture et firent monter les Nadeau avec eux. Même chose pour les Paré qui prirent les Pépin au passage. Proches voisins des Rousseau, les Roy, les Morin et les Fortier vinrent à pied. De la sorte, il ne se trouvait sur le terrain que deux attelages, pas assez pour intriguer les deux derniers couples du rang à ne pas faire partie des 'frappeurs', les Poulin et les Goulet. Et qui d'autre pouvait passer devant la maison Rousseau à part le bossu Couët ? Sans doute personne. Les prêtres devaient être occupés au village avec le cardinal, et puis comment penser que l'un d'eux puisse avoir l'idée saugrenue de retourner sur la montagne deux fois dans une même journée. En fait en soirée cette deuxième fois, au risque de redescendre à la grosse noirceur par un sentier dangereux.

On se sentait à l'abri.

Les Poulin avaient vu passer les Martin devant leur porte, et Josaphat était sorti comme d'habitude pour placoter un moment avec son voisin. Albert avait menti en lui faisant croire que lui et Marie-Louise se rendaient faire une visite d'amitié à Pierre et Désirée Goulet à l'autre bout du rang en direction de la Grand-Ligne et du village.

Et alors, Josaphat avait adressé à l'autre un clin d'oeil de complicité signifiant : tu vas te rincer l'oeil à voir la belle Désirée, maudit chanceux !

Pour ne pas risquer l'espionnage de nez trop longs reniflant dans les vitres, Georgette avait fermé tous les rideaux de la maison, aussi bien ceux des cuisines que ceux des chambres. Personne ne pouvait voir à l'intérieur. Pas même par des interstices au coin des toiles abaissées. Enfermement complet des 'frappeurs' dans l'antre du plaisir.

Mais il y avait une brèche dans la prudence des Rousseau, et quelqu'un devait en profiter plus tard...

Pour l'heure, il ne se trouvait dans la pièce que les premiers couples venus soit les Paré et les Pépin arrivés ensemble, et les Roy entrés moins d'une minute plus tard. On s'était attablé devant une sorte de punch à saveur d'érable concocté par Georgette. Les sandwichs apportés pour luncher après la veillée avaient été mis au frais de la cave basse à laquelle on avait accès par une trappe dans la cuisine d'hiver. Et l'hôtesse avait pris place tout près, surveillant par la porte entrouverte, l'arrivée des autres. Car il fallait s'assurer que les visiteurs ne soient que des membres du groupe et personne d'autre. Il manquait à ce moment quatre couples encore, les Martin, les Nadeau, les Morin et les Fortier.

–C'est quoi le programme de la veillée ? demanda Joseph Roy après une lampée à même le contenu de sa tasse émaillée.

–On va vous dire ça quand tout le monde sera là, répondit Romuald, l'oeil joyeux et fripon.

–C'est parce que nous autres, Sophia, Jean, ma femme pis moé, on devait se voir après-midi, mais ça a pas ben adonné. On avait pensé qu'on pourrait être ensemble à soir.

–Ouais, réfléchit Rousseau, ça serait comme une sorte de... d'accommodement.

Francis Pépin sourit :

–Un passe-droit disons.

–Accommodement, passe-droit, ça revient pas mal au même.

Jean Paré sourcilla :

–Il serait-il défendu que des couples décident de se voir en dehors des veillées de groupe ?

Angélina intervint :

–Y a rien qui le défend, sauf que...

–Que ? dit Sophia.

–Ben, certains vont se mettre à surveiller les autres. D'aucuns vont se dire que les chances d'échange doivent être égales pour tout le monde, pour tous les 'frappeurs'. Moi, c'est ça qui me fait peur. Peu importe comment on est venu au groupe, asteur qu'on est dedans, faudrait peut-être s'en tenir aux veillées... autrement, il va se former des petits clans d'un bord pis de l'autre. C'est un peu comme la religion, on la pratique à l'église...

Joseph coupa :

–En partie, Angélina, en partie. Entre les visites à l'église, chacun fait sa prière individuelle matin et soir. Pis ça arrive que des petits groupes de la paroisse se réunissent, comme nous autres l'autre fois devant la croix du chemin.

Angélina retraita, qui s'était piégée elle-même :

–En tout cas, mon exemple est pas bon pantoute.

Romuald réfléchit tout haut :

–Mais c'est vrai, c'est qu'elle dit : qu'il pourrait se former des petits clans de deux ou trois couples qui se refermeraient de plus en plus sur eux autres mêmes. Non, j'sais pas trop... J'ai hâte d'avoir l'idée à Hilaire là-dessus.

La voix de Georgette se fit entendre :

–Parlant d'Hilaire, il s'en vient avec Blanche.

–C'est un peu lui qui préside, si on peut dire, nos réunions, fit valoir Marie Roy.

Il vint une idée sympathique à l'esprit de Romuald qui l'exprima aussitôt :

–Étant donné qu'on a pas pris de décision là-dessus en tant que groupe, moé, j'pense qu'en attendant que tout le monde soit là, vous pourriez vous retrouver dans une chambre, Joseph, Sophia, Jean pis Marie. Une demi-heure, vous avez le temps de vous divertir comme il faut. Ensuite, la veillée pourra continuer à seize comme prévu. De quoi c'est que vous en dites ?

–J'sus partant ! dit Jean Paré. Toé, ma femme ?

–Ben... oui.

–O.K. dit Joseph Roy.

Aussitôt, Marie se leva et questionna du regard et des mots, elle qui connaissait les êtres de la maison :

–Georgette, on va prendre la grande chambre d'en haut.

–Comment ça ? Tusuite ?

–Ben... en attendant que tout le monde arrive.

–O.K. d'abord !

L'hôtesse fronça les sourcils. Comment deux couples pouvaient-ils décider ainsi d'un échange en dehors des règles du groupe ? Elle n'avait pas entendu clairement les propos précédents de la cuisine d'été et ne trouvait pas d'arguments aptes à justifier la décision prise.

Percée d'une seule fenêtre en son mur arrière, la chambre

commençait d'être sombre, vu que le soleil baissait et s'approchait, lentement mais sûrement, de son lit dans l'autre direction, celle du lac *Miroir* vers l'ouest.

Il y avait là deux lits doubles, et c'est la raison pour laquelle Marie avait proposé cette chambre plutôt qu'une autre. Les deux femmes allèrent se mettre devant la fenêtre avant de commencer à se dévêtir tandis que les hommes, tous deux survoltés par l'idée d'un échange ouvert, ne perdaient pas une minute à bayer aux corneilles à la manière de leurs épouses.

Ce qui rendait les quatre partenaires bien plus disponibles et ouverts à échanger ensemble, c'était l'absence de risques de grossesse, puisque Marie et Sophia étaient toutes deux enceintes déjà. Pas de règles, pas de risques, pas de retenue. Ils en avaient parlé de nouveau sur la montagne après la tâche de hisser la cloche, accomplie avec Arthur Maheux, Fridou Gilbert et les autres.

–Vous venez, les filles ? demanda Joseph sans tarder.

–Vous regardez quoi dehors ? demanda Jean.

–Y a pas grand-chose à voir à part que la prairie, les vaches pis le bois au fond, rétorqua Marie.

–On a de quoi de plus intéressant à vous montrer, nous autres, dit Jean.

Son épouse commenta :

–Ah ! les hommes, vous êtes donc tout le temps pressés, vous autres !

–On est comme on est. Vous êtes comme vous êtes !

Marie contourna les deux lits et enleva sa robe près de celui occupé par son nouveau partenaire. Sophia fit de même près du lit où Joseph venait de s'étendre presque nu.

–Ils nous ont donné une demi-heure, blagua Jean.

–C'pas beaucoup pour c'qu'on a à faire, enchérit Joseph.

–C'est tant qu'il faut ! s'exclama Marie qui regarda tour à tour, en plein dans les yeux, chacun des deux hommes.

Chacune ôta son jupon mais garda ses autres dessous. La peau exposée en certains endroits stimulait fortement chacun des deux mâles et cela se voyait sur eux. Ils avaient le sexe dans l'oeil autant que dans l'outil essentiel du devoir conjugal.

Marie s'étendit auprès de Jean tandis que Sophia faisait pareil au même moment auprès de Joseph.

–On a-t-il le droit de regarder de votre côté des fois ? demanda Jean, la voix rieuse.

–Tu m'as vue le faire avec Albert, pourquoi pas avec Joseph ?

–Si vous avez le droit, on a le droit itou, stipula Marie.

Ce furent les derniers mots prononcés. Ainsi qu'aurait pu le déclarer le cardinal Rouleau, l'oeuvre de chair est chose sérieuse. Elle impose le respect... et le silence.

Blanche et Hilaire arrivèrent en même temps que la voiture qui emportait les Martin et les Nadeau. Les Martin savaient que Maurice avait reçu le baptême des 'frappeurs' sur la montagne ce midi-là, et que l'homme avait eu pour 'marraine' la Blanche Morin, femme effacée mais efficace au sein du groupe. Il ne s'était manifesté aucune objection à son admission dans le groupe. Maurice n'attirait pas beaucoup les femmes, mais il ne les repoussait pas non plus par malpropreté ou autrement. Il était celui qu'on ignore quand il est ailleurs et qu'on ignore tout autant quand il est là.

Plus que les Fortier pour compléter le décor. Et, bien entendu, le retour dans la cuisine d'été des deux couples en train de se donner du bon temps là haut.

–J'me demande c'est quoi qu'ils font, Jean-Pierre pis Dora, vint dire Georgette au groupe, s'adressant particulièrement à son mari et Hilaire Morin.

–Ça se pourrait-il qu'ils aient oublié ? se demanda tout haut Angélina.

Hilaire hocha la tête :

–Mais non ! Un rendez-vous de même, personne oublie ça, là. Ils vont venir.

Romuald proposa :

–Téléphone, tu vas le savoir.

–Téléphoner ? Ils restent quasiment à côté. On les voit pas sortir de la maison.

Blanche intervint :

–Peut-être un problème avec les enfants ? Sont jeunes pas mal pour être laissés tout seuls. Sont quatre pis le plus vieux, Roland, a rien que sept ans. C'est jeune pour garder les autres.

Georgette s'étonna :

–Ils m'ont dit qu'ils prenaient Juliette Goulet pour les garder à soir.

–Si c'est de même, ils vont venir, dit Romuald. Mais pour en être certaine, téléphone. Le téléphone, c'est fait pour s'en servir.

–O.K. d'abord !

Et la jeune femme retourna dans la cuisine d'hiver où le téléphone mural se trouvait. Elle signala, atteignit Dora à l'autre bout du fil :

–Comment ça va ?

–Ben, ben.

–On vous attend.

–On y va.

–Il manque rien que vous autres. Chez Albert, chez Jean, chez Maurice, chez Francis, chez Joseph, chez Hilaire, ils sont tous arrivés.

–On arrive, ça sera pas long. A fallu prendre notre bain. On n'a pas eu le temps après-midi après être revenus de la montagne. Tu comprends, on peut pas aller à la veillée mal lavés. Ça se fait pas entre nous autres.

Ce qu'ignoraient les deux femmes, c'est que sur le fil un furet était à l'écoute. Ce furet avait pour nom Josaphat Poulin. Il avait eu des doutes quand Albert lui avait parlé. Il avait eu des doutes plus importants quand il avait vu les Martin faire monter les Nadeau avec eux. Ses doutes avaient grandi et s'étaient essaimés comme un contingent de fourmis par tout son corps quand il avait aperçu au loin les Paré se mettre en route et s'arrêter pour faire monter les Pépin avec eux.

"Une autre réunion sans nous autres !" avait-il alors déclaré à Joséphine.

"On dirait que le rang veut pas nous voir !"

"On a rien fait de mal à personne, nous autres."

"À matin, c'est Marie-Jeanne qui est allée comploter avec Marie-Louise. Pis là, c'est tout le rang qui..."

"Qui nous joue dans le dos."

"Ben... qui nous joue dans le dos... Sont pas obligés de nous inviter à leu' veillées."

"Ben moé, j'pense qu'ils ont des affaires à cacher."

"Je m'en vas appeler Désirée pour voir si c'est vrai que chez Albert vont les voir à soir."

"Maudite bonne idée, ça, Phephine !"

Et la jeune femme, au téléphone avec la femme Goulet, avait trouvé les mots pour savoir sans faire connaître son intention réelle.

"Y a pas un chat en visite chez les Goulet. Pis ils attendent personne. Ça fait que notre Albert, il nous a conté des belles menteries."

"On finira ben par tout savoir. Pis peut-être même à soir, tu vas voir."

Alors Josaphat avait tourné en rond comme un animal dans sa cage. Et quand le téléphone avait sonné, il ne s'était pas gêné pour écouter aux portes c'est-à-dire sur la ligne.

Mais n'avait rien découvert avant ce dernier appel de Georgette à Dora. Aussitôt la sonnerie entendue, aussitôt le récepteur décroché !

Et quand Georgette et Dora mirent fin à leur bref échange, Josaphat s'écria en raccrochant :

–Le chat sort du sac. Je devrais dire la trâlée de chats pis de chattes. Sont tous réunis su' Rousseau comme hier soir. Mais à soir, y ont pas voulu nous voir. Ben ça se passera pas de même. Pis paraît que pour aller là, faut se laver ben comme il faut, comme le jour de nos noces. Ben maudit calâb', on va se laver d'un travers à l'autre. Embarque dans la cuve de bois, Phephine, on va leu' montrer qu'on est capables d'être frais pis nets comme de la neige en hiver.

La femme ne se fit pas prier. Pas d'enfants pour zieuter, elle fut vite dans l'eau tiède transvidée par lui, et dont on gardait généralement deux cuves pleines, celle intégrée au poêle et une autre posée sur le dessus.

–Ça te fait-il rien que j'embarque moé itou ?

–Embarque, embarque !

Quand il fut nu avec elle, Joséphine s'inquiéta :

–Pas sûr qu'on devrait aller là à soir.

–Comment ça ?

–D'après moi, les hommes changent de femme pis les femmes changent de mari dans ces soirées-là.

–Hein ! Mais c'est pas ça qui est arrivé hier, là, pas pantoute !

–Le vicaire était là. Ils l'ont roulé dans la farine. Pour moi, c'est pas un hasard, c'est qui est arrivé entre lui pis la Marie-Jeanne. Nous autres, ils nous ont roulés dans la farine autant que le vicaire. La chasse au trésor, là, c'était un écran de fumée pour cacher autre chose. C'est le père Thodore qui a lancé l'idée. C'est le bossu qui l'a répandue. Pis y en a qui ont décidé de commencer ça.

–Commencer quoi ? C'est quoi que tu veux dire, là ?

–Ben... changer de mari, changer de femme.

–T'as tout vu ça, toé ?

–Senti.

–T'as pas le nez long pour rien.

–Tu trouves pas que ça se tient ?

–Ça se tient 'cartain' ! Ça se tient comme la montagne de la *Craque*. Ça se tient comme le nez au milieu du visage, pis moé, j'ai rien vu pantoute. C'est comme de dire que j'vois pas la montagne qui se trouve là. Ben... j'te dirai que j'ai eu des doutes pas mal fort moé itou. Ça, faut dire !

Alors l'homme prit sa femme entre ses bras et la poussa sur le bord du récipient afin qu'elle s'ouvre et qu'il puisse s'unir à elle. Mais il se ravisa aussitôt :

–Non, on fera ça en revenant. Là, c'est le temps d'autre chose.

Et ce fut un vigoureux bain à deux. Puis on se parfuma et l'on se rhabilla de vêtements propres pour enfin se mettre en route, à pied, en direction de la maison Rousseau. On y serait dans une vingtaine de minutes.

Les Goulet formaient un couple discret. Désirée vit les Fortier s'en aller à pied. Pierre avait vu deux attelages arriver dans la cour de leurs voisins, les Rousseau.

–Sont plusieurs à veiller encore à soir ! déclara Pierre en rentrant dans la maison après l'accomplissement d'une tâche de routine dans la grange.

–On dirait, hein !

–Mais ça nous regarde pas pantoute. Quand ils voudront nous en parler, ils nous en parleront.

–Parler de quoi ?

–Ben de ce qu'ils font entre eux autres.

Les deux époux s'échangèrent un regard entendu. Lui était debout, à boire à même une tasse de fer-blanc une pleine rasade d'eau fraîche tandis que Désirée finissait de laver la vaisselle, aidée par la petite Fernande.

Il dit en regardant dans le vague :

–En tout les cas, ça nous regarde pas pantoute, nous autres, c'est que les autres font en privé.

–T'as bien raison, t'as bien raison.

Le téléphone sonna.

–C'est peut-être une invitation de dernière minute. Veux-tu répondre, Désirée ?

–Oui.

Elle alla décrocher et, suivant son habitude, replia sa jambe gauche pour parler. Au bout du fil, il y avait Rose-Anna avec qui elle aimait jaser de temps à autre au téléphone entre leurs échanges de visites. Par la salutation qu'elle fit, son mari sut à qui elle parlait et il se retira dans le hangar pour y gosser du bois, lui qui avait adopté la petite sculpture comme violon d'Ingres du dimanche.

Les deux femmes échangèrent sur la cérémonie du jour, sur les beautés de la montagne, sur la grandeur de la religion catholique, puis Rose-Anna dit que l'appel en fait s'adressait à Pierre, et que son mari désirait lui parler.

Pierre fut demandé et vint répondre. Arthur lui demanda une faveur au nom de la paroisse : la sculpture du chemin de la croix destiné à la chapelle de la montagne.

–Moé ? s'étonna Pierre. Je gosse en amateur.

–Non, non, j'ai vu ton ouvrage. T'es capab', t'es capab'

–Ah, j'peux toujours essayer, mais j'sais pas si les prêtres aimeraient ça. Pis le cardinal donc...

–Le cardinal, on le reverra pas par icitte avant trois, quatre ans, pis peut-être jamais pantoute.

–Je vas essayer avec la première station. C'est quoi que t'en dis, Arthur ?

–C'est ça que j'voulais t'entendre dire.

–Faudrait pas en parler à personne.

–J'sus exactement de la même idée. Tu vas gosser la première station pis là, on va aller montrer ça au presbytère ensemble.

–Ça va prendre du temps.

–Ça veut dire ?

–J'me donne un mois par station. Ça voudrait dire plus qu'un an pour finir les 14 stations.

–Ben correct de même ! Quand y en aura une de finie, on va la poser dans la chapelle. Ça va se faire à mesure.

Les deux raccrochèrent, contents.

–Je m'en vas gosser, dit aussitôt Pierre qui disparut dans le hangar attenant à la maison.

Le gramophone des Rousseau déversait les accents larmoyants du cow-boy Gene Autry. On disait ce jeune homme de 22 ans, issu du Texas, promis à une brillante carrière au domaine de la chanson populaire américaine que d'aucuns appelaient déjà le 'country'. En fait, il avait déjà atteint la célébrité par toute l'Amérique, puisque ses disques tournaient dans tous les États et toutes les provinces canadiennes y compris le Québec où on l'appréciait quasiment à l'égal de madame Bolduc.

–Ça, c'est son premier 'record', dit Albert quand la chanson commença. Ça s'appelle '*My dreaming of you*'.

–Pis ça veut dire quoi ? demanda Georgette qui était encore debout près de l'appareil.

Albert fit les grands yeux comme pour montrer son ébahissement et épater tout le monde :

–Mon rêve de toi.

Une rumeur joyeuse s'éleva de la table où se trouvaient maintenant six couples en attente des deux autres en train, on le savait, de se lutiner au deuxième.

Albert reprit :

–Pis de l'autre côté, c'est *My Alabama home. Ma maison en Alabama*. J'sais pas si Gene Autry vit en Alabama, en tout cas, il vient du Texas.

Hilaire s'étonna :

–Veux-tu me dire comment ça se fait que tu sais tout ça, toé, mon Albert ?

–Mon cher Hilaire, on sait les choses qui nous intéressent. Y a les journaux. Y a l'Almanach. Pis des fois, on sort du rang pour aller se promener aux États. Au mois de juin, on est allés à Gasté pis Warville (*Augusta et Waterville*). Là-bas, on l'entend partout, Gene Autry. Il fait des ballades pis du yodel.

Romuald intervint :

–C'est ben beau tout ça, mais y a autre chose de plaisant dans la vie. C'est pour ça qu'on est là à soir. Tout le monde est ben propre. Les châssis sont bouchés. La porte est barrée. On peut commencer... aussitôt que nos tourtereaux d'en haut seront là...

Sophia avait été surprise quand le voisin l'avait pénétrée. Car il était homme de substance et de performance. Le plus réticent des hommes du rang à s'intégrer au groupe était paradoxalement le plus ardent et le plus puissant au lit. Ce n'est qu'après l'acte qu'il ressentait un certain remords. Mais ce soir-là, il avait une idée en tête. Aussitôt fait avec Sophia, aussitôt terminé entre les deux autres, on se reposerait quelques minutes, puis chacun des hommes retournerait avec sa légitime pour se lancer dans une nouvelle recherche de plaisir et effacer non pas l'échange mais le regret qui pourrait suivre en raison des vieux plis imprimés en chacun par les valeurs du temps et l'étouffante religion.

Personne ne s'était dénudé tout à fait. Et l'on s'était regardé mutuellement à foison durant l'échange. Ces deux éléments visuels avaient électrisé le désir de chacun et l'apothéose, vite atteinte par Sophia, fut aussitôt suivie de celle de Marie avant que les hommes ne terminent chacun leur feuille de musique par des sons sans beaucoup d'élégance ou d'harmonie mais fort révélateurs.

Alors Joseph proposa le retour au partenaire légitime. On acquiesça et il retrouva Marie alors que Jean allait avec Sophia. Durant la pause, il fut question du temps qu'il leur restait avant de rejoindre le groupe en bas.

–Vont nous attendre, dit Marie. Mais on prend le temps qu'il faut.

–Ben parlé ! dit Jean.

Sophia se fit taquine :

–Les gars, si vous voulez rester en forme, vous feriez mieux de vous tenir tranquilles, vous autres.

–Ça, c'est vrai ! enchérit Marie.

Les deux couples se reposaient. Chacun avait pudiquement recouvert son sexe. Et il faisait plus sombre qu'à leur arrivée dans la chambre.

–Comment c'est que vous avez trouvé ça, les filles ? demanda soudainement Joseph.

–Ouais, on aimerait savoir, nous autres, insista Jean.

–Ça se demande pas, ça se sent ! dit Sophia.

–Bien dit ! approuva Marie. Y a des fois qu'une femme a pas besoin de parler pour tout dire.

Des coups discrets furent frappés à la porte. La voix de Georgette se fit entendre :

–Sophia, Marie, les gars, on vous attend en bas. Dépêchez-vous.

–On dormait, nous autres, blagua Jean.

–Entre, Georgette, entre ! lança Joseph.

Elle poussa lentement la porte et se montra :

–Écoutez, ça me gêne un p'tit peu, là...

–Y a pas de danger : tu seras pas scandalisée.

–J'ai pas peur de ça, mais... J'veux pas déranger.

–On allait descendre, dit Marie.

–Je voulais vous avertir d'avance... On a un nouveau couple avec nous autres à soir.

–Pas les Josaphat Poulin toujours ? s'inquiéta Marie.

–Non... Les Nadeau.

–Ah oui ? fit Joseph. Maurice, je le vois pas parmi nous autres. Toujours l'air d'un chien battu, la queue basse entre les jambes.

Georgette enveloppa sa main gauche de l'autre et fit une moue d'impuissance :

–Ben là... j'sais pas quoi dire de plus.

Joseph la rassura :

–Non, non, c'est correct. Je faisais des farces.

Marie se leva et prit sa robe pour l'enfiler en disant :

–Descendons si on veut pas passer pour des casseux de veillée.

***

Chapitre 22

Seize à table. Pièce dans une semi-obscurité. Seules deux lampes faiblardes éclairaient les lieux. Et rien des résidus de soleil ne parvenait à franchir les vitres des fenêtres et de la porte de la cuisine d'été. De plus, on avait fermé la porte entre les deux cuisines pour plus d'intimité, même si personne ne se trouvait dans la maison à part le clan joyeux des 'frappeurs'.

Les Rousseau à qui avait échu le soin de préparer l'échéancier des événements du soir proposèrent un agenda réduit à sa plus simple expression. Pas de jeux de société. Pas de cartes. Pas de danse. Pas de 'contage' d'histoires. Pas de musique. Pas de chant. Et pas d'alcool à part les quelques gouttes versées dans le punch.

L'accent avait été mis sur le plaisir des sens.

Une soirée en trois étapes. La première : une discussion sur des jeux sexuels plus élaborés et qui dépassent la tradition voulant que la seule position pour faire l'acte du mariage soit celle, vite fait, du missionnaire. La seconde : tirage au sort des nouveaux couples fait à partir des personnes et non pas des couples eux-mêmes.

–En d'autres mots, déclara Romuald, Georgette pourra aller disons avec Albert tandis que moé, j'irais avec Dora. Je dis ça de même... c'est le hasard qui va en décider. Mais pas un couple avec un autre couple.

–Un vrai mélange ! s'exclama Francis qui provoqua rires et sourires.

–En plein ça ! Et, la troisième partie, ben là, ça sera l'échange. Comme vous le savez, on a quatre chambres. On est seize : ça fera quatre personnes par chambre. Pour plusieurs, ça sera nouveau de faire ça devant d'autres, mais... bon, la noirceur va être là pour les plus gênés...

–On va s'y faire, blagua Jean Paré pour le plaisir de tous.

Romuald avait monté une rallonge pour la table qui de la sorte pouvait permettre aux huit couples de s'attabler sans trop avoir à jouer du coude. Du côté du lac se trouvaient les Fortier, les Pépin et les Nadeau alors que leur faisaient face dans le même ordre les Roy, les Paré et les Martin. À une extrémité avaient pris place les Morin tandis que le couple hôte occupait l'autre. Ainsi, toute la longueur de la pièce était prise par les 'frappeurs' et leurs chaises de toutes espèces.

Remonter le ressort du gramophone et changer de disque toutes les trois minutes eût été une entreprise dérangeante non seulement pour l'hôtesse mais pour la fluidité de l'échange verbal que s'apprêtait à initier Romuald. Il fit signe à Georgette de faire taire l'appareil. Puis il demanda l'attention de tous de nouveau après une pause, suite aux rires provoqués par la dernière plaisanterie de Jean Paré.

–D'abord, mes amis, j'aimerais en votre nom souhaiter la bienvenue dans notre groupe au couple formé par Maurice pis Marie-Jeanne.

On applaudit. Maurice sourit faiblement. Marie-Jeanne resta de marbre. Plusieurs hommes durent cacher un regard de convoitise quand leurs yeux tombèrent sur la jeune femme qui savait provoquer par une force inconnue, –son aura ou ses phéromones– même sans le moindre geste et dans la plus totale immobilité.

–Vous savez à quoi vous en tenir. Vous savez pourquoi vous êtes venus. Vous savez qui on est, nous autres, les 'frappeurs' du cinquième rang. D'aucuns ont l'inspiration du Saint-Esprit, nous autres, on a eu celle du père Thodore Morin. C'est ben beau le spirituel, mais itou, faut prendre ce que la vie nous permet de prendre. Pis qui fait de tort à 'parsonne'...

Hilaire coupa :

–Et qui nous étouffe pas par des règles faites par d'autres hommes et non par le bon Dieu.

–On a décidé de se rapprocher de la vraie nature. Ça compense pour la misère que la crise nous sacre en pleine face depuis un an sans savoir si ça va pas durer dix ans. C'est sûr qu'on doit se cacher pour faire ce qu'on fait. Pas parce qu'on a honte, mais parce qu'on se ferait garrocher des maudites grosses roches par les 'gensses' du presbytère pis par le monde ordinaire de Saint-Léon.

–Autrement dit, ça ferait scandale ! lança Francis.

–En plein ça, mon ami ! Mais... les reproches pis les remords, faut laisser ça dehors. En dehors de nos maisons. En dehors de nos vies. On se cache pour pas faire de mal à 'parsonne', mais nous autres, on pense qu'on fait pas de mal à 'parsonne'.

L'homme fit une pause et sonda du regard les visages et les yeux. Maurice chercha dans toutes ses fibres et trouva du courage pour briser la glace, à la surprise générale, disant d'une voix qu'on ne lui connaissait guère :

–Nous autres, on a essayé ça aujourd'hui, pis tout' c'est que ça nous a fait, c'est du bien.

Marie-Jeanne approuva d'un fin sourire et d'un léger signe de tête. Et ses paupières battirent pour exprimer son étonnement devant une conversion aussi spectaculaire, que celle de son mari à cette pratique nouvelle et exceptionnelle.

Hilaire prit la parole :

–Tout nous autres, on a tous fait des échanges déjà. Si quelqu'un a de quoi s'en plaindre, qu'il le dise ! Une chose est certaine, j'pense, c'est que personne vient de force aux réunions. Je vous dirai que le jour où vous sentirez une pression de la part de votre mari ou de votre femme, dites non pis restez su' vot' position. La liberté vient avant le plaisir pis elle doit venir avant ou ben y a pas de plaisir. Y a assez de choses dans la vie qui nous enchaînent de tous bords, tous côtés...

Maurice intervint une seconde fois :

–J'te dirai, Hilaire, qu'un p'tit coup de pouce au départ, comme pour moé à matin, ça nuit pas pantoute. Faire ça, c'est quasiment comme sauter dans un précipice sans savoir c'est quoi qu'il y a en bas. En tout cas, pour d'aucuns comme moé...

–C'est entendu ! Mais une fois qu'on a sauté, faut se sentir en toute liberté de continuer.

Tous applaudirent en guise d'acquiescement.

Et les Poulin venaient dans le rang.

Ils parlaient comme des pies.

S'exclamaient devant le soleil couchant au-dessus du lac *Miroir*.

–Va faire chaud demain à plein.

–Le soleil se couche dans le rouge.

On approchait de la maison Pépin qui se faisait tout aussi muette que celles des Paré et des Nadeau précédemment. Puis ce serait la maison d'école et la croix du chemin.

–Où c'est qui sont donc, tous les enfants ? Pas vu un p'tit Nadeau ni un p'tit Paré. Toé Phephine ?

–Ont peut-être été avertis de pas se mettre le nez dans les châssis.

–Des enfants, quand c'est tuseuls, ça fait à leu' tête. Les

Paré en ont huit, les Nadeau sept : où c'est qu'ils sont donc tout eux autres ?

Joséphine soupira :

–On peut toujours pas aller cogner aux portes pour le savoir.

Ce que les Poulin ignoraient, c'est que les familles avaient toutes été scindées plus tôt, à l'heure du souper. Un des plus vieux gardait les plus jeunes et les autres s'étaient rendus à l'école où ils passeraient la soirée jusqu'à dix heures sous la garde de Rose-Alma Bilodeau venue exprès du village, et que secondait Lorenzo Nadeau à la demande de Marie-Jeanne et Maurice. Les 'frappeurs' avaient ainsi créé, bien longtemps avant l'heure, une garderie qui leur enlevait, du moins momentanément, quelques liens modérateurs aux mains et aux pieds.

–Sont tous allés jouer aux cartes su' Rousseau, répondit Lorenzo sur le pas de la porte de l'école quand Josaphat vint frapper pour s'enquérir.

–Aux cartes ?

–Aux cartes.

–Ah ! As-tu compris, Phephine, c'est un 'euchre' su' Rousseau. Allons voir !

–Un 'youkeur' ?

–C'est ça, dit Lorenzo.

Le couple remercia et repartit. On avait appris que plusieurs enfants se trouvaient à l'intérieur sous la garde de la maîtresse d'école. À l'évidence, les 'frappeurs' étaient de mieux en mieux organisés...

Quand on reprit le chemin, Josaphat, qui marchait penché en avant, jeta :

–Un youkeur, imagine ! Ça sera les piques avec les coeurs pis les trèfles avec les carreaux.

–C'est ce qu'on va voir... si tu veux toujours continuer.

–Plus que jamais !

–Mais... si ils veulent qu'on embarque nous autres itou avec eux autres ?

–Es-tu folle ? On se mettra pas à coucher à hue pis à dia, nous autres. Nous vois-tu ?

–Ben... pourquoi pas ?

–Quoi c'est que tu me dis là ? Toé, tu ferais ça avec... Maurice ?

–À condition que toi, tu le fasses avec Marie-Jeanne, ben entendu.

–Ben là, tu me jettes en bas de ma chaise.

–Dis-moi donc pas que tu y penses pas des fois !

–Moé, ça ?

–Oui, toi.

–Y penser pis le faire, c'est deux, ça.

–Les commandements disent que c'est pareil. Péché de désir aussi pire que péché de plaisir !

–J'ai entendu dire que les Sauvages, dans le temps, ils se servaient pas rien que de... ce qu'on sert de coutume pour faire la chose... J'parle des sauvagesses itou.

Romuald, en disant cela, s'éloignait de son ascendance amérindienne et au fond, ne faisait que suggérer une réponse, qu'ouvrir une porte.

Marie se fit audacieuse :

–En d'autres mots, hommes comme femmes, on n'a pas rien que nos cuisses mais itou des mains et... une bouche.

Personne, pas même les gars en présence, n'aurait osé parler aussi directement. Toutefois, l'on applaudit aux quatre coins de la table et il y eut passablement de rires empourprés, quelque peu embarrassés. Les tabous malgré les échanges de partenaires déjà nombreux pour chacun ces derniers temps demeuraient tenaces, et le pouvoir de l'enseignement catholique important.

Et Marie reprit, le ton à la menace :

–À l'avenir, on va s'en servir, mais prenez-nous pas, les gars, pour des filles de joie. Pis les maris, soyez pas jaloux parce que votre femme fait avec un autre ce qu'elle a jamais fait avec vous autres.

Albert intervint :

–On appelle ça sortir des sentiers battus. Au lieu de tout le temps faire ça de la même saprée manière dans le but d'avoir des enfants, on fait de la variété pis de la nouveauté. On est pas obligés, parce que c'est la crise, de vivre notre vie en morts-vivants.

Hilaire enchérit :

–Mes amis, le plaisir fait partie du bonheur. C'est légitime de chercher le bonheur pour tout être humain; c'est donc légitime de chercher le plaisir.

–Pourvu que le plaisir soit sain, répliqua Albert.

–En douterais-tu à propos de nos nouvelles idées ?

–Pantoute ! glissa Maurice qui provoqua le rire de tous.

–Et comment ça ? C'est quoi ta nouvelle pensée sur nos p'tites veillées ? lui demanda son voisin Francis Pépin.

–Hilaire, Albert, vous avez tout dit dans quelques mots.

–Mais les femmes excepté Marie disent pas grand-chose. J'aimerais qu'on fasse un tour de table pour savoir comment chacune se sent dans ce qu'on fait ensemble... j'veux dire à faire partie des... 'frappeurs'...

C'est Jean Paré qui avait posé la question. Il regarda Angélina qui se sentit appelée à parler en premier, ce qu'elle fit sans se laisser tordre le bras :

–Ben moi, j'me sens bien là-dedans en autant que mon mari se sente bien aussi. D'abord qu'on est su' un même pied d'égalité pis que y a pas de cachotteries entre nous deux, j'ai aucune jalousie.

Elle ne disait pas tout. Elle n'avait pas eu d'enfants avec Francis, mais qui pouvait savoir si elle ne tomberait pas enceinte d'un autre. Encore qu'à ce propos, les hommes se déclaraient tous prêts à élever comme un des leurs l'enfant qui aurait eu pour géniteur un autre gars du rang.

–Toi, Blanche ? dit Jean Paré qui menait l'enquête.

–Tout est beau pour moi. On peut 'pus' s'en passer.

–Toi, Dora ?

Elle hésita puis débita rapidement :

–Moi, je crois en Dieu encore plus depuis qu'on le fait. Pourquoi ? Parce qu'il nous a donné la capacité d'avoir du plaisir pis qu'on s'en sert quasiment pas à cause d'une religion trop stricte.

–Et toi, Sophia, ma chère épouse ?

–Tu sais mon idée, mais je vais la dire aux autres. Je trouve que c'est une belle et bonne expérience, mais j'sais... qu'on court le trouble pis que le trouble, il va nous être fait par du monde en dehors de notre groupe. Peut-être quelqu'un du rang... peut-être quelqu'un du village... peut-être les prêtres... peut-être le bossu, mais lui, j'pense pas... peut-être j'sais pas trop qui...

Romuald trouvait l'échange verbal un peu long à son goût; il lui tardait de se retrouver au lit avec une des femmes présentes. Toutes lui plaisaient. Toutes excitaient son désir. Il s'était fait propre, il s'était fait beau, il se ferait tendre, attentionné. Il savait les femmes souvent plus sensibles au charme des hommes pas très beaux comme lui-même qu'à celui des grands séducteurs à la Clark Gable. Ou bien à la Rudolph Valentino que la mort avait emporté quatre ans auparavant, ce qui avait fait saigner des coeurs par toute l'Amérique. Surtout la crainte de Sophia pourrait être communicative et s'emparer des autres femmes voire de certains des gars présents.

–Vu que c'est à nous autres de mener le bal, je propose

qu'on demande au hasard de décider des couples d'à soir. Y a-t-il quelqu'un qui est de contre ça ?

Personne ne s'objecta. Tous approuvèrent de signes de tête et/ou de mots murmurés.

–Fais-nous ça, mon Romu ! On n'a pas de temps à perdre pis on veut pas veiller trop tard à soir parce que demain, c'est lundi, pis l'ouvrage attend personne.

–T'as raison, t'as ben raison mon ami Jean-Pierre... As-tu les boîtes, Georgette ?

La femme se rendit à la table du gramophone et en revint avec deux petites boîtes qu'elle mit devant son mari.

–Pas compliqué pantoute. Là-dedans, on a mis les noms de chacun des gars. Pis dans celle-là, les noms des filles. Je vais piger dans la boîte des filles pis celle que je prends va piger à son tour dans la boîte des gars. C'est lui qui sera son homme à soir. Sauf si elle pige le nom de son mari. Là, elle va piger une deuxième fois. Si les deux derniers se trouvent à être le mari pis la femme, on recommence le tirage à zéro. Même chose si on se ramasse avec deux couples croisés. On a décidé : pas de couples croisés. C'est-il correct pour tout le monde comme ça ?

Rumeur approbative. Aucune objection.

Le chien de la maison qu'on avait enfermé dans le hangar attenant à la maison jappa. Georgette déclara :

–Voyez, même *Fidèle* est content.

–Son problème, c'est qu'il est tuseul, lui ! blagua Hilaire.

Mais l'animal n'était plus seul en ce moment. Josaphat et sa femme venaient d'entrer dans cette pièce qui redevint ténébreuse quand ils refermèrent la porte. *Fidèle* n'avait pas tardé à reconnaître cet homme du voisinage qui l'avait apprivoisé par des caresses répétées et des propos rassurants depuis le temps qu'ils se connaissaient et se flairaient l'un l'autre, soit trois ou quatre ans.

–Salut, mon bon chien *Fidèle* ! Comment que ça va, mon *Fidèle* ?

Et Josaphat ne cessait de flatter le museau et la caboche de la bête tout en s'approchant de la porte intérieure où il avait dessein de coller son oreille pour savoir de quoi il retournait à l'intérieur. Lui connaissait les airs et n'avait pas de mal à se diriger dans la noirceur. Pour éviter que sa compagne ne trébuche, il l'avait prise par la main et Joséphine put, elle aussi, se mettre en position d'entendre ce qu'on disait dans la cuisine d'été des Rousseau.

On en était au premier choix de l'échange et les aboiements de *Fidèle* avaient vite été noyés dans l'oubli et la joie du moment. Romuald lança :

–Le nom, c'est... Angélina. À toi de choisir ton homme de la veillée, Angélina.

À travers des exclamations de joie, et la sienne propre qui enterra à moitié les autres, elle plongea sa main dans la boîte des gars, en sortit un papier, lut :

–Croyez-le ou non, c'est Maurice.

On cria. On rit. On applaudit.

Maurice dit :

–C'est pas de refus pantoute !

Josaphat glissa à l'oreille de Joséphine :

–Sont en train de piger des noms. Angélina Pépin va passer la soirée avec Maurice Nadeau.

–Ça veut pas dire qu'ils...

–Écoute, écoute, ça continue.

Marie fut désignée la suivante et pigea le nom de Jean-Pierre Fortier. Sophia pigea le nom de Romuald. Blanche celui de Jean. Marie-Louise celui de Joseph. Georgette serait avec Francis, Dora avec Hilaire et finalement Marie-Jeanne aurait pour amant du soir Albert Martin.

Romuald déclara, quand le tirage au sort fut terminé :

–Ça va chauffer dans la cabane à soir. Y a-t-il quelqu'un ou ben quelqu'une qui est pas content ou pas contente du choix du hasard ? Non, hein ? Asteur, on va encore faire un tirage, mais ça sera pour les chambres. Vous le savez, on a quatre chambres pour huit couples, ça fait quatre couples par chambre. Une est en bas, trois sont en haut. Pis si c'est pas assez, quelqu'un pourrait aller dans la 'shed à bois' avec le chien *Fidèle*. Mais j'pense pas que ça pourrait intéresser grand-monde de se tenir là... C'est pour les chiens pis les quartiers de bois...

Il s'esclaffa. De même que toute la tablée.

Dans son noir réduit, Josaphat maugréa, marmonna, murmura :

–Faire rire de moé, moé...

–Ils rient pas, ils savent pas qu'on est icitte.

–Nous autres, on le sait par exemple, maudit calâb !

Romuald demanda à sa femme :

–L'autre boîte.

Elle la lui apporta. Ils avaient mis huit papiers sur lesquels apparaissaient les numéros de un à quatre désignant chacune des chambres.

–Le un, c'est pour la chambre d'en bas. Un beau grand lit pour quatre. Le deux, c'est pour la chambre du fond en haut. Un lit pour deux enfants mais va falloir vous arranger avec ça, ceux qui l'auront. Le trois, c'est pour la chambre du milieu : deux petits lits simples. Pis le quatre, c'est pour la grande chambre du bord. Deux lits. Deux bons lits.

Hilaire intervint :

–Voulez-vous ben me dire vous autres comment ça se fait que vous avez quatre chambres meublées pis que vous avez eu pour famille rien qu'un enfant, Arthurette, qui est partie de la maison ça fait un bout de temps ?

–C'était de même quand j'ai acheté du vieux Archelas St-Pierre. On a régrandi le bas, mais le haut, on l'a pas touché.

C'est ben utile pour la visite. Pis... peut-être que c'était écrit dans les étoiles qu'il fallait que ça soit de même... Pour nos réunions de 'frappeurs'... C'est que vous en dites ?

On applaudit. Hilaire commenta :

–C'est certain que c'est pour ça. Le bon Dieu aura dit : on va leu' faire le lit, ils auront pus rien qu'à se coucher dedans.

Dans les ténèbres du petit hangar, Josaphat s'insurgea à voix basse :

–Ça offense le bon Yeu pis ça dit que c'est la faute au bon Yeu...

–Ben non, c'est pas ça qu'ils ont dit pantoute.

–Non, mais ça revient au même. Un revient à l'autre pis l'autre revient pas...

–Qui c'est qui pige en premier ? Quen, toé, Blanche.

Elle déclara son numéro : le deux. Et le processus se poursuivit. Le un échut aux couples Dora/Hilaire et Georgette/Francis. Le trois à Marie-Louise/Joseph et Angélina/Maurice. Le quatre à Sophie/Romuald et Marie/Jean-Pierre. Quant au second numéro deux, il fut attribué par le hasard à Marie-Jeanne/Albert.

–C'est fait ! déclara le meneur de jeu. Asteur, si quelqu'un a besoin d'un plat d'eau, de serviettes, de linges ou de savon, on a tout ce qu'il faut là, dans la cuisine d'hiver, su' le comptoir à côté de la pompe à l'eau. Y a-t-il des questions ?

Personne ne répondit, et déjà les chaises déplacées se firent entendre alors que les nouveaux couples du hasard se formaient pour une heure ou plus de plaisir défendu.

Tacitement, l'on savait et l'on acceptait que chacun puisse refuser son corps ou simplement sa participation totale dans l'acte pour des raisons d'indisposition. Car il était peu probable que seize personnes soient toutes dans une parfaite forme. Il pouvait se trouver des femmes indisposées ou bien un malaise quelconque qui afflige une des personnes présentes. L'on savait aussi que cette retenue de certains ou certaines n'aurait rien à voir avec son adhésion générale à la pratique de l'échangisme.

Il y eut quelques effusions par certaines personnes dont Marie et Jean-Pierre, Georgette et Francis, et, plus discrètement, par Marie-Jeanne et Albert, puis les couples se dirigèrent vers les chambres désignées, d'aucuns apportant avec eux un nécessaire à lavage comme l'avait offert Romuald à tous à la fin de la pige des numéros de chambre.

Tout se fit sans heurts, sans peur, si sereinement qu'un observateur aurait pu prendre ces seize personnes pour des possédés du diable sous l'emprise de leur chair en chaleur et de leurs moeurs débridées.

–Pire que des animaux ! marmonna Josaphat dans sa nuit noire.

–C'est qu'on fait asteur ?

–Écoute, Phephine, on peut pas laisser faire ça. On est des catholiques ou ben on l'est pas. Malheur à ceux par qui le scandale arrive ! C'est dans l'évangile, ça.

–On peut toujours pas les empêcher de...

–On va attendre dix, quinze minutes pis après, on va aller voir c'est qu'il se passe.

–Es-tu fou ? Rentrer dans les chambres à coucher ? On va se faire jeter dehors. Ensuite, pus personne voudra nous voir dans le cinquième rang.

My dreaming of you commença de se faire entendre dans la cuisine d'été. Georgette avait voulu que Gene Autry accompagnât les couples de sa voix lancinante et rassurante, et qui dodinait les coeurs comme une chaise à bons berceaux les corps le soir au coin du feu.

–Ça sera la possédée de Saint-Évariste qui aura laissé un ou deux démons dans le cinquième rang l'autre soir.

–Es-tu fou, Josaphat, de penser des folies de même ? Pas de bon sens...

–Je le sais-tu, moé, comment ça se fait que nos voisins se

conduisent de même.

–Ça serait pas parce qu'ils ont envie d'autre chose que tout le temps la même chose ?

–Phephine, coudon, y penses-tu ? C'est péché mortel, ce qu'ils vont faire, eux autres. Sont seize, ça fait seize péchés mortels dans la même veillée. Des plans pour que le tonnerre tombe su' la maison.

–La *Brune* à Couët avait-il fait un péché mortel pour que le tonnerre y tombe su' la tête, elle ?

–C'est peut-être que la *Brune* a payé pour le crime de tout ce monde-là, là... Pis le bossu pleure sa p'tite jument asteur. Pour moé, y a un démon dans le rang. Ça me surprendrait pas pantoute. Y a rien que les Goulet pis nous autres en dehors.

–Mais... ça dit pas c'est qu'on va faire.

–J'te l'ai dit : on attend dix minutes pis ensuite, on va voir. On va les prendre les culottes baissées. Tu vas voir que le vice, moé, j'dévisse ça, c'est pas long. Tu sauras ça, maudit calâb'...

Il se fit une pause dans la noirceur silencieuse. *Fidèle* s'était remis à sa somnolence. Josaphat et Joséphine réfléchissaient. Elle ne croyait pas en sa sincérité. Et un geste de son homme l'interpellait. Elle demanda :

–Pourquoi c'est faire que t'as voulu qu'on se lave ben comme il faut avant de venir ? T'avais pas quelque chose derrière la tête toujours ?

–Es-tu folle ? C'est parce qu'au téléphone, Dora pis Georgette disaient qu'il faut être propre pour venir veiller icitte.

–Rien que ça ?

–Tu penses pas toujours que j'voudrais embarquer dans la cuve avec eux autres, là ?

–C'est pas ça que j'ai dit...

–Aussi ben oué...

L'homme colla son oreille au bois, et le seul bruit entendu fut celui de son propre coeur. *Fidèle* et Phephine furent oubliés pendant un moment. Josaphat était tiraillé par deux démons : celui de sa chair contre celui de sa religion. Tous les 'frappeurs' avaient vécu de pareil moments d'une certaine anxiété depuis leur abandon des règles établies en matière de sexualité humaine; et tous, avec le soutien moral des autres, soutien explicite ou tacite, avaient traversé, sans jamais reculer, ces heures de doute inévitables. Plus ils naviguaient dans l'inconnu, plus ils l'apprivoisaient, et plus leur nouvelle pratique leur paraissait heureuse sans rien d'abominable s'y rattachant.

Josaphat sursauta. Une langue venait de lécher sa main. Il sut aussitôt que c'était *Fidèle* arrivé en silence. On ne pouvait donner meilleur nom à un chien que celui de *Fidèle*, songeait l'homme en flattant à tâtons le museau de la bête. Et ce faisant, il se donnait des pensées rassurantes. La voilà, la plus grande valeur en ce bas monde : la fidélité. Fidélité à sa religion, à sa patrie, à son couple, fidélité aux élus, aux États, aux clercs, fidélité aux coutumes, aux traditions, aux pratiques admises, fidélité au voisinage... au bon voisinage, fidélité aux sentiers battus, aux aînés, aux ancêtres, fidélité à sa femme, à ses parents, à ses enfants, fidélité à l'Évangile, à la vérité, au bon Dieu, fidélité aux commandements, aux ordres, aux diktats, fidélité aux rites approuvés, aux lois établies, aux mouvements de masse, fidélité à la mode nouvelle, à la résignation devant le malheur, aux us et normes, fidélité à ceci, cela et puis ça... Il fallait toutes ces fidélités pour être soi-même... Voilà à quoi songeait Josaphat Poulin en caressant la caboche à *Fidèle*. Et tous ces gens du cinquième rang devenus fidèles à eux-mêmes plutôt qu'à ceci, cela et ça, quel dérangement, quel dérapage, quelle chute en bas de la montagne de la *Craque* !

Ils se briseraient les os.

Il fallait intervenir pour les en empêcher.

Il mit sa main sur la clenche de la porte, la souleva, ouvrit doucement, glissa un regard à l'intérieur. Pièce déserte. Plus personne. Il lui fallait se dépêcher avant que le péché ne se déchaîne et ne se répande dans cette maison comme une espèce de grippe espagnole. Et surtout avant que d'autres n'en attrapent le mal contagieux...

***

Chapitre 23

Le curé voyait tout, mais ne se sentait guère en contrôle.

Que s'était-il passé dans la chambre du cardinal quand la servante s'y était rendue et y avait passé un temps trop long pour simplement livrer du thé ?

Si la jeune femme s'était plainte de lui, de son attitude récente envers elle, inutile de la questionner, elle resterait muette comme une carpe. Il fallait donc attendre un mot, un avertissement direct ou voilé du cardinal. Et là, il saurait. Et si elle avait révélé quelque chose, il s'arrangerait pour la congédier sous un prétexte à imaginer afin de tout camoufler. Et peut-être, qui sait, trouver une nouvelle servante plus complaisante.

Mais le cardinal n'avait rien dit. Pas la moindre allusion. Pas même une lueur dans le regard quand le curé lui avait demandé si le thé de Cécile était chaud à son goût. Le secret lui parut bien gardé. On soupa à trois. Rien d'étrange, d'inusité n'apparut dans la manière de servir de la jeune femme. Le prélat avait repris du poil de la bête. Il ne parla pas de son angine du jour. Mais son teint était cadavérique. Le vicaire s'était inquiété, enquis de son état. Le cardinal avait déclaré avec ostentation qu'il se sentait 'dangereusement' en forme.

Puis était venu le moment de partir. Il parut étrange au curé que la servante choisisse ce moment pour s'en aller aussi. En fait, elle choisit pour son départ le moment où le cardinal s'apprêtait à le faire lui-même, ce qu'elle avait su par le chauffeur.

La jeune femme quitta dans la brunante tardive après avoir demandé au curé si tout était à son goût et lui avoir dit qu'elle avait terminé ses tâches du soir, ce qu'elle faisait chaque fois qu'elle quittait les lieux pour la nuit.

Elle emprunta l'allée bordée d'arbres le long de l'église sans se rendre au bout à la rue principale. Et se mit en embuscade à côté du petit escalier de ciment donnant accès à la sacristie. La jeune femme désirait jeter un dernier regard au prélat, espérant qu'il puisse lire dans ses yeux sa reconnaissance et sa confiance.

L'abbé Lachance aperçut de loin la femme s'arrêter et s'adosser au mur qui reliait la sacristie à l'église proprement dite, deux bâtisses jouxtées. Il sourcilla. Car le cardinal venait d'endosser sa mante noire, signe qu'il allait partir à son tour dans la minute, ce que confirmait sa voiture en marche au pied du large escalier du presbytère.

–Eh bien, Votre Éminence, êtes-vous pleinement satisfait de votre journée, à part, bien sûr, votre malaise passager ?

–On ne peut mieux, mon cher curé. Cette paroisse, surtout ce cinquième rang de piété, de dévotion, de foi en Dieu m'ont beaucoup édifié. Les Goulet : quelle belle famille ! N'est-ce pas, monsieur le vicaire ?

–Une belle parmi les belles... que cette famille. Vous avez bien raison de le dire...

L'abbé Morin avait songé à Désirée au début de sa phrase, puis avait enterré cette pensée par l'autre partie.

Le curé reprit la parole :

–Mais il y en a d'autres qui sont d'une fidélité aux commandements, d'une ferveur à l'église... Les Morin par exemple... monsieur Hilaire et son épouse Blanche.

–Sans oublier le vieux monsieur Théodore, ajouta le vicaire.

–En effet, il est un de nos vieillards les plus émérites.

–Pour ne pas dire énergiques, plaisanta l'abbé Morin.

–Je n'ai pas eu le bonheur de le voir là-haut. Bien entendu, il ne doit plus posséder les forces requises pour se rendre sur la montagne.

–À 88 ans, je ne pense pas.

–Mais monsieur Couët m'a beaucoup impressionné. Quel homme courageux ! Quel homme malchanceux ! Ah, mais le bon Dieu et surtout la Vierge Marie ne l'abandonnent pas, j'en suis certain. J'ai d'ailleurs beaucoup prié pour lui alors que j'étais allongé dans sa... mas... maison.

Le vicaire dit avec fierté :

–Avec l'argent pour se procurer un nouveau cheval, il va passer un très bel hiver.

Le curé dit :

–Il est seul, mais il sait être seul. Il est malformé, mais il sait composer avec ce malheur. Il est là, tout son courage.

–Il ne nous est pas demandé ce que nous ne pouvons pas donner. À ne jamais oublier cette parole d'Évangile !

–L'Évangile, avec les commandements, constitue notre guide de tous les jours, commenta le curé.

–Là-dessus, je vous quitte.

Chacun des prêtres baisa l'anneau et le prélat, précédé du vicaire qui lui ouvrit la porte, sortit sans rien ajouter.

On le salua. On le remercia. On l'invita à revenir. Alors il se tourna pour jeter à ses prêtres un regard d'adieu. Puis, au pied de l'escalier, avant de pénétrer dans la voiture, il regarda le presbytère éclairé par deux ampoules électriques avant de s'engouffrer dans l'auto noire que délinéamentait la brunante avancée.

–Bon retour, monsieur Georges, lança le curé au chauffeur qui était à contourner le véhicule pour prendre sa place au volant.

–Je vous remercie et vous salue. Et vous aussi, monsieur le vicaire.

–Bon voyage !

Le vicaire rentra. Il avait du travail à finir dans son bureau. Le curé resta sur le perron, scrutant le soir sombre de son oeil de glace.

Cécile délaissa le mur et s'approcha de l'allée. Le curé put apercevoir sa silhouette à cause des phares de la voiture. Il rentra pour donner le change, mais garda un oeil entre les motifs de la vitre.

L'auto s'arrêta. Il parut au curé que le cardinal en avait donné l'ordre. Et il le vit dire un mot à la jeune femme par sa vitre abaissée. Il ne put que supputer et attendre de voir combien de temps leur échange durerait. Ce fut fort bref. À peine quelques mots du cardinal :

–Mes prières vous accompagnent, chère Cécile.

–Merci, Votre Éminence !

Le prélat fut surpris de se faire appeler ainsi par quelqu'un d'aussi modeste. Les gens du peuple lui disaient pour la plupart 'monseigneur', et il ne s'en formalisait pas, car l'appellatif contenait bien autant de respect que l'autre, plus approprié celui-là vu la pourpre cardinalice.

–Je vous bénis.

Cécile se signa. Le curé comprit. Il tourna les talons. Des tâches cléricales le réclamaient lui aussi.

Puis la voiture continua son chemin. Le cardinal dit au chauffeur :

–Il me semble que je devrais faire un petit tour dans le cinquième rang... C'est comme si la Vierge Marie m'y demandait. Voulez-vous, Georges, vous y rendre ?

–Il commence à être tard. Le mieux pour vous, ce serait de vous reposer au plus tôt, vous ne pensez pas ?

–Il nous faudra à peine un quart d'heure de plus.

–En ce cas, fermons toutes les vitres pour que la poussière du chemin entre le moins possible dans la voiture.

–Bien entendu ! Bien entendu !

Georges se demandait quelle était la véritable raison qui poussait le cardinal à vouloir retourner dans le cinquième rang de cette paroisse de l'arrière-pays. Voulait-il renouer encore avec son passé du temps de l'enfance et de l'adolescence ? Mais comment faire alors que le soleil achevait d'enfermer la terre dans la prison des ténèbres ? La femme Goulet l'avait-elle impressionné à ce point qu'il veuille payer une nouvelle visite au couple ? Ou bien avait-il l'intention de faire à quelqu'un une surprise de taille ? Peut-être qu'il voulait exprimer sa reconnaissance au bossu pour l'avoir hébergé en un moment de grande angoisse ?

Il ne savait pas toujours à quoi s'attendre avec son passager, surtout en voyage. Le cardinal aimait surprendre les gens ordinaires, leur montrer son affection à travers sa considération. Et il se faisait un devoir de visiter les malades au moins une fois la semaine. Peut-être qu'il voulait le faire. Mais qui donc aurait pu être malade dans un rang d'aussi jeune monde ? Car le seul vieillard dont il avait été question était le père Théodore Morin, et on avait dit qu'il pouvait encore battre pas mal de plus jeunes à scier du bois ou marcher en raquettes.

Le cardinal, lui, songeait à la servante du curé. Il regrettait le plaisir qu'il avait eu à la toucher. En même temps, il se félicitait de ne l'avoir point effrayée. Tant mieux si elle avait pris ses gestes pour ceux d'un père aimant ! Mais il ne pouvait intervenir auprès du curé. D'abord, il était lié par le secret de la confession, puisque Cécile avait révélé ces 'attentes' de l'abbé Lachance au cours de la Pénitence. Et puis, la servante n'aurait qu'à se faire moins provocante dans sa démarche, comme il le lui avait recommandé...

On arrivait en vue du cinquième rang aux dix maisons illuminées. En fait, les fenêtres apparaissaient comme des lumignons dans le lointain, puisque l'électricité ne courait encore que dans les villages et que l'éclairage dans les rangs ne se faisait toujours que via des lampes à la karassine et des lanternes au même pétrole lampant.

Georges n'aurait pas pu imaginer qui étaient les gens vivant dans chaque demeure. Il en avait connu quelques-uns sur la montagne, mais ignorait où se trouvait leur ferme précisément dans ce rang. Quant au cardinal, à part les Goulet où l'on s'était arrêté durant la journée, on avait eu beau lui donner des noms de cultivateurs à mesure que l'on progressait dans le rang, il n'en avait gardé aucun en mémoire.

–Allez tourner au fond du rang, mon brave, s'il vous plaît.

L'une des pensées de Georges avait été la bonne : l'archevêque voulait payer au bossu Couët une visite de reconnaissance. Tout était calme chez les deux premiers habitants du rang, les Goulet et les Fortier. Tout était encore plus calme chez les Rousseau, la troisième ferme. À croire que personne n'était là alors pourtant que neuf couples du rang s'y trouvaient, qui, pour huit d'entre eux, commençaient dans les chambres à se donner du plaisir et à en prendre tandis que le neuvième avançait sur le bout des pieds vers l'escalier menant au second étage.

"Des Morin, mais sans lien de parenté avec moi," avait dit le vicaire durant leur voyage d'arrivée à la montagne ce jour-là. Puis il avait nommé les suivants : les Roy, l'école suivie des Pépin, ensuite les Paré, les Nadeau, les Poulin et enfin les Martin.

Quand on parvint à l'autre extrémité, Georges dit :

–On peut pas aller plus loin, et vous pouvez toujours pas marcher pour vous rendre chez le bossu. On a beau avoir un fanal...

–Qui a dit que je voulais aller chez monsieur Couët ? Et puis, je vous demanderais de ne point désigner ce pauvre homme sous le nom de 'bossu'. Quelle affliction !

Au bout de quelques secondes de réflexion, le chauffeur dit, la voix mesurée :

–Ben... j'pensais qu'un bossu est un bossu.

–Un bossu ne l'est pas dans l'âme.

–Vous venez de dire 'bossu' vous-même.

–C'était dans une phrase explicative, suite à votre propos, mon cher Georges.

–Du monde bossu dans l'âme, ça existe ?

–En effet ! Les voleurs, les assassins, les impurs... Mais il ne se trouve aucun voleur, aucun assassin, aucun être impur dans une aussi belle paroisse rurale.

–Il ne se commet pas de péchés par ici ? Je croyais que nous sommes tous des pécheurs.

–Les fautes mortelles, surtout celles de la chair, doivent se faire bien rares chez des cultivateurs bons catholiques, vaillants, travaillants, énergiques comme ceux qui, avec tout leur coeur, ont érigé une chapelle comme celle de la montagne.

–J'en doute pas... Bon, je 'revire' de bord et on retourne à Québec ?

–Nous allons nous arrêter chez un de ces cultivateurs... je ne sais pas encore lequel. Retournons, je vous dirai quand vous arrêter, mon brave. La Sainte Vierge guidera mes pas...

–C'est ben beau ! fit Georges en tournant le volant.

Et qui pensa immédiatement aux Goulet... et à la trop belle Désirée...

***

Chapitre 24

Qui donc, dans les quatre chambres d'échangistes, aurait pu deviner en de pareils moments de plaisir la menace qui pesait sur la maison Rousseau. Il y avait un risque double, quasiment à l'égal de la foudre.

On ne savait pas que Josaphat Poulin s'apprêtait à les surprendre, à les accuser, à les juger, à les dénoncer, à les clouer au pilori. Son intention n'avait aucune odeur qui puisse alerter les fêtards. Pas même *Fidèle* et son pif ne l'auraient détectée.

Et pourtant, des nuages s'amoncelaient. Il y avait l'impensable là-bas, sur le chemin du cinquième rang. Il y avait le cardinal Rouleau dont la voiture roulait à petite vitesse et qui s'arrêterait peut-être à la maison de luxure. Par ses souffrances du jour, le prélat avait peut-être déjà racheté les terribles péchés de tout ce monde dépravé, mais le bon Dieu pouvait lui en demander encore plus et le guider vers l'antre du mal afin d'y mettre fin et bon ordre à la manière de Moïse revenant de la montagne pour trouver son peuple en train d'adorer le veau d'or. Certes, le cardinal ne disposait pas de tables de loi entre les mains pour exprimer sa colère fracassante, mais il pourrait casser de la vaisselle pour expulser son profond dépit...

Josaphat gravit quelques marches. Heureusement, les 'frappeurs', pour mieux cacher leurs joyeux ébats, avaient laissé en bas les quatre lampes de la maison, deux dans chaque cuisine, et cela permettait à l'espion qui venait du fond du rang de progresser plus prudemment dans sa quête d'évidences.

Toutefois, quelques rais de lumière gravissaient déjà les marches de l'escalier pour jeter dans la première chambre dite la numéro quatre une lueur ou deux suffisant à ceux qui s'y trouvaient pour se voir en ombres chinoises.

Les femmes en présence, toutes deux enceintes, s'y étaient trouvées plus tôt, couvertes par le conjoint de l'autre; mais là, Sophia et Marie avaient pour nouveaux partenaires Romuald et Jean-Pierre. On en était au stade des approches, et les hommes ne cessaient de parler pour endormir leurs propres velléités de retenue et rassurer leurs compagnes du soir.

–Vous êtes pas trop fatiguées de tantôt ? demanda Romuald après du petit bavardage.

Marie répondit :

–Ça nous prend plus que ça, hein, Sophia ?

–Tu parles.

Ces mots simples aiguillonnèrent les mâles de la pièce. Et leur silence en dit long sur leurs intentions et leurs gestes. Les dames aussi se turent pour recevoir des caresses invisibles.

Josaphat dit à l'oreille de sa compagne qui le suivait à chaque pas, chaque marche :

–As-tu entendu ? C'est quoi qu'ils ont voulu dire ?

–Sais pas.

–Viens, on monte. Je sors une allumette pis je vas l'allumer en arrivant en haut... Pis là, ben on va voir c'est qu'on va voir...

L'auto du cardinal passa lentement devant la maison des

Martin, arriva à la hauteur de celle des Poulin...

–Allez voir qui se trouve ici, mon brave. Et annoncez ma brève visite...

Le chauffeur devait frapper, entrer, héler. Il le fit et revint la bouche vide :

–Personne !

–Partons !

Dans la chambre numéro un, celle d'en bas où s'étaient rendus les couples Georgette/Francis et Dora/Hilaire, une voix se manifesta :

–J'ai ben cru entendre quelque chose, moi.

C'était Dora.

–Pas moi, dit Georgette qui n'était plus revêtue que de l'obscurité de la pièce.

–Ça sera quelqu'un d'en haut qui sera revenu quérir de l'eau, pensa tout haut Hilaire.

–J'sais pas... mon nez me dit que c'est autre chose.

Francis lança :

–Dis-moé pas, Dora, que ta conscience te fait entendre des voix asteur !

–C'est pas ma conscience... on aurait dit une clenche de porte tout à l'heure... pis là, un plancher qui craque de l'autre bord.

Hilaire se demandait comment il pourrait amener sa compagne à d'autres pensées que celles de l'inquiétude. Ou bien il ne serait guère possible de se faire vraiment plaisir.

Certes, le plaisir était déjà au rendez-vous étant donné la situation, vu l'échange, vu le confort moral que chacun ressentait de savoir qu'il n'était pas seul à faire un pied de nez au neuvième commandement. Une fois dans la chambre, on avait fait un autre tirage au sort et le lit avait échu à lui et Dora tandis que l'autre couple devait se contenter du plancher. Mais quel plancher ! Georgette, avant de refermer la porte, avait étendu par terre deux couvertures, une catalogne et une magnifique peau de mouton, le tout servant de lit aussi confortable que l'autre.

Il fut donné ensuite à chacun de savoir ce que les autres faisaient, uniquement par les bruits entendus. Il y avait eu des soupirs, des petits gémissements, des semblants de grognements. Francis imaginait que Dora s'activait sur Hilaire et sûrement avec sa main puisqu'on venait de commencer à se lutiner. Et aussi en raison des échanges verbaux à table plus tôt. Marie avait suggéré à tous de s'amuser avec autre chose que leurs organes génitaux, d'utiliser d'autres outils...

En fait, Marie connaissait le tabac, se disait-il. Elle avait été la première femme du rang qu'il avait connue intimement. Ça s'était passé dans le parc à glace. Avec ses mains et ses doigts tambourineurs, elle avait exprimé son désir tout en dispensant le plaisir : combinaison magique pour un homme désireux d'atteindre les plus hauts sommets.

Tout en caressant le corps invisible de Dora, cet homme d'expérience et d'attention se rappelait du deuxième échange qu'il avait connu. C'était avec les Paré, et il avait 'couvert' la belle et tendre Sophia au ventre rebondi. Cela s'était passé dans la grange des Pépin l'autre dimanche. On avait ri à cause du foin qui chatouille. On avait parlé de l'enfant en gestation qui devait lui aussi ressentir des joies et des plaisirs plutôt que des larmes et de l'angoisse à penser à la crise et sa fille aînée, la misère noire.

Et puis la Marie-Louise qui possédait à un haut degré l'art d'aimer. C'est de la même ardeur dont il avait fait preuve avec elle pendant ce troisième échange de partenaires qui avait eu lieu dans la maison des Pépin... Puis Hilaire se souvint que cela s'était passé avec elle non pas après l'échange qui lui avait offert Sophia mais avant, ce soir de la rencontre de cinq couples dans la maison des Pépin.

Ensuite, il avait connu Georgette. Une femme qui ne laissait pas sa place dans l'intimité. Elle était celle qui embrasse le mieux et avec le plus de fougue. Mais hélas ! le vicaire, amenant avec lui la foudre du ciel, s'était présenté dans la porte de la chapelle, et il avait fallu interrompre la montée vers les hautes sphères de la félicité.

Et voici qu'en une même journée, la vie lui donnait Marie-Jeanne et Dora. Deux femmes situées aux extrêmes, à l'opposé l'une de l'autre. La première, pulpeuse, provocante, masculine sur les bords et qui, la veille même, avait absorbé la vertu du vicaire, pauvre victime qui semblait tout ce dimanche rongé par le remords là-haut, sur la montagne. La seconde, à la fois très pieuse et fort sensuelle, et pourtant toujours inquiète... comme maintenant.

–Je vas aller voir dans la cuisine, annonça Georgette qui délaissa l'alcôve un moment pour rassurer sa voisine par trop anxieuse.

Comme inspirée par Hilaire, elle se souvint des échanges auxquels son couple avait participé depuis leur adhésion au groupe, tout en quittant la chambre dont elle laissa la porte entrouverte. L'entendant, Josaphat et Joséphine se plaquèrent au mur tous deux, le coeur battant, le cheveu immobile, le pied interdit.

Il aurait fallu que Georgette tournât la tête vers sa gauche pour voir dans l'escalier, mais elle la tourna vers la droite pour se rendre dans la cuisine d'été. *Fidèle* la sentit venir et aboya dans son réduit à bois. Elle le rabroua :

–Tais-toi, *Fidèle*, pis dors ! On veut pas de toi en dedans, t'as compris.

Elle prit un petit bout de bois qu'elle glissa au-dessus de la porte sans penser que des êtres humains aient pu franchir cette porte quelques minutes auparavant. Et elle rebroussa chemin en caressant les mêmes pensées agréables que l'instant d'avant.

Le premier échangiste qu'elle avait connu était Hilaire sur la montagne. Mais il y avait eu l'orage, le vicaire, la mort de la *Brune*... Une soirée dantesque !

Puis elle avait connu Joseph ce jour même. En plein matin d'un plein soleil. Cet homme puissant lui avait fait connaître des extases pour elle inconnues jusque là. Mais elle s'était gardée de trop le louanger devant Romuald pour ne pas rendre son mari jaloux. Bien au contraire, quand elle avait eu la chance de lui en parler, elle lui avait soufflé à l'oreille que le meilleur, c'était encore lui et qu'il le serait toujours. "Faut surtout pas dire ça à Joseph !" "Es-tu folle, ça se dit pas, des affaires de même !"

Et voici qu'elle couchait avec Francis Pépin. Ils avaient eu le temps de se caresser mutuellement sur la peau de mouton après s'être dévêtus dans le noir. Mais Dora avait imposé une pause de prudence par son excès de prudence.

Et Georgette regagna la chambre sans voir les Poulin que silhouettaient nettement les lueurs issues des lampes des deux cuisines.

Mais eux l'aperçurent dans toute sa nudité sombre. Josaphat en fut sidéré, lui qui n'avait jamais vu de poitrine de femme autre que celle de sa Joséphine, plus modeste, et donc, pour lui, moins excitante, fut soudainement attaqué presque envahi par le goût du péché. Mais, en homme vertueux et rempli de courage et d'abnégation, il le repoussa, le refoula, le musela, ce désir intempestif, comme s'il s'était agi du chien *Fidèle* devenu soudain enragé et cherchant à le mordre.

–Suis-moé, on repart, dit-il tout bas à sa compagne.

–Votre Éminence, voulez-vous que je m'arrête devant la croix du chemin ? Nous y sommes presque.

–Non, mon brave. Une croix, j'en ai une sur le coeur, j'en ai quantité dans le coeur et celle-ci ne m'intéresserait que s'il y avait des fidèles aux alentours. J'ai su que monsieur le vicaire Morin venait parfois y réciter le chapelet : c'est tout à son honneur et à celui de ces gens si chrétiens du cinquième rang. Non, nous allons nous arrêter plus loin. Je ne sais pas encore. La Vierge me guidera dans ma décision, vous verrez, vous verrez bien... Continuons...

Josaphat reprit son ascension. Et quand il sut que la moitié de son corps se trouvait dans la chambre du plaisir, il s'arrêta pour tout examiner par les seuls bruits entendus mais aussi des formes dessinées quelque part entre le gris et le noir, et qui révélaient deux couples en pleine action.

L'homme se demanda qui, des personnes se trouvant là, et dont il ignorait le nombre et l'identité, ne cessait de répéter 'oui' comme s'il s'agissait d'un Avé en résumé.

Jean-Pierre couvrait Marie sur un lit. Romuald et Sophia étaient étendus et imbriqués, l'homme derrière la femme. Mais Josaphat ne pouvait bien distinguer ce qui se passait exactement. Il y avait sexualité coupable en tout cas à son sens à lui. Il intervenait trop tard.

–Trop tard, lui souffla Joséphine.

–Jamais trop tard !

Et il craqua son allumette.

Le spectacle impensable et pourtant qu'il avait aisément imaginé apparut devant son regard démesurément grand. Pas plus Marie que Jean-Pierre ne furent dérangés par cette lumière dansante. Submergés par la jouissance du moment, ils crurent que Romuald avait produit cet éclairage momentané et ils s'en fichaient totalement.

Josaphat et sa femme furent à même de voir la copulation à laquelle s'adonnaient Sophia Paré et Romuald Rousseau. Par bonheur, il n'y avait pas de nudité complète de la femme, et l'acte, ainsi, paraissait moins disgracieux vu ce ventre plein qui aurait dû commander la prière et non pas les ébats du genre.

Vissé à sa partenaire et à son plaisir, Rousseau ne trouva

rien d'autre qu'un large sourire à offrir à l'intrus que, de toute manière, il ne reconnaissait pas à cause de cette flamme nerveuse tenue à hauteur des yeux.

Quant à Sophia, elle crut qu'il s'agissait de quelqu'un des chambres 2 ou 3. Ce serait peut-être Blanche, Jean, Marie-Jeanne, Albert, Marie-Louise, Joseph, Angélina et même Maurice. Elle referma les yeux au bout de deux ou trois secondes de léger questionnement. On était entre 'frappeurs', qu'avait-on à craindre ? Et puis l'heure n'était guère à la pudeur...

Les mots pour blâmer restèrent figés derrière les dents de Josaphat. Et, dans son dos, Joséphine, immobile plus que lui, regardait les amants du soir, l'oeil allumé par la flamme tenue par son mari.

Jean-Pierre, sur l'autre lit, n'était dénudé que jusqu'à la taille, et un drap recouvrait le reste de son anatomie qui se démenait comme s'il eût été un cycliste en train de gravir une longue pente douce. On ne voyait guère le corps de Marie à l'exception de sa dense chevelure au brun assombri par le clair-obscur baignant toutes choses de la pièce.

–Allons plus loin ! trouva à dire Josaphat à l'oreille de sa compagne suiveuse.

Et, alors que dans les deux lits, on se désintéressait complètement d'eux, Josaphat la fouine poursuivit vers l'une des chambres du fond. Il en savait deux par là et les visiterait toutes les deux. Ce fut tout d'abord la plus près de la chambre quatre. Il en tourna la poignée et poussa la porte. Mais le feu de l'allumette lui brûla les doigts, et il dut la jeter par terre avant que la moindre lueur n'ait eu le temps de pénétrer à l'intérieur. Qu'à cela ne tienne, il ne manquait pas d'allumettes dans ses poches. Il en prit une autre, la craqua de son ongle.

Ce fut comme s'il avait devant lui quatre cadavres. Des corps nus, pâles, immobiles. Deux hommes, deux femmes. Un couple sur un lit. Un autre par terre sur des couvertures épaisses, laineuses.

–Qui c'est ? demanda une voix féminine.

–Nous autres ! fit sèchement Josaphat.

Dans le cerveau des échangistes vinrent le nom et le visage d'un autre échangiste. Quelqu'un des autres chambres comme l'avait cru Sophia la minute d'avant. Pour Marie-Louise, ce devait être Hilaire. Pour Joseph, c'était sûrement Romuald. En la tête de Maurice, qui cela pouvait-il être sinon sa Marie-Jeanne ? Et Angélina crut bêtement que le visiteur était une femme, en fait Georgette, la maîtresse de maison venue prendre un drap ou quelque chose d'autre de nécessité du moment.

Il y avait beaucoup de nudité dans cette pièce. Par terre, côté droit du lit étaient étendus Marie-Louise et Joseph. Les deux sexes étaient visibles et luisants, signe d'usage récent. Joséphine voulut faire sortir un chat de sa gorge et sa voix força Angélina à ouvrir les yeux. Mais c'est son compagnon de lit qui parla :

–C'est toé, Marie-Jeanne ?

–Oué, dit Joséphine à voix grossie.

–Comme tu vois, j'me sus accoutumé vite.

Joséphine ne répondit pas. Josaphat laissa tomber l'allumette et la piétina. Personne n'avait eu le temps de le reconnaître.

–On va dans l'autre chambre pis c'est là que ça va brasser, souffla-t-il à l'oreille de sa femme.

Et il referma la porte pour se rendre à la chambre deux. Même manège qu'à la trois. Les deux couples qui se trouvaient là apparurent sous la flamme de l'allumette en pleine action. Mais une bien drôle d'action. Plus criminelle encore que les précédentes. Sur le lit, Marie-Jeanne Nadeau et Albert Martin n'étaient pas dans la position naturelle de l'amour et de la procréation, seule admissible par les commandements et les bonnes moeurs traditionnelles. Était-ce la faute de la noirceur s'ils se trouvaient ainsi tête-bêche à se... à se...

Josaphat ne parvenait pas à mettre en mots ce qu'il voyait en ce moment. Comment un homme pouvait-il descendre aussi bas; et comment une femme pouvait-elle oser utiliser sa bouche de cette façon. Et pourtant, cette scène remuait sa substance la plus profonde. Il se sentait poussé au bord du précipice...

Et du côté gauche du lit, sur un matelas de catalognes, le spectacle ne valait pas mieux. Blanche offrait à Jean ce que Josaphat n'avait toujours obtenu de Joséphine que dans ses fantasmes les plus fous, les plus secrets, et au grand jamais dans la réalité.

Devant cet éclairage insolite et surprenant, Marie-Jeanne fut la première à réagir. Elle délaissa le sexe de son partenaire et regarda en direction du feu curieux.

Fut-ce la manière de tenir l'allumette qui trahit, cette fois, les visiteurs, toujours est-il que la partenaire d'Albert lança :

–Si c'est pas Josaphat pis Joséphine ! Avez-vous le goût de venir vous amuser avec nous autres. Comment ça se fait que vous êtes là, vous autres ?

–Vous êtes pas des 'frappeurs', s'étonna Albert qui avait aussi délaissé le sexe de sa partenaire.

Josaphat voulut menacer, mais le ton mena sa phrase par la bride et l'on saisit autre chose que sa pensée profonde :

–Non, mais on est capables de frapper dur, nous autres itou, hein Phephine ?

Tournant son regard vers sa compagne, Josaphat fut sidéré, stupéfait de la voir se défaire de sa robe.

–C'est que tu fais là, toé, mais c'est que tu fais donc là, Phephine ?

–On a le droit de s'amuser nous autres itou. J'ai envie de m'amuser, moi. Comme eux autres. Ça fait de mal à personne, ça... Si c'est bon pour eux autres, c'est bon pour nous autres... En tout cas pour moi...

Le feu de l'allumette se mit à brûler les doigts de Josaphat qui, pétrifié, ne réagissait pas, comme si la surprise avait tué la douleur. Mais la douleur finit par prendre le dessus, et il dut lâcher l'allumette et l'écraser. Il resta pantelant, bouche ouverte dans la nuit, figé dans le temps, quelque part entre deux secondes situées aux antipodes. Puis, mécaniquement, il trouva une autre allumette qu'il craqua. Son ébahissement alors atteignit un sommet inégalable. En jupon, Joséphine était maintenant assise avec le couple Marie-Jeanne/ Albert. Terriblement consentante...

–Envoye, Josaphat, déniaise-toi, lança Albert.

–Viens donc jouir de la vie ! enchérit Marie-Jeanne. Moi, je vas m'occuper de toi le temps qu'Albert va s'occuper de ta femme.

–Ben... euh... oué... euh...

Des rires fusèrent. Blanche, Jean, Marie-Jeanne, Albert et avec eux Phephine, lancèrent par cette façon un grand défi à ce pauvre Josaphat que désertèrent d'un coup sec ses bonnes moeurs, les enseignements de l'Église, les commandements de Dieu et toute retenue. Alors, il échappa un grand cri :

–Ayoye, maudit calâb !

Le feu lui avait à nouveau brûlé les doigts.

Pas facile de trouver une nouvelle allumette puisqu'il se mit à se dévêtir en s'arrachant presque les vêtements du dos...

–Arrêtez-vous ici, mon brave ! ordonna le cardinal à son chauffeur.

–Comme vous voulez.

–Prenez la montée.

–C'est bien.

Et la voiture noire alla s'immobiliser près de l'entrée.

–Je m'en vas voir si y a quelqu'un...

–Non, laissez. Mon inspiration me dit que oui, je vais trouver quelqu'un dans cette maison qui semble déserte pourtant. Venez m'ouvrir la portière et je vais m'y rendre tout seul. Le Vierge Marie m'y demande... me commande d'y aller... Venez...

–Très bien !

Et Georges descendit et vint ouvrir la portière. Le cardinal fut bientôt debout, immobile, devant cette maison aux fenêtres faiblement allumées. Il gravit les marches de l'escalier, frappa à la porte. Nulle réponse. Il frappa de nouveau. Toujours pas de réponse. Décida d'entrer quand même. La porte n'était pas barrée : elle s'ouvrit toute seule.

–Il y a quelqu'un ?

Nulle réponse.

–Il y a quelqu'un ?

Alors des pas se firent entendre au second étage. Puis des jambes apparurent dans le haut de l'escalier, qui descendirent lentement, marche à marche. Certes, un homme, mais qui ? Un de ceux qu'il avait rencontrés sur la montagne sûrement. Que de plaisir ressentait le prélat à explorer ainsi dans l'inconnu, dans la nuit ou presque !

Et l'homme apparut enfin. C'était un vieillard. Et le cardinal se souvint qu'on lui avait parlé du père Théodore Morin. Sans doute s'était-il arrêté à la ferme de cet homme que son fils, lui avait-on appris, exploitait, hébergeant son père pour le restant de ses jours.

Le ciel lui avait donc offert le personnage le meilleur de cette paroisse, le plus pur parce que le plus près de son Créateur, le mieux avisé, l'homme de bon conseil pour tous ces habitants du cinquième rang, celui par qui l'encouragement arrive par ce temps de crise interminable.

–Je pense que vous êtes monsieur Théodore Morin.

–En plein ça ! Pis vous, le cardinal Rouleau.

–En plein dans le mille, cher monsieur.

–Ça adonne mal, il reste quasiment 'parsonne' à maison. Les plus vieux sont à l'école pas loin. Avec Lorenzo... Lui, c'est l'aîné de la famille. Les ben jeunes dorment. Pis mon garçon pis ma bru sont partis en visite quelque part dans le rang. Ça fait que... ben il reste que moé, le vieux Thodore. L'homme qu'on oublie. Un vieux corps mort...

–Mais non ! Mais non ! C'est la Vierge Marie qui m'envoie ici. Ce n'est pas pour rien que tout le monde est parti. Il fallait que ça arrive ainsi. Que vous soyez seul alors que je frappe à votre porte de façon qui paraît hasardeuse, mais qui ne l'est sûrement pas. Remercions la Vierge Marie pour cette rencontre...

Le vieil homme ne sourcilla pas malgré toute la dénégation qui baignait son esprit. Il s'approcha du prélat et serra la main tendue sans toutefois baiser l'anneau pastoral.

–Venez vous assire... si vous avez le temps, ben sûr.

–J'ai tout mon temps. C'est vous que je voulais voir.

–Qui c'est qui vous a parlé de moé ?

–Les prêtres au presbytère. Ils vous considèrent comme une sorte de gardien de la foi du cinquième rang.

–Ah ouais ?

–Vous avez quel âge, père Théodore ?

–Moé... quatre-vingt-huit ans ben sonnés. Venu au monde en 1842... le dix d'avri'.

–Le dix d'avril.

–En plein ça ! Assisez-vous donc icitte. C'est la meilleure chaise de la maison.

Et le vieillard tira une berçante que prit la cardinal sans se faire prier davantage. Le vieux Morin en prit une autre qui craquait de toutes ses articulations en même temps qu'il sortait sa pipe et sa blague à tabac.

–Vous fumez pas ?

–Je n'ai jamais fumé.

–Des fois, c'est bon pour les nerfs.

–Je laisse ça à monsieur le curé Lachance.

–Oué, il fume plusieurs pipées par jour, lui.

–Ce qui le rapproche de vous. Car il vous tient en haute estime. Ainsi d'ailleurs que monsieur le vicaire.

–Ben content d'entendre ça de votre bouche.

Le cardinal se racla la gorge pour dire :

–Et votre santé, ça va bien de ce côté ?

–J'me sens ben vieux. Et je vous dirai qu'il y a une bonne raison à ça.

–Ah oui ?

–Oué... j'me sens vieux parce que... j'sus ben vieux.

Le cardinal éclata de rire.

–Et un bon sens de l'humour avec ça.

Le vieillard chargeait. Le prélat reprit :

–Sur la montagne aujourd'hui, j'ai béni tous ceux qui se trouvaient là, toutes ces bonnes gens, si fervents chrétiens. Mais il manquait votre sagesse, votre... je dirai sainteté...

–Si c'est comme ça, pas besoin de bénédiction, plaisanta le vieil homme.

–Vous avez raison. Mais le ciel a voulu vous apporter cette bénédiction en prime, et c'est la Vierge Marie qui a guidé mes pas vers vous. Je suis revenu dans le cinquième rang sans savoir qui se trouvait dans chaque demeure, à part, bien entendu monsieur Couët où je me suis arrêté...

–On a su que vous avez fait une crise d'angine.

Le cardinal fit avec ses deux mains un geste voulant dire 'sans importance'.

–Un malaise passager, rien de bien grave, vous savez.

Théodore ne se retint pas de cerner le prélat :

–On a dit itou que vous avez fait un arrêt su' les Goulet.

–Ah, mais oui ! Vous avez bien raison. Comme les nouvelles voyagent vite ! C'était pour bénir la... petite chatte de la petite Juliette. Une belle petite bête bien soyeuse. Ce pauvre monsieur le vicaire avait écrasé...

Théodore coupa :

–Tout se sait. On l'a su itou...

–Bon ! Donc... votre santé...

–J'dois dire que depuis une couple de semaines, j'me sens revivre dans le cinquième rang. Les cultivateurs ont arrêté de se r'garder comme des âmes en peine. Ils se réunissent souvent, jouent aux cartes, s'amusent. La crise, ils oublient ça...

À son tour, le cardinal coupa la parole :

–J'ai su par monsieur le vicaire... Et on m'a dit aussi que c'est eux qui ont donné le plus grand coup de main dans l'érection de la chapelle...

–Ah oui ! fit le vieillard en croquant le bouquin de sa pipe. L'érection, ils ont mis ben de l'énergie là-dedans ces derniers temps. Pis ça leu' fait du bien en 'portipi'. Tout le monde du rang est ragaillardi pis a rajeuni de dix ans. C'est en s'amusant qu'on peut le mieux oublier la crise.

–En s'amusant sainement bien évidemment, et je m'en réjouis grandement.

–Pas autant qu'eux autres, j'en sus 'cartain'.

Le cardinal fit bouger sa chaise :

–Parlez-moi donc de votre temps passé. Vous aviez vingt-cinq ans l'année de la Confédération, ce n'est pas rien.

–Vous devez pas vous en rappeler, vous, trop trop.

–J'avais l'âge respectable de... un an. Je suis né en 1866.

–Ce qui vous donne ?...

–Soixante-quatre ans.

–Bah ! j'vous dirai que la Confédération, ça nous intéressait pas pantoute, nous autres. On a pas senti de changement dans nos vies pour ça. Tout ça se passe au-dessus de nos têtes. Ben loin de nous autres...

Le prélat grimaça :

–Mais... nous sommes en démocratie... Or, en démocratie, chaque tête de pipe compte, vous savez, Théodore.

–En... quoi ?

–En quoi quoi ?

–Ben... en crasserie... là, comme vous avez dit...

Le cardinal s'esclaffa :

–En démocratie. Ça vient du grec : *dêmos* qui veut dire 'peuple'. Et *kratos* qui veut dire 'puissance'. Démocratie donc égale puissance du peuple. Le peuple est souverain par son vote aux élections. C'est le peuple qui mène les affaires publiques. C'est lui qui décide. Vous votez aux élections, vous faites votre devoir de citoyen, je l'imagine bien.

Le vieux n'avait pas voté depuis des lunes. Il mentit :

–Ben... ben sûr que oué... comme tout le monde...

–Eh bien voilà ! Vous faites partie du peuple. Et vous dirigez le peuple. On dit : gouvernement du peuple par le peuple. C'est ça, la démocratie ! C'est-il assez beau ?

–Plus beau, ça se peut pas !

–Que j'admire la sagesse d'hommes comme vous, père Théodore !

–Ah, ça fait du bien de sentir qu'on mène le peuple !

–N'est-ce pas ?

–C'est... comment ils disent ça ?

–Stimulant ?

–En plein le mot que j'voulais...

Chez les Rousseau, la stimulation atteignait des sommets élevés, inégalés dans toutes les chambres. D'aucuns s'étaient reposés, ceux de la chambre trois entre autres, pour mieux se relancer dans un exercice physique propre à chasser toutes les menaces d'infarctus, d'obésité, d'encrassement des artères, d'ennui, de peur, de compression mentale, de détresse et de tristesse, mais impropre à chasser les démons qui se réjouissaient de la moisson d'âmes à récolter en ces lieux. Il aurait sans doute fallu un exorciste passant par là, mais il ne se trouvait dans les parages qu'un cardinal. Et ce cardinal était à remplir sa bourse d'illusions à propos d'un vieil homme qu'il surestimait sans savoir.

Il monta vers le ciel au-dessus de la maison Rousseau de puissants orgasmes. La quantité d'énergie à s'être dépensée sous ce toit ce soir-là eût mérité Albert Einstein pour les calculer sans les sous-estimer...

Après un échange enrichissant avec le père Théodore, le prélat remonta en voiture et, bientôt, passa devant la chaumière de la luxure sans voir tous les péchés de la chair qui s'y commettaient à la fois. Les raisons de son aveuglement furent de deux ordres. Tout d'abord, il pensait au plaisir qu'il avait ressenti à confesser la servante du curé dans l'après-midi. Et puis les démons firent obstacle à sa vision des choses en ne lui laissant apercevoir qu'une maison sombre et des lueurs jaunâtres aux fenêtres...

Quand les 'frappeurs' furent rhabillés et de retour dans la grande cuisine d'été, de nouveau attablés, on applaudit à l'intégration du nouveau couple, celui des Poulin. Et surtout à la manière dont ça s'était produit. Sauf que Josaphat se garda bien de révéler ses véritables intentions en venant chez les Rousseau ce soir-là.

Chacun ensuite donna une impression de sa soirée. Josaphat déclara quant à lui :

–On a eu du 'fun' en maudit calâb !... Hein, ma belle Phephine ?

***

Chapitre 25

Personne dans le cinquième rang n'en possédait plus que ses voisins. Une vache de moins chez les Rousseau que chez les Martin, mais un cheval de plus. Deux truies chez les Roy et seulement une chez les Fortier, mais des moutons de plus chez les Fortier que chez les Roy.

On ne cherchait pas à se mesurer aux autres en autant que les biens possédés et les chances soient sensiblement égaux. Cette justice distributive annihilait le sentiment d'envie. Oh, d'aucuns, qui n'avaient pas d'enfants, auraient aimé qu'il leur en arrive quelques-uns, mais, à l'inverse, on n'enviait pas non plus les couples sans enfants.

Les hommes ne se vantaient pas de leurs performances comme ceux des chantiers ou des groupes masculins de travail en corvée; ils se félicitaient plutôt de pouvoir partager les femmes à la manière des Sauvages. Toutefois, il courait bien une petite brise de jalousie dans le rang, et c'est l'élément féminin qui en était ballotté sur sa tige. Ce sentiment ne trouvait pas d'exutoire l'une envers l'autre, mais il était dirigé à travers les murmures vers la seule femme à ne pas faire partie du groupe des 'frappeurs' : la trop belle Désirée Goulet.

"On sait ben, elle a tout le temps le nez en l'air."

"Nos hommes, ils pensent tous un peu à elle quand ils sont avec nous autres dans la chambre à coucher."

"Même les prêtres, tu sauras. Autrement, le cardinal serait jamais allé là, pour, imagine, bénir une chatte..."

"Tu m'en diras tant !"

Par bonheur, ces confidences vinaigrées ne se faisaient jamais sur la ligne téléphonique. C'est comme si, après un échange de partenaires, il avait fallu se libérer d'une sorte de culpabilité et d'un reste de peur de perdre son homme et la sécurité qu'il représentait pour la famille. Désirée, la belle silencieuse, devenait alors le bouc émissaire parfait. Mais on ne s'acharnait pas trop sur elle. Pas au point en tout cas de lui faire des misères par les mots et pas même par les regards. Car Désirée imposait le respect par son calme, son charme, son âme. Une force digne émanait de sa personne. Elle ne parlait des autres qu'avec considération. Et la femme du forgeron la voyait souvent dans ses pensées comme la réincarnation de la Vierge Marie.

Il fut question du dixième couple du cinquième rang alors que la soirée arrivait à son terme et que l'on échangeait verbalement dans les cuisines des Rousseau. Tout naturellement, ce fut le nouveau 'frappeur' Josaphat Poulin qui, obtenant l'attention de tous, évoqua la possibilité de faire entrer les Goulet dans le groupe.

–Comme ça, si on fait attention aux enfants pis au bossu, y aurait pas grand-monde dans le rang pour nous dénoncer au curé, argua-t-il.

Hilaire prit la parole :

–On en a parlé l'autre jour. Pis on s'est dit que plus y aurait de monde dans le groupe, plus les chances augmenteraient de se faire dénoncer.

Josaphat s'objecta :

–Ben moé, j'pense qu'on a ben moins de chance de faire ça si on est des 'frappeurs' que si on est pas des 'frappeurs'.

Joséphine prit la parole à son tour :

–Quand t'es mis de côté, t'aimes pas ça pis c'est ben normal. Pensez au bossu...

Marie-Jeanne approuva :

–C'est ben vrai, ça !

Hilaire reprit :

–Les Goulet, c'est du ben bon monde : ils sauraient c'est quoi qu'on fait dans nos veillées que ça... j'dirai pas les dérangerait pas parce que ça les dérangerait sûrement... mais pas d'une manière qu'ils courraient tout de suite au presbytère pour nous dénoncer. Non, pas d'après moi...

–D'après moi non plus ! enchérit Albert.

D'autres approuvèrent.

C'est Dora qui eut le dernier mot :

–Moi, j'pense qu'il faut attendre les événements. C'est nous autres les plus proches des Goulet dans le rang, on va voir de près comment ils réagissent pis savoir ce qu'ils savent, eux autres. Comme à soir, ils ont pas été sans voir qu'on a eu une réunion. Sont pas sans se douter de quelque chose vu qu'on les a pas invités à venir. C'est pas des enfants, eux autres, on peut pas leur faire avaler n'importe quoi.

–C'est la meilleure idée, lança Marie Roy.

–J'approuve ! ajouta Angélina Pépin.

On applaudit au statu quo. La trop grande beauté de Désirée faisait peur. Et plus encore peut-être sa trop grande bonté...

*

Le vicaire croulait sous le poids de son remords, de son devoir, de ses responsabilités, du secret. Son ministère lui apparaissait une banqueroute monumentale. Il n'avait pas su composer avec quoi que ce soit. La conduite abusive du curé envers la servante, il n'avait rien fait d'autre que de refuser de la voir et de se réfugier dans l'attente coupable. L'affaire des 'frappeurs', il avait dû l'enfermer dans le secret du confessionnal, mais bien pire, il se sentait bâillonné par son grave écart de conduite avec cette créature tentatrice du cinquième rang. En état de péché mortel, il n'avait pas saisi l'occasion de se confesser au cardinal et attendait la venue d'un prêtre étranger dans la paroisse pour se livrer et demander pardon à Dieu par son entremise. Et puis, dans pareil état d'âme, il pouvait encore moins s'adresser directement au bon Dieu qui ne l'entendrait pas, puisque sa bouche de pécheur sentait la corruption et parce que son corps s'était baigné à celui d'une femme...

Toutes ces pensées virevoltaient dans sa tête mais aussi dans sa chair chavirée. Il les promenait, avec son bréviaire à la main, d'une pièce à l'autre du presbytère à l'exception de celle qui avait abrité la possédée puis le cardinal, et même dehors sur le perron qu'il arpentait en frappant fort du talon sur les planches grises qui lui renvoyaient ses vibrations.

Et l'image de Désirée qui venait s'en mêler. Si douce. Si mystérieuse. Si sainte aussi... Au moins son sentiment pour elle n'allait picosser, grignoter aucun des commandements de Dieu ou de l'Église.

Une voix se fit entendre en bas de la galerie, qui fit prendre conscience au prêtre de l'heure tardive et donc, de l'incongruité de sa marche alors qu'il ne lui était pas même possible de lire dans son livre de prières.

–Comment c'est que ça avance dans vos préparatifs ?

Il reconnut le forgeron Maheux au pied de l'escalier.

–Préparatifs ?

–Ben... le cinquantenaire comme de bonne.

–Ah, bien sûr ! J'avais l'esprit ailleurs.

–Su' la montagne, j'suppose.

–En effet, sur la montagne. Et dans ma tête, elle est bien plus haute que dans la réalité, bien plus haute, cette chère montagne.

–Plus on est haut, plus on est proche du paradis.

–Mais j'y pense, monsieur Maheux, vous qui avez mené à bien la tâche de construire une chapelle là-haut, ne voudriez-vous pas vous rendre disponible pour nous seconder dans ces préparatifs du cinquantenaire ? Il reste quelques semaines encore, et le travail à faire est de plus en plus exigeant. Il nous faudrait une bonne tête comme la vôtre.

–Ben... j'ai pas mal d'ouvrage.

–C'est à ceux qui sont enterrés d'ouvrage qu'il faut demander plus. Les autres sont généralement gens de peu d'efficacité.

–J'ai entendu dire ça déjà.

–Et vous pouvez être certain que c'est vrai. Nos réunions du comité se tiennent tous les lundis en soirée. Donc demain. Viendrez-vous ?

–J'pensais que le comité était formé.

Le vicaire hésita :

–Formé, formé... mais pas fermé. En réalité, un des membres a dû abandonner. Vous avez de bonnes idées, vous êtes habile de vos mains : quoi demander de mieux pour nous seconder ?

–Ben... c'est juste si j'sais lire pis écrire.

–Ce n'est pas cela qui compte, vous pensez bien.

–C'est beau d'abord.

–Comme vous savez, ça a lieu dans le bas de la sacristie.

–À quelle heure ?

–Autour de sept heures.

–O.K.

–Merci... au nom de la paroisse.

–Chacun doit faire sa part.

–Vous faites plus que la vôtre.

Arthur ne répondit rien et repartit dans la nuit, le pas tout aussi discret que ses salutations marmonnées.

Bossu Couët avait beau disposer de l'argent requis pour se procurer une nouvelle petite bête, il n'avait pas le moyen d'atteindre un maquignon, soit celui de Saint-Samuel ou de Saint-Honoré-de-Shenley. Impossible de s'y rendre à pied pour un homme ordinaire à moins de marcher des jours entiers, a fortiori pour un pauvre infirme dans son genre. Il n'avait pas le téléphone non plus. Se rendre chez les Martin ou les Poulin pour appeler ne servirait à rien. Il ne pouvait acheter un poney sur simple appel : il devait voir la bête, l'examiner, constater son état de santé, son âge par ses dents etc. Personne du cinquième rang n'avait songé à cela quand on avait ramassé des fonds pour lui. Seul avec de l'argent ne vaut guère mieux parfois que seul sans argent. Il aurait fallu que le pauvre homme se fasse reconduire par quelqu'un qui possédait un bon cheval de chemin. Mais Couët se sentait si redevable envers les gens du rang qu'il ne parvenait pas à se résoudre à en demander encore sous la forme d'un moyen de transport.

Il lui vint une idée et, par la suite, il put enfin dormir. Le mieux serait de marcher jusqu'au village, de prendre le train pour Saint-Évariste et, là-bas, de faire le trajet restant pour atteindre Saint-Honoré via le postillon qui faisait la navette deux fois par jour entre la gare d'un endroit au bureau de poste de l'autre.

Tôt, ce lundi matin, il se mit en route, accompagné de son chien Teddy. Quelques-uns seulement le virent marcher en se bringuebalant sur un chemin, heureusement pour lui, peu gravoiteux et cahoteux, et le plus souvent à la terre nue, ce qui facilitait sa démarche et l'empêchait de trébucher sur les cailloux ou dans les ornières.

–Viens voir le bossu, dit Maurice à Marie-Jeanne.

L'homme était à la fenêtre de leur chambre malgré

l'heure matinale, à se remémorer les chauds et indélébiles événements de la veille.

–Il vient icitte ? demanda la voix ensommeillée de la jeune femme.

–Non.

–Ben... il s'en ira su' Paré ou ben su' Pépin. Laisse-le faire, laisse-le passer son chemin tout droit...

–Pourvu qu'il boive pas son magot.

–Pourquoi c'est faire qu'il boirait son argent ? Il a besoin d'un cheval pour vivre.

–Il a de l'argent plein ses poches. Qu'il commence à boire, pis il pourrait boire tout le ch'fal.

–Boire le ch'fal, boire le ch'fal... où c'est que tu prends une idée pareille ? Couche-toi donc encore une heure. C'est encore l'heure des poules.

–Marie-Jeanne, l'heure des poules, c'est l'après-midi, pas le matin.

Se faire dire de se coucher parut à l'homme comme une invitation aux activités agréables. Il revint se glisser sous les draps et ne tarda pas à s'approcher de sa compagne qui lui dit aussitôt :

–Dors, là, dors ! C'est lundi : on a de l'ouvrage à faire. Faut être reposés tous les deux.

–J'sus pas fatigué.

–Dors, j'te dis.

Le vie reprenait son cours normal chez les Nadeau. Marie-Jeanne rabrouait; Maurice se soumettait... Et la jeune femme se tourna le dos, songeant à l'apothéose atteinte avec le vicaire, mais sans penser que le seul acte procréateur accompli avec un homme récemment l'avait été avec le prêtre. Pour les autres qui avaient couché avec elle, l'orgasme mâle avait eu lieu hors d'elle. Comment croire une seule fraction de seconde qu'elle puisse se retrouver enceinte d'un prêtre ?

Le bon Dieu ne le permettrait jamais... Elle se rendormit là-dessus et entra dans une autre phase de rêve. Des rêves dorés se succédèrent comme les wagons d'un train, enchaînés les uns aux autres, entraînés vers les vertigineux sommets de la félicité...

Joseph Roy se rendait à l'étable quand l'infirme s'amena vis-à-vis ses bâtiments. Il entendit un aboiement que Teddy adressait au chien de la maison et se tourna pour voir.

–Monsieur Couët, où c'est que vous allez de ce train-là si de bonne heure à matin ?

–Je vas prendre les gros chars, dit le petit homme qui s'arrêta un moment et mit ses mains sur ses hanches.

–Ah oué ?

–J'veux pas trop rien dire, mais votre chien... C'est pas admis, les animaux, su' les gros chars.

–J'avais pas pensé à ça.

–Laissez-moé le : j'm'en vas vous le garder le temps que vous serez parti.

–C'est ben bon de ta part, mais je vas le laisser à quelqu'un du village. Ça m'adonnerait mieux. Le forgeron Maheux va le garder; ça serait pas la première fois.

–C'est ben comme vous voulez. Pis... allez-vous vous acheter un autre bon ch'fal ces jours-citte ?

–C'est un peu pour ça que je m'en vas dans la Beauce. Y a un bon maquignon à Shenley, un dénommé Dilon Poulin. Il fait affaire avec les Labrie de Pintendre. C'est sûr qu'il doit avoir un poney pour moé, lui.

–Bon... ben bon voyage pis bon achat de ch'fal !

–'Marci', mon Jos.

Et le bossu reprit son petit bonhomme de chemin. Personne ne le vit passer chez les Morin, les Rousseau, les Fortier, mais Pierre Goulet l'aperçut et sortit de chez lui pour le questionner. Il apprit ce que Couët avait dit à Pit Roy. Mais fit une proposition :

–Écoutez, y a ma femme qui s'en va au village, ça sera pas long. Voyagez donc avec elle. Ça serait moins fatiguant pour vous comme ça.

–Ben...

–J'allais atteler pour Désirée. Attendez icitte, en avant de la porte.

–Ben... si ça la dérange pas trop.

–Est tuseule pour aller au village. Y a de la place dans le boghei. Comme ça, vous manquerez pas le train du matin, c'est ben entendu.

–Dans ce cas-là...

–Assisez-vous dans les marches, là...

Un quart d'heure plus tard, Pierre venait aider le petit homme à monter sur la banquette aux côtés de sa femme qui avait accepté de bon coeur de prendre l'infirme avec elle pour aller au village où elle avait des affaires à faire tout le long de la journée, affaires qui la mèneraient au bureau de poste, au magasin général, chez le docteur Arsenault et chez son amie Rose-Anna Maheux tandis que le forgeron fixerait solidement au sabot du cheval un fer qui s'était relâché. En soirée, elle prendrait part aux activités du comité des fêtes du cinquantenaire. Elle en était un membre dévoué depuis sa formation.

Après quelques paroles d'usage, ce couple bizarre formé de la plus belle jeune femme du canton et de l'homme le plus laid des environs était emporté par un attelage simple et docile vers le village dont on pouvait apercevoir la flèche de l'église au loin. De quoi faire rêver Victor Hugo et tous ces romanciers friands de personnages antipodaux.

Au moment où on en sortait, presque tout le cinquième rang dormait encore après une soirée où il s'était dépensé de l'énergie à flots.

Le village, lui, aurait bien le temps de se réveiller le temps qu'on mettrait à l'atteindre...

***

Chapitre 26

–De quoi est-ce que nous allons parler, monsieur Couët, en montant au village ?

–De ce que vous voudrez, madame Goulet.

–Vous pouvez m'appeler Désirée. Je suis trop jeune encore pour qu'on m'appelle madame.

–Comme vous voudrez.

–Et vous pouvez me tutoyer.

–Vous aussi.

Elle éclata de rire. Un beau rire de jeunesse et de cristal qui parut venir d'outre-tombe quand il entra dans l'âme du pauvre petit homme. C'est qu'il l'avait entendu dans la bouche de Delphine ce samedi où il s'était brisé la jambe et qu'elle l'emmenait sur sa traîne jusque chez lui. Il était arrivé alors qu'elle glisse et tombe, et c'est en éclatant de ce rire joyeux qui s'inscrivit comme le son des grelots dans toutes ses mémoires, qu'elle s'était relevée pour continuer de tirer sur la corde du toboggan.

–Dites-moi 'tu', mais moi, je vous dirai vous. Question de différence d'âge.

–Ça marche d'abord, ça marche !

–Bon, et de quoi allons-nous parler ?

–Ben...

–Parlez-moi de votre jeunesse, monsieur Couët.

–C'était pas plus drôle que ça l'est asteur.

–Quoi, vous ne vous sentez pas très... heureux ?

–Dur de rire avec le corps que j'ai.

–Faut oublier...

–On oublie aisément qu'on est beau, mais on pense tout le temps à la laideur qu'on a. Pis j'ai remarqué que des 'parsonnes' comme vous, belles comme la Vierge Marie, ça se rend pas compte comme c'est du beau monde.

–Ben... c'est pas de ma faute.

–Peut-être que vous avez fait le bien dans une autre vie avant celle d'asteur. Pis c'est votre récompense.

–Si on raisonne de même, ça voudrait dire que vous auriez fait le mal ? Non, jamais j'croirai ça de vous. Et puis on s'est entendus tous deux : vous devez me tutoyer.

–Vous me dites 'vous' à cause de la différence d'âge, moé, j'vous dis vous à cause de la différence de... beauté. Celle-là, c'est une différence qui demande... commande la distance entre deux 'parsonnes'. C'est comme si vous étiez d'un côté de la montagne pis moé de l'autre.

–J'me sens pas aussi loin que ça de vous, moi. C'est peut-être que j'vois que vous avez une belle âme.

–J'sus rien qu'un pauvre pécheur, madame.

–Bah ! comme tout le monde. Mais c'est pas des ben gros péchés que les gens font.

–J'sus pas prêt à dire ça. Il s'en fait en masse, des péchés mortels. C'est pas la misère noire qui empêche ça.

Désirée éclata de rire à nouveau.

–En tout cas, pas dans le cinquième rang, ça, c'est bien certain.

Le bossu se tut. Il refoula dans son âme ce qu'il savait des 'frappeurs'. Et, une fois de plus, fut saisi par le remords pour avoir répandu dans le rang l'idée obscène du père Théodore Morin, et ce, même s'il s'en était confessé au vicaire qui l'en avait dédouané, y ajoutant une absolution conditionnelle pour le cas où le bon Dieu y aurait vu quelque chose de pire que des plaisanteries entre hommes.

Il se fit une pause et l'on n'entendit plus, pour une minute ou deux, que le pas du cheval que son sabot endommagé rendait un peu claudicant, imprécis. Le bossu ne voulait plus parler de péché. Il ferma la porte de cette pièce de son âme où, avec l'aide du vicaire, il avait enfermé le désordre.

–Si je vous conte de quoi, pourriez-vous le garder pour vous éternellement ?

–A l'école, on me disait que j'étais l'élève qui se mêlait toujours de ses affaires. Trahir un secret, c'est se mêler des affaires des autres.

–Ça fait ben longtemps que c'est arrivé. J'ai connu quelqu'un qui vous ressemblait. Elle s'appelait Delphine...

Et le reste de leur randonnée vers le village, Couët raconta comment cette jeune personne lui avait sauvé la vie alors qu'il était un enfant. Et un enfant blessé profondément dans sa chair et dans son coeur, et qui désirait plus que tout que sa vie misérable s'achève là, dans l'hiver d'une enfance bien chagrine.

Le jeune femme en fut très touchée, qui dut à quelques reprises essuyer une larme avec un petit mouchoir bleu qu'elle gardait toujours dans une pochette de sa robe.

Rose-Anna était à sa fenêtre quand l'attelage de son amie Désirée entra dans la cour et que le cheval s'arrêta quand il eut le nez devant le mur de la boutique de forge.

"La belle et la bête !" se dit-elle quand ce couple impossible lui apparut, comme venu d'un autre monde.

Arthur, depuis son feu de forge, avait aussi vu la belle Désirée assise sur la même banquette que le pauvre bossu

Couët, et voilà qui était venu donner un formidable coup de poing à sa curiosité morbide. Il lui passa par la tête une image du pire désordre, soit celle de ces deux-là en train d'accomplir l'oeuvre de chair. Afin de donner plus de lustre encore à cette vision dépravée, il se hâta vers la sortie de son noir atelier et parut dans l'embrasure des portes largement ouvertes.

–Ouais, ben, bonjour, vous deux.

On lui répondit à l'avenant.

Le chien tournait autour de la voiture. Il vint renifler la main du forgeron. L'homme regarda vers la maison. Le visage de sa femme lui apparut à la fenêtre. Il fit un geste avec son marteau en sa direction. Elle n'avait aucune idée quant à l'objet de sa requête gestuelle et envoya son aînée voir de quoi il retournait. Voilà ce qu'espérait Arthur. Et il dit à Jeanne quand elle fut là :

–Occupe-toé donc du chien !

La fillette n'aimait guère se faire parler sur ce ton autoritaire, mais le chien vint à elle tout naturellement et parut lui confier son obéissance sans la moindre hésitation.

Couët dit :

–Me le garderais-tu, mon chien, le temps que je vas aller m'acheter un ch'fal à Shenley ?

–C'est déjà fait : r'garde faire l'enfant, là...

–Pis viendrais-tu m'aider à débarquer ?

–Ben 'cartain' mon Dilon ! Attends un peu... Désirée, j'vas t'aider itou, attends...

Pendant qu'il donnait le bras au bossu, la jeune femme descendit par ses propres moyens. Arthur regretta de n'avoir pas commencé par elle. Au moins, cette activité chassa de son esprit la pensée lubrique qui avait occupé une case importante de son cerveau à l'arrivée de l'attelage dans son champ de vision.

–Le *Coq* a un fer qui tient mal, dit-elle.

–J'ai vu ça au premier coup d'oeil.

Puis elle s'exclama :

–J'y pense, mais j'suis donc bête. Monsieur Couët, vous voulez aller à la gare. J'aurais dû vous reconduire là au lieu que de vous laisser à la boutique à monsieur Maheux.

Arthur intervint de sa voix la plus complaisante :

–C'est tout proche, là, en arrière, la 'station'. Dilon est capable de faire ça à pied... Il peut passer par le raccourci du jardin...

Couët connaissait le chemin et déjà s'y engageait. Le forgeron ne s'intéressa plus qu'à la jeune femme :

–Comment que ça va, toé, Désirée ?

–Ça va bien.

L'homme se tenait debout devant elle. Il baissa les yeux, les posa sur son ventre et dit une phrase plutôt embarrassante pour une femme de ce temps prude :

–Il paraît que tu vas 'acheter' aux alentours de Noël.

Elle rougit, comme si d'être enceinte avait frôlé le péché. Et dit en regardant vers la maison :

–C'est Rose-Anna qui t'a dit ça ?

–Elle aurait pas dû ?

–Non... De coutume, on garde ça entre femmes.

Arthur n'en ressentit aucune gêne, et, au contraire, la chose le porta à sourire. Toutefois, il ne put aller plus avant dans l'échange, puisque sa femme sortit sur la galerie et cria à son amie :

–Désirée, vas-tu être longtemps au village ? J'aimerais ben ça te voir.

–C'est garanti que je vas aller te voir. Là, faut que je me rende au bureau du docteur, ensuite, je vas aller au magasin et après, je traverse te voir. Ça marche ?

–Tu vas être la bienvenue comme toujours.

La jeune femme accrocha les guides à la banquette de la voiture, puis se dirigea vers la maison du docteur Arsenault. Arthur jeta un coup d'oeil vers Rose-Anna qui le regarda froidement. Mais il ne put s'empêcher de zieuter du côté de la plus belle femme du canton. Il ne put non plus empêcher son appétit sexuel de le harceler jusqu'à son retour au feu qui avait perdu du souffle durant son absence. Il attrapa la pôle du soufflet et donna de l'oxygène aux braises bleues... Une flamme belle se mit à danser en pétillant et pétaradant...

La visite chez le docteur fut de courte durée. Le temps tout juste de se faire dire que son état de grossesse allait sur des roulettes. Puis elle s'en alla.

Désirée portait ce jour-là une robe blanche à larges motifs tourbillonnants de couleur verte. La mode avait rallongé depuis les récentes années folles, mais le bas n'allait guère plus loin que les genoux, et les hommes rencontrés ne se firent pas prier pour jeter des oeillades discrètes sur le galbe des mollets pâles qui faisait de sa jambe un élément aussi agréable à voir que le reste de sa personne.

Le marchand Boulanger était un de ces spécialistes du regard que personne ne voit. Quand Désirée s'adressa à lui qui s'affairait derrière un comptoir, il se tourna et parut surpris, lui qui, pourtant, avait vu Désirée traverser la rue et gravir les marches du magasin.

–Si c'est pas madame Goulet ! Un rayon de lumière dans mon sombre magasin à matin !

L'homme avait l'habitude de ces flatteries qu'il distribuait à qui mieux mieux. Et la jeune femme ne le prit pas personnellement, connaissant cette inclinaison à la flagornerie du joyeux personnage bedonnant.

–J'aurais voulu quelque chose du côté des dames.

–Ah, ben, je vais faire venir ma femme.

–Non, non, pas besoin ! Je veux rien qu'un fuseau de fil

noir numéro dix.

–Ça, j'peux vous servir ça. Allez de l'autre côté : j'y vas dans la minute.

Elle obéit. Lui avait fait exprès d'agir ainsi pour la voir marcher sans qu'elle ne s'en doute. Et puis quelle chance, il n'y avait personne d'autre dans le grand magasin à cette heure si matinale du petit lundi. Pour deux yeux qui sortaient des orbites comme les siens, ce fut une agréable baignade par ces formes de toutes les grâces. Il se forma une buée sur les globes oculaires et l'homme dut soulever ses lunettes afin d'essuyer ses yeux.

Grande intuitive, Désirée s'arrêta en même temps qu'elle se tournait brusquement. Et surprit l'impudeur du marchand qu'elle prit pour de la simple indiscrétion.

–Le fil, c'est à l'autre bout du comptoir des dames ?

–En plein ça, madame ! J'arrive...

Une voix de femme se fit entendre :

–Je m'occupe d'elle, Georges. Tu peux continuer de ton bord.

L'homme n'avait pas entendu sa femme passer de la maison privée au magasin par une porte généralement bruyante. Et ça lui dit qu'elle avait fait exprès de le surprendre en train de laisser couler son regard sur la belle Désirée Goulet. Il se racla la gorge pour dire ensuite :

–Correct de même... j'ai ben de l'ouvrage à matin... avec toutes les tablettes à remplir pour la semaine...

–T'oublieras pas l'ouvrage qui t'attend dans le hangar non plus, hein, mon cher.

–Je connais mon ouvrage, tu sais ben.

Et pour mieux montrer que c'est le marchand en lui qui s'intéressait à la cliente Désirée, il lança :

–Madame Goulet, vous avez pas besoin d'un cent de fleur aujourd'hui toujours ? Tant qu'à aller dans le grand hangar, je vous en sortirais un.

–Non, il m'en reste pour un bon deux semaines. Merci, monsieur Boulanger.

Les deux femmes s'intéressèrent l'une à l'autre et Georges entra dans l'ombre.

Une série de lumières jaunes éclairaient la pièce basse du sous-sol de la sacristie qui servait de lieu de réunion au comité du cinquantenaire de la paroisse. Et ses membres étaient tous arrivés, qui échangeaient sur de petits sujets anodins. Ils étaient six sous la présidence du vicaire qui venait tout juste d'arriver, ce qui commandait une certaine retenue dans les voix.

Deux d'entre eux, le forgeron Maheux et le docteur Arsenault, représentaient le village et quatre la paroisse. Outre Désirée Goulet se trouvaient là pour parler au nom des rangs deux, trois et quatre Alexandrine Bolduc, femme de cultivateur, de même que Fridou Gilbert et Amédée Lachance, un parent éloigné du curé.

–Mesdames, messieurs, il serait temps d'ouvrir l'assemblée si nous voulons l'ajourner avant qu'il ne soit trop tard. Et je songe ici à ceux des rangs qui pourront retourner de clarté à la maison.

On approuva de sons de la voix et de sourires vite effacés. Le prêtre reprit en tâchant de regarder chacun mais sans insister afin de donner l'image de celui qui traitait tous et chacun sur un même pied d'égalité.

–Tout d'abord, je voudrais souhaiter la bienvenue parmi nous à monsieur Maheux qui remplace madame St-Pierre dont la santé, vous devez tous le savoir, laisse à désirer en ce moment. Et je voudrais que, dans notre prière d'ouverture, nous ayons une bonne pensée pour elle. Au nom du Père, et du Fils, et du Saint-Esprit...

Une longue table recevait les participants, le vicaire à

une extrémité et le docteur, vice-président de l'assemblée, à l'autre. À la gauche du prêtre avaient pris place les deux femmes du groupe et les autres siégeaient à sa gauche, le forgeron encadré par Gilbert et Lachance, deux hommes aussi dans la trentaine.

Au cours de la prière, Arthur ouvrit les yeux l'espace d'une seconde pour les projeter sur la femme Goulet. Cette fois, il lui fut impossible de penser à autre chose que les choses du ciel tant la Désirée priait avec ferveur. Et le forgeron dut refermer les paupières pour ne pas risquer de se faire surprendre dans son attitude intéressée. Et il referma dans son âme cette autre image de la jeune femme désirable...

–Eh bien, selon ce que j'ai glané ces jours-ci et particulièrement sur la montagne hier, il semble que chacun ait accompli sa tâche au mieux et sans retard. Je vais commencer par céder la parole au docteur Arsenault qui a, vous le savez, comme responsabilité celle du livre souvenir de ces belles fêtes qui s'approchent de nous au grand galop.

Le docteur montra des photos, lut des textes, reçut des applaudissements, des approbations.

Il en vint à la conclusion :

–L'idéal, ce serait une photo de chacune des familles de notre si belle paroisse, mais ça nous coûterait les yeux de la tête. Il faudra nous contenter de celles que je vous ai montrées.

–Plus celle de notre comité des fêtes, bien entendu, ajouta le vicaire.

–À la condition que chacun fournisse sa photo.

Arthur prit la parole :

–Ça veut-il dire qu'il nous faut se faire 'poser' au plus coupant ?

–C'est en plein ce que ça veut dire, mon cher Arthur.

–Va falloir aller à Saint-Évariste pour ça.

–Ou à Mégantic.

–Coudon, il faut ce qu'il faut.

–Moi aussi, j'aurai besoin d'aller chez le photographe, glissa candidement Désirée.

Le vicaire sauta sur l'occasion :

–Je dois y aller, moi aussi. Si quelqu'un de vous autres veut venir avec moi. Ce serait plus facile que d'avoir à prendre le train, n'est-ce pas ? Monsieur Maheux, vous pourriez venir. Madame Goulet aussi... D'autres peut-être ?

Tous les autres disposaient déjà d'une photographie valable. L'on s'entendit pour une visite au photographe le lendemain même, en après-midi. Même que le prêtre irait chercher Désirée chez elle, vu qu'on pourrait prendre le raccourci du grand rang. Arthur fut d'accord et rendez-vous ferme pris. Personne n'y trouverait à redire : la jeune femme serait en la compagnie de deux hommes dont le vicaire.

Puis on donna la parole à Désirée qui avait pour tâche de superviser la préparation des victuailles pour le banquet donneé le dimanche du cinquantenaire. On la considérait l'une des meilleures cuisinières de la paroisse. Elle avait gagné plusieurs concours organisés par les dames fermières ces dernières années. Elle était indispensable.

–J'ai parlé à plusieurs du cinquième rang et je pense qu'on aura pas besoin d'aller plus loin pour avoir tout ce qu'il faut pour le banquet.

Songeant à la confrérie pécheresse des 'frappeurs', le vicaire ne put empêcher une moue peu approbatrice de se dessiner sur son visage. Cette demi-grimace n'échappa qu'aux hommes, et Désirée s'en inquiéta sans y faire allusion directement :

–Dans le rang, c'est toutes des bonnes travaillantes, des femmes dévouées pis bonnes en fricots, vous savez.

–Je m'inquiète à penser que des dames des autres rangs pourraient prendre ombrage de voir que ce ne sont que celles du cinquième qui s'occupent du banquet.

Alexandrine intervint :

–Pas du tout, monsieur le vicaire, pas du tout ! Faut pas voir de l'envie où c'est qu'il y en a pas.

–Vous avez bien raison : on croirait que cette belle paroisse est exempte de jalousie, surtout le cinquième rang.

Personne, à part lui, ne connaissant l'existence des 'frappeurs' encore moins de sa faute charnelle commise avec la femme Nadeau, n'aurait pu lire une forme d'insincérité dans son regard. Certes, il avait raison de dire que la jalousie était un travers qui semblait absent, du moins en surface, chez ces échangistes immoraux, mais il était moralement acceptable que la jalousie aille de pair avec le mariage traditionnel assorti de la fidélité conjugale absolue et jusque dans les pensées profondes.

La réunion se poursuivit et se termina sans incident. Le prêtre et Arthur eurent tout loisir de cacher leur intérêt pour Désirée, sachant qu'ils voyageraient en sa compagnie le jour suivant pour aller se faire 'tirer le portrait' chez le photographe de Saint-Évariste...

***

Chapitre 27

–Veux-tu ben me dire pourquoi c'est faire que t'as dit à Désirée qu'elle était... en famille ?

–Jamais dit ça, moé !

–Pis t'es menteur en plus. Désirée m'aurait pas dit ça. Elle fait pas des menteries, elle. Je la connais. Pis surtout, j'te connais, toi.

Le couple se préparait à se coucher. Les enfants dormaient, et c'était l'heure des comptes de la journée dans le clair-obscur de leur chambre éclairée par une faible ampoule jaune.

Arthur était assis au bord du lit depuis un moment, dans l'attente de Rose-Anna qui s'était lavé le visage à l'évier de la cuisine et par conséquent fait attendre. L'homme s'apprêtait à lui réclamer sa soumission quotidienne aux nécessités du devoir conjugal. Ce blâme n'avait rien pour la disposer à l'oeuvre de chair.

L'homme rajusta la partie supérieure de son sous-vêtement de coton avant de dire sur le ton de la plus parfaite innocence :

–Ah, j'm'en rappelle, là. J'ai pas dit 'en famille', j'ai dit qu'elle va 'acheter' autour de Noël.

–Ça revient au même : c'est la même idée.

Et la femme prit place au bord du lit, de l'autre côté, souleva le drap et s'y glissa. Il questionna :

–T'ôtes pas ta jaquette ?

–Pas à soir : t'es trop menteur ! Quand c'est question de mon amie Désirée, t'as la tête pleine de menteries. Les hommes sont tous fous d'elle pis toi, t'es pire que tous les autres. Ça fait que... dors avec tes pensées. De toute manière, c'est à elle que tu vas penser, pis moi, j'serais rien de plus qu'une occasion de pécher.

–Veux-tu me dire où c'est que t'as pris des idées de même, toé, Rose-Anna ? Désirée, c'est la femme à Pierre Goulet, pas plus. C'est tout'. C'est de même. J'sus marié avec toé, pis elle avec Goulet. C'est des clients pis elle, c'est ton amie : c'est normal qu'on s'en parle plus que du reste du monde de la paroisse.

–Dis donc la vérité vraie, Arthur !...

–J'te dirai que demain, je vas me faire 'tirer le portrait' à Saint-Évariste pour l'album du cinquantenaire.

–Pis ?

–Ben... Désirée va embarquer. Elle a pas de portrait d'elle non plus.

–Embarquer avec toé en voiture pour aller à Saint-Évariste. C'est trop loin, vous allez prendre les gros chars...

–Non, en machine.

–En machine...

–Avec le vicaire. Ça s'est décidé à soir au comité.

–En v'là une bonne ! Pis tu vas fermer la boutique ? C'est que monsieur Arguin va dire de ça, lui ?

–Il dira ben c'est qu'il voudra.

–D'après moi, on doit gagner sa vie avant de se faire 'tirer le portrait'. C'est du luxe, ça... On n'a pas les moyens...

–J'ai tout le temps des bois dans les roues avec toé. T'as

peur parce que Désirée va être avec nous autres ?

–Désirée, c'est une femme ben à sa place. J'ai pas peur d'elle. Mais c'est de vous voir virer fous, les hommes, devant elle qui pourtant, fait rien pour ça en plus.

–Tu diras pas que le vicaire...

–Même le vicaire, même le vicaire...

–Ben voyons donc !...

Arthur dut se passer de bonbon ce soir-là...

*

Aux petites heures du jour, Arthur mit beaucoup de temps à faire ses ablutions. Il se lava de bout en bout à la petite serviette. Prit soin de décrasser ses ongles de cette suie indélogeable qui en noircissait les encoignures à l'année longue. Rose-Anna l'entendit faire, mais elle fit semblant de dormir et plus encore quand il s'introduisait en douce dans la chambre sous le prétexte de prendre quelque chose dans le meuble. Il voulait voir si elle dormait, et elle lui donnait le change.

Puis il enfila son habit de noce. Alors elle donna signe de vie.

–Monsieur se fait beau pour voyager.

–Pas pour voyager, pour se faire 'poser'.

–Ah bon !

–C'est la Désirée Goulet qui va te trouver beau.

–Lâche-moé donc la paix avec ça !

–Tu veux pas que j'embarque avec vous autres pour me faire 'poser' itou ?

–T'as les enfants su' les bras. La maison. La boutique.

–J'm'en vas pas ferrer les chevaux.

–Non, mais dire aux clients que je vas revenir pas tard.

–Ils auront rien qu'à aller se faire ferrer par Pelchat à Saint-Samuel.

–Coudon, t'es donc ben picosseuse à matin, toé ! J'rends service à la paroisse en travaillant su' le comité des fêtes pis j'me fais achaler par toé pour dix fois rien en tout'.

–Dix fois rien, répéta-t-elle sur le ton le plus sceptique.

–Bon, ben j'm'en vas attendre le vicaire au bord du chemin là.

Elle ne dit mot. Il ne dit mot. Elle se mit à la fenêtre, en discrétion, embusquée derrière le rideau. Le vit se rendre à la boutique pour une raison qu'elle ignorait. Et pendant qu'il s'y trouvait, la voiture du vicaire descendit la rue et passa tout droit. Arthur l'entendit, sortit, la vit s'en aller, leva les bras pour attirer l'attention... Trop tard ! Et pendant que Rose-Anna souriait à le voir, Arthur criait avec ses bras, jurait avec ses mains, trépignait avec ses pieds...

Il rentra. Elle sortit de la chambre.

–Le vicaire m'a oublié, maudit torrieu. Il doit l'avoir fait exprès... Veut être tuseul avec la Désirée, ça doit...

–Quand j'te disais que le vicaire, il avait un oeil sur la belle Désirée, tu m'a quasiment traitée de folle.

–J'ai dit ça de même, là... Une parole en l'air... Ça arrive à tout le monde...

–Pourquoi que t'es si fâché de voir qu'il t'a laissé icitte ?

–Sainte Viarge, j'dois me faire 'poser' à matin, à Saint-Évariste. C'est pour l'album du cinquantenaire.

–Tu pourras toujours prendre les gros chars, pis y aller... samedi. Le samedi, t'as ben moins de monde à la boutique.

–J'étais prêt, moé. Lavé. Changé. Endimanché... J'ai pas de temps à perdre avec ça. J'aurais pas dû accepter ça, moé, d'entrer dans le comité. C'est le trouble qui commence. Soit le vicaire a pas de mémoire, soit il a pas de parole.

–Assis-toé un peu : peut-être qu'il va revenir te chercher.

Arthur leva les bras en l'air :

–C'est tusuite à matin que je vas me faire 'poser'. Je m'en

vas à la 'station' pis je vas prendre les gros chars pour Saint-Évariste. Pis le vicaire, il va niaiser ben comme il faut quand il va me voir 'ressoudre'.

Et Arthur sortit en grommelant :

–Il devait vouloir être tuseul avec la Désirée Goulet, lui. Un prêtre... si ça se fait... pas de bon sens... maudit torrieu...

N'apercevant pas Arthur qui l'attendait, le prêtre avait pris la décision d'aller chercher Désirée et de prendre le forgeron au retour, en passant. Il avait su la veille au soir par Fridou Gilbert que le chemin de raccourci qu'il devait emprunter pour se rendre à Saint-Évariste était quelque part quasiment impraticable. Et puis Arthur possédait la réputation bien méritée de partir en retard, d'arriver en retard, de commencer sa journée en retard et de la finir en retard, ce qui lui avait valu le surnom peu enviable de tit-Jean-La-Nuitte, une insulte que sa femme se plaisait à lui lancer à la tête de temps à autre quand il exagérait un de ces retards.

"Et pourtant, tu te grouilles le derrière des fois," lui disait-elle ces matins comme celui de la corvée, celui de l'inauguration de la chapelle et celui d'un voyage avec Désirée et le vicaire, où le jeune homme se dépêchait de mettre ses culottes à peine les aurores commençaient-elles d'adresser leurs salutations pâles à la nuit profonde.

Le klaxon se fit entendre. Pierre Goulet sortit sur la galerie et parla au prêtre qui restait dans sa voiture.

–Désirée disait que monsieur Maheux irait avec vous autres.

–Je vais le prendre en passant. Il n'était pas prêt.

–Ah !

–Comme chacun sait, monsieur Maheux est souvent retardataire.

–Mais c'est un vrai bon forgeron !

–Pour ça, oui !

–Pis ça avance, les préparatifs du cinquantenaire ?

–Avec un comité comme le nôtre, c'est efficace.

–Ma femme m'en parlait en revenant hier soir.

–C'est sur ses épaules que retombe la tâche la plus importante : la préparation du banquet. Faire manger une famille, c'est de l'ouvrage, mais faire manger toute une paroisse, c'est une performance, un chef-d'oeuvre de coordination. Y a que madame Goulet pour réussir ça avec brio. Je veux dire avec de la nourriture goûteuse, excellente en tout et partout.

–Un cinquantenaire de paroisse, c'est tout de même pas rien qu'un banquet.

–Bien sûr que non. Y a aussi l'album, la parade dans le village, la musique, les photographies, les discours de personnalités... on attend les deux députés. Même que le cardinal Rouleau pourrait peut-être nous revenir une deuxième fois en autant de mois.

–Ça serait tout un honneur pour Saint-Léon.

Une frimousse apparut à la fenêtre. Le vicaire fit un commentaire :

–Vous avez de vrais beaux enfants, monsieur Pierre.

L'homme rit :

–C'est la faute à ma femme.

–Vous avez très bonne apparence vous aussi. Ne vous sous-estimez pas !

–Faites-moé donc rougir jusqu'aux oreilles, là, vous.

–Je dis ce que je pense.

–Comme moé.

–La vérité, c'est le meilleur passe-partout d'une vie heureuse.

–On est pas obligé de tout dire, mais quand on dit quelque chose, il faut le dire 'drette'.

–Vous et moi, Pierre, on se rejoint sur cette question.

Enfin, la porte s'ouvrit de nouveau et parut Désirée dans toute sa splendeur de femme jeune et en pleine santé. Un soupçon de fard, un rien de rouge aux lèvres. Jamais personne ne l'avait vue aussi belle et pleine de grâce. Robe noire en taffetas, découpe princesse, garniture rouge en ruban, même tissu dans la chevelure et collier tradition en perles de culture. La tendresse du regard, la nostalgie écrite dans les paupières, un grand mystère dans le sourire ineffable, tout en faisait la femme que chaque homme caressait au creux de son coeur et dans le secret le plus exaltant.

Même le vicaire. Surtout le vicaire !

Comment le ciel pouvait-il disperser de manière aussi inégale l'harmonie des formes et des traits, en donnant tant à la même et bien moins à d'autres ?

Telle était la question qu'il se posa en ayant l'air de ne guère la voir derrière l'apparente neutralité de son ton pour la saluer :

–Bon matin, madame Goulet. Le rendez-vous est pris pour trois chez le photographe Gamache. Il nous attend à la première heure.

–Monsieur Maheux, lui ? demanda-t-elle et se rendant compte de l'absence du forgeron.

–Pas prêt. On va le prendre en passant.

–On prend pas par le raccourci.

–Selon monsieur Fridou, le chemin est pas passable par là-bas.

–C'est vrai, dit Pierre. J'ai entendu parler de ça, moé itou.

Et le jeune homme ouvrit la portière arrière pour y laisser monter son épouse. Et pour savoir l'heure de son retour sans avoir à le demander directement au prêtre, il dit :

–T'inquiète pas, on va se faire à manger comme il faut.

Le vicaire intervint :

–Madame sera là pour le repas du midi. On sera de retour pas tard. Trente-cinq minutes pour aller, autant pour revenir et une heure chez le photographe, c'est tant qu'il faut. À onze heures, madame Goulet sera ici.

–Prenez tout le temps qu'il faudra.

Ce furent les derniers mots de Pierre. L'abbé salua du geste, puis remonta la vitre et fit bouger la voiture qui reprit le chemin sans tarder.

–Je me sens comme le chauffeur privé de la reine Marie.

–Moi, je n'ai pas grand-chose d'une reine, encore moins de la Princesse May.

Le coeur du prêtre se mit à battre la chamade et il ne se retint pas de dire, l'émotion dans la voix tandis que la voiture prenait de la vitesse :

–Vous êtes autrement plus... charmante que Princess May, vous savez.

–Ce qui compte, c'est la beauté intérieure... comme la vôtre, monsieur le vicaire, et celle de monsieur Couët.

–Certes, mais si la beauté intérieure resplendit à travers la beauté extérieure, n'est-ce pas là se rapprocher un peu du divin ?

–Pour en revenir à la reine d'Angleterre, on dit qu'elle est bien plus intelligente que son époux, Georges V.

–On le dit. Le roi est grand chasseur de tigres. Il peut en abattre deux ou trois dans un même safari.

Voici que Désirée avait obligé le prêtre à bifurquer vers une autre voie que celle de son apparence physique. Mais le vicaire, que son état de péché mortel travaillait et qui, à travers un sentiment pur et sans souillure, s'imaginait moins pécheur, prit un raccourci pour revenir à la personne de sa passagère :

–Pour en revenir à Princess May, ou la reine Marie si vous préférez, de méchantes langues disent d'elle qu'elle est un 'dragon à plumes'. Cela concerne son attitude, paraît-il, à l'égard de leurs enfants... Mais vous, Désirée, êtes la meilleure mère au monde. J'ai vu votre réaction quand le chat de la petite Juliette est mort. Voilà pourquoi je parle de votre beauté intérieure. Générosité. Amour. Tendresse. Vous avez tout, Désirée, tout.

–On n'a pas le mérite de ce qui nous a été donné par le bon Dieu en naissant.

–Ah, mais on a le mérite de le conserver et de le développer ! Ce que bien des personnes ne font peut-être pas. Y compris la Princesse May d'Angleterre... Qui n'a pas la grandeur de la reine Victoria et qui, pourtant, porte elle-même le nom de Victoria.

–Pourquoi on l'appelle la reine Marie ?

–C'est que la reine Victoria a demandé qu'aucune reine d'Angleterre après elle ne porte le nom de Victoria.

Devant l'acharnement du prêtre à revenir sur ses attributs, Désirée fit un coq-à-l'âne :

–Comme ça, monsieur Maheux était pas au rendez-vous d'à matin ?

–Il n'était pas au chemin en tout cas. J'espère qu'il y sera tantôt.

Elle affirma :

–Sinon, je vais aller le chercher dans la maison. Il faut son 'portrait' sans faute dans l'album-souvenir.

–En tant que bâtisseur de chapelle en plus...

Le vicaire n'en dit pas plus. Désirée demeura silencieuse aussi. Lui en profita pour humer cette subtile et si prenante odeur féminine venue de l'arrière. Parfois, il jetait un oeil discret dans le rétroviseur pour mieux étancher sa soif de la voir. Puis, comme un envoyé du ciel ou de l'enfer, un chevreuil parut soudain devant la voiture. Ces bêtes vont par grands sauts et apparaissent sans crier gare, provoquant de nombreux accidents qui leur coûtent généralement la vie.

Par réaction, le chauffeur appuya sur la pédale des freins

pour réduire la vitesse de l'auto et la stopper. Il était trop tard déjà. La pauvre bête fut heurtée et rejetée sur le bas-côté du chemin gris.

Sitôt la voiture arrêtée, le prêtre descendit et alla constater les dégâts. Un garde-boue était légèrement bosselé. Puis il se rendit à l'animal dont les pattes bougeaient mais à la langue en train de sortir de la bouche comme si l'asphyxie était à régler son sort. Alors seulement, l'abbé prit conscience de ce que sa passagère était restée dans la voiture. Il pensa aussitôt à l'inconfort que la vue d'une bête agonisante pouvait lui causer. Encore que, femme de cultivateur, Désirée avait certainement assisté à la mise à mort d'un cochon ou d'une vache lors des boucheries de décembre voire même qu'elle avait pu ramasser le sang et le brasser ainsi que le faisaient toutes les femmes des rang au moins une fois par année. Mais peut-être aussi que Désirée était exemptée par son mari de pareille tâche ingrate et désolante.

Quoi faire avec la carcasse sinon la mettre sur le toit de la voiture et la donner à un villageois pas très riche, tiens, peut-être à la famille de Cécile, la servante. On aurait de la viande pour quelques jours; il suffirait de la mettre sous glace quelque part.

Toujours aucun signe de vie dans le véhicule. L'abbé s'y rendit et son visage changea d'air quand il aperçut du sang couler sur le front de la belle passagère. Il ouvrit la portière:

–Mais que vous est-il donc arrivé ?

–Me suis cognée un peu. J'me demande comment j'me suis pris. Votre siège est en tissu...

–Mais il y a des ressorts enveloppés dans le dossier...

–Ça doit être ça.

–Laissez-moi y regarder de près. Pourquoi ne descendez-vous pas de voiture ? Vous avez un mouchoir ?

Énervé, il ne savait que poser des questions. Elle sourit, descendit, se tint debout devant lui. Une pause survint. Il regarda le filet de sang, le suivit à l'oeil...

La jeune femme trouva un mouchoir immaculé qu'elle tint entre ses doigts. L'homme le prit non sans avoir touché la main féminine en ayant l'air de n'avoir pas fait exprès. Et il toucha la source du sang tout juste à l'intérieur de la chevelure :

–J'aurais donc dû faire plus attention !

–C'est pas de votre faute, monsieur le vicaire, voyons.

–Suis trop nerveux dans ces cas-là. Faut dire que c'est la première fois que je heurte un chevreuil. La pauvre bête était à l'agonie. Elle doit être morte maintenant. Je vais la hisser sur le toit et l'apporter à monsieur Arthur Bilodeau pour sa famille.

Et il épongeait doucement le front légèrement abîmé. Désirée, malgré le picotement et la sensation de brûlure, demeura impassible, n'arborant qu'un tendre sourire à peine perceptible. Il vint soudainement au prêtre un désir d'elle, une soif profonde, difficile à contrôler. Toutes ces émotions, toutes ces sensations, ces peurs et autres effets de ces rares événements chaviraient sa chair que le sacrement de pénitence n'avait toujours pas lavée de son péché grave.

–Ça n'y paraîtra aucunement pour la photo, vous savez. Un visage comme le vôtre garde tout son... charme...

–Vous allez me faire rougir, vous, là.

–C'est mon coeur qui parle par ma bouche.

Désirée tâcha d'analyser vivement le sens profond de cette phrase. Elle n'y parvint pas. Était-ce une forme d'aveu, d'avance, d'attente ?

Alors leurs yeux se rencontrèrent. Elle sut que ce qu'il dirait dépasserait les balises que l'on savait exister vu les circonstances.

–Si j'étais libre et si vous l'étiez, je crois que je... vous embrasserais, Désirée.

–Nous devrions repartir pour le village.

–Faut-il attendre qu'on nous offre notre liberté, ou bien ne devrions-nous pas la prendre à pleines mains ?

Elle battit des cils :

–Vous me... le devoir d'état, c'est le devoir d'état.

–N'avons-nous pas droit à quelques écarts de conduite au cours de notre vie ?

Elle prit le mouchoir des mains du prêtre, pencha légèrement la tête, soupira :

–Le pauvre chevreuil a eu un écart de conduite et... voyez ce qui lui est arrivé.

L'homme nia du sourire et d'un hochement de tête :

–Nous sommes des humains avec toutes nos faiblesses, et il n'y aurait pas de quoi s'en confesser que de nous rapprocher l'espace d'un court moment.

Il lui prit les bras au-dessus des coudes :

–Ah, Désirée, que j'aime prononcer ce nom si doux !

–Il est temps de repartir, monsieur le vicaire.

Effrayée, elle se dégagea. Il lui attrapa la main et reprit le mouchoir alors qu'elle retournait s'asseoir à l'arrière, le laissant pantois pour un moment.

–Je vais m'occuper de la carcasse.

Mais voici que l'animal, entre-temps, avait retrouvé son souffle, qu'il s'était relevé et avait disparu dans la nature. Le prêtre regarda le lieu où le chevreuil avait eu l'air d'agoniser, et, mû par un désir irrésistible, il porta discrètement le mouchoir à sa bouche et goûta le sang de Désirée. C'est sans pécher qu'il la ferait sienne. Car ce sang deviendrait le sien tout comme le sang du Christ à chacune de ses messes devenait le sang de son corps... sauf peut-être ces deux derniers matins alors qu'il avait dû dire la messe en état de péché mortel....

*

–Non, mais de ce que t'es belle à matin, Désirée !

Cette fois, c'était la voix de Rose-Anna. La femme du forgeron s'était rendue au chemin tandis que son homme 'vernoussait' tout endimanché dans la boutique de forge. Elle savait que la voiture du vicaire reviendrait au village avec son amie pour passagère, et cela se produisit comme son intuition et sa réflexion le lui avaient révélé.

–C'est pas tous les jours qu'on fait 'tirer son portrait'.

Le vicaire intervint :

–Monsieur Maheux n'est pas encore prêt.

–Certain qu'il l'est ! Même qu'il vous a vu passer tout à l'heure pis qu'il a pensé que vous l'aviez oublié. Il a même décidé d'aller prendre les gros chars à la 'station' pour aller à Saint-Évariste.

–On ne se fie pas plus que ça au vicaire de la paroisse, à ce que je vois.

Rose-Anna cria à pleins poumons :

–Arthur, Arthur, monsieur le vicaire est arrivé.

Le forgeron parut. Il avait une tache noire au-dessus des yeux, signe qu'il avait touché de ses mains quelque chose de souillé puis touché son front.

–Quoi c'est que t'as donc fait ! s'exclama sa femme quand il se rapprocha d'elle et de la voiture en attente.

–Fait ?

–T'as le front tout sale : c'est beau pour un portrait, ça.

Elle sortit un mouchoir de sa poche de robe et voulut essuyer la tache, mais il s'empara du linge en disant :

–Je vas m'en occuper moi-même.

Puis il s'engouffra dans l'auto par la portière avant. Ses salutations au prêtre autant qu'à la femme Goulet ne furent que des grommellements.

–Je vous le ramène avant midi ! fit le prêtre qui embraya aussitôt.

–Vous avez mon mouchoir, monsieur le vicaire, demanda

Désirée. On dirait que j'ai encore un peu de sang dans les cheveux.

Le prêtre mentit, qui avait caché le linge rougi dans une poche intérieure de sa soutane :

–Je l'ai jeté.

Arthur ne laissa pas l'occasion passer :

–Quen, Désirée, ma femme vient de me le donner.

–Et toi, ton front ?

–Fais ce qu'il faut d'abord; j'ferai ce qu'il faut ensuite.

Elle accepta. S'épongea, n'aperçut que du rose sur le tissu, le replia, dit :

–Approche, Arthur, je vais te nettoyer le front.

L'humeur du forgeron passa de la colère noire à l'exaltation euphorique. Il se pencha vers l'arrière, offrit son front à la main de fée qui s'affaira aussitôt. À voir cela, le vicaire sentit son foie produire de la bile en abondance.

Désirée prit la parole pour détourner l'attention des deux hommes du geste qu'elle était à poser :

–Arthur, tu t'es mis sur ton trente-six à matin.

–C'est pas tous les jours qu'on se fait 'tirer le portrait'.

Elle sourit largement :

–C'est en plein ça que j'ai dit à Rose-Anna tout à l'heure quand t'étais dans la boutique.

Elle eut tôt fait de nettoyer toute trace de houille du front d'Arthur et reprit sa place, bien appuyée à la banquette arrière. Le vicaire se lança alors dans des explications détaillées sur sa décision de passer son chemin devant la maison Maheux au départ pour aller chercher Désirée d'abord, sur le retard que l'incident du chevreuil leur avait imposé, sur les promesses du temps offertes la veille au soir par un soleil couchant dans un ciel très rouge.

–C'est ben sec c't'année, l'été. Si ça continue de même, le lac va baisser d'un bon pied.

–Vous pensez, Arthur ?

–Ça fait huit ans que je reste par icitte. C'est la première fois que je vois un été de même. Ça serait-il que le bon Dieu veut nous punir pour nos péchés ? On y a fait une chapelle, au bon Dieu, pis on va y faire des belles fêtes du cinquantenaire : c'est quoi qu'il veut de plus pour nous envoyer de la 'plie' ? Pis c'est quoi qu'il veut de plus pour nous ramener du 'gagne' dans la paroisse ?

–Vous avez bien raison, Arthur, le péché est partout et il nous vaut bien des malheurs.

–Ben moé, j'pense qu'icitte, dans c'te char-là, y a pas ben des 'gensses' qui font des péchés. Vous, monsieur le vicaire, c'est quoi que vous pourriez ben faire pour offenser le bon Dieu ?

Désirée intervint. Et son regard croisa celui du vicaire via le rétroviseur :

–Un prêtre ne pèche pas, il pardonne les péchés des fidèles.

–Ce n'est pas lui qui pardonne, mais notre Père qui est dans les cieux, objecta le vicaire.

Puis il rit sur deux notes rapides :

–Et vous, Arthur, je ne vous demanderai pas de vous confesser devant madame Goulet, mais comment un bon père de famille aussi vaillant, aussi dévoué à la cause publique, aussi bon chrétien pourrait-il donc fauter ?

–Je fais des péchés moé itou.

–Comment ?

–J'sus pas obligé de répondre.

–Non.

–Mais j'vas vous répondre pareil. Ça arrive qu'on r'garde une belle créature avec un peu trop de... de...

–D'insistance ?

–C'est le mot que j'aurais voulu trouver, mais comme

j'sus pas ben instruit...

–Vous connaissez le sens du mot, bien entendu ?

–Oué... mais un mot plus rare, ça vient pas tuseul dans ma tête. Que voulez-vous, j'ai fait ma troisième année à la petite école de Saint-Benoît, pis c'est tout'.

–Ce n'est pas le sens du mot qu'il faut avoir en soi, mais le coeur du mot. Sa vertu. Son essence vraie. Sa valeur...

Désirée ne disait rien. Elle sentait bien que ces deux hommes ne se comportaient pas normalement en sa présence. Elle savait que son apparence les troublait. Le vicaire l'avait dit carrément lors de l'incident du chevreuil, et voici que le forgeron venait de le faire voir sans le dire explicitement. Pour cela, elle aimait leur compagnie, mais n'aurait jamais ouvert le moindrement la porte de sa vie privée à l'un ou à l'autre.

Soudain, songeant aux déductions qu'il avait faites à propos de certains cultivateurs du cinquième rang et de leurs moeurs, la forgeron demanda abruptement à la femme tranquille :

–Pis, les 'gensses' du rang, ils se réunissent encore pour fêter ça ?

Le visage du vicaire rougit jusqu'aux oreilles. Il se sentit bien plus interpellé que Désirée vu la soirée qui avait souillé son âme quelques jours plus tôt.

–Il n'est pas interdit de se réunir et de s'amuser sainement, dit-il en appuyant son propos d'une main ouverte ayant quitté le volant.

–J'dis pas ça pour faire des reproches à 'parsonne'.

–Croyez-vous que les gens du cinquième rang dansent, boivent ou jouent aux cartes à l'argent lors de ces veillées ?

–Je le sais pas. Peut-être que Désirée pourrait nous le dire, elle.

Le prêtre voulut exempter la jeune femme de porter un jugement et répondit au nom de tout le rang :

–L'autre soir, j'ai veillé avec plusieurs couples du cinquième rang. Monsieur et madame Goulet n'y étaient pas. Je peux vous dire que je n'ai rien vu là –c'était chez monsieur Rousseau– de repréhensible.

–Ah, j'ai rien dit, j'ai rien dit en tout'. Si un prêtre est admis à leu' veillées, ça doit être des bonnes veillées. Mais... Désirée, les 'gensses' du rang, ils vous invitent pas, toé pis ton mari ?

–On dirait que non. C'est leur affaire, hein ?

–Vous pensez pas que c'est injuste pour eux autres, vous, monsieur le vicaire. Tout le rang est invité aux veillées de groupe, mais pas les Goulet... Sont mis de côté : pourquoi ça donc ?

Le prêtre n'avait d'autre avenue devant lui qu'un cul-de-sac finissant dans un mur. Souhaiter ne pas voir les Goulet parmi les fêtards, cela donnait en effet dans l'injustice. Souhaiter les y voir, c'était donner la pauvre Désirée en pâture aux sept loups du cinquième rang, l'abbé ignorant que deux nouveaux couples, les Nadeau et les Poulin, avaient fait leur adhésion au groupe des 'frappeurs'.

Il s'en sortit via un raccourci qui traversait de drôles de fardoches :

–Ah, ils seront invités comme je l'ai été. C'est une question de temps, d'occasion...

–C'est ça ! approuva Désirée.

Il y eut alors une pause. Puis on se mit à parler des foins qui s'en venaient à grands pas trop ensoleillés...

***

Chapitre 28

–Mais voyons, Arthur, qu'est-ce que tu fais là ?

Désirée venait tout juste de descendre de voiture devant la demeure du photographe sise sur le sommet de la côte du village de Saint-Évariste, en face de la grande église érigée en 1878. Et le forgeron, sous un prétexte aussi vain que vil, avait glissé sa main sur la fesse féminine d'une manière qui révélait sa véritable intention.

Arthur n'eut pas le temps de répondre qu'il subit l'assaut du prêtre :

–Monsieur Maheux, je pense que vous devriez faire attention aux gestes que vous posez envers les dames.

–Mais quoi, j'ai voulu l'aider à débarquer, c'est rien en tout', ça.

–Ce n'est pas une façon d'aider une dame, dit le prêtre sur son ton le plus sévère, lui qui, pourtant, avait posé un geste bien plus 'sexuel' en goûtant le sang de la femme sur le bord du grand chemin vers le cinquième rang.

–J'vous fais mes excuses à tous les deux : j'ai pas voulu vous scandaliser pantoute.

Le forgeron n'avait pas le choix de façonner au feu d'une conviction apparemment plus solide qu'un fer à bander une roue, une réponse qui l'innocente tout à fait.

Ce qui, dans le geste indélicat, irritait le plus la jeune femme, était de penser à son amie Rose-Anna. Elle ne méritait pas ça. Pas plus qu'elle-même s'il advenait, Dieu l'en garde, que son mari Pierre touchât une autre femme. Mais elle ne voulut point rabrouer le fautif, puisque le vicaire était à s'en charger comme il le fallait.

–Vous avez parlé de la crise qui perdure, vous avez parlé de la pluie qui ne vient pas, c'est par des gestes semblables qu'on attire sur nous tous **les colères du ciel**.

Arthur bougonna pour lui-même en ouvrant la portière pour descendre de voiture à son tour. Il n'avait pas envie de rétorquer quoi que ce soit. Après tout, il n'avait pas violé Désirée. Au geste posé, il n'avait pas même eu de réaction charnelle, bien moins en tout cas que ces fois où il l'avait vue dans la boutique, son regard audacieux et un brin vicieux camouflé derrière les flammes rouges du feu de forge.

L'incident fut vite mis de côté sans être oublié. Le trio se recomposa devant la plaque fixée au mur à côté de la porte et qui disait : *Rosaire Gamache, photographe, portraitiste.*

–Comment ça, photographe... portraitiste... C'est pas du pareil au même, ça ? se demanda Arthur tout haut.

Le vicaire répondit :

–La photographie, c'est avec un appareil.

–Pour prendre des portraits ?

–Non, des photos.

–Comment ça, on vient pas se faire faire un portrait ?

–Non, une photo. Ou photographie.

–Là, j'comprends pus rien pantoute.

–Je vous explique, Arthur, je vous explique. Mais écoutez-moi bien avant de m'interrompre.

–Parlez... d'abord que vous en savez plus que moé.

–Sur ce sujet, j'en sais plus, mais vous en savez plus en

d'autres matières... comme la forge, la construction...

–La manière de faire des enfants...

La plaisanterie grosse et grasse ne fit rire personne, et Arthur dut se taire. En son imagination, il se plaqua sur la bouche un fer à cheval qu'il y fixa avec les clous de la patience et de la prudence.

Et le vicaire put enfin lui expliquer la différence entre un photographe et un portraitiste...

Gamache était un quadragénaire guindé. Petite moustache poivre et sel dont les bouts retroussaient vers le ciel pour amuser les enfants à qui la mode des années folles demandait de sourire sur une photo. Noeud papillon sur col de celluloïd comme pour aller à quelque réunion snobinarde. Veste avec chaînette en cercle, signe d'une montre de poche cachée mais bien accessible. Souliers noirs vernis. Habit noir à rayures grises. Le physique de l'emploi. Du moins s'en donnait-il l'air.

–Monsieur le vicaire Morin ! Madame Goulet ! Monsieur... monsieur...

–Maheux, dit le forgeron qui fronça les sourcils.

–Ah oui ! C'est vous qui avez fait construire la chapelle sur la montagne de la...

–Le mont *Sainte-Cécile*, coupa Arthur.

–Comment ça ?

Le vicaire intervint :

–C'est la fille aînée de monsieur Maheux qui a gagné le concours pour trouver un beau nom à la montagne de la...

Le photographe se permit de rire :

–Gageons que votre fille s'appelle Cécile !

–Pantoute ! lança Arthur sur un ton irrité.

–J'ai visé à côté de la cible. Venez, venez, entrez... Je vous attendais.

–Nous ne sommes pas en retard.

–Bien sûr que non ! Même que vous êtes en avance.

Et Gamache consulta sa montre en or qu'il tint plus longtemps que nécessaire devant lui afin de s'assurer qu'on puisse la voir briller.

On le suivit dans un studio sombre éclairé à l'électricité. L'homme ne cessait de jacasser dans un français plutôt châtié qui déplaisait au forgeron mais plaisait au prêtre.

–Ainsi donc, vous préparez un album-souvenir et les fêtes du cinquantenaire de Saint-Léon. Chaque année, une paroisse ou une autre fête son cinquantième anniversaire de fondation. Ici, ça fait un bon bout de temps. Saint-Évariste est une des plus vieilles paroisses de la grande région. Plus vieille que Saint-Méthode, que Saint-Honoré-de-Shenley, que Saint-Hilaire bien entendu, que Saint-Martin... nommez-les... Mais vous êtes une jeune paroisse. Même Saint-Samuel et Saint-Sébastien sont plus vieilles que vous. Quand je dis 'vous', c'est comme si à vous trois, vous étiez toute la paroisse. Mais, mais, mais, je vous regarde et ma foi, vous représentez tout Saint-Léon. Monsieur le vicaire représente l'âme de Saint-Léon c'est-à-dire la religion. Monsieur Maheux représente le labeur quotidien. Et madame Goulet... eh bien je dirai qu'en tant qu'épouse de cultivateur, elle représente la terre, une bonne et belle terre fertile et nourricière. Je n'avais pas pensé que ce matin, Saint-Léon serait dans mon modeste studio de photographe...

Et l'homme éclata d'un rire communicatif en même temps qu'il lissait les bouts de sa moustache fine. Puis il reprit :

–Assoyez-vous là, tous les trois, le temps que je procède à un ajustement de projecteurs. Et décidez lequel de vous trois passera le premier sur la 'chaise électrique', si ce n'est pas déjà fait.

L'homme se tut pendant un moment et s'affaira au filage, aux prises de courant, aux rallonges et aux projecteurs qui éclairaient un lutrin auquel ses clients auraient à s'appuyer pour prendre la pose au moment de les photographier.

–C'est comme on dit, proposa Arthur, à tout seigneur tout honneur : à vous le premier, monsieur le vicaire.

–Eh bien moi, je dis : aux dames d'abord ! Et je suggère que madame Désirée passe en premier.

–Bonne idée ! affirma le forgeron.

On regarda la femme qui acquiesça d'un sourire.

Gamache, qui avait tout entendu, se tourna pour inviter la femme à se rendre au lutrin, ce qu'elle fit avec toute la grâce naturelle qui enveloppait son image.

–Ah, si vous préférez, on pourrait faire des photos dans la position assise, mais nous avons tous l'air plus fin quand on est debout.

On rit. Désirée se tint derrière l'accessoire. Gamache la guida :

–Un peu plus près... Tournez-vous très légèrement... Non, l'épaule gauche... Oui... Comme ça... C'est très bien...

Puis il se pencha et disparut sous le linge noir qui recouvrait la caméra. Alors qu'il allait soulever la barre et déclencher l'éclair au magnésium, Arthur lança :

–Laissez-moé vous dire que Désirée, c'est pas elle qui va briser le kodak !

Surprise, Désirée bougea. Distrait, le photographe fut contrarié par l'intervention et, émergeant de sa cabane, il dit, le tête penchée sur un reproche :

–S'il vous plaît, faites silence ! Parlez tout bas si vous voulez, mais pas pour déranger le sujet ou le professionnel qui cherche à faire de son mieux.

–On va se taire, assura le vicaire, les deux mains levées.

–La tombe ! enchérit Arthur qui se croisa les jambes pour ajouter à sa promesse.

La porte du vestibule n'avait pas été entièrement refermée. Des rais de lumière provenaient de là, mais en quantité insuffisante pour aider ou nuire à la prise de photo. Le prêtre vit soudain que cet éclairage naturel avait été modifié, comme si quelqu'un se trouvait à cacher le jour en obstruant la vitre de la porte extérieure, ce qui, forcément, assombrissait le vestibule. Car si quelqu'un était entré, on l'aurait entendu...

Il n'avait pas à y voir. Si quelqu'un arrivait, qu'il entre et cesse d'attendre qu'on le devine là... Lui voulut profiter du moment que la prise de photo offrait pour souffler à l'oreille du forgeron la suite de son reproche suite à cet acte indécent dont il avait été témoin à leur arrivée devant la maison.

–Monsieur Maheux, madame Goulet a trouvé fort disgracieux votre geste de tout à l'heure.

–Coudon, une main su' la fesse : est pas tout nue...

–Quelle... vulgarité dans votre langage !

–Quelle quoi ?

–Vulgarité.

–C'est quoi, ça ?

–C'est... c'est... c'est pas beau, voilà !

–Désirée est pas en chocolat : elle va pas fondre pour ça, voyons donc, maudit torrieu !

–Le neuvième commandement de Dieu qui fut donné à Moïse sur les tables de la loi, vous connaissez ?

–Ben... euh...

–L'oeuvre de chair ne désireras qu'en mariage seulement. C'est clair comme de l'eau de roche.

–L'oeuvre de chair, vous voulez dire le devoir conjugal ?

–En plein ça !

–Vous condamnez pas ça, toujours ?

–Pas du tout. Mais en mariage seulement. Avec votre épouse. Et point final ! Tout geste de convoitise eu égard à une autre femme que la vôtre est un péché grave.

–Pas mortel toujours ?

–Mortel... très mortel !

–J'sais pas pourquoi, mais y a quelque chose qui me dit que vous grossissez les affaires. Une main su' Désirée, c'est loin de... l'oeuvre de chair, ça. Vous devez savoir ça, là, vous...

Cette dernière phrase pénétra l'âme du prêtre jusqu'en ses tréfonds. Comment reprocher à un homme du peuple son péché d'impolitesse quand lui-même était souillé par le vrai, le grand péché de la chair ? Et qu'il n'en était pas encore lavé. Il fallait qu'il mette un terme à cela. Qu'il retrouve son droit moral de parler, de reprocher, d'accuser puis de pardonner au nom du bon Dieu. Il devait se confesser. Et sans tarder. Chance lui en était donnée en ce moment même et il devait en profiter. Le vicaire de Saint-Évariste devait se trouver à son bureau du presbytère : il devait aller le visiter sur-le-champ...

–On en reparlera, moi, je dois aller au presbytère.

À ce moment, ce fut l'éclair au magnésium qui accapara toute l'attention. À la vénusté de la jeune femme, la lumière vive ajouta une sorte d'aura divine. Et le vicaire, en plus d'être ébloui, se sentit encore plus souillé qu'à toute heure auparavant depuis la commission de son terrible péché avec la tentatrice du cinquième rang. Il se leva, annonça :

–Je vais au presbytère; je serai de retour dans dix ou quinze minutes au plus.

Gamache émergea de sa cache, eut l'air surpris :

–C'est que j'attends d'autres clients, vous savez.

–Quinze minutes, est-ce trop ?

–C'est à peu près ce que ça va prendre pour les deux.

–En ce cas...

Et le vicaire se dirigea vers le vestibule. Mais le forgeron le suivit, qui voulait mettre un point final à cette histoire bénigne de main sur la fesse de Désirée pour l'aider à descendre de l'automobile, ce qui n'était pas tâche si facile, puisque souvent, il arrivait à des personnes d'avoir à s'y reprendre à deux reprises.

Quand il atteignit à son tour la petite pièce, le forgeron se heurta presque à un homme pétrifié. Il referma la porte et le contourna pour savoir ce qui se passait. De l'autre côté de la porte qui menait à l'extérieur se trouvait une jeune femme en noir, le regard terne et figé. Arthur ne la connaissait pas, mais il lui parut que le prêtre, lui, l'avait vue quelque part. Ou bien s'agissait-il d'une apparition ?

–Qui c'est, celle-là ? On dirait une folle sortie de l'asile.

–C'est... la possédée de Saint-Évariste parvint à dire le prêtre à voix blanche.

–Possédée ? Ben non ! 'Parsonne' est possédé du démon. C'est une folle, c'est tout'.

L'abbé oublia son propre état de péché mortel et il saisit l'occasion pour tancer de nouveau le forgeron aux mains baladeuses :

–Vous voyez ce que le péché apporte au monde ? Pourquoi pensez-vous est-elle venue jusqu'ici ce matin alors que nous y sommes tous les trois ?

–Un adon.

–Un adon ? Y a pas d'adons ici-bas. Nous agissons sous surveillance. Celle du bon Dieu et... celle du démon.

–Le démon... il doit chercher les pécheurs.

–Et les autres. Et les coeurs purs pour les corrompre.

–Ça se pourrait-il qu'elle en soit pas une, une possédée du démon ?

–Je dois dire que oui. J'en ai douté quand je l'ai rencontrée déjà.

–Vous l'avez rencontrée ? Où ça ? Ah, je le sais, c'est elle qui se trouvait avec vous, dans votre 'machine' l'autre matin. Elle aurait passé la 'nuitte' au presbytère ?

–Ce n'est pas du tout ce que vous pensez, mentit le vicaire. Et l'histoire ne regarde que la sainte Église. Je vais la chasser, cette pauvre fille... Ou plutôt, aidez-moi à la ramener chez elle.

–Chez eux, c'est où, ça ? Il doit y avoir trente, quarante maisons dans le village, si c'est pas plus...

–Je sais où elle demeure. On aura dû l'échapper comme ça arrive de temps en temps.

Plutôt sceptique sur les possessions diaboliques, Arthur acquiesça :

–Allons-y !

Le forgeron suivit le prêtre dehors. Il s'adressa à Rose :

–Tu vas embarquer avec nous autres, on va te reconduire à maison.

En état de transe visiblement, la jeune femme se laissa faire. Elle monta à l'arrière, puis les deux hommes prirent place sur la banquette avant.

–De quoi c'est qui vous fait dire, à vous, que c'est une possédée ? demanda Arthur aussitôt que le vicaire fut derrière le volant et lui à la place du passager.

–J'ai cherché à savoir. Je n'en suis pas sûr à cent pour cent. Mais... il semble qu'on entende des chaînes sur la tôle de la couverture certaines nuits de pleine lune. Tout le monde le dit, tout le monde le sait, ici, à Saint-Évariste. J'en ai su par les prêtres...

–Quelle 'couvarture' ?

–De sa maison. De chez elle...

–Ah !

Arthur se tut et regarda Rose tandis qu'on se dirigeait vers sa maison pas si loin de l'église. Il chercha quelque chose de diabolique dans ses yeux amortis sans rien y apercevoir du tout sinon un mélange de désespoir, de tristesse, de peur, de résignation. Et pourtant aussi, une très lointaine lueur qu'il interpréta comme une sorte d'appel alors que le prêtre aurait pu y voir, lui, l'éclat de l'enfer.

–Quel âge qu'elle a ?

–Dix-huit, dix-neuf... je ne sais pas au juste.

–Pourquoi c'est faire que le démon s'en serait pris à elle pis pas à moé, disons ?

–Parce que vous, monsieur Maheux, il vous a peut-être déjà... après ce que je vous ai vu faire tout à l'heure avec madame Goulet.

–Justement, j'voulais vous en r'parler, de ça, moé. Si vous avez vu du péché là-dedans, ça se pourrait ben que c'est parce que vous le portez en vous, le péché. J'sus pas trop content de me faire sermonner pour ça. J'accuserai jamais ça à confesse, vous saurez ça...

Une autre fois en cinq minutes, le prêtre fut sidéré. Comment cet homme avait-il pu pressentir son état d'âme ou plutôt l'absence d'état de grâce en lui ? Peut-être était-il inspiré par la possédée, elle-même guidée par le Malin ?

Une fois encore, il constatait qu'il y avait péril en la demeure c'est-à-dire dans son coeur, qu'il y avait urgence de se confesser, de nettoyer la maison de ses souillures, de renouer avec les plus belles valeurs de la pureté, de la droiture, de la beauté. Son coeur pourrait quand même battre un peu plus fort pour Désirée, mais jamais un coup de plus pour qui que ce soit du groupe des 'frappeurs' et non plus pour cette Mae West de Marie-Jeanne Nadeau.

Et plus jamais il ne soulagerait son propre corps en solitaire, dans sa chambre, son lit, comme ça lui arrivait quand la chair s'affolait et devenait quasiment incontrôlable. Eh bien, désormais, il la contrôlerait, il la contrôlerait...

–Nous n'allons pas mélanger... deux circonstances aussi dramatiquement différentes. Nous avons pour tâche de ramener Rose chez elle, et pour ce qui est de votre conduite, on en reparlera, on en reparlera...

–Tout se qui traîne se salit !

–À qui le dites-vous ! lança le vicaire qui se parlait aussi à lui-même en songeant à sa conscience noircie par le mal.

Ils furent vite devant la maison Lafontaine, une résidence grise de style victorien. Les hommes descendirent de voiture, firent descendre Rose. Et le prêtre la reconduisit à la porte. On lui ouvrit. Il entra derrière elle. Et pendant qu'il y était, Arthur contourna la maison, tracassé par cette histoire de chaînes sur le toit. Il ne vit de tôle que sur la couverture d'un appentis jouxtant la maison et qui donnait sur une fenêtre ouverte. Et, comme au théâtre ou dans les romans, il aperçut une échelle murale qui permettait d'accéder à la toiture de ce qu'il devina être un hangar à bois de chauffage comme en étaient dotées la plupart des demeures de village.

Le forgeron voulait bien croire qu'on avait entendu des bruits de chaînes, mais un tel bruit n'avait rien de diabolique, et lui-même, dans sa boutique, manipulait à l'hiver long pour les réparer, des chaînes qui servaient aux transporteurs de billes de bois.

Et il escalada sans peine la toiture à pente douce jusqu'à la fenêtre, après avoir jeté un coup d'oeil aux alentours, s'assurant que personne ne le voyait faire. D'ailleurs, là où il se trouvait, il n'était pas visible des autres maisons.

Quand il eut le nez dans l'ouverture, son regard rouge s'assombrit. Si c'était le démon, l'auteur des bruits, il avait oublié sa chaîne puisqu'il s'en trouvait une là, au pied du lit, une extrémité fixée à la patte du meuble.

–Maudit torrieu, elle se fait attacher comme un forçat avec des fers aux pieds !

Puis il redescendit. En même temps que le vicaire revenait au chemin, à l'auto.

–Ils vont l'enfermer, dit l'abbé quand ils furent sur le chemin du retour vers le centre du village.

–La renfermer à l'asile des fous ?

–Non, non, dans sa chambre sans doute.

–Ils l'attachent après son 'litte' avec une chaîne.

–Ça se pourrait. C'est pour la protéger sûrement !

–Vous pensez ça, vous ?

–Oui, je le pense.

–Bon !

–On attache bien les bêtes. Ça sera pour son bien.

–Ah !

–Vous n'avez pas d'opinion sur la question ?

–J'ai mon idée.

–Et... quelle est-elle ?

–Je la garde pour moé...

–C'est comme vous voulez...

L'abbé Morin ne songeait plus qu'à sa visite nécessaire au presbytère de la place et sa confession au vicaire. Néanmoins, il trouva moyen de faire encore reproche à son passager pour son geste impudique :

–S'il arrive au ciel de donner du mou à Satan, c'est pour exprimer sa colère à travers l'ennemi de l'homme et de Dieu. Elle est là, la colère du ciel... parfois... C'est peut-être cette leçon que vous devez tirer, Arthur, des événements de la dernière heure...

–Pensez c'est que vous voulez, moé, j'pense c'est que j'veux, maudit torrieu...

***

Chapitre 29

Les nouveaux adeptes d'une religion, d'une secte ou d'une idée neuve sont toujours les plus fervents. Sauf que chez les 'frappeurs' on ne visait aucunement à élargir le groupe. Pas question de faire adhérer qui que ce soit en dehors du cinquième rang, même que la décision ferme de s'arrêter là, soit à neuf couples sur les dix cultivateurs, excluant par conséquent les Goulet, ne serait pas remise en question. Ni même débattue dans les soirées. Ni même évoquée dans les rencontres. Les femmes ne voulaient pas de Désirée parmi elles, vu que les hommes, en secret, la voulaient trop.

Et les rendez-vous échangistes se poursuivaient. Les maisons sans enfants servaient d'hôtel : celle des Rousseau, celle des Pépin et, maintenant, celle des Poulin. Des granges servirent également. Défense formelle était faite aux enfants de s'approcher, et les entrées étaient toutes solidement barrées durant les séances de plaisir.

Il se fit un échange de partenaires entre les Martin et les Poulin dans le haut de la terre de ces derniers, dans un champ de foin debout. Une expérience mémorable, dirent unanimement les quatre personnes concernées.

Il se fit un échange de partenaires entre les Fortier et les Nadeau. Cela se produisit un soir près du lac *Miroir*, dans une cabane appartenant à Marie-Jeanne et Maurice, cabane érigée là plusieurs années auparavant et servant d'abri aux pêcheurs sur glace l'hiver.

La pièce donnait l'air d'une cuisine d'été. Il s'y trouvait une 'truie' qu'on aurait pu chauffer si une température trop fraîche l'avait requis. Une table occupait le centre, et deux lits longeaient les murs se jouxtant à angle droit et donnant vers le lac et la lune de ce soir agréable.

Jean-Pierre occupait une berçante, le seule de la place, et les trois autres étaient attablés. L'on devisait avant la symphonie des sens.

–Ça nous a surpris un peu de recevoir votre appel, affirma Jean-Pierre après qu'on eut parlé du temps, puis des foins, puis un peu des autres 'frappeurs' du rang.

–Ça, c'est une idée de ma femme, dit Maurice. Pis moé, ben j'étais pas mal content.

Par cette phrase, Dora se sentit désirée. Elle, qui pourtant, se croyait la moins désirable du groupe avec Blanche Morin, vu sa maigreur et ses goûts trop sobres de vêtements trop sombres, en redonnait aux gars pour leur argent. Car ses lourds complexes stimulaient son ardeur avec ses partenaires, et les hommes n'avaient que des éloges à faire à son sujet pour les moments d'intimité qu'ils avaient partagés ensemble.

–Faut vous dire qu'on avait hâte nous autres itou, hein, ma femme ?!

Dora dit :

–J'ai pas peur de prêter mon homme à la plus belle femme du rang.

Marie-Jeanne rougit et opposa :

–Après Désirée.

–Désirée est une femme charmante, mais elle est pas la seule.

Jean-Pierre approuva, signe qu'on en avait discuté dans le

couple :

–Une belle femme, faut que ça ressemble à une femme, pas à une petite fille.

–Ça, c'est ben vrai ! approuva Maurice Nadeau.

On entendit le cheval hennir. Il était là, dehors, en attente, la bride attachée à la cloison extérieure par une longe de cuir. Se trouvait-il un animal sauvage dans les parages ? De toute manière, il était bien rare qu'un loup ou un ours attaque un animal de ferme. Le plus grand danger était couru par les poules, et ce sont les renards qui le leur faisaient courir.

C'était une jument appartenant aux Fortier. On était venu en voiture fine à deux banquettes. Les Nadeau étaient montés à l'arrière pour se rendre dans le haut de la terre. Et une fois encore, les enfants des deux familles avaient été confiés à la garde de Lorenzo et Rose-Alma qui, tous deux, aimaient bien cette tâche les réunissant à la petite école sans crainte des qu'en-dira-t-on.

–Si c'est un loup, blagua Marie-Jeanne, il va passer son chemin tout droit quand il va sentir que des loups, y en a deux en dedans avec nous autres, hein, ma petite Dora ?

–Absolument !

Pour éclairage, on disposait d'une lanterne accrochée au mur près de la porte. Le camp ne possédait pas de fenêtres ou bien des malins les auraient sans doute brisées pour s'amuser. Assez qu'on avait tiré des coups de fusil dans le mur arrière déjà et qu'il avait fallu à Maurice colmater les trous de balle.

Jean-Pierre déclara abruptement :

–C'est monsieur le vicaire qui aimerait ça, venir se reposer icitte, lui. Il pourrait venir pêcher la truite pis même passer la nuitte au complet.

Marie-Jeanne accusa le coup en se demandant si le jeune homme l'avait fait exprès, s'il avait eu vent de son jeu avec l'abbé Morin le soir de la chasse au trésor. Rien ne transparut dans son visage aux couleurs assombries par le clair-obscur de la pièce. Ah, mais quelle formidable idée venait d'émettre là Jean-Pierre ! On pourrait offrir au prêtre ce petit camp de pêche. Elle trouverait moyen de l'y rejoindre. Et peut-être qu'il s'y produirait entre eux, embrasés, non pas qu'un feu de paille comme l'autre soir dans la grange des Rousseau mais bien plutôt un feu de forêt...

–C'est pas une mauvaise idée, ça, dit-elle en s'adressant à son mari. Maurice, tu pourrais lui offrir, à monsieur le vicaire, de venir pêcher par ici. Ça lui ferait du bien de se reposer ! Il travaille fort, notre bon abbé Morin.

–Je vas lui en parler la prochaine fois que je vas le rencontrer.

Dora approuva :

–Un prêtre, ça ne pèche pas, mais ça peut pêcher.

Tous rirent. Marie-Jeanne plus que les autres. Elle pensait à ce moment où il s'était répandu en elle l'autre soir... Mais ne songeait toujours pas qu'il avait été le seul homme à le faire ces derniers dix jours...

Et voilà qui alluma ses sens déjà embrasés qui couvaient sous l'attente. Elle se leva :

–Les gars, vous êtes toujours plus rapides que nous autres, ben à soir, c'est nous autres qui... qu'on vous pousse dans le dos pour agir.

–Ah, on est prêts, nous autres, hein, Maurice ?

–Toujours !

–Comme les scouts à monsieur Baden-Powell.

Maurice s'exprima :

–C'est deux lits pas pires. Prenez celui que vous voudrez, on va prendre l'autre.

–Bah ! le premier du bord !

Tous quatre avaient pris un bain avant de venir. Les

grands enfants avaient posé des questions. Peu comme de coutume. On leur avait parlé d'hygiène pour ainsi satisfaire leur curiosité inutile.

Maurice alla vérifier si le verrou de la porte avait été bien poussé, puis revint vers sa partenaire du soir qui venait d'enlever sa robe et restait en jupon luisant dans l'attente du nouvel amant. Cette seule image d'une femme prête pour lui aiguillonnait l'homme dans toute sa substance. Oubliant aussitôt sa Marie-Jeanne que Jean-Pierre embrassait avec ardeur sur l'autre lit, il s'empara de la personne consentante de cette chaleureuse petite Dora Fortier.

Dehors, là-bas, un clair d'étoiles ajouté au clair de lune illuminait la surface de l'eau. Des lueurs frappaient l'oeil de la jument qui les réfléchissait vers le grand univers.

Tout n'y était que beauté tandis qu'à l'intérieur, tout n'était déjà que volupté...

*

Il y eut des soirées de groupe tout le mois de juillet.

Deux fois des grands groupes de dix-huit. À quelques reprises des groupes de douze. Et souvent des groupes restreints de deux ou trois couples.

Lavé de son péché, le vicaire revint aux regards autoritaires et durs envers ces 'frappeurs' du cinquième rang qu'il n'était pas en mesure de dénoncer et de stopper comme sa conscience lui demandait de le faire. Officiellement, il était leur ami et leur guide spirituel. Et aux confessions mensuelles, pas un d'entre eux ne s'accusa de la plus petite peccadille concernant les sixième et neuvième commandements.

Un dimanche, Maurice lui proposa d'utiliser le 'campe' de bois rond du lac *Miroir*, mais il refusa poliment. Il argua que les préparatifs du cinquantenaire accaparaient tout son temps. Maurice lui dit que l'offre tiendrait bien après les dites fêtes. Le prêtre devina qu'il y avait de la Marie-Jeanne là-dessous, et cela ajoutait à l'imbroglio dans lequel sa conscience se trouvait. Comment donc intervenir pour que cesse la pratique de l'échangisme ? Il se sentait, se savait toujours un bâillon sur la bouche. Et puis quelque chose d'inavouable en fait plutôt d'indicible le retenait par l'arrière. Une certaine fascination coupable à laquelle, à coups d'Avé, il faisait chaque soir le nez sanglant. Et il mettait toute sa confiance dans le temps et dans le ciel. Le bon Dieu lui viendrait en aide, maintenant qu'il avait retrouvé sa beauté d'âme. La Vierge Marie ne le laisserait pas tomber. Il la priait avec tant d'intensité depuis le passage du cardinal Rouleau, depuis qu'il savait par le détail les faveurs que la reine du ciel avait accordées au saint prélat.

Et chaque dimanche, il allait dire la messe sur la montagne. Le sentier se faisait chaque semaine moins abrupt, mais un peu plus long. C'est qu'on avait fait un nouveau tracé et que des hommes, chaque jour, donnaient de leur temps pour l'aménager. Aux fêtes du cinquantenaire, sans doute que tout le monde désireux de le faire pourrait gravir la pente pour se rendre là-haut. Tous sauf les femmes enceintes de plusieurs mois et, bien sûr, hélas! pour lui, le bossu Couët.

Grâce à son nouveau poney, le petit homme infirme avait pu faire une tournée des paroisses de la haute Beauce, mais la récolte s'était avérée peu abondante. Moins que la précédente. À peu près personne ne lui donnait plus qu'un vieux sou noir. Et, s'il faisait les rangs, c'est au gros maximum trente-cinq cents qu'il pouvait ramasser dans une même journée. Au moins était-il logé et nourri. Lui et son cheval. Soit il couchait sur le banc du quêteux, soit dans un hangar ou bien une grange sur du vieux foin sec. Et le poney pouvait brouter dans un pacage ou un autre avec la permission du cultivateur concerné.

Et il était revenu chez lui. On l'avait vu passer dans le cinquième rang avec son petit cheval blond qui semblait plus alerte que la *Brune*. Il ne s'était arrêté nulle part bien qu'à chaque porte, il remerciât en son coeur et sa tête pour l'aide reçue sans laquelle il devrait marcher et rester confiné à la maison. Personne non plus ne sortit sur une galerie pour l'intercepter et avoir un échange, et prendre des nouvelles de la Beauce. C'est que le cinquième rang, après les Goulet, n'avait qu'une seule idée en tête : le sexe. Les ragots n'intéressaient plus grand monde. Les péchés capitaux y avaient été réduits à un seul : la luxure. Il n'y avait plus de place pour la chicane et la colère. On avait éradiqué l'envie et la jalousie. L'orgueil, en descendant de plusieurs crans, était devenu fierté légitime. Quant à l'avarice, comment aurait-on pu le pratiquer en un temps de pareille misère noire ? Et puis qui sait partager son conjoint ou sa conjointe refuserait-il de partager son pain ? Quant à la paresse, dans un rang de cultivateurs, elle ne trouvait à nulle porte le temps nécessaire pour s'exprimer et n'avait d'autre choix que de se reposer ailleurs, en certaines demeures du village...

Bossu ignorait les bons effets de l'échangisme et n'en imaginait que les pires : souillure de l'âme, privation de la vie éternelle, enfer garanti.

Il y songeait en ce moment même, allongé sur son lit. Puis il revécut par le souvenir une partie de son été depuis le moment où il avait pris le train pour Saint-Évariste.

Il lui avait fallu entendre sur quelques milles le bruit des roues d'acier sur les rails avant de se rendre compte qu'il n'était pas seul dans ce wagon à voyageurs ce matin-là. C'est que la tête de l'autre personne, semblablement à la sienne, n'était guère visible au premier abord. Car il s'agissait d'une personne de petite taille que tous ceux qui la connaissaient appelaient la naine de Shenley.

Couët avait pris la première banquette en pensant qu'il était seul donc, mais voici qu'après un temps, il entendit un toussotement sans pouvoir en déterminer l'origine, même en tournant la tête. C'est qu'au moment où il avait perçu ce bruit humain, il songeait à sa chère Delphine si loin dans le temps mais si proche dans sa mémoire. Et il s'était renfrogné dans le coin de la banquette pour donner à sa bosse le confort d'un espace et lui éviter une compression douloureuse.

Puis un autre toussotement l'avait remis en alerte. Cette fois, il s'était levé pour arpenter l'allée au bout de laquelle, avant la sortie qui donnait sur la porte du prochain wagon, il était tombé sur ces grands yeux de si petite personne, des yeux verts comme l'eau de la mer qu'il n'avait jamais vue autrement que sur grand écran, mais imaginait avec un si grand bonheur.

–Dire que j'me pensais tout seul dans le wagon à matin !

–Je suis là, dit-elle de sa voix flûtée, semblable à celle d'une écolière qui répond à la maîtresse.

–Vous arrivez... d'en haut ?

–De Mégantic. Pis je vais à Saint-Évariste.

–Ah oué ? Ben moé itou, j'vas à Saint-Évariste. Pour dire le vrai, à Shenley. Je vas m'acheter un cheval su' Dilon Poulin, le maquignon.

–C'est drôle, moi aussi, je m'en vais à Shenley. C'est là que je reste... dans le neuvième rang.

–Je m'en cacherai pas, j'sus quêteux, mais... j'ai fait le neuvième rang de Shenley assez souvent pis j'vous ai jamais vue en nulle part.

–J'devais pas être là. Ou ben travailler sur la terre.

Le langage de la petite femme disait quelqu'un de plus instruit que la moyenne. Elle se tenait loin des 'moé' et prononçait fermement ses 'moi'. Et utilisait le 'aussi' au lieu de ce vieil 'itou' du monde ordinaire. Peut-être était-elle une maîtresse d'école ? Bossu aurait bien aimé savoir. Il saurait.

–Vous pouvez vous asseoir avec moi si vous voulez. C'est moins long quand on parle. Pas que je n'aime pas voyager seule, mais à deux, c'est mieux, vous pensez pas ?

Il prit place en souriant. Cette rencontre lui était fort plaisante. Il était si rare qu'il croise quelqu'un de sa taille. Mais il gardait en tête l'énorme différence qu'il y avait pour les gens d'exception entre un nain et un bossu. Dans l'échelle des valeurs, c'était comme s'il y avait eu les gens normaux en haut puis, quelques échelons plus bas, les nains et enfin, au pied, les difformes, bossus, possédés, épileptiques, tuberculeux...

Il prit place.

–Je m'appelle Odilon. Odilon Couët. De Saint-Léon.

–Moi, c'est Eugénie. Eugénie Carrier de Saint-Honoré-de-Shenley.

–Gageons que vous êtes une maîtresse d'école.

Elle éclata de rire :

–Mais non, voyons ! Pensez-vous qu'on me prendrait pour faire la classe aux enfants ? Les commissaires d'école et les parents auraient bien trop peur que les enfants me montent sur la tête.

Il se montra contrarié :

–Faut pas dire ça. Vous avez le droit de vivre comme tout le monde.

–Non, je n'ai pas ce droit-là. Pas tout à fait...

Il baissa la tête en soupirant :

–Je le sais trop ben. Pis moé non plus.

Elle sourit et ramena l'échange à quelque chose de plus joyeux :

–Vous allez finir par me demander mon âge, eh bien, je vais vous le dire tout de suite : j'ai trente ans. Je suis venue au monde avec le siècle. En réalité, le premier janvier 1900. On croyait que ça serait la fin du monde le 31 décembre 1899, mais le bon Dieu a décidé d'attendre pour me laisser vivre ma vie. On peut toujours pas laisser mourir un enfant à l'âge d'une heure ou deux, n'est-ce pas ?

–La fin du monde, ils ont dit que ça serait pour 1914, mais non, c'est pas arrivé là non plus. D'aucuns parmi les prophètes... ont dit que la *Première Guerre* a été la fin d'un monde.

–On peut faire dire tout ce qu'on veut aux mots. Suffit de se faire tournailler la langue plusieurs fois dans la bouche...

–Ça, c'est pas mal vrai !

–Et vous, Odilon, quel est votre âge ?

–J'vous laisse deviner.

–Quelque part entre quarante et cinquante.

–En plein ça. Suis venu au monde en 1882, le quatorze de septembre.

–Vous pourriez quasiment être mon père. Ma mère est venue au monde en 1880, elle. Elle dit qu'elle va vivre cent ans. Mais moi, je n'voudrais pas vivre aussi vieille.

–Ni moé non plus, c'est garanti.

Puis elle regarda les arbres passer à grande vitesse dehors pour ensuite revenir à ce compagnon de voyage en disant :

–Mon père est venu au monde en 1878, mais vous paraissez pas mal plus jeune que lui.

Couët comprit qu'elle ne désirait pas sentir un fossé de générations entre eux, ni considérer leur différence d'âge comme une barrière infranchissable. Il pensait de même :

–On devrait se dire 'tu' : comme ça, on aurait quasiment le même âge.

–Ça me va ! fit-elle en souriant de toutes ses dents blanches, le front illuminé par ce rapprochement soudain.

–Dis-moé comment ça se fait que tu parles comme tu parles. On dirait que t'es instruite sans bon sens.

–Suis allée au Mont Notre-Dame de Sherbrooke. C'est monsieur Grégoire, le marchand général de par chez nous, qui a payé pour mes études. Autrement, on était trop pauvres, chez nous, pour aller au pensionnat. J'ai eu mon diplôme tout comme mon amie Berthe, la fille du marchand, mais je m'en sers pas pour faire l'école ou autre chose vu ma petite taille. Mais... suis une femme combative et je me bats autrement. Je travaille sur la terre de mes parents. En plus, je fais toutes sortes de travaux pour les autres... broderie, poterie, couture, chapellerie...

–C'est quoi, ça ?

–Fabrication et même réparation de chapeaux.

–On pourrait dire modiste comme madame Boulanger à Saint-Léon.

–Modiste, ça, c'est le mot juste, vu que je ne touche qu'à des chapeaux pour dames.

–Tu tricotes itou ?

–Ah oui ! Ça, c'est mon fort.

–Tu tricotes quoi ?

–Tout ce qui se tricote. Chandails, mitaines, bas...

–Pis des gilets.

–C'est bien ça : gilets ou chandails, c'est tout comme...

Elle lut dans les yeux du petit homme qu'il avait envie de lui commander quelque chose, mais supposa qu'il hésitait à cause de son infirmité.

–J'pourrais vous...

–On se dit tu, non ?

–J'pourrais t'en tricoter un pour le prix de la laine.

–Ça serait pas facile, vu que j'sus un infirme... surtout du dos, là.

–Je le tricote normalement. Ensuite, je découpe un rond dans le dos. Et là, je couds au même endroit, par-dessus, un morceau tricoté plus grand. C'est sûr que ça va paraître un peu...

–Tout le monde connaît mon infirmité.

–Dans quelle couleur que tu voudrais ça ?

–Bleu, blanc, rouge...

–Comme le drapeau de la France.

–Non, comme le club de hockey le Canadien de Montréal.

–Tricolore : quelle bonne idée !

–C'est-il plus dur à faire ?

–Pas une graine. Je te le fais pour le mois de novembre. Je pourrais te le maller, mais il me faut ton adresse.

–C'est ben facile : Odilon Couët, Saint-Léon. Le maître de poste sait qui j'sus pis où c'est que je reste dans le fond du cinquième rang.

C'est à travers les petits riens du jour que se tissent les plus grands sentiments appelés à durer l'éternité. Le bossu aima vite et fort. Il poursuivit son voyage en la compagnie de ce petit bout de femme joyeuse qui, quand la conversation s'assombrissait par pessimisme de l'homme, la remettait sur les rails de l'optimisme et du sourire, quand ce n'était pas du rire à grands éclats auquel faisait écho le grand wagon vide qu'ils occupaient seuls à deux.

Il apprit qu'elle s'était rendue visiter sa soeur à Mégantic, ce qu'elle faisait à toutes les saisons. On évoqua même la possibilité qu'elle lui fasse savoir le moment de son prochain voyage en automne alors qu'elle pourrait lui livrer de main à main le chandail tricolore tricoté.

Il refusa de ne lui verser que le prix de la laine. Même qu'il insista pour lui donner sur l'heure un paiement de trois piastres et demie incluant et le prix de la laine et celui de l'ouvrage requis. Elle finit par accepter vu son insistance, mais à regret et seulement pour ne pas le mettre à la gêne. Et lui pensait que, de cette façon, le contact ne saurait être rompu par le temps ou par la distance.

Puis l'on voyagea en automobile, celle du postillon du roi, jusqu'à Saint-Honoré où tous deux descendirent au bureau de poste. Freddé Grégoire, le maître de poste, connaissait ces deux infirmes. Il se dit, en les voyant, qu'ils devraient former un couple.

Puis, de la cuisine, Honoré Grégoire, plus impotent encore que le bossu, vint au magasin, marchant péniblement à l'aide d'une canne qui heurtait comptoir, plancher, barreaux d'escalier, tout ce que le sexagénaire, victime deux ans plus tôt d'une thrombose, frôlait de sa personne vacillante.

–Ma p'tite Eugénie ! s'exclama-t-il quand il aperçut sa protégée.

Sa voix chevrotait, mais son esprit marchait droit.

–Monsieur Grégoire ! dit-elle avec une joie exclamative.

–Et monsieur Couët ! de dire Honoré qui connaissait aussi le bossu de Saint-Léon, lequel s'arrêtait au magasin chaque fois qu'il venait par là.

–J'ai connu mademoiselle Carrier su' les gros chars en venant.

Comme son fils plus tôt, Honoré les vit mariés, ces deux-là. Car s'il ne leur trouvait pas une grande beauté physique, encore qu'Eugénie dégageât plein de charme juvénile, il leur savait à tous les deux une exceptionnelle beauté intérieure, la seule, disaient certains qu'il faille considérer en ce bas monde. Parole hypocrite s'il en fut... et qui ne persuadait guère le vieux sage d'Honoré dont l'épouse se mourait de l'autre côté du mur...

–On fait tout le temps des belles rencontres quand on prend les gros chars pour voyager.

Le trio se trouvait au fond du magasin, près de l'entrée du bureau de poste. Le postillon allait repartir. Il salua Honoré d'un geste, puis s'adressa à Couët :

–Je vas vous reconduire su' Dilon Poulin, c'est à un bon mille et demi d'icitte.

–J'y pense, dit Honoré, mais si t'es venu par les gros chars, c'est que t'as pas de ch'fal. Et si tu vas voir Dilon Poulin, c'est probablement pour t'acheter un ch'fal. J'y pense encore plus fort, y a mon gars Armand qui m'a rapporté que ton poney avait été tué par le tonnerre... Tout se place dans ma tête. Mais... sans vouloir faire de tort à Dilon Poulin, j'te dirai que mon gars Pampalon, qui reste pas loin plus haut, il a un bon ch'fal à vendre. Pas un gros ch'fal, là, un poney comme t'avais, toi, Dilon. T'as pas envie d'aller le voir en passant. Si ça fait pas ton affaire, t'auras rien qu'à pas le prendre.

–Dans ce cas-là, dit le bossu au postillon, je monterai pas avec vous.

Honoré s'adressa à son tour à Gaboury :

–Tom, tu peux partir. Si Dilon fait pas d'affaires avec Pampalon, ben le Pampalon ira le reconduire voir le maquignon. Aussi simple que ça !

–Tout est beau dans le meilleur des mondes ! s'exclama le postillon qui s'en alla en peignant son épaisse moustache de ses doigts habitués.

Honoré s'était dit qu'il ferait d'une pierre deux coups. Plus longtemps le bossu serait sur place, plus les chances augmenteraient de le voir tisser un lien plus important avec la naine du neuf. Et une transaction entre Pampalon et Couët rendrait service aux deux sans aucun doute.

–Je vas téléphoner à Pampalon, annonça-t-il en se dirigeant vers l'appareil mural situé de l'autre côté du grand escalier central.

Et tout fut fait comme planifié à la manière habile du marchand dont la carrière s'était terminée à son remplacement au magasin par son fils aîné lors de sa mise en retraite forcée deux ans auparavant.

Couët put passer une belle heure supplémentaire en la compagnie de la belle Eugénie. Il oublia tous ses problèmes de vie. Et il fit de bonnes affaires avec Pampalon qui alla même, ensuite, jusqu'à lui donner en prime un vieux selké qui traînait depuis nombre d'années dans un hangar de son père, et dont Freddé fut heureux de se débarrasser.

Enfin, Pampalon reconduisit Eugénie et, à la suggestion

discrète d'Honoré, fit monter Couët avec eux. C'est ainsi que le bossu apprit où vivait la jeune femme.

Au retour au village, Pampalon alla dire à son père qui se trouvait toujours au magasin, entouré maintenant de Freddé, Bernadette, Armand et Berthe :

–Ça regarde ben pour eux autres...

Puis on alla raconter l'événement à la mourante qui, marieuse elle-même toute sa vie, parvint à sourire faiblement à sa famille...

Voilà à quoi songeait Odilon cet après-midi d'août, plus d'un mois après son voyage à Saint-Honoré. Même qu'il avait reçu une missive de la part d'Eugénie lui disant qu'elle avait entrepris son tricot bien beau et bien chaud...

***

Chapitre 30

Et ce fut le temps des foins.

Il coula de la sueur partout sur les fermes. Le soleil continua de frapper solidement sur les champs, les bâtisses et surtout les fronts qu'il fallait éponger à tout venant. Mais les bras étaient forts et la résistance farouche. Il aurait fallu plus que du fauchage, du râtelage et du serrage pour épuiser les réserves d'énergie de ces jeunes cultivateurs et de leurs épouses. Et de leurs enfants en congé pour la belle saison mais que l'on réquisitionnait pour les travaux de la terre.

Une nouvelle mode apparut cette année-là dans le cinquième rang : l'échange de temps dans le plus gros des foins. Auparavant, cette tâche s'accomplissait individuellement d'une ferme à l'autre. Chacun gardait son temps pour soi, se disant qu'il ne servait à rien du tout de faire corvée et, bien au contraire, vu les caprices du ciel d'un jour à l'autre, qu'il eût été malvenu de faire les foins chez son voisin par grand soleil tandis que la pluie risquait d'empêcher les travaux de se faire chez soi le jour d'après. Chacun était donc à égalité avec tous ses voisins de rang devant les humeurs changeantes du climat.

Certes, d'aucuns, plus rapides et plus forts comme les Roy, finissaient les foins avant les autres tandis que les plus lents et qui n'avaient pas d'enfants pour les aider, comme les Poulin, terminaient quelques jours plus tard que tous. Mais telle était la façon de faire de toujours. Sauf qu'en cette explosive et quasi délirante année de 1930, le démon de la chair tisonnait les substances chez tous les cultivateurs à l'exception des Goulet.

–Ça serait le 'fun' de s'échanger du temps c't'année, Maurice, tu penses pas ?

–Certain, mon Albert. J'en ai parlé à Marie-Jeanne, pis elle est ben d'accord là-dessus.

–Marie-Louise itou, malgré qu'elle attend pour dans pas grand temps comme tu sais. Mais elle est d'équerre pour demain.

–On pourrait commencer par chez vous.

–Pis si il mouille demain, on travaillera après-demain.

–C'est justement...

Chacun avait une idée derrière la tête. Et chacun savait que l'autre avait une idée derrière la tête.

Lors d'un échange de grand groupe, Marie-Jeanne et Albert avaient couché ensemble. Toutefois, l'homme ne s'était pas répandu en sa partenaire par trop d'excitation causée par des jeux nouveaux. Mais Marie-Louise et Maurice ne se connaissaient pas charnellement. Et ils ne ressentaient pas de grands attraits l'un pour l'autre. Albert ne l'ignorait pas qui se dit à lui-même en prenant entente avec le voisin : l'appétit vient en mangeant.

Pour mieux cacher ce que l'on anticipait, les enfants furent eux aussi mis à contribution. L'aînée, Cécile, quinze ans et son jeune frère Patrice iraient seconder Lorenzo aux foins chez les Nadeau; et pendant ce temps, les deux couples de voisins travailleraient ensemble au pied de la montagne sur la terre des Martin.

Tout était pensé en vue d'un échange de partenaires entre les Martin et les Nadeau. Tout était présenté comme un échange soi-disant prometteur d'efforts et de temps.

Il en allait de même chez plusieurs autres cultivateurs du rang. Les Paré et les Roy qui se sentaient des affinités naturelles échangèrent. Les Morin et les Fortier firent de même. Les Rousseau et les Poulin s'entendirent pour travailler ensemble. Seuls les Pépin restèrent tranquilles. Et se contentèrent de participer aux réunions de groupe durant cette période de dix jours des foins. Du reste, ils ne surent pas que tous les autres s'étaient payé du loisir en même temps qu'ils voyaient à leur récolte.

Ce matin d'un soleil encore doux, les Nadeau se rendirent à pied chez les Martin, bardés d'outils, lui portant un broc à trois fourchons et elle apportant un râteau de bois, tous deux coiffés d'un chapeau de paille à larges rebords, celui de l'homme tout effrangé par le temps.

Marie-Jeanne n'était pas vraiment dans son assiette, mais elle n'en laissait rien paraître. C'est qu'elle était de plus en plus sûre d'être enceinte, auquel cas, un seul homme pouvait être le père de l'enfant : le vicaire Morin. Ses règles retardaient, et chaque jour ajoutait à son inquiétude. Mais à qui se confier ? La seule à partager une partie de son secret, soit de savoir de sa bouche même ce qui s'était réellement passé dans la grange des Rousseau entre elle et le vicaire, était Marie-Louise Martin. Elle tâcherait de lui faire part de ses appréhensions à l'écart des hommes ce jour-là.

La waguine surmontée d'un rack à foin attendait devant la porte, attelée. Maurice mit sa fourche sur la plate-forme et annonça qu'il allait prévenir les Martin pour le cas où on ne les aurait pas vus arriver. Mais il n'eut pas à le faire, puisque le couple sortit en saluant :

–Vous êtes à l'heure que vous aviez dit, lança Albert qui avait revêtu son habit d'overall à bretelles larges sur une chemise blanche que le temps avait rendue grise.

Il jeta un regard sur Marie-Jeanne qui attendait à l'arrière du rack et sourit. Elle dit à Marie-Louise :

–Viens t'assire avec moi, on va jaser en montant.

–Ben sûr !

Elles se retrouvèrent et prirent place à l'autre bout de la plate-forme alors que les gars se mirent debout devant, mâchouillant chacun une tige de foin.

Quand on fut en route, Marie-Jeanne n'y alla pas par quatre chemins :

–Ça me surprendrait pas que les gars aient quelque chose derrière la tête.

–Je le sais, Albert me l'a fait voir.

–Si t'es de contre ça pour aujourd'hui...

–Non, non... Je te l'ai dit l'autre jour... changer d'homme, ça fait du bien parfois. C'est du nouveau chaque fois, pis ça ruine absolument rien dans notre vie ordinaire, au contraire...

Bizarre hasard de la vie : au même moment, Bossu Couët se mettait en marche pour aller passer du temps dans la craque de la montagne, son lieu de prédilection depuis qu'il habitait le fond du cinquième rang. Cette fois, il emmenait avec lui non seulement de la nourriture pour y pique-niquer mais une paire de longues-vues dont il se servirait pour regarder au loin et surtout rêver.

Il fallait bien passer le temps entre deux tournées dans la Beauce, l'une faite et l'autre à faire sitôt les foins achevés ou bien il ne trouverait pas souvent du monde à la maison pour lui répondre et lui faire la charité. Il avait fait une si heureuse rencontre quelques jours plus tôt en chemin pour voir le maquignon de Saint-Honoré. Il avait trouvé un nouveau poney. Sa vie tournait au beau. Enfin...

Avec les quelques dollars qui lui étaient restés de l'enveloppe que le vicaire lui avait remise, il avait pu, après l'achat d'un cheval, se procurer ces jumelles au magasin d'Honoré Grégoire là-bas. L'usage qu'il comptait alors en faire serait apparu bien puéril à quiconque, mais quiconque n'était pas un bossu à l'âme d'enfant.

–Pas trop vite, Albert, lança Marie-Jeanne à l'intention de son voisin. Ça bardasse pas mal en arrière pour une femme avancée comme la tienne, là.

–Faut ben avancer nous autres itou !

–T'as pas envie que Marie-Louise fasse une fausse couche toujours.

–Ben sûr que non !

Marie-Louise intervint :

–Non, non, tout est correct de même. Ça brasse pas trop. Continue !

–Ben moi, j'endurerais pas ça. J'aimerais mieux marcher à ta place. Quand c'est que tu vas acheter, là ?

–Autour du premier d'octobre. J'ai six mois de faits.

–Hé que ça va vite, hein !

–Après celui-là, je voudrais ben me reposer un peu. Mais à courir d'un homme à l'autre, ça sera pas facile.

–Tu peux le dire, oui...

Marie-Louise regarda du côté des hommes, sut qu'ils étaient trop éloignés pour saisir un échange à voix basse, dit à sa voisine :

–De la manière que tu parles, on dirait que... T'es pas enceinte toujours ?

–J'en ai ben peur.

–Es-tu folle ?

–Non. On le sait quand on l'est... pis que c'est pas la première fois. Le pire, c'est que ça serait pas Maurice, le père.

Marie-Louise échappa un cri qu'elle rattrapa aussitôt et enterra d'un rire :

–Es-tu folle ?

Mais les gars continuaient de ne rien entendre. Marie-

Louise dit à l'oreille de l'autre femme :

–Ça serait toujours pas... monsieur le vicaire ?

Marie-Jeanne hocha la tête sur une longue pause, soupira en disant :

–J'en ai ben peur. Je viens juste de réaliser ça. C'est comme si je m'étais dit... bêtement à plein... qu'un prêtre pouvait pas donner la vie.

–C'est quoi qui te fait dire ça ? T'as connu d'autres... J'y pense, ça pourrait ben être mon mari tout autant...

–Non... s'il te l'a pas dit, je vas te le dire... il l'a pas fait au complet. Dans trois semaines, y a rien que le vicaire qui a fini ça... en dedans de moi. Les autres, pas un. Ni Maurice, ni Albert, ni Hilaire, pas un que j'te dis.

–C'est pire !

–Mais... on sait pas, peut-être que mes règles font rien que retarder.

–Sais-tu que tu me fais confiance, Marie-Jeanne à me dire tout ça. On a beau être des amies...

–J'te connais pis j'sais que j'peux avoir confiance en toi à cent pour cent. C'est pas la première ni la dernière fois que j'te confie quelque chose.

–J'dirai rien à personne, pas plus à mon mari.

–Je le sais. Pis si t'as des secrets à me confier, ils seront ben gardés, tu peux me croire. Les femmes, nous autres, on a pas le droit de vote, on a pas le droit d'acheter ou de vendre du terrain ou des bâtiments, on a le droit de rien faire par nous autres mêmes, mais on a le droit à la vraie amitié entre nous. Pis ceux qui voudraient nous ôter ça...

–Les hommes du cinquième rang comprennent ça.

–Peut-être plus que d'autres... peut-être plus qu'avant... Ils se sentent moins en contrôle pis ça les rend plus... attentifs disons...

–C'est vrai, ça. Je l'ai remarqué. On devrait suggérer de

tenir des réunions entre femmes seulement pour parler de tout ce qui se passe. Les gars pourraient faire pareil... Pour en revenir à ton état...

Marie-Jeanne coupa :

–Tu comprends, j'avais grand besoin de le dire à quelqu'un.

–T'as ben fait. Ça va t'aider à passer au travers.

–Ah, je l'prends pas comme une erreur, mais c'est juste que c'est pas dans l'ordre normal des choses.

–Bah ! ce qui est normal aujourd'hui, ça l'était pas hier. Les temps changent. Tu vois, nous autres, dans le cinquième rang, on fait ce qu'on appelle de l'échangisme. Bon. On doit ben être les seuls à faire ça dans la province de Québec au complet. En tout cas tout un rang, sauf un couple. Mais... dans cent ans, ça se pourrait que tout le monde fasse comme nous autres.

–Dans cent ans, tu penses ?

–Quelque part passé l'an 2000. Les moeurs seront pas les mêmes qu'asteur, c'est sûr.

–Tu penses que la religion sera moins puissante dans ce temps-là ?

–Y a rien d'éternel !

Ces deux femmes étaient en mesure de tenir un discours futuriste parce que plus renseignées que la moyenne, Marie-Louise grâce à son mari qui lui en apprenait chaque jour sur les choses du monde et Marie-Jeanne en raison de son propre appétit pour ces mêmes choses qu'elle surveillait via les journaux et revues et questionnait souvent dans sa tête, lors de ses méditations avant de dormir ou à la messe du dimanche.

Si de se retrouver enceinte d'un prêtre lui était contrariant, Marie-Jeanne ne le percevait pas comme une abomination. On élèverait l'enfant à naître parmi les autres et rien ne le différencierait d'eux.

Alors que les deux couples parvenaient au champ de foin coupé, et qui séchait depuis vingt-quatre heures, Bossu arrivait à son point d'observation dans l'orifice de cette montagne désormais sanctifiée grâce à son nouveau nom, à l'érection de la chapelle dédiée à la Vierge Marie et au passage par là d'un saint homme, le cardinal Rouleau.

Il mit son sac de manger au pied du cèdre et prit place sur la roche plate si souvent utilisée comme banc pour s'asseoir et réfléchir à tout ce qui avait fait sa vie ou penser à tous autres sujets à la mode ou qui provoquent le questionnement comme cette nouvelle coutume des couples du rang à l'exception des Goulet, des Nadeau et des Poulin. Car le petit homme ignorait encore que la maléfique contagion de l'échangisme avait atteint aussi ces deux derniers couples.

Son coeur battait la chamade quand il prit ses jumelles dans un sac de toile et les utilisa pour la première fois depuis un endroit aussi élevé qui permettait de voir si près les habitations du rang. Et si loin là-bas. Peut-être qu'il apercevrait la longue flèche de l'église de Saint-Honoré, ce qui le rapprocherait d'esprit de cette nouvelle connaissance si intéressante... Espérance des plus vaines...

On était à l'orée de la forêt ou presque. La voiture attendait entre deux rangs de foin. Albert et Marie-Louise prirent à gauche; les deux autres à droite. Les hommes chargeaient et les femmes s'occupaient à faire les râtelures. On fit un fond sur la plate-forme et alors, Maurice lança à voix forte pour atteindre l'autre couple :

–Marie-Louise pourrait venir avec moé, pis Marie-Jeanne de ton bord, Albert. C'est que vous en pensez ?

Chacun savait que les choses en viendraient là, qu'on faisait la corvée à quatre pour ça et personne ne se fit prier.

–Bougez pas, les p'tites filles, cria Albert, c'est nous autres qu'on va changer de côté. Viens donc Maurice; je m'en vas de ton bord.

Ce qui fut fait.

Les coeurs alors s'accélérèrent. Le désir vint rôder aux alentours, venu de la senteur du sous-bois, de la douce fraîcheur du matin, des rayons d'un soleil agréable et protecteur, de l'isolement et de la discrétion qu'il permettait...

Bossu explora au loin puis plus près. Il aperçut tout partout sur les terres du cinquième rang des cultivateurs travaillant comme des fourmis. Il ne porta guère attention à l'identité des personnes et à leur assortiment jusqu'au moment où il repéra les Martin et les Nadeau tout près, rapprochés par les lentilles des jumelles et celles de sa curiosité.

Il vit les gars changer de côté et chacun retrouver la femme de l'autre. Se pouvait-il que les Nadeau soient eux aussi devenus des 'frappeurs' ? Pourtant, Marie-Jeanne était femme forte et Maurice homme de sainteté... Nahhhhh... il devait s'agir d'un échange de temps tout simplement, comme il s'en faisait tant tout partout à la campagne en dehors des corvées plus grandes. C'était ça, la magnifique entraide paysanne et rien d'autre. Ce même sens collectif qui avait fait se cotiser les gens du rang pour lui donner une enveloppe dont le contenu l'avait sorti des pires perspectives.

–J'sais pas si Albert te l'a dit, Marie-Louise, mais nous autres, on avait dans l'idée d'échanger pas rien que du temps à matin.

–J'pense que tous les quatre, on le savait sans se l'être dit clairement.

–Dans ce cas-là, si on va s'assire un peu dans le rack à foin, y aurait personne pour nous en faire reproche ?

–Ni Albert ni moi en tout cas.

–Tu viens ?

–J'y vais...

Quand ils furent à la fonçure couverte d'un lit de foin par

quelques fourchées mises là par les deux hommes, Maurice annonça aux deux autres pour les entraîner par l'exemple :

–On a le goût de s'amuser un peu. Pas vous autres ?

–Certain qu'on l'a, hein, Marie-Jeanne ?

C'est elle qui entraîna son partenaire à la voiture en le prenant par la main...

Bossu faillit tomber en bas de la craque. Il voyait comme s'il se trouvait tout à côté, Maurice toucher la femme de son voisin et Albert lutiner Marie-Jeanne, elle appuyée à la plate-forme et lui qui l'enveloppait de ses bras envahisseurs.

–Pas eux autres itou ! s'exclama le petit homme. La maladie est rendue partout...

Et pourtant, sa perception avait changé. Il se sentait moins sévère, moins coupable, moins scandalisé que la fois où il avait surpris les Paré et les Martin en pleine action le jour de la noce d'Armoza Nadeau. Il s'en rendait compte. Même qu'un sourire d'une certaine bienveillance anima son visage. Le péché n'était peut-être pas aussi grave qu'on pouvait le penser à prime abord... Le petit homme ignorait que son coeur s'était attendri depuis son récent voyage dans la Beauce. Et pour cause...

Les deux couples montèrent à bord de la voiture. Chacun aida son partenaire à se dénuder juste ce qu'il fallait pour accomplir l'oeuvre de chair sans toutefois tout mettre à jour de son anatomie.

Pendant un moment, alors qu'il caressait avec ardeur la poitrine de Marie-Jeanne, Albert crut voir un reflet issu de la craque de la montagne. Craignant être repéré, Bossu abaissa la longuevue. Sur la plate-forme de foin, l'action reprit des deux côtés. On n'en avait que faire des reflets perdus du grand soleil de l'été.

Tout en goûtant aux plaisirs abondants que la vaillance

d'Albert lui faisait ressentir, Marie-Jeanne gardait en tête une idée fixe : son partenaire devrait se répandre en elle à tout prix. Elle ferait tout pour ça. Si, plus tard, Maurice devait s'inquiéter à propos de l'enfant qu'elle portait, advenant que ce soit le cas comme elle le craignait, il y aurait au moins Albert comme père possible. La paternité du prêtre devrait rester un secret éternel partagé uniquement par les deux voisines qui le connaissaient déjà...

Pour que les choses arrivent comme souhaité, elle se hâta de faire tomber les barrières qui s'élèvent toujours entre deux partenaires cherchant à copuler. Du reste, elle avait fait du chemin dans cette direction dès avant son départ en réduisant au minimum ses dessous. Elle glissa un mot bouleversant à l'oreille de son partenaire :

–Couchons-nous sur le foin, j'ai hâte que tu me prennes, Albert. C'est bon avec toi : tu peux pas savoir.

Plus qu'un coup de fouet, ce fut pour le jeune homme une décharge électrique, un coup de foudre véritable qui répandit par toute sa substance la plus profonde un courant irrésistible aux allures de tornade.

Il entraîna sa partenaire. Et ils se retrouvèrent allongés sur le foin. Les deux autres firent de même avec moins de fougue vu la grossesse de Marie-Louise.

Là-haut, Couët remit ses longues-vues sur ses yeux sans se demander si son 'voyeurisme' constituerait un péché mortel du même ordre que celui commis par ces deux couples. Et il serait rivé à son observation tant que dureraient les ébats de ces assoiffés de plaisirs interdits.

Maurice vit la main de sa femme caresser un autre homme, une scène qui se présentait pour la première fois à lui aussi crûment et voilà qui décupla ses énergies. Aussitôt, il trouva le chemin pour pénétrer sa compagne qui l'encouragea par ses deux mains l'attirant vers elle.

Albert fut amené par sa partenaire à une pénétration tout aussi rapide, et il eut l'impression que son sang entrait en ébullition.

L'observateur fut emporté par une chaleur semblable. Son corps prit les devants de sa conscience pour en oublier jusqu'à l'existence...

***

Chapitre 31

Ce soir-là, le bossu se rendit chez Romuald Rousseau. Derrière sa tête, une idée trottait aussi vivement que son nouveau poney appelé la *Blonde* : celle de savoir qui s'était ajouté ces derniers temps récents au groupe des 'frappeurs'.

Ce couple qu'il allait voir était le dernier du rang, le dernier de la paroisse, le dernier de la province qu'il ait pu imaginer faire partie d'un clan d'échangistes. Romuald avait été si scandalisé quand il avait découvert le pot aux roses et qu'il lui en avait confié le secret, si dépité, si assommé même, qu'il eût été impensable pour Couët de le voir évoluer à son tour parmi ces âmes égarées, surtout en la compagnie de Georgette, une créature à sa place comme guère en est.

–Tu m'as confié un secret, mon Romuald, l'autre jour. Ben c'est à mon tour. Pas plus tard qu'à matin, j'en ai vu une belle dans le clos à Martin. Les Nadeau, Maurice pis Marie-Jeanne...

Les deux hommes étaient dehors, près de l'étable tandis que Georgette s'affairait à l'intérieur de la maison à la préparation du repas du soir. Couët arrivait tout juste avec son selké alors que l'autre homme faisait sortir les vaches qu'il venait de finir de traire.

Rousseau savait ce qui s'en venait. Et il ne voulait rien

entendre de ce qu'il appréhendait. Il coupa la parole de manière plutôt sèche :

–Écoute, mon Dilon, la vie des autres leur appartient. Faut pas s'en mêler. Faut pas les juger. Faudrait marcher une journée ou deux dans leurs souliers pour savoir ce qu'on dit. Des fois, ce qu'on voit, ce qu'on pense, c'est pas le reflet de la vraie réalité.

Bien que Rousseau fut entré en contradiction avec lui-même, le bossu prit conscience qu'il avait mal agi. D'une part en observant les deux couples ce matin-là et de l'autre en commençant de vider son sac devant Romuald. Même qu'il avait du mal à se reconnaître en pareille conduite. Il avait fallu le couperet de Rousseau pour le réveiller à lui-même. Il n'avait rien à offrir aux gens du rang et tout à attendre d'eux. On lui avait beaucoup donné, y compris les Nadeau et les Martin, surtout les Martin, pourquoi chercher à leur nuire au nom de valeurs catholiques fortes mais non absolues ?

–Dans le fond, t'as ben raison ! J'me mêle de ce qui me regarde pas pantoute. Pis j'vas pas le refaire...

Romuald s'approcha du selké et mit sa main sur l'épaule du petit homme :

–Là, tu parles, Dilon ! Tu parles comme un homme. Tout le monde te respecte dans le rang pis ça va continuer...

Georgette sortit, cria :

–Monsieur Couët, voulez-vous venir souper avec nous autres ? J'en ai pour trois. Autrement, on va en jeter.

–Envoye donc, Dilon ! insista Romuald.

–Ben...

–Il va venir avec moé, répondit Rousseau à sa femme.

Et on parla de tout sauf du sujet que Bossu avait voulu aborder. Et il n'eut plus envie de tirer les vers du nez à ce couple généreux et de bonne composition...

*

Ce samedi, tandis que les 'frappeurs' se réunissaient chez Francis Pépin, Lorenzo Nadeau se mettait en route pour le village. Malgré son hésitation profonde, Rose-Alma lui avait donné la permission de la fréquenter officiellement. Et le jeune homme en tirait grande fierté. Elle était belle, bonne, possédait une voix d'or, et nombreux étaient ceux qui désiraient la courtiser. Avait-elle voulu utiliser Lorenzo comme paravent ? L'avenir seul le dirait.

Les Bilodeau demeuraient troisième voisin des Maheux et quand il fut à la hauteur de la boutique de forge, Arthur le héla et courut lui parler.

–Comment que ça va, mon Lorenzo ?

–Ben ben. Toé, Arthur ?

–Quand on a de l'ouvrage, ça peut pas mal aller.

–Pis vous autres, à la boutique de forge, vous en manquez pas.

–Saint-Léon nous donne du 'gagne' en masse.

–Tant mieux pour toé !

–Mais la boutique est pas à moé. Pis toé ? Tu sors avec notre belle Rose-Alma Bilodeau asteur ?

–T'as rien de contre ça toujours ?

–Es-tu fou ? Ça me fait ben plaisir de vous voir. Marie-la pis tu vas trouver que... ben c'est pas tout le temps déplaisant, le mariage.

Et le forgeron adressa au jeune homme un clin d'oeil qui en disait long sur sa pensée profonde.

Puis un groupe de quatre soeurs dans leur costume lourd et noir apparut sur le trottoir plus loin. Nul doute qu'elles venaient du couvent où était leur résidence et leur occupation, celle d'enseigner aux enfants du village. On put voir Rose-Alma sortir de chez elle et s'adresser aux religieuses qui l'entourèrent.

–Aussi ben attendre un peu avant de continuer ! dit Lorenzo en ayant l'air de réfléchir.

–Attache ton ch'fal pis viens jaser dans la boutique.

–Tu travailles le soir, Arthur ?

–J'ai pas de temps pour travailler, moé. J'travaille quand c'est que y a de l'ouvrage à faire.

En fait, Arthur voulait persuader Lorenzo de composer un char allégorique pour la parade du cinquantenaire. Les Nadeau possédaient deux percherons lourds et lents, qui ne risquaient pas de s'énerver et de s'emballer lors d'une telle manifestation bruyante. Et puis la mise à contribution du jeune homme et de la maîtresse d'école ne saurait donner que de bons résultats. On voulait une parade d'une trentaine de chars, on n'en prévoyait encore que vingt. Les membres du comité du cinquantenaire faisaient un effort particulier pour recruter de nouveaux participants.

Les deux parlèrent de pas grand-chose, puis Arthur fit sa proposition. L'autre que la vue de sa Rose-Alma là-bas rendait heureux ne se fit pas tordre le bras et il accepta illico. Le thème du char : l'école de rang tout naturellement.

*

La vie au presbytère eût été difficile sans les préparatifs du cinquantenaire. C'est que le vicaire était très inquiet quant à la conduite repréhensible du curé vis-à-vis la servante. Et puis l'abbé Morin se faisait reproche d'avoir évité d'entendre les dires de Cécile. Et la Cécile rasait les murs. Il la savait terriblement mal à son aise chaque fois qu'elle venait travailler. Son regard semblait fuyant, angoissé, perdu voire même affolé parfois quand le curé entrait dans le décor. Il devinait qu'elle avait essayé de se confier au cardinal et peut-être réussi à le faire. Tout lui paraissait indébrouillable, du moins pour le moment.

Il y avait l'affaire du cinquième rang qui lui pesait sur la conscience. Il avait compté sur l'aide du ciel pour parvenir à la régler et à faire rentrer ces brebis égarées dans le magnifique troupeau des ouailles de Saint-Léon, mais le ciel avait l'air de dormir.

Pour que cesse le désarroi de la servante, peut-être devrait-il lui proposer une assistance morale. La rassurer. Lui dire qu'elle pouvait compter sur lui advenait que se répète la scène de l'atelier. Mais cela voulait dire lui avouer qu'il savait et n'avait rien fait pour l'aider. Cela voulait dire lui avouer qu'il s'était défilé devant son besoin... Quel dilemme encore une fois !

Il crut souhaitable d'avoir un entretien avec elle. À condition que leur rencontre se fasse en un lieu et un temps où le curé ne risquait pas de s'en rendre compte. Il choisit de le faire dans le temple paroissial au jubé de l'orgue. La demeure de la servante n'étant pas visible du presbytère, le curé ne saurait la voir entrer dans l'église par devant. Quant à lui, il prétexterait des tâches à poursuivre dans la salle du bas de la sacristie...

C'était un mardi soir. Elle vint au rendez-vous qu'il lui avait fixé. Ils se rejoignirent là-haut, dans le jubé convenu. Que survienne quelqu'un par l'avant de l'église et on le verrait venir dans une allée ou l'autre de la nef. Que se présente quelqu'un par une des portes de la façade et on l'entendrait. On ne pouvait trouver endroit plus discret. Et pourtant...

C'est dès la prise de rendez-vous avec la servante que le vicaire avait été trahi. De l'étage des chambres, le curé avait vu Cécile entrer dans le bureau de l'abbé Morin. Il avait prêté l'oreille et entendu l'essentiel. De sorte qu'au moment où les deux se retrouvèrent là-haut, l'abbé Lachance était déjà embusqué de l'autre côté de l'orgue, là où se tenait le souffleur lorsque nécessaire. Dans l'ombre, il entendit tout ce que l'on se dit.

La servante raconta ce qui s'était passé à l'atelier de menuiserie. Le vicaire avoua qu'il avait tout vu et dit qu'il attendait pour intervenir. Elle lui apprit que, sans autre ressource, elle s'était confiée au cardinal. Il l'approuva. En ensuite donna sa directive :

–N'ayez crainte quand vous serez dans le presbytère, si quoi que ce soit devait se produire, je m'empresserai d'accourir pourvu que vous me mettiez en alerte. Désormais, travaillez en paix !

L'aide que le vicaire attendait du ciel lui était parvenue à son insu. Parce qu'il avait tout entendu, le curé venait de se faire menotter et bâillonner à tout jamais. Il ne pourrait plus risquer de faire quelque avance que ce soit à la servante. Il devrait enchaîner à vie ses désirs lubriques dans les basses-fosses de son âme. Ou bien défroquer...

Toutefois, cet échange qui le concernait et dont il fut le témoin secret produisit un autre effet chez l'abbé Lachance. L'homme en lui devint plus dur, le prêtre en lui encore plus dur. Dorénavant, il culpabiliserait bien plus les pénitents au confessionnal. Gare à ceux qui s'accuseraient d'un péché, surtout d'un péché de la chair ! Sur leur tête, il ferait peser, comme une chape de plomb, les menaces du ciel et surtout celles de l'enfer.

Voilà ce qui fermentait en lui dans l'ombre. Il se tiendrait loin au-dessus de la foule. Il serait l'autorité forte. Il se ferait dictateur des âmes. Moins de pardon, plus d'accusation ! On avait beau l'accabler, il n'avait commis aucun péché vraiment avec Cécile. Si elle avait acquiescé à sa demande, si elle s'était ouverte à ses approches, au dernier moment, il se serait ravisé, repenti sûrement. Et pourtant, on le jugeait et on le condamnait : révoltant !

Les deux Arthur se parlaient devant les flammes du feu de forge. Bilodeau était à dire à Maheux que les fêtes du cinquantenaire constituaient un beau gaspillage de temps et d'argent, que les sommes et les efforts consacrés à cette activité auraient été bien mieux placés ailleurs.

–Comme dans quoi, dis-moé !

–Aider le monde pauvre de la paroisse.

–Qui c'est qui est riche dans Saint-Léon ? Tu peux les compter su' les doigts de la main, 'ceuses' qui sont à l'aise par icitte.

–Ben c'est ça, dit Bilodeau, le regard allumé, l'argent serait resté dans la poche du monde.

–Si on se dit qu'on est p'tits pis qu'on est pauvres, pis qu'on fait jamais rien pour s'en sortir.

–En quoi c'est qu'une parade nous sortira de la pauvreté, Arthur, dis-moé ça, pis ça presse.

–C'est peut-être Lui d'en-haut qui va faire sortir quelque chose de profitable de c'te parade-là. On sait pas...

–C'est pas le temps de s'amuser, c'est le temps de la crise.

–Ben justement, mon Bilodeau, c'est le temps de s'amuser parce que c'est le temps de la crise.

Il achevait ces mots quand Désirée Goulet fit son entrée. En fait, elle resta un moment dans l'embrasure afin d'habituer ses pupilles à l'éclairage réduit de l'intérieur. Une véritable apparition pour les deux hommes qui en restèrent bouche bée. La femme portait une robe du vert le plus tendre. Du regard, on tâta aussitôt ses seins que le tissu mettait en valeur. Et le reste de son corps lançait malgré sa volonté des appels à la chair du mâle...

–Madame Désirée, c'est qui me vaut l'honneur à matin ?

–J'ai dans la voiture la fourche à foin de la grange du haut de la terre. Y a un problème. Pierre a pas pu l'arranger.

–Je m'en vas voir ça tusuite, là.

Il s'approcha d'elle et vit que la lueur du reproche avait déserté son oeil brillant. Elle avait sans doute oublié son geste indélicat devant la maison du photographe. Ou bien lui avait attribué sa valeur réelle, c'est-à-dire celle d'une taquinerie déguisée sous une intention généreuse. Le ciel, pas plus que Désirée, ne pouvait lui en vouloir pour pareille fredaine. Du reste, il n'en avait retenu que la trop belle courbe de cette fesse angélique.

Quand il fut là, elle recula d'un pas, et il se produisit un événement fortuit, un accident. Le talon de sa chaussure s'enfonça dans la pourriture du seuil, et la femme allait trébucher en quelque sorte vers l'arrière quand le forgeron, vif comme l'éclair, s'empara de sa personne pour la retenir. Il apparut à l'autre Arthur voir un couple de danseurs de tango, cette danse lascive interdite en 1912 par le saint pape Pie X.

Maheux remit la jeune femme dans son équilibre. Puis, comme s'il s'était senti coupable, sans raison pourtant et bien au contraire, il leva les yeux vers la maison. Rose-Anna les regardait par la fenêtre. Le souvenir de son acte indécent à Saint-Évariste ajouta à l'impression qu'elle les fusillait du regard. Le jeune homme haussa une épaule et poursuivit son chemin vers la waguine des Goulet afin d'y examiner de près la fourche défectueuse.

Désirée dit :

–Je m'en vas voir Rose-Anna.

–Je m'en occupe, de ta fourche.

Et la femme du forgeron accueillit son amie sur le pas de la porte en disant :

–Tu t'es enfargée dans son seuil de porte de boutique. Un peu plus pis tu te cassais la jambe.

–Par chance que ton mari était là.

–J'te dis que j'ai eu peur pour toi quand je t'ai vue perdre ton ballant. Va falloir que je félicite Arthur pour ça.

–T'as tout vu ?

–Ben sûr, j'étais dans le châssis d'en arrière pour te voir. Viens t'assire, on va piquer une jase. J'aime assez ça quand tu viens me voir.

–Toi, tu viens pas souvent me voir, Rose-Anna.

–J'ai pas la même chance que toi de le faire. Ma plus vieille est pas tout à fait assez grande pour que je la laisse tuseule avec les autres enfants au village, tu comprends ?

–On comptera pas les tours, hein !

–Non, certain ! Des amies comme nous autres...

Arthur Bilodeau rejoignit le forgeron. Il l'aida à enlever la fourche et à l'emporter à l'intérieur où elle fut déposée sur une table basse puis aussitôt auscultée par son réparateur.

–C'est la clenche. Faut usiner un petit bout d'acier pis le souder là, vois-tu ?

–Moé, les outils de cultivateurs, j'connais rien là-dedans.

–Pour en revenir à la parade du cinquantenaire, pourquoi c'est faire que tu nous aiderais pas, toé ? T'as pas grand-chose à faire de ce temps-citte. J'te vois à traîne dans le village quasiment tous les jours. Y a pas une journée que tu viens pas faire ton tour à boutique. Il nous manque des chars. Tu pourrais en préparer un là, dans la cour. Pis tu pourrais t'habiller en... disons en curé le jour de la parade. Tu pourrais confesser quelqu'un... Ou ben si t'as d'autres idées. Tu manques pas d'idées, toé, Arthur Bilodeau. T'es un gars ben intelligent...

–Mais pas capab' de s'trouver d'l'ouvrage.

–C'est la crise. 'Parsonne' engage 'parsonne'.

–Ouais... faire le curé. C'est Cécile qui va pas trouver ça ben drôle.

–Elle aime pas les curés ?

–C'est pas ça, mais... Elle va penser qu'on se moque des prêtres.

–Pantoute ! On va en parler au vicaire avant. Si c'est pas de leur goût, on trouvera... ce qu'ils appellent un autre thème pour le char que tu ferais.

–Je mets pas une vieille cenne noire là-dedans.

–Si c'est pour coûter quelque chose, je m'en occupe.

–D'abord que c'est de même, j'sus pas contre.

Et c'est ainsi que, par les efforts combinés du vicaire, du

docteur Arsenault, du forgeron Maheux, du marchand Boulanger, de Fridou Gilbert, de Pierre et Désirée Goulet du cinquième rang, d'Edgar Bolduc du rang 4, de Louis Gobeil du rang 3 et de plusieurs autres, l'on parvint à se rendre aux trente chars désirés.

Les objecteurs de conscience se turent.

La fête pourrait commencer...

***

Chapitre 32

Durant la semaine qui précédait le dimanche des fêtes du cinquantenaire, Hilaire et Romuald firent passer le mot par toutes les maisons de 'frappeurs'. On assisterait à toutes les activités prévues, y compris le banquet du soir, puis on se réunirait dans la grange des Rousseau comme deux fois déjà pour y fraterniser à la douce manière de ce groupement hédoniste. Personne n'avait obligation de venir, mais chacun savait que les absences se feraient sans doute rares, probablement nulles. Car, à part les trains du matin et du soir, l'on ne dépenserait pas une somme d'énergie aussi importante que les jours de semaine et ce, même si la plupart participeraient activement aux fêtes, les uns pour de la personnification sur les chars, les autres pour conduire les dits chars, d'autres encore pour aider au service du banquet etc. On aurait donc le goût de dépenser le trop-plein...

Le grand responsable de la journée, le superviseur général en somme, le docteur Arsenault était entre tous celui que, dans la paroisse, personne ne critique, ne conteste. Il avait la confiance de tous et faisait l'unanimité. Et c'est lui qui avait mis la touche finale sur l'horaire des événements. Il était à en faire une lecture ultime en ce matin du dimanche, le 10 août 1930, lors de cette dernière réunion du comité des fêtes au sous-sol de la sacristie.

–Mesdames, messieurs, vous connaissez déjà tous l'horaire de nos activités d'aujourd'hui, mais il est bon de se le redire une dernière fois. Voici donc... Tout d'abord, en ce moment même, monsieur le curé Lachance est en train de dire sa messe ou, si vous préférez, la messe basse de ce dimanche. La grand-messe sera dite sur la montagne à deux heures cet après-midi. Les fêtes commencent par la parade des chars. Et la parade va se mettre en branle dans la cour de l'église à exactement midi. Elle va faire tout le village et se diriger vers le cinquième rang et le mont *Sainte-Cécile*. Comme vous le savez aussi, le sentier qui donne accès au sommet de la montagne et donc à la chapelle, fut tracé autrement de façon à le rendre pas mal moins abrupt qu'avant. Vous n'êtes pas sans savoir non plus qu'un toit fut érigé sur la montagne ces derniers temps afin qu'on puisse y dire la messe en plein air, vu que la chapelle ne loge pas beaucoup de monde.

Fridou interrompit :

–Qui c'est qui a bâti ça ? On a entendu parler de rien, pas une minute.

–Nous autres non plus, fit Désirée Goulet.

–Ce sont quelques hommes du cinquième rang sous la direction de Joseph Roy. Messieurs Martin, Morin, Poulin, Pépin et autres.

–Mon mari aurait pu aller aider, mais on a rien su, se désola Désirée.

Arthur Maheux enchérit :

–Moé itou, j'aurais pu aider. On dirait que ça s'est fait en cachette, c't'histoire-là.

Le vicaire prit la parole :

–Pas du tout ! La suggestion a été faite par messieurs Morin et Nadeau l'autre dimanche. Monsieur le curé a trouvé l'idée excellente et le jour même, les hommes du rang ont commencé de hisser les matériaux requis sur la montagne.

Maintenant que les gros chevaux peuvent aller là-haut, ce fut bien simple à ériger. Ce n'est qu'une toiture sur colonnes afin de protéger des intempéries. On en a peu parlé afin de faire la surprise à tout le monde aujourd'hui. Je n'aurais pas cru qu'on nous en fasse reproche.

Arthur se montra résigné :

–D'abord que c'est de même...

Et le docteur reprit son résumé :

–Donc la grand-messe sera dite en plein air par monsieur le vicaire ici présent.

–Diacre sous diacre, glissa le prêtre.

–Et le banquet aura lieu vers quatre heures de l'après-midi. C'est durant le banquet que sera dévoilé l'album-souvenir du cinquantenaire. Nos invités de marque seront présents, soit les députés au provincial et au fédéral. Vu son état de santé, le cardinal ne pouvait se rendre ici. Mais il l'a fait tout récemment et nous lui en savons gré. Toutefois, il nous délègue un adjoint pour le remplacer, et un mot de sa part nous sera adressé là-haut, sur la montagne après la messe. Mes amis, ce qui compte aujourd'hui, c'est d'avoir le coeur à la fête. Quand les gens voient que les organisateurs sont remplis d'enthousiasme, cet enthousiasme devient vite contagieux. La crise que nous traversons, elle sera tout à fait oubliée en ce jour de réjouissances qui nous vaudra les bénédictions du bon Dieu. Chacun d'entre vous connaît son rôle. Tenez-le bien comme il faut, et les fêtes seront une réussite complète avec des résultats qui dépasseront toutes nos attentes. Aujourd'hui sera une fête mémorable à notre mesure à tous. Dans 50 ans, en 1980, dans 75 ans, en 2005, dans 100 ans, en 2030, on organisera d'autres fêtes, le centenaire, le cent-vingt-cinquième, le cent-cinquantième, et pour ce faire, on regardera en arrière pour prendre exemple sur celles du cinquantenaire. Je vous souhaite à tous l'une des meilleures journées de votre vie.

Et le docteur se rassit sous les applaudissements généreux des six autres personnes présentes. Tout en l'écoutant dire, le vicaire s'inquiétait. Il y avait une tumeur dans la paroisse et tout indiquait que non seulement elle perdurait mais qu'elle enflait. Et cette dangereuse tumeur était cette pratique honteuse d'un groupe de gens du cinquième rang. Comment l'éradiquer ? Il s'interrogeait sans cesse depuis le jour où il avait appris son existence. Mais comment agir quand on a un bâillon sur la bouche ? Et, à ce propos, le ciel ne lui prêtait aucune assistance et semblait dormir. Peut-être qu'elle avait eu lieu, l'intervention divine, le soir d'orage où la *Brune* avait été foudroyée ? Mais les 'frappeurs' avaient gardé leur coeur fermé. Ils avaient même fait en sorte –il n'en doutait plus maintenant– de le tromper, de le faire trébucher pour se justifier et mieux cacher ce vice virus qui les empoisonnait.

L'abbé Morin ne voyait plus qu'une solution au problème qui érodait tant sa conscience depuis près de deux mois : une intervention du curé. Faire en sorte que l'abbé Lachance surprenne les 'frappeurs' en pleine orgie romaine. Mais le curé lui-même étant un pécheur, comment aurait-il l'autorité morale pour fustiger ces gens et les ramener dans le droit chemin ? Le vicaire savait que les 'frappeurs' se réunissaient tous les dimanches et qu'ils le feraient probablement encore ce jour-là, fut-ce le jour de la fête de la paroisse. C'est donc en soirée, après le banquet, qu'il faudrait frapper les 'frappeurs', les surprendre, les confondre, les mettre tous à genoux avant de les ramener au bercail par la suite. Il fallait réveiller sans tarder leur conscience gangrenée. Et ce n'est qu'au tout dernier moment, alors qu'on se présenterait à cette maison ou cette grange où l'on se vautrait dans la pire des turpitudes qu'il ferait part de la vérité au curé. Il était nécessaire que l'abbé Lachance agisse sur le coup de la surprise et de la colère noire. Car il faudrait une volonté de fer et une emprise mussolinienne pour casser cette habitude des plaisirs interdits. Et c'est par amour pour le bon Dieu qu'il dénoncerait ces 'frappeurs' et les ferait punir sévèrement, à la mesure de leur faute mortelle. La sainte harmonie catholique devait retrouver sa place par toute la paroisse de Saint-Léon.

–Monsieur le vicaire, monsieur le vicaire...

–Oui, oui ?

–Vous aviez l'air rendu pas mal loin, là, vous ?

–Pardonnez-moi ! Oui, j'étais loin... dans le futur. Ce sont vos chiffres, vos millésimes à venir si je peux dire, qui se sont emparés de mon esprit. J'étais, je le crois bien, quelque part en 2005 ou 2012. J'essayais de m'imaginer le monde en ce temps-là. La faim dans le monde : fini. La guerre : fini. La criminalité : domptée. La peur : fini. La maladie : probablement bien moins présente. L'espérance de vie : 120 ans... comme dans les saintes écritures. Mais quelque chose n'aura pas changé : nos belles familles de maintenant. Un homme, une femme, un serment de fidélité, dix, douze enfants. De bons gouvernements. Des hommes politiques sérieux, honnêtes, consciencieux... Ah! comme j'aimerais vivre au vingt-et-unième siècle.

Désirée sourit :

–Arrêtez là, vous nous faites rêver. Et regretter de vivre en pleine crise comme maintenant.

–Ah! mais je vous l'ai bien dit et répété, il faut s'amuser sainement pour oublier la crise. Comme nous allons le faire aujourd'hui en célébrant nos fondateurs et nos valeurs chrétiennes.

Jusque là, Arthur ne s'était exprimé que pour approuver Désirée quant à la nouvelle construction sur la montagne. Et maintenant, il ne faisait rien d'autre que de humer son parfum subtil qui lui rappelait le lilas ou la lavande. Ou quelque chose d'autre puisqu'il ne connaissait pas beaucoup les fleurs par leur nom et surtout par leur odeur. À son arrivée dans la salle, il s'était empressé de s'asseoir à côté d'elle en clamant qu'il laissait les meilleures places aux deux membres qui ne se trouvaient pas encore là, soit Alexandrina Bolduc et Fridou Gilbert qui accusaient un certain retard.

Entendre le vicaire dire qu'il faut s'amuser le stimulait. Voilà pourquoi il aimait rire, taquiner ses clients de la boutique, accomplir le plus souvent possible son devoir conjugal. Et avoir une pensée de temps à autre pour une autre femme comme cette magnifique Désirée Goulet.

Mais si la jeune femme n'en laissait rien paraître, voici que maintenant, elle se méfiait d'Arthur. La main baladeuse de Saint-Évariste lui avait fait prendre conscience de toutes ces lueurs dans le regard du forgeron, qu'elle s'était obstinée à attribuer aux effets de la flamme de son feu de forge ou bien du soleil. Certes, quand elle avait failli trébucher, il avait agi par réflexe de protection, mais aurait-il eu la même réaction si vive si la personne en danger avait été, plutôt qu'elle, la vieille Marie-Reine Gaboury ou bien la bonne femme Boucher, tuberculeuse sans doute, souffreteuse certainement ?

Pas une seule fois de la réunion, Désirée n'adressa la parole à son voisin. Elle écouta et n'intervint qu'une seule fois. Et bientôt, l'assemblée fut levée. Chacun quitta les lieux, ordre de mission en tête...

*

Désirée retrouva sa fille aînée au magasin général et toutes deux montèrent dans leur voiture pour retourner à la maison. Une tâche importante attendait la jeune femme, mais ailleurs qu'au village. Elle superviserait le banquet qui aurait lieu sur la montagne.

Le boghei se trouvait sous le porche depuis plus d'une heure. Juliette y attendait sa mère depuis un bon moment, après avoir tué le temps à marcher dans le village ou à musarder à l'intérieur du magasin Boulanger. Avant d'y monter elle-même, Désirée leva les yeux vers le ciel pour l'interroger sur le temps du jour. Tout y était si bleu qu'il lui parut impossible que survienne la pluie, encore moins un orage qui viendrait mettre du désordre dans le déroulement de cette journée qu'elle considérait sacrée.

Rose-Anna, qui l'avait aperçue, sortit de chez elle pour lui parler :

–T'as pas envie de venir dîner avec nous autres ?

–Oui, mais j'peux pas.

–Comment ça ?

–Ben là, j'dois retourner à maison pis ensuite monter su' la montagne avant tout le monde pour voir aux choses du banquet.

–Pourtant vrai ! J'y pensais pas. J'pourrais monter t'aider, tu sais.

–C'est vraiment pas nécessaire. On est quatre femmes, c'est tant qu'il faut.

–C'est comme tu veux, mais mon offre tient.

–T'es ben bonne. Mais on va s'arranger comme il faut.

–On aurait pu jaser et tout...

–Si c'est pour ça, tu peux venir. C'est une autre histoire.

Embusqué derrière la porte, Arthur avait entendu l'échange. Il craignait que ces deux-là ne parlent trop à son sujet. Au loin, rien qu'à deux, elles pourraient se faire des confidences, et l'histoire de la main sur la fesse pourrait surgir. Il ne fallait pas. Il intervint donc :

–Rose-Anna, je vas avoir besoin de toé pour bander une roue dans pas grand temps, là.

Il venait de parler à travers la moustiquaire.

–Comment ça ? Mais c'est dimanche. Tu travailles, toi, aujourd'hui ?

–Pour la parade. Y a un char qui manque une roue. Faut la bander comme il faut. La parade, c'est pas demain, ça.

La jeune femme se résigna :

–Ben ça sera pour une autre fois, Désirée.

–Comme on dit : on peut pas être à la fois au four et au moulin.

Arthur songea : "Ben j'voudrais ben être avec toé au four, la Désirée Goulet."

*

Rien n'aurait pu ressembler davantage à une parade de la fête nationale que celle-ci, pour souligner le cinquantenaire de Saint-Léon. Chacun des chars portait un numéro qui lui avait été assigné par le comité au fil des inscriptions. Le premier inscrit portant le numéro un et ainsi de suite. Et les trente étaient alignés en biais du mieux qu'on avait pu le long des deux murs de l'église.

Au signal du docteur Arsenault, ce sera tout d'abord la fanfare venue de la Beauce qui initiera la parade. Pour ne pas affoler les chevaux, elle ira en avant, à une certaine distance du premier char.

En ce moment, le docteur s'entretenait avec le directeur de la fanfare, un Beauceron nommé Jules Moisan.

–Tout le monde a eu peur à cause de la situation économique et c'est pour ça que la fanfare s'est tue durant quasiment un an.

–J'étais drôlement content quand vous avez appelé pour dire que la fanfare revivait en 1930.

–On a fait quatre fêtes paroissiales depuis qu'on a repris la baguette.

–Depuis quand qu'elle existe, votre fanfare ?

–Avant mon temps, vous saurez. C'est le curé Montminy qui donné l'élan en 1892. Mais en 1901, ce fut le chant du cygne. La fanfare s'est tue jusqu'en 1914. En 1915, suis devenu le directeur musical. C'est depuis ce temps-là que ça dure sauf les quelques mois de fermeture de l'année passée. Maintenant, j'ai, pour me seconder, un organiste de première force... en fait pas rien qu'un organiste, un musicien accompli capable de jouer de plusieurs instruments. C'est monsieur Robert Dick.

–Bon, quand vous serez prêts, c'est une assez longue

marche pour se rendre au fond du cinquième rang et de là, sur la montagne.

–Nous sommes prêts, mon ami.

–Allons-y gaiement !

*

–Penses-tu que c'est une bonne idée de se réunir à soir après le banquet ? questionna Georgette.

Elle et son mari étaient à table. Comme bien d'autres, ils attendaient le passage de la parade qu'ils savaient se mettre branle en ce moment même au village.

–Penses-tu le contraire ?

–Non, mais je me pose la question. Pas toi ?

–Je dirais, moé, que c'est peut-être le meilleur moment pour... pour 'frapper' comme on se dit entre nous autres.

–Mais... ça va voyager allant d'venant d'un bout à l'autre du cinquième rang toute la journée.

–Sauf qu'après le banquet, vers sept heures, tout le monde va redescendre de la montagne pis chacun va retourner chez eux.

–Tu penses ? Y a toujours des retardataires dans ces occasions-là.

–Encore faudra-t-il qu'on sache qu'il y a une réunion dans la grange.

–On va voir les attelages là, dehors.

–Je vas prendre soin de les attacher de l'autre côté de la grange. Comme ça, y a personne qui verra quoi que ce soit à moins de faire le tour des bâtiments.

–Les Goulet sont voisins de nous autres. Ils pourraient voir ce qui se passe chez nous... Voir tout le rang venir ici comme l'autre jour et savoir qu'ils sont pas les bienvenus... C'est dangereux, il me semble.

Romuald cessa de mastiquer de la nourriture et soupira :

–Il va falloir les approcher pour les faire embarquer dans

le groupe eux autres itou.

–Ça s'est déjà discuté, tu le sais. Et personne est d'accord. C'est pas un couple comme les autres. Sont... je sais pas... On dirait un prêtre et une religieuse... Ou mieux, on dirait saint Joseph et la sainte Vierge. Ils voudraient jamais être des nôtres. En plus que... ben ils nous dénonceraient sûrement. Désirée est proche du vicaire, ça se sait, ça...

–Le vicaire, c'est plutôt Marie-Jeanne qui l'intéresse... après ce qui s'est passé l'autre jour.

–Il a changé d'attitude, Hilaire nous l'a dit. Monsieur le vicaire, il nous regarde drôlement depuis quelques semaines.

–Pourquoi nous autres en particulier ?

–Je veux dire les gens du cinquième rang. Maurice l'a dit aussi. Il lui a offert son petit chalet du lac *Miroir* et s'est fait refuser net.

–Quel rapport avec notre groupe ?

–C'est comme je disais : son attitude. Hilaire l'a remarqué. Maurice aussi...

–Sachant ce qu'on est, on a toujours l'impression que les gens nous font les gros yeux su' nous autres. Mais c'est parce qu'on est différents, c'est tout. C'est pas leu' regard qui change, c'est le nôtre sur les intentions qu'on leu' voit... Non, faut pas s'inquiéter. Tout va ben. Tout le monde est content dans le rang. Le bossu va se taire comme il l'a dit l'autre soir. Les Goulet savent rien. Ils sauraient quelque chose qu'ils se tairaient. C'est deux bonnes personnes, pas des placoteux, pas des gens pour condamner les autres.

Georgette mit ses deux coudes sur la table et ses mains sous son menton :

–D'abord que c'est de même, on va dormir su' nos deux oreilles.

–C'est le mieux à faire.

–Finissons de manger !

*

Vint un moment où tout le cinquième rang fut occupé par les chars qui participaient à la grande parade, événement mémorable qui ne se reverrait sans doute pas à Saint-Léon avant 1980, à cinquante ans de distance de ce jour de cinquantenaire.

Les enfants, bien plus que les adultes, se souviendraient. Tout s'inscrivait dans leur émerveillement. La quantité de gens réunis pour célébrer leur histoire sous l'enseigne de la foi : voilà qui leur fabriquait dans l'esprit une valeur incontestable et incontournable.

Certains parmi eux faisaient de la personnification sur les chars. Juliette Goulet était habillée en maîtresse d'école, petites lunettes rondes sur le bout du nez, col monté, cheveux en toque à l'arrière. On la félicitait pour son accoutrement. Le mérite en revenait toutefois à Désirée. D'autres enfants du rang faisaient office d'écoliers assis à des pupitres devant celui de l'institutrice. Parmi eux se trouvaient la meilleure amie de Juliette, Alfreda Nadeau, une fillette de son âge, Rachel Paré et Gérard Morin, tous deux de huit ans, Raoul Morin et Clarisse Martin, tous deux enfants de dix ans et même des plus âgés et turbulents comme Euchariste Nadeau, quatorze ans, et Cécile Martin, quinze ans ainsi que son amie Cécile Morin du même âge.

La plupart des enfants en bas âge du rang avaient été réunis dans la petite école où l'on avait même aménagé une sorte de dortoir à même la chambre de la maîtresse. Toutefois, ce n'était pas Rose-Alma qui en assurait la garde vu qu'on l'avait réquisitionnée pour chanter à la fin de la grand-messe et durant le banquet de quatre heures.

Cécile Bilodeau avait hérité de la tâche à la demande conjointe du curé et du vicaire. En passant devant la petite école pour se rendre sur la montagne, les parents y laissaient leurs petits. Et c'est ainsi que la servante du presbytère eut sous sa charge des garçonnets et fillettes d'âge préscolaire issus de la plupart des familles du rang. Il y avait, outre ses propres enfants, la petite Lucie Goulet, Louiselle, Luc et Henriette de la famille Dora et Jean-Pierre Fortier, Irène et Réal Morin, enfants de Blanche et Hilaire, Lucien et Adrien Roy, fils de Joseph, Louis, Antoinette et Desneiges Paré, Hormidas Nadeau, le dernier chez Maurice, Albéric Martin, le fils cadet de Marie-Louise et Albert Martin, treize en tout. Mais d'autres s'ajoutèrent à qui leurs parents confièrent la tâche de seconder la gardienne pour veiller sur les plus jeunes. Parmi eux, Fernande Goulet, Roland Fortier, Gérard Morin, Rachel et André Paré et puis Émilienne Nadeau.

Il y avait bien plus de petit monde que de grand monde dans le cinquième rang, à l'instar de tous les autres rangs de la paroisse et de toutes les paroisses de la province de Québec. La plus grande revanche des berceaux de l'histoire de l'humanité ayant cours au Canada français depuis la Conquête se poursuivait de plus belle, et les femmes du pays continuaient de se faire soldates du ciel et de la religion pour protéger la patrie en lui donnant fils par-dessus fils, parmi lesquels des prêtres nombreux et autres gens de robe. Mais autant de filles aussi qui, à leur tour, deviendraient mères méritoires. Il ne manquait plus à ce "quelque-chose-comme-un-grand-peuple" que des médailles de reproduction et la 'subventionnite' généralisée. Celle-ci arriverait quelques années plus tard et porterait le nom d'allocations familiales.

Plusieurs furent laissés à eux-mêmes. On savait qu'ils ne se perdraient pas. Tout leur était familier dans ce rang et sur la montagne où ils se rendraient par leurs propres moyens. Ce furent Cécile et Raoul Morin, Jean et Julien Roy, Félix et Agathe Paré, Valéda Nadeau et Raymond Martin.

Et les chars finirent tous par se retrouver au fond du rang, au pied de la montagne, sur l'étroit chemin qui menait de la route balisée à la masure de Bossu Couët. La surveillance des chevaux incombait à deux hommes du village, d'anciens cultivateurs, personnages dans la soixantaine qui n'avaient eu que deux amours dans toute leur vie : la terre et les chevaux. Théodore Morin voulut se joindre à eux. Il ne serait pas d'une grande utilité, mais ce serait sa façon de participer aux fêtes, lui qui ne se sentait pas la force ces jours-là de se rendre sur la montagne avec les plus jeunes.

*

Les deux prêtres devancèrent tout le monde. Ils se rendirent au pied de la montagne dans la voiture du vicaire que l'on approcha le plus qu'on put de la demeure du bossu. Et pas question d'utiliser la 'machine' pour le retour avant que les chars ne soient tous repartis à la fin de la journée. C'est cela qu'on avait planifié, voulu. Le vicaire voulait donner le temps aux 'frappeurs' de se réunir après le banquet. L'on n'aurait aucun mal à repérer l'antre du péché. Même que le prêtre avait apporté avec lui une paire de longues-vues et qu'il pourrait donc investiguer à distance de là-haut...

La plupart des assistants avaient mangé avant leur départ de la maison. D'autres avaient apporté des paniers de nourriture afin de pique-niquer sur l'heure du midi une fois qu'on serait sur la montagne.

D'autres prêtres que ceux de Saint-Léon étaient venus. On les avait prévenus de la présence des chars au fond du rang sur l'heure du midi, et ils s'étaient donc rendus là-haut avant l'arrivée de la parade et l'occupation du fond du rang par les chars allégoriques.

Ce qui étonna le plus fut le nombre de visiteurs étrangers. Il arriva des gens de partout dans la région et même de l'extérieur. La réputation de la montagne s'était vite répandue après l'érection de la chapelle. On voulait voir. On voulait croire. On voulait vibrer.

Avant même une heure de l'après-midi, tout le plateau occupant le dessus de la montagne était noir de monde. Là-haut, le ciel veillait et le démontrait par son bleu brillant. L'air était pur, frais, doux, bienveillant. De la foule s'élevait vers le grand univers du bon Dieu le parfum de la joie chrétienne.

Le grand abri avait été construit sur le tertre le plus élevée du plateau. En ce moment, il ne s'y trouvait qu'un seul homme : le curé Lachance qui regardait ses ouailles et les visiteurs, et se félicitait d'avoir eu la bonne et si belle idée de convertir ce lieu sauvage en lieu de pèlerinage et d'hommage au bon Dieu. Que le cardinal Rouleau ait dédié la chapelle à la Vierge Marie ne le dérangeait aucunement, bien au contraire. Car plus on invoquait de puissances célestes, plus on risquait d'en obtenir les bénédictions combinées. Et les faveurs accompagnant ces bénédictions...

Dans l'embrasure de la porte de la petite chapelle, d'autres yeux regardaient sous un autre jour la foule assemblée. Le vicaire avait l'âme sombre. Ce jour de grandeur serait aussi jour de scandale. Pour la protection de l'âme de Saint-Léon, il faudrait l'attaque et l'élimination du groupe des 'frappeurs', ces pauvres gens que Satan avait leurré par ses faux plaisirs charnels.

L'heure de la libération approchait. L'heure de Moïse s'en venait. L'heure de la miséricorde attendait.

Le vicaire était prêt à faire face à la musique.

Et Rose-Alma, assise sur le petit perron, à ses pieds, préparait ses chants en classant ses feuilles...

***

Chapitre 33

Une grande et belle surprise attendait les gens de Saint-Léon sur la montagne. Dans le plus grand secret, on avait hissé là-haut au cours de la semaine un instrument de musique de fort bonne qualité, soit un petit orgue Casavant qui serait utilisé ce jour-là à l'extérieur, au fond de l'abri sans murs destiné à la messe en plein air. Par la suite, on transporterait l'instrument à l'intérieur de la petite chapelle afin de le protéger des intempéries.

Pour l'heure, l'objet restait camouflé et pas grand monde ne savait ce que recouvrait la toile noire. Les gens étaient si intéressés les uns par les autres, si excités par ce jour d'exception, que personne n'avait l'air de s'en soucier. Personne à part les enfants.

Deux jeunes adolescents fouineurs firent une incursion de ce côté sans être aperçus par le curé qui s'entretenait maintenant avec Hilaire Morin. En fait, Raoul Morin et Dominique Paré avaient vu, eux, ce mercredi précédent, que l'on hissait sur la montagne un objet qui ressemblait à un piano. Ils en avaient parlé devant des adultes, mais personne ne leur avait prêté attention. Puis ils étaient montés là-haut le samedi matin pour y découvrir cet orgue dont ils étaient parvenus à tirer des sons, l'un s'amusant sur le clavier et l'autre actionnant le soufflet. Voici qu'ils s'insinuèrent sous la toile et chacun fit comme quand ils s'étaient retrouvés là, seuls devant cet instrument.

On entendit des notes d'orgue. Plusieurs situèrent l'origine du son. Le curé le premier.

–Qu'est-ce qui se passe ici aujourd'hui ?

–Peut-être que la Vierge Marie est en train de nous dire de nous dépêcher ? dit son interlocuteur.

–Je n'en serais pas surpris du tout. Ou bien il pourrait s'agir de sainte Cécile, patronne des musiciens. Mais je préférerais aller voir ce qui se passe sous cette toile pour le cas où on y trouverait des petits venimeux en train de s'amuser.

Et les deux hommes marchèrent vers l'orgue caché qui continuait de dispenser des notes incongrues et sans harmonie. Le prêtre souleva brusquement la toile et les deux chenapans apparurent.

–Raoul !? s'exclama Hilaire que le vue de son fils contrariait fort.

Les deux garçons sourirent pour amadouer. Le curé en fut touché :

–C'est pas si grave ! Un peu d'indiscipline n'est pas péché mortel.

–Mon gars, fit Hilaire, tu vas t'en retourner à maison et tout de suite. Tu mérites pas d'assister aux fêtes.

Le curé s'objecta :

–Non, monsieur Morin, non ! C'est une manière comme une autre de faire savoir aux fidèles qu'ils auront aussi un orgue ici sur la montagne. Quant à la surprise, ce sera pour autre chose. Peut-être qu'il se produira un miracle ici un jour ou l'autre...

Le vicaire accourut, fronça les sourcils devant les gamins et la situation :

–Qu'est-ce qu'ils ont fait, ces garçons-là ?

Le curé répondit :

–Y a pas de quoi fouetter un chat. Ce n'est qu'un tour espiègle, pas un tour pendable !

Le vicaire eût voulu que le curé soit fâché, pour que de la sorte, il commence à se préparer un canevas de mauvaise humeur qui lui permettrait de jeter sur la toile toutes les couleurs de la colère noire quand on surprendrait les 'frappeurs' en pleine action au cours de la soirée, ce dont il était aussi certain que la clarté du jour bleu.

–Adieu la surprise !

Hilaire prit la parole :

–À la demande de monsieur le curé, je vas laisser faire. J'sais pas si Jean Paré dira la même chose...

Les deux adolescents se glissèrent à l'arrière de l'instrument, puis disparurent dans le bosquet derrière la construction neuve tandis que les prêtres et Hilaire se parlaient déjà d'autre chose.

*

Cécile Martin avait quinze ans. Il ne lui manquait que d'avoir un enfant pour être ce qu'on appelait une 'femme faite'. Jolie blondine aux cheveux bouclés et au regard d'un vert océan, elle attirait les garçons de son âge ou plus vieux comme Florian Morin, fils de dix-sept ans d'Hilaire, et Félix Paré, fils de Jean, âgé de quinze ans, et aussi d'autres du village ou d'ailleurs dans la grande paroisse de Saint-Léon.

La jeune fille se tenait avec sa meilleure amie Cécile Morin depuis tôt le matin. Elles s'étaient rendues ensemble au village pour faire de la personnification sur le char allégorique représentant une école de rang. Et passeraient la journée ensemble. C'était prévu. Ça leur était naturel. Deux soeurs ne s'entendraient pas mieux.

Et puis, elles assureraient avec une vingtaine d'autres hôtesses le service du banquet l'heure venue. Pour le moment, elles étaient en grande conversation au bord de la falaise, là même où s'était faite l'initiation de Maurice Nadeau au groupe des 'frappeurs' un dimanche de juillet.

–Sais-tu que mes parents pis les tiens seront avec les autres à soir chez monsieur Rousseau ?

–Oui, je le sais.

Les deux Cécile avaient l'âge de se questionner, d'écouter aux portes, de vouloir tout savoir ce qui concernait le monde des adultes dans lequel chacune ferait son entrée dans peu de temps, vu que les jeunes filles en général convolaient pour la plupart en justes noces avant leur vingtième année.

Et elles s'interrogeaient depuis quelques semaines, depuis le début de ces réunions de couples qui semblaient primer sur tout autre chose depuis qu'elles avaient commencé. Chacune de son côté avait glané des mots, des phrases, des sourires et des rires d'adultes, et elles les amalgamaient quand elles se parlaient seule à seule afin d'en décoder le vrai sens. Mais ce jour-là, Cécile Martin détenait une information qui pouvait jeter la lumière sur tout ce qu'elles avaient vu et entendu ces dernières semaines.

–Sais-tu si monsieur le vicaire sera là ?

–Ça me surprendrait pas mal.

–Comment ça ?

La jeune Martin regarda au loin, soupira, dit sans faire montre d'une émotion quelconque :

–Je pense de savoir c'est quoi qu'il se passe dans le cinquième rang depuis quelque temps. On se le demande tout le temps, ben là, je pense que je sais...

L'autre questionna du bout de la langue :

–Aimes-tu mieux pas me le dire ?

–On se cache rien. On est comme deux soeurs... Je vais te le dire. Ben, en tout cas, ce que j'ai vu...

Au même moment venaient les voir tout en feignant

ignorer qu'elles se trouvaient là, Florian Morin et Félix Paré qui ne risquaient pas de se prendre pour des rivaux, puisque le premier était le frère d'une des Cécile et que, donc, seule l'autre l'intéressait. À moins que Félix n'ait le même penchant pour la fille des Martin auquel cas on se battrait...

Mais Félix Paré laissait clairement voir son intérêt pour Cécile Morin et non pas l'autre.

Ils progressaient d'un sapin au suivant et furent bientôt à même d'apercevoir les Cécile qui leur faisaient dos, assises sur l'herbe verte affleurant le grand rocher.

–On devrait écouter ce qu'elles se disent, suggéra Félix.

–Bonne idée ! On va approcher pis se cacher en arrière du gros sapin, là...

Ce qu'ils firent en douce et dans la plus grande discrétion, à la manière indienne...

–Ça s'est passé dans le temps des foins.

–Où ça ?

–Dans le haut de notre terre.

–On dirait que c'est important.

–Disons que c'est... surprenant de la part de mes parents.

–Je t'écoute.

–Un autre couple est venu faire les foins chez nous. Moé pis Éliane, on est allées voir ma mère pour lui apporter des bouteilles d'eau qu'elle avait oubliées à la maison.

–Qui c'est, l'autre couple ? Tu veux pas me le dire ?

–C'est pas tes parents en tout cas.

–Monsieur pis madame Goulet ?

–Jamais de la vie ! Je vas te le dire, mais... tu vas garder ça pour toé pour le restant de ta vie. Tu me le promets ?

–Certain !

Les espions venaient de s'installer. Un vent siffleur s'insinuait entre les mots des jeunes filles et rendait l'intelligibilité de leur échange peu évidente. L'important leur paraissait d'écouter. Ensuite, on trouverait un sens aux phrases.

–C'était monsieur pis madame Nadeau.

–Ah oui ? Et qu'est-ce qui s'est passé ?

–Ils ont... fait un échange.

–Un échange ?

–Ben... mon père était avec madame Nadeau pis ma mère avec monsieur Nadeau... su' la plate-forme à foin.

–Ils faisaient quoi ?

–Ce qu'on sait qu'il faut faire pour avoir des enfants.

–Non !?

–Oui !!!

Dès leurs premières menstruations, les deux jeunes filles avaient été informées des choses de la vie. Marie-Louise ne voulait pas tenir ses filles dans l'ignorance jusqu'à leur mariage comme on l'avait fait dans son cas. Blanche Morin avait agi de la même façon avec ses plus vieilles, Corinne et Bernadette, puis avec sa Cécile. De toute façon, les enfants de cultivateurs avaient l'opportunité de voir agir les animaux domestiques entre eux et plusieurs projetaient aisément leurs conclusions sur les êtres humains.

–C'est que ta petite soeur a dit de ça, elle ?

–Je lui ai fait promettre d'en parler à personne jamais.

–T'as ben fait.

–Mais... j'veux pas te faire de peine, mais j'pense que pas mal d'autres font la même chose dans le rang.

–Ce qui veut dire mes parents itou, hein ?

–Oui. Itou... J'ai pensé à tout ça, à tout ce qui s'est dit devant moi ou que j'ai entendu. J'ai pensé aux soirées entre couples du rang. Tes parents y étaient. Les miens aussi. Et tous les autres excepté les Goulet.

–Mais... monsieur le vicaire...

–Il a été à une seule de ces soirées-là. Probable qu'il s'est rien passé quand il était là. À moins que...

–Es-tu folle de penser à ça ? Monsieur le vicaire est un prêtre. Le péché, c'est pas lui qui les fait, c'est lui qui les pardonne...

Félix souffla à l'oreille de son ami :

–Entends-tu comme il faut c'est qu'elles disent ?

–Ben... un peu... des fois...

–Moé, j'ai de la misère à tout poigner... On dirait qu'elles parlent d'un... échange... ça doit être un échange de temps. Ça se parle des fois dans la maison chez nous...

–Moé itou, chez nous. Ça doit être ça... C'est monsieur le vicaire qu'a organisé la 'courvée' de la chapelle.

–Écoutons, on va en savoir plus...

–Nos parents... en état de péché mortel... j'arrive pas à le croire. Toi, Cécile ?

–Je l'ai vu de mes yeux.

–Eux autres, ils vous ont vues, Éliane pis toi ?

–Ben non, tu penses ! Ils voyaient rien d'autre de ce qui se passe su' la terre. Là, on a ramené les bouteilles d'eau pis on les a bues.

–Ça me fait penser à de la laine toute mêlée pis qu'on arrive pas à démêler. C'est donc compliqué à comprendre, la vie des adultes...

Florian souffla à Félix :

–Ça doit être une 'courvée' de tissage au 'métché'...

–C'était pas 'métché' qu'elle a dit, c'était 'péché'...

–Ben non... de la laine, c'est pour tisser au 'métché'.

–Ça doit être ça d'abord...

–Comme ça, tout le rang est...

–Pense à ce qui s'est passé depuis les environs de la Saint-Jean-Baptiste. Ou de la noce d'Armoza. C'est par là que tout a commencé.

–J'ai entendu dans la maison chez nous parler de choses... C'est mon grand-père qui parlait avec mon père. J'savais pas trop c'est que ça voulait dire, mais là, je le sais.

–Ton grand-père, il doit être contre ça, lui ?

–Ben non ! Ben au contraire ! Il encourageait mon père à continuer les soirées. Il disait que le vicaire voulait que les gens s'amusent, vu que c'est la crise.

–Y a-t-il quelque chose qu'on est trop jeunes pour savoir, tu penses ? Y a-t-il quelque chose dans le petit catéchisme qui se cache en arrière des lignes ? Monsieur le vicaire, ton grand-père pis les adultes du cinquième rang sont-ils tous dans un monde à part ?

–T'as-tu compris ? demanda Félix à Florian.

–Compris quoi ?

–Compris ce qu'y ont dit, eux autres, là ?

–Cécile, elle parle de son grand-père pis du vicaire...

–Quelle Cécile ?

–Ben... Morin.

–Non... Martin

–Ben non, voyons... Martin... j'veux dire Morin...

Plutôt d'écouter, les deux adolescents s'enfonçaient dans la confusion, tous deux désireux d'emporter le morceau. Ils se comportaient comme des chevreuils mâles qui s'emmêlent les cornes pour affirmer leur suprématie.

Mais leur présence fut aussitôt révélée par des enfants de

pas dix ans qui se couraient en riant et parvinrent dans leur dos où ils s'arrêtèrent pour leur demander la raison de leur attente à surveiller les deux filles.

–C'est que tu fais icitte, Florian ?

Le curieux était Gérard, son jeune frère, et Florian se mit un doigt sur la bouche pour lui intimer l'ordre de se taire. Trop tard, les deux Cécile avaient la tête tournée et pouvaient apercevoir les deux gamins en train de parler à deux personnes que les sapins cachaient.

–Qui c'est qui est là ? cria Cécile Morin à son petit frère.

–C'est Florian pis Félix.

Cécile Martin cria à son tour à son frère Patrice, le deuxième enfant qu'elles pouvaient apercevoir :

–Tit-Pat, c'est que tu viens faire icitte ?

–On joue à cachette.

–Allez jouer ailleurs. Qui c'est qui est avec toi ?

–Ben c'est Florian pis Félix...

Cette fois, les deux Cécile s'échangèrent un regard entendu. Elles avaient été espionnées. Restait à découvrir ce qui, de leur échange, avait été surpris par les garçons de leur âge. Certes, Patrice et Gérard n'auraient pas compris un traître mot de leur conversation, mes des grands comme Florian Morin et Félix Paré n'auraient aucun mal à lire sur et entre les lignes.

Elles se levèrent. Cécile Martin lança :

–Florian, Félix, venez nous voir un peu.

Les deux adolescents n'eurent d'autre choix que celui de se mettre à découvert, puis ils s'approchèrent d'elles, chaque pas ajoutant à la couleur pourpre de leur visage.

–Depuis quand que vous êtes là, vous autres ? demanda Cécile Morin à son frère.

–On vient d'arriver. On savait pas que vous seriez icitte, vous autres.

–C'était-il pour écouter ce qu'on se disait ? demanda l'autre Cécile.

Florian se fit rassurant :

–Allez là-bas, où c'est qu'on était : vous allez voir, on entend rien pantoute.

Elles savaient qu'elles ne devaient pas insister ou bien les garçons auraient la puce à l'oreille, soupçonneraient quelque chose d'important. Et comme si elles avaient communiqué entre elles par des antennes de radio, l'une dit avec le sourire approbateur de l'autre :

–Vous pouvez rester avec nous autres si vous voulez. Mais vous autres, les gamins, retournez-vous-en à la chapelle là-bas.

Tit-Pat ricana :

–Quoi, vous voulez que vos cavaliers restent avec vous autres mais pas nous autres ?

Cécile Martin leva la main et le menaça :

–Si tu veux pas une claque par la face, toi, sacre ton camp d'icitte, as-tu compris ?

Les gamins parurent comprendre. Et déguerpirent.

Les deux Cécile s'échangèrent un second regard entendu. Elles prendraient des moyens subtilement féminins pour tirer les vers du nez des deux espions de la montagne... Puis elles feraient en sorte de noyer de mensonges pieux et dans une mare de confusion ce qu'ils avoueraient avoir saisi de leur conversation confidentielle...

*

Juliette Goulet, Alfreda Nadeau et Jeanne Maheux formèrent un trio. Et les deux premières, vu leur bon caractère, ne prirent pas ombrage dans cette fraternisation à trois qui réunissait deux fillettes du cinquième rang et une autre du village. Jeanne fréquentait le couvent alors que les deux autres entreraient en quatrième année de leur petite école de rang que dirigeait Rose-Alma Bilodeau.

L'amitié entre la mère de Juliette et celle de Jeanne aidait à tisser entre elles un lien d'enfance. De plus, toutes deux aimaient bien la maîtresse d'école Rose-Alma qui habitait tout près des Maheux au milieu du village.

Quant à la troisième du groupe, la petite Nadeau qu'on appelait amicalement Freda, elle avait une faculté d'adaptation importante et rapide, à l'instar de celle de sa mère Marie-Jeanne. Et elle ressentait peu les peurs qui font naître les jalousies.

Voici que le trio s'était trouvé un point d'observation du côté ouest du plateau. Et de là, l'on pouvait apercevoir quatre clochers d'église sans savoir de quelles paroisses ces temples paroissiaux étaient le coeur et le symbole de ralliement.

Chacune avait avec elle sa petite boîte à lunch et, sitôt installées sur la surface rocheuse, elles se partagèrent les choses qu'elles avaient tout en piaillant et jacassant. Ce jour ne s'effacerait jamais de la mémoire de leur coeur.

–On va avoir 59 ans toutes les trois dans cinquante ans, dit Jeanne Maheux comme si l'idée avait été bien importante.

–Pis on va fêter le centenaire de Saint-Léon, dit Juliette, le regard éclairé par l'optimisme.

–Ça sera en 1980, reprit Jeanne qui avait entendu les mêmes mots dans la bouche de sa mère la veille.

–On va revenir ici pour fêter le centenaire, dit Freda sur un ton incertain.

–Oui, je vais venir, moi, fit Juliette. Toi, Jeanne ?

–Je vas venir...

Elles finissaient de manger quand sonna la cloche de la chapelle qui appelait les fidèles au centre du plateau, là où la grand-messe serait célébrée en plein air.

Juliette fit son signe de la croix. Elle ferma les yeux. Jeanne sourit à la voir faire, mais s'abstint. Ce n'était pas dans ses habitudes de prier ailleurs que dans les lieux attitrés à la prière. Freda se leva la première. Elle aurait eu le goût de chanter à tout vent pour que sa voix se répande par tout le pays...

En marchant vers l'abri central, elles passèrent devant deux couples du rang qu'elles connaissaient bien : les Poulin et les Pépin qui conversaient à voix retenues. La cloche semblait les laisser insensibles. Les fillettes passèrent leur chemin vers les lieux de la sainte messe...

*

Il y avait sur la montagne au moins deux fois plus d'enfants que de personnes adultes. Plusieurs d'entre eux avaient mangé des volées au cours de leur jeune vie, mais, en raison de leur nombre à l'intérieur des familles et de par l'occupation de la plupart de leurs parents, soit cultivateurs de la terre, tous jouissaient d'une liberté que n'avaient pas connue autant qu'eux les générations qui les précédaient.

En ce moment, les deux fils les plus vieux de Joseph et Marie Roy harcelaient le bossu Couët afin qu'il leur joue un autre morceau sur son violon que le petit homme avait emporté sur la montagne avec l'idée d'en jouer pour que les notes, emportées par le vent, parviennent à Saint-Honoré, dans le rang neuf, et charment les oreilles de la belle Eugénie Carrier. Les garçons Roy avaient l'habitude de quémander une toune ou deux au bossu quand il passait en selké...

D'autres enfants assistaient à ce concert de fortune. Parmi eux, la petite Rachel Paré, Rolande Maheux, une petite folle du violon, celle qui avait trouvé son nouveau nom à la montagne de la *Craque*, aussi Fernande Goulet, Louiselle Fortier, Émilienne Nadeau et Raymond Martin. D'autres, qui se connaissaient moins entre eux, s'ajoutèrent aisément au groupe à voir d'autres enfants former ainsi un attroupement autour du bossu que tout Saint-Léon connaissait, mais aussi toute la région de même que la Beauce voisine.

–Je vas jouer, mais à une condition, déclara Couët. Et c'est que vous allez chanter avec moé. Je vas vous dire les mots, vous aurez rien qu'à les répéter ensuite avec moé. Ça vous le dit-il de même ?

Un oui général formant choeur s'éleva vers le ciel. Le petit homme connaissait un grand moment de bonheur.

–La chanson s'appelle *Ah ! si mon moine voulait danser.*

Les petits se regardèrent, émerveillés.

La messe risquait de commencer sans eux. Mais aucun ne s'était inquiété malgré l'appel de la cloche. Ils étaient tous debout devant le bossu comme s'ils avaient eu là, sur une petite élévation, le pape en personne.

Le violon à l'archet grinçant se fit entendre. On était loin de l'abri où commencerait bientôt la grand-messe, et le son n'y parvenait guère par ce vent contraire. Puis la voix rauque et lourde du petit homme lança les mots joyeux qu'il faisait répéter par les enfants comme il l'avait annoncé au départ :

Ah ! si mon moine voulait danser !
Ah ! si mon moine voulait danser !
Un capuchon je lui donnerais,
Un capuchon je lui donnerais.
Danse, mon moin' danse !
Tu n'entends pas la danse,
Tu n'entends pas mon moulin, lon la,
Tu n'entends pas mon moulin marcher.

Mais une voix tonitruante vint assommer le plaisir des enfants et du maestro :

–Hé, vous autres, là, avez-vous l'intention de manquer la messe ou quoi ? C'est pas l'heure des frivolités, c'est l'heure de la dévotion.

Prévenu par des loustics, le curé venait mettre fin à ce concert qui ne voulait rien dire...

***

Chapitre 34

Le grandiose du lieu, du ciel, du rituel avait envahi tous les coeurs. L'on vibrait aux choses du passé, de l'avenir et de la spiritualité. Un chant de gloire s'élevait depuis le sommet de la montagne vers l'univers du bon Dieu par diverses conversations sous le signe de l'agrément et des valeurs communes.

Seuls faisaient exception les 'frappeurs' et le vicaire Morin. Eux avaient pour consigne de ne pas fraterniser ensemble autant que possible afin de dérouter ceux qui auraient pu avoir des doutes à leur sujet et pour empêcher qu'il en naisse, de ces interrogations susceptibles de mettre en péril l'existence de leur groupe et par conséquent de leur pratique si prenante et déjà si profondément enracinée. Et à laquelle ils semblaient tous tenir comme à un trésor fabuleux nouvellement découvert.

Les neuf couples savaient l'heure et le lieu de leur prochaine 'réunion'. Il avait été dit qu'on s'adonnerait à des jeux à plusieurs ce soir-là. Maintenant que tous les hommes du rang avaient couché avec toutes les femmes, on voulait s'aventurer dans de nouveaux territoires du jardin d'Éros. Albert Martin avait reçu pour mission d'imaginer des jeux de société. Il l'avait fait. Et il les annoncerait le moment venu.

Celles et ceux qui voudraient s'abstenir le feraient sans peine ni gêne au nom de la liberté de choix individuelle. Une règle que l'on se redisait à qui mieux mieux, histoire de se rassurer. Les grandes lignes de cette autre veillée dans la grange des Rousseau avaient été pensées et transmises. Vu cette nouvelle orientation, il était possible même que d'aucuns ne viennent pas. Personne ne leur en ferait grief. La grande condition d'une pratique enrichissante, c'était le respect de l'autre en tout. Voilà ce qu'on se disait à chaque rencontre et cela permettait de rassurer ceux que, parfois, le curé ébranlait dans la chaire quand il fustigeait ceux qui s'adonnaient aux plaisirs des sens sans posséder un permis de l'Église à cette fin.

Personne des Fortier, des Rousseau, des Morin, des Roy, des Pépin, des Paré, des Nadeau, des Poulin, des Martin ne se doutait qu'on les avait à l'oeil en ce moment même. Tous étaient dans le collimateur du vicaire. Sous haute surveillance ! Que deux couples parmi ceux-là se retrouvent pour parler et lui aurait tôt fait de survenir et de s'immiscer dans leur conversation. Mais il ne lui était pas donné de le faire, et cela rendait les 'frappeurs' encore plus suspects à ses yeux. Il en était déjà sûr; maintenant, il le jurerait sans hésiter : ces pécheurs invétérés avaient en tête de se réunir après le banquet quand les fidèles du cinquantenaire seraient retournés chez eux et auraient donc quitté le cinquième rang.

La messe fut de courte durée. Il n'y eut que le prône et pas de sermon. Le curé avait prévu prendre la parole, certes, mais durant le banquet, juste avant le service des desserts.

Et le banquet fut servi.

Tout d'abord, l'on monta partout des tables que l'équipe de Fridou Gilbert avait apportées là-haut la veille. Puis un groupe de bénévoles, dirigé par Georges Boulanger et sa femme, étala des sacs bruns servant de napperons que retinrent sur la table les ustensiles nécessaires de même que la vaisselle.

Les hôtesses ensuite virent à remplir les assiettes de tous ces mets, chauds ou froids, préparés par les Fermières qui s'étaient mises sous la direction de Désirée Goulet pour ce jour particulier.

Et comme prévu, le curé prit la parole, présenté à tous, paroissiens et visiteurs, par le maître de cérémonie, le docteur Arsenault.

En premier lieu, il promena son regard d'autorité sur tous, mince sourire figé, et parla enfin de sa voix aussi tranchante que la forme de son nez :

–Bâtir, bâtir, bâtir. Ils avaient ça dans le bras, ils avaient ça dans la tête, ils avaient ça dans le coeur... Ils avaient ça dans l'âme...

Le prêtre savait à quel point la répétition d'un concept ajoute à l'éloquence de l'orateur et il ne s'en privait pas dans tous les propos qu'il tenait en public. Utiliser le procédé au début d'un sermon ou autre discours lui permettait en outre de jauger l'assistance tout en la réchauffant.

–Ce sont nos fondateurs, nos prédécesseurs, ce sont ceux qui ont donné le premier coup de hache dans nos forêts encore inexplorées, tout à fait inexplorées. D'ici, l'on peut apercevoir l'immensité du territoire et nous n'en voyons qu'une parcelle infime. Le Canada est un immense pays et il nous fut donné en partage par le bon Dieu. C'est le Très-Haut en effet qui guida Jacques Cartier vers nos côtes en 1534...

"Non, mais où c'est qu'il veut en venir avec des idées aussi mal cousues ?" se demandait le vicaire qui, toutefois, s'intéressait moins en ce moment aux paroles de son supérieur ecclésiastique qu'aux images moissonnées au cours de la journée toutes ces fois où il avait reluqué du côté de la belle Désirée.

–Nos ancêtres ont peuplé la vallée du Saint-Laurent. Puis, quelques-uns parmi les plus braves, ont pénétré à l'intérieur des terres. Par exemple dans la Beauce qu'on appelait la Nouvelle-Beauce à l'époque. Et de cette Beauce, d'autres ont poussé plus loin vers nos forêts qui les attiraient, vers nos montagnes qui les appelaient... Nos si belles montagnes. Et nos si beau lacs. Et nos si belles rivières...

Bossu Couët cessa d'écouter. Assis à une extrémité de table sous le grand abri, il avait pour voisin de droite Arthur Maheux et à sa gauche un jeune industriel de Saint-Honoré du nom de Uldéric Blais, personnage dans la jeune cinquantaine qui opérait un moulin à scie dans sa municipalité. Lui et le bossu se connaissaient, et tous deux connaissaient plusieurs gens de toute la haute Beauce. Les deux hommes avaient conversé avant la prise de parole par le curé. Et tout naturellement, Couët n'avait pas manqué de mettre le nom de la belle Eugénie Carrier sur le tapis, disant qu'on lui avait parlé d'elle...

"Mon ami, mais ça te ferait une femme dépareillée!" s'était exclamé le visiteur de sa voix puissante et qui claquait comme le sabot d'un cheval sur le macadam. "Une femme dépareillée !"

Rien n'aurait pu faire autant plaisir au bossu. Tous ses maux avaient disparu.

L'industriel s'étonna du fait que Couët ne connaissait pas cette petite femme pourtant bien connue dans toute sa région. Il lui proposa de les faire aconnaître. Odilon avoua fièrement que c'était déjà fait par l'entremise d'Honoré Grégoire, un personnage que Blais tenait en haute estime.

Et voici que Bossu rêvait sur les paroles du curé Lachance tandis que l'homme de Shenley avait du mal à tenir ses paupières ouvertes...

Par contre, ceux des 'frappeurs' qui se pouvaient apercevoir, même d'assez loin, se lançaient des oeillades qui en disaient long sur leur hâte de participer à de nouveaux jeux exaltants. Ils avaient le cinquantenaire bien loin de l'esprit...

*

Une chorale d'enfants dirigée et pratiquée par Rose-Alma Bilodeau se produisit par la suite, quand les assistants eurent fini de manger et que les tables furent desservies. Peu d'enfants des rangs de la paroisse en faisaient partie vu leur éloignement du village. Et puis, la jeune maîtresse avait tenu les pratiques à l'église avec la permission du curé. Une femme du village, Délima Lavoie, touchait l'orgue pour l'accompagnement.

Elle fit de même sur la montagne alors que Rose-Alma dirigeait son petit monde. Tous les chants obtinrent des applaudissements nourris. Une fierté légitime rôda tout là-haut. Les coeurs furent charmés. Celui du curé surtout. Saint-Léon ne serait jamais plus une paroisse comme les autres. Et le bon Dieu jetterait un regard particulier sur ces lieux si saints, si pieux, si obéissants...

Et, alors qu'on sentait s'achever le concert qui coiffait le banquet, les assistants lancèrent une demande spéciale en scandant deux choses en alternance :

"Monsieur le vicaire."

"*Les cloches*."

"Monsieur le vicaire."

"*Les cloches*."

Rose-Alma fut la première à comprendre qu'on voulait la répétition d'une prestation du jour de l'inauguration de la chapelle. *Les cloches du hameau*. Vocalise : Rose-Alma. Accompagnement : l'abbé Morin.

La jeune femme descendit d'une marche et se rendit au prêtre. On comprit par ses gestes et ses hochements de tête qu'il n'avait pas apporté sa guitare. Et pourtant, la réquisition reprit de plus belle, comme s'il fallait que par miracle, il fasse surgir de nulle part son instrument de musique :

"Monsieur le vicaire."

"*Les cloches*."

–D'après moi, ils veulent vous entendre chanter avec moi

et le choeur des enfants.

–Chanter, chanter... je n'ai pas une bien belle voix. Et c'est pour ça que je ne chante jamais.

–C'est pas une belle voix qu'ils réclament, c'est la vôtre.

Témoin de l'échange, le curé intervint :

–Allez-y donc, monsieur le vicaire. Faites plaisir au peuple qui vous veut. Les prochaines fêtes du genre n'auront lieu que dans cinquante ans.

–Coudon, comme dirait l'autre.

Et le prêtre se leva au soulagement de la foule et sous ses applaudissements chaleureux. Il crut remarquer que des couples du cinquième rang, donc des 'frappeurs', l'acclamaient bien davantage que les autres. Et au passage, il recueillit le regard admiratif et tendre de la belle Désirée Goulet dont le mari lui dit :

–Chantez-nous ça, monsieur le vicaire, chantez-nous ça ben comme il faut, là !

–J'ai pas le choix... même si monsieur Rousseau dit tout le temps qu'on a toujours le choix.

Puis Goulet glissa quelque chose à l'oreille du vicaire qui ne réagit aucunement et poursuivit son chemin.

Là prit fin cet échange à peine commencé. Rose-Alma précédait le prêtre. Elle alla se placer devant le choeur des enfants tandis que Délima, un personnage âgé à cheveux tout blancs souriait à l'arrivée de cet homme en noir qui avait aussi sa faveur et celle de toutes les femmes de Saint-Léon.

Pas d'électricité, pas de microphone. Mais les lieux, la construction, le sens du vent, tout se prêtait à une prestation inoubliable. L'abbé se rendit derrière un lutrin sur lequel se trouvaient les feuilles de chant de Rose-Alma. Dès qu'elle avait entendu les gens réclamer *Les cloches*, aussitôt, elle avait pensé à ce chant qu'elle préférait entre tous, *Les cloches du hameau*, et mis sur le dessus la feuille contenant paroles et musique.

Le prêtre prit la parole :

–Mes chers amis de Saint-Léon et des environs, je vous avertis, je chante fort mal...

On protesta via des applaudissements.

Josaphat Poulin cria de toutes ses forces :

–Laissez-nous juger de ça !

–Je vois que tout est prêt. L'orgue et madame Lavoie. Le choeur et mademoiselle Bilodeau. Et même la feuille de chant qui m'attendait ici sur ce lutrin.

On applaudit encore.

Le vicaire leva les mains et hocha la tête :

–Mais non, tout n'est pas complet. Il manque une voix ici, en avant. Une voix que je ne connais pas encore moi-même et qui serait fort belle, m'a-t-on dit, et je le crois sans peine... Bien sûr, je ne parle pas de Rose-Alma qui pourrait remplacer et dépasser Albani si elle décidait de faire carrière dans le monde, puisque vous la connaissez déjà pour la plupart. Non, je parle d'une voix encore inconnue de tous. Est-ce que vous voulez l'entendre ?

Cris et applaudissements réclamèrent la voix mystérieuse dont il parlait avec tant d'ardeur.

–Le problème, c'est que l'intéressée n'en sait encore rien.

Tous étaient maintenant sur le bout de leurs chaises, suspendus à ses mots. Il arriva au but :

–On vient de me dire que madame Désirée Goulet possède une voix d'or. Et je le tiens d'une source sûre... Voudriez-vous l'entendre ?

Désirée lança un regard furibond à son époux, sachant que c'était à propos d'elle qu'il avait glissé une confidence à l'oreille du vicaire. Et son visage devint rouge comme un soleil couchant. Elle fit de petits signes de tête négatifs, poussée par l'embarras et par la crainte.

–Ne vous faites pas prier, madame Goulet. Ou bien quelqu'un dans la salle ira vous chercher pour vous reconduire en avant.

–Moi, le premier ! lança l'abbé Lachance, le ton plus que joyeux.

La jeune femme ne pouvait plus se soustraire. Des lueurs d'envie apparurent dans certains regards qu'on essayait tant bien que mal de camoufler derrière des sourires de plaisir et de soutien.

Cet événement interpellait les épouses des 'frappeurs' de même que les hommes. Toutes surveillaient les réactions de leur mari. Et eux eurent du mal à cacher leur trouble devant trop de grâce.

Et ils furent nombreux, du cinquième rang ou d'ailleurs, à quasiment mourir de bonheur à entendre cette voix céleste, moins puissante que celle de Rose-Alma, mais si prenante, à la fois juvénile et féminine.

Et ce qui se passa fut tout à son avantage en plus. Le vicaire mit tout en oeuvre pour lui donner le premier plan. Tout d'abord, il initia le chant quand les premières notes furent données par l'organiste. Désirée le seconda. Puis le choeur se fit entendre et beaucoup de voix de la foule s'y ajoutèrent.

Et l'assistance entière, sur les 'tra la la' devint comme un champ de blé que le vent faisait onduler harmonieusement dans un sens puis dans l'autre.

Désirée oublia les tremblements qui l'agitaient depuis les premiers mots du chant. Le prêtre lui tendit la feuille et lui-même cessa de la tenir. Il ne l'accompagna que pour la première phrase du second couplet : *C'est l'heure du retour...*

Elles furent nombreuses, les épouses du cinquième rang à se dire qu'elles feraient en sorte, le soir même, que les hommes oublient leur admiration pour cette femme trop belle, trop talentueuse, trop douce, trop tout...

Il arriva même au bossu de ne plus penser du tout à

Eugénie, encore moins à sa chère Delphine d'autrefois... De l'admiration mouillée se répandait à la grandeur de ses yeux ébahis...

Tandis que se poursuivait le chant, Rose-Alma vit son attention attirée par Alfreda Nadeau qui, tout près à sa gauche, la regardait avec une admiration si vive que la jeune femme en fut troublée. Puis elle se souvint avoir maintes fois entendu sa voix d'ange parfois dans la cour de récréation à l'école. Quelqu'un qui aime chanter doit chanter, se dit-elle. Et il faut lui en donner l'occasion. Il fallait qu'elle présente la fillette à la foule, mais comment intervenir au coeur de pleine prestation ?

Et elle pensa que le moment serait propice durant les longs 'tra la la' alors qu'elle se rendit glisser un mot à l'oreille de Désirée. Puis elle se rendit chercher la fillette qui se laissa entraîner par la main, et elle la conduisit près du lutrin où l'encadrèrent le vicaire et la femme Goulet qui dirigeaient à deux le chant pour un court moment.

La feuille de chant passa vite d'une main à l'autre. En fait, tous connaissaient la mélodie mais pas les paroles. On laissa la feuille à la petite Freda puis, au signal de Rose-Alma, le trio entama le dernier couplet. La voix du vicaire se retira vite. Puis celle de Désirée. Il ne resta plus sur la montagne que celle si neuve, si pure, si cristalline de cette enfant de neuf ans.

À l'entendre, le curé pleura de bonheur. Dieu en donnait tant à Saint-Léon... Heureusement que ses ouailles lui en étaient reconnaissantes. Tout comme elles l'étaient envers leurs prêtres qui donnaient le meilleur d'eux-mêmes pour la communauté paroissiale.

Et tous furent émus à le voir aussi ému.

Et chante la fillette aux cheveux d'or et à la voix de la même beauté prenante que celle de Désirée :

Lorsque dans le rocher,
La tempête tourmente,
Autour du vieux foyer,
Joyeusement, l'on chante.
On entend... on entend...

Puis on demanda à toutes ces voix de reprendre le chant à son début. On le fit trois fois. Ce fut l'apothéose de ces fêtes du cinquantenaire.

***

Chapitre 35

–Vous avez donc l'air songeur, monsieur le vicaire. N'êtes-vous pas enchanté de votre journée ? On vous a félicité à combien de reprises ? Tout fut une réussite, tout. La messe, le banquet, l'album-souvenir, le chant, les surprises. Et la foule qui répondait comme on l'avait espéré.

–Et vous, monsieur le curé, vous êtes heureux de ces fêtes du cinquantenaire ?

–On ne saurait l'être plus.

–Je suis bien content pour vous.

L'abbé Lachance se sentait coupable. Il croyait que le vicaire songeait à cette scène de l'atelier qui aurait dû, pourtant, être remisée dans les oubliettes. Rien de pire et rien d'autre ne s'étaient produits tout de même.

Les deux prêtres se trouvaient en ce moment à l'intérieur de la petite chapelle. Le soleil à son déclin dispensait moins de rayons à la terre et la pièce commençait de se faire sombre. Le vicaire avait refermé la porte sur lui pour que les fidèles le laissent dans un moment de solitude dont il avait grand besoin. Car il fallait beaucoup de courage, songeait-il, pour aller chercher les 'frappeurs' dans les marécages où ils pataugeaient afin de les ramener sur la terre ferme, loin du danger, et dans la grande sécurité que la religion était en mesure d'offrir aux gens de l'humanité entière.

–Quelque chose a pourtant l'air de vous tracasser sérieusement, monsieur le vicaire.

–Je dois avouer que oui.

–Et... est-il indiscret de savoir ce que c'est ?

–Ce n'est pas indiscret, non. Non, ça ne l'est pas, bien au contraire.

Le vicaire était assis près du plancher, en fait sur une tribune de faible hauteur qui servait de support à l'autel, juste ce qu'il fallait pour que les assistants à la messe puissent bien voir le rituel et donc y entrer mieux. C'est dans une attitude de découragement que l'avait surpris le curé. Et l'autre n'avait rien fait pour camoufler son état d'âme.

Le curé vint accrocher le bout de son soulier noir à la plate-forme et se montra d'une exceptionnelle affabilité mêlée d'un paternalisme protecteur. Il préparait le terrain pour le cas où son adjoint lui parle des aveux de Cécile et de la scène de l'atelier. Sa condescendance lui serait peut-être retournée en bienveillance. N'était-ce pas la norme entre un supérieur et un subordonné ?

–Laissez-moi vous questionner, puisque cela vous semble si ardu de vous livrer spontanément.

–Si vous voulez, dit le vicaire en secouant la tête puis en se frottant la barbe piquante du menton.

–Cela vous concerne-t-il ?

–Oui.

–En tant qu'homme.

–Je dirais plutôt en tant que prêtre.

–Et cela me concerne-t-il, moi ?

–Oui.

–En tant qu'homme.

–Plutôt en tant que prêtre.

–Bon.

–Laissez-moi prendre mon souffle et je vous dirai tout.

Le curé sortit un mouchoir et essuya son front. Il avait chaud en raison de l'exiguïté des lieux mais aussi à cause de ce qu'il appréhendait.

–Assurons-nous que la porte est bien fermée et que personne ne saurait entendre notre conversation.

–Je vais le faire.

Et le curé se rendit à la porte qu'il ouvrit. Puis il la referma et revint au vicaire :

–Il ne reste à peu près personne sur le plateau. Vous pouvez parler en toute liberté.

–Je n'irai pas par quatre chemins...

Le curé fronça les sourcils. L'autre poursuivit :

–Une terrible maladie a envahi notre belle paroisse. Je l'ai appris par le confessionnal et il fallait que je le sache autrement pour ne pas trahir le secret de la confession.

–Une maladie ?

–Oui, un mal immonde. Un groupe de gens s'est formé dans le cinquième rang. Ils se réunissent et... font le mal.

–Le mal, dites-vous ?

–Le péché... de la chair...

–Attendez, je ne comprends pas, là...

–Hommes et femmes changent de partenaires et... et forniquent les uns les autres.

–Qu'est-ce que vous êtes en train de me dire là ?

–Je vous dis ce que je sais être. Et je dis que le moment est venu de mettre un frein à toute cette... inimaginable débauche. Le démon de la chair est parmi nous, monsieur le curé, parmi nous, ici, en bas, dans ce cinquième rang déchu. Il semble que six couples fassent partie de ce clan de l'immodestie... que dis-je, de l'immodestie, il faut bien dire l'immoralité.

–Si ce que vous dites est vrai, qui sont-ils donc ?

–Les Morin.

–Quoi ? Hilaire et Blanche.

–Eux-mêmes. Aussi les Fortier, Jean-Pierre et Dora. Et puis les Pépin, Francis et sa femme Angélina. Aussi les Roy, Joseph et Marie...

–Faire un tel déshonneur aux noms de Joseph et de Marie, soupira le curé.

–Et puis les Martin, Albert et Marie-Rose. Les Paré enfin. Mais on ne sait jamais, peut-être que d'autres se sont ajoutés. Sans doute pas les Nadeau, mais peut-être Josaphat et Joséphine Poulin ou même Romuald et Georgette Rousseau. Les maladies infectieuses voyagent vite, surtout celles de l'âme.

–Oui, on vous l'a dit en confession, mais comment, autrement, pouvez-vous affirmer une pareille chose ? Je croyais que vous-même étiez allé à une soirée du cinquième rang l'autre jour.

–On m'a invité et bien entendu, il ne s'est rien passé. On voulait me donner le change, c'est tout.

–Vous rouler dans la farine quoi.

–Et on a réussi à le faire dans une certaine mesure. Mais par la suite, j'ai entendu des choses... plusieurs que je ne saurais vous redire et qui, mises bout à bout, indiquent que les réunions de ces gens qui s'appellent entre eux les 'frappeurs' se poursuivent. Bien sûr, sans le vicaire et... sans des personnes honnêtes comme les Goulet, madame Désirée et son mari Pierre.

–Et... quel effet tout cela vous a fait, monsieur le vicaire, dites-moi ?

–Une grande colère.

–Et à moi aussi, vous ne pouvez imaginer.

–Je crois même qu'ils ont tenu une de leurs réunions ici même, dans ce lieu sacré, mais qu'ils n'ont pas pu se livrer à leur vice vu mon arrivée subite. Mais, ce soir-là, le ciel leur a donné un sévère et terrible avertissement en foudroyant une victime innocente, le petit cheval de monsieur Couët.

–Quoi, Seigneur ? Monsieur le petit bossu Couët serait-il donc aussi un perverti ?

–Nullement ! Pas lui ! Il n'a pas de femme, comment pourrait-il participer à de tels jeux monstrueux ? Mais il s'en veut, il dit que tout ça, c'est sa faute... Enfin, je ne peux vous en dire plus vu qu'il m'a dit ces choses au moment d'une confession... Seigneur, où va cette société, voulez-vous bien me le dire ? Il y a eu toutes ces années folles et Dieu, de nos jours, par cette crise économique, punit le monde pour ses étourderies... Le monde entier, faut dire...

Le curé pencha la tête en avant, la secoua, dit en soupirant presque en gémissant :

–Comme mon coeur de prêtre saigne devant tant de faiblesse humaine !

–Et le mien donc !

Le curé redressa la tête et se fit solennel :

–Mais le temps n'est pas à la peur et à la résignation. Il faut prendre le taureau par les cornes. Nous devons agir... sévir... punir... détruire le mal... chasser le démon ou les démons de chez nous... tuer la maladie dans l'oeuf avant qu'elle ne se répande par tout Saint-Léon comme la grippe espagnole. C'est bien ce que vous devez attendre de moi, monsieur le vicaire, n'est-ce pas ?

–Je ne vous en aurais pas parlé autrement, vous pensez bien. J'attends une action vigoureuse de votre part. Et j'ai un plan à vous proposer. C'est pourquoi j'ai attendu que tout le monde parte pour vous suggérer de retourner au presbytère.

–Je n'ai vu que deux ou trois personnes qui allaient emprunter le sentier pour redescendre.

–Vous avez bien agi. Et ensuite ?

–Laissons du temps passer. Attendons la brunante ici. Ensuite, descendons, montons en voiture et enquêtons. C'est-à-dire que lorsque nous verrons une activité inhabituelle chez un des cultivateurs, nous serons en droit de présumer qu'il se tient là une réunion de 'frappeurs'. Il nous suffira de les surprendre.

Des lueurs aux allures de flammèches jaillirent des yeux de l'abbé Lachance. Ce serait un des grands moments de sa vie de prêtre, de sa vie tout court. En premier lieu, un désir pervers courut comme une lave dans ses veines. Il eût tôt fait de le refréner, de le réprimer. Et pour y mieux arriver, il demanda l'aide du ciel, particulièrement de la Vierge Marie. Elle l'exauça en injectant dans toutes ses cellules une colère noire teintée d'un goût pour la violence.

Il grommela :

–Nous allons marquer ces... 'frappeurs' au fer rouge. Les humilier. En les écrasant, ce sont les démons qui les habitent que nous allons forcer à quitter leur chair. Ils redeviendront les gens purs et dociles qu'ils ont toujours été depuis leur naissance. C'est cela, monsieur le vicaire, nous allons faire en sorte qu'ils retrouvent leur robe de baptême. Mais pour cela, il faudra qu'ils souffrent. Et c'est vous et moi qui allons nous charger de cette tâche qui nous incombe...

–Je ne m'en sens pas la force, moi, monsieur le curé.

–Eh bien, j'aurai cette force pour deux, croyez-moi !

***

Chapitre 36

Quatre lanternes éclairaient la batterie de la grange des Rousseau. La lumière jaune ainsi dispersée ajoutait au tan que l'été chaud avait inscrit sur tous les visages, hommes et femmes qui, tous, avaient travaillé plusieurs heures ensoleillées dans les champs de foin et les jardins potagers.

Un dernier couple, celui des Martin, entra par la petite porte percée dans la grande. Et Rousseau lança à tous :

–Tout le monde est arrivé. On est dix-huit. Albert, notre meneur de jeu, nous arrive avec des idées en arrière de la tête. C'est que vous en pensez ?

L'on applaudit.

Les 'frappeurs' étaient pour la plupart debout depuis leur arrivée dans la grange. Les couples étaient venus isolément pour ne pas susciter d'interrogations chez les retardataires descendus de la montagne ou bien chez les Goulet que l'on désirait encore moins faire partie du groupe, suite à la flamboyante prestation de Désirée à la fin du banquet.

–Seigneur, on se croirait au passage de la mer Rouge par le peuple juif, Moïse à leur tête ! s'exclama Albert qui, sans bouger devant la porte, regardait les deux tasseries remplies à pleine capacité d'une hauteur de quatorze pieds, séparées par cet espace d'une douzaine de pieds de largeur qu'on appelait batterie et que certains cultivateurs avaient dû utiliser cette année-là vu l'abondance de la récolte de foin.

Les 'frappeurs' trouvèrent l'image pertinente et tous portèrent leur attention un moment à ce passage en lequel ils se trouvaient et qui serait une sorte de témoin de leurs relations illicites.

Marie-Jeanne Nadeau songea, elle, à un autre Moïse, le vicaire de la paroisse, celui-là même qui l'avait fait monter au septième ciel et dont elle se savait enceinte. On disait qu'il connaissait l'existence du groupe et de leurs activités, mais se taisait vu sa faute charnelle commise avec elle en cette même grange. Elle avait fait part de son état à son époux sans dire un mot de vrai géniteur; il se croyait tout naturellement le père de l'enfant à naître...

Romuald prit la parole de nouveau :

–Asteur, pour pas prendre de risques, j'aurais besoin de deux ou trois paires de bras. Vous savez quoi, on va tasser du foin dans les grandes portes, là. Une bonne épaisseur pour que personne soit capable d'entendre c'est quoi qu'il se passe en dedans, icitte. Pis que pas un enfant senteux arrive à entrer. J'ai quatre brocs, me faut trois hommes. Deux pour monter jeter du foin en haut de chaque tasserie, pis un autre pour m'aider à pousser le foin dans les portes. Pis si jamais quelqu'un a besoin de sortir durant la veillée, ben il pourra descendre par la trappe de l'étable, à l'autre bout de la batterie.

Il passa par la tête d'Hilaire Morin que dans pareille prison souhaitable, s'il fallait qu'un fanal tombe et mette le feu, il faudrait vite s'enculotter et déguerpir. Ce ne fut qu'une image joyeuse sans consistance; il souffla vite dessus pour la faire disparaître.

Se présentèrent Joseph Roy, Josaphat Poulin et Jean-Pierre Fortier. Les deux premiers lancèrent leur fourche sur le dessus d'une tasserie, puis, s'agrippant à une poutre montante, ils furent vivement là-haut, prêts à 'débouler' le foin requis pour enfermer cette soirée de luxure dans la discrétion indispensable afin que d'autres du même genre suivent.

Josaphat s'amusa à lancer du foin sur les têtes, plus loin. Marie Roy lui fit un joyeux reproche :

–Attention, vous autres, là, en haut, ça tombe dans nos coupes de vin.

On se partageait en effet du vin de pissenlit apporté par Angélina Pépin dont on disait qu'elle était une spécialiste de la chose. Celui-là datait de l'année précédente, et elle en disposait en abondance. Elle l'avait servi elle-même à l'arrivée de chaque couple. Tous l'avaient félicitée pour le bon goût de sa concoction. Et puis sa teneur en alcool n'était pas négligeable : les regards et les rires en faisaient preuve.

Bientôt, les grandes portes furent bouchées. Et pour plus de sûreté encore, Romuald fit rouler une petite voiture fine depuis le fond de la batterie entre ses invités jusqu'à la muraille de foin pour la retenir en place. Elle servirait aussi de tribune au maître du jeu, Albert Martin, qui ne tarda pas à y grimper, puis à obtenir l'attention de tous.

–Mes amis du cinquième rang, ils doivent être rares, les cultivateurs d'une paroisse de la province de Québec qui se connaissent mieux que nous autres, tous ensemble. Comme on dit : on se connaît sous toutes nos coutures. Avec l'accord de plusieurs d'entre vous, à soir, on va jouer à quelques jeux de société. Des jeux de groupe. Personne est obligé de participer. Je pense entre autres aux femmes enceintes de plusieurs mois. On comprendra que ça pourrait être moins facile pour elles.

–Pis leu' mari ? lança Jean Paré avec un large sourire contagieux.

–La même règle vaut pour tout le monde : si une personne, homme ou femme, se sent pas trop à l'aise avec le jeu et préfère s'abstenir, il en sera de même avec le mari ou la femme. Autrement, ça pourrait soulever des problèmes, on le comprend bien.

–Bon, on a tout compris. Le temps d'avoir du plaisir est arrivé, lança Josaphat qui avait ôté son noeud papillon et déboutonné son col rigide.

Albert prit la parole :

–Je vous propose trois jeux, mes amis. Vous avez tous déjà joué au premier, j'en suis certain, parce que c'est ce qu'on appelle le 'colimadya' ou en bon français le colin-maillard. Mais comme nous sommes des 'frappeurs' nous allons le jouer à notre manière, vous pensez ben. En un premier temps, on va bander les yeux de nos dames qui, par tâtonnements comme le jeu le veut, chercheront à identifier les gars alignés devant la tasserie de ce bord-là... Celle qui reconnaîtra le plus d'hommes sera couronnée championne du colin-maillard et recevra en prix une médaille que j'ai faite cette semaine avec une grosse cenne et un bout de corde. Ça se porterait pas pour aller au village, mais pour faire le train pis les foins : certain... pourquoi pas ?

S'il faisait grande noirceur jaune à l'intérieur de la grange des Rousseau, dehors, ce n'était encore que la brunante, et les deux prêtres se suivaient dans le sentier descendant. Et pour bien aiguiser ses griffes, l'on se répétait les mêmes motifs de grande indignation, les mêmes comportements scandaleux de tout un rang, leurs mêmes éclats de colère sainte et, pour eux deux, justifiée.

–N'en parlons pas trop fort en passant près de la maison à monsieur Couët, dit le vicaire alors qu'on approchait de la masure et que le chien Teddy le leur faisait savoir.

–C'est parce qu'il y a le péché et des conduites répréhensibles et tordues que le bon Dieu permet que naissent et survivent des bossus comme ce pauvre Odilon.

–Personne ne saurait être plus en accord avec vous que moi, monsieur le curé.

–Laissez-moi vous dire que vous êtes un bon soldat, mon

cher Moïse ! Et je vous comprends d'avoir attendu jusqu'après les fêtes du cinquantenaire pour me faire connaître la terrible vérité à propos de ce cinquième rang de malheur.

–Tout le monde n'y est pas vicieux et vicié, vous savez. Les Goulet...

Le vicaire ne put continuer. Couët parut dans l'embrasure de la porte de sa cabane. Mains sur les hanches, il accueillit les deux prêtres avec son plus large sourire.

Le curé lui parla en premier :

–Je ne vous ai pas insulté toujours quand j'ai interrompu votre concert sur la montagne ?

–Pantoute ! On savait pas que la messe commençait. Quand la messe commence, y a rien d'autre qui doit se faire. Pas plus jouer au violon comme un profane...

–C'est cela. Si vous aviez joué de votre instrument à l'intérieur de l'église –encore que seul l'orgue y soit accepté et acceptable– et en accompagnement d'un chant religieux, je ne serais, bien sûr, pas intervenu.

–Ben non, vous avez ben fait. Autrement, on aurait pu manquer la messe.

Le vicaire dit :

–Nous aimerions bien vous parler plus longtemps, mais nous devons retourner vite au presbytère.

–J'comprends ça itou ! Laissez-moé vous dire qu'on a eu des ben belles fêtes aujourd'hui.

–C'est la faute à monsieur le vicaire, lança le curé avec un certain sourire.

–Et surtout à plusieurs personnes de la paroisse, ajouta l'abbé Morin qui pressa le pas.

On s'échangea les mots usuels de départ et les deux prêtres, soutane battue par leur pas résolu, se dirigèrent vers la voiture du vicaire garée plus loin.

–C'est juste la bonne heure pour les surprendre en plein...

en plein péché, constata le curé.

–Vous avez bien raison. Et c'est le meilleur moment aussi de les reprendre en main...

Les neuf femmes acceptèrent de participer, bien qu'informées du fait qu'elles devraient se dénuder en seconde partie du jeu, même si la première partie se jouerait avec vêtements pour tous. Elles toutes avaient été voulues, désirées, aimées par les neuf hommes du rang et, de la sorte, s'étaient effacées de leurs complexes ceux concernant une partie ou l'autre de leur corps. Les femmes enceintes surtout avaient été si bien aimées qu'elles en étaient venues à croire en leur beauté extérieure que décuplait leur beauté intérieure...

Une fois que chacune eut les yeux bandés à l'aide d'une double lisière de drap, linges préparés et apportés par les Martin, les gars comme prévu s'alignèrent au foin de la tasserie de droite, y compris Albert qui descendit de la voiture mais continua de diriger le jeu. C'est lui qui devait nommer les participantes et noter les points. Les seuls trois attouchements permis consistaient en un baiser de trois secondes, un rapide tâtonnement à deux mains des épaules jusqu'au ventre et enfin une palpation du sexe masculin. Temps total : dix secondes. Donc il faudrait à chacune un minimum de 90 secondes pour jouer ses cartes. Compte tenu du temps perdu entre chacun pour crier le nom supputé, Albert avait prévu que chaque participante aurait besoin de trois minutes et que le jeu, dans sa première partie, durerait une demi-heure. En seconde partie, quand les gars auraient à leur tour les yeux bandés, il leur faudrait aussi une trentaine de minutes pour concourir...

–Pour briser la glace, le hasard a désigné Dora Fortier. Dora, es-tu prête pour jouer à colin-maillard ?

–J'sus prête.

–Sauras-tu, Dora, reconnaître toutes les chairs d'homme que tu auras à disons ausculter ?

–Je vise... cinq sur neuf.

–Et ton mari sera du nombre, on espère.

–Facile, c'est lui qui a les épaules les plus larges.

–Facile quand on voit clair, mais... avec les yeux bandés.

–Pis autre chose de bandé ? cria Josaphat.

Il obtint des rires peu appuyés. Quand vient l'heure du rapprochement sexuel, les gens passent au sérieux généralement. *On rit du sexe, mais quand on a les pieds (pour ainsi dire) dedans, on arrête de rire*. Voilà ce que disait souvent Hilaire Morin qui avait pris place en plein milieu de la rangée des hommes.

–Vas-y, Dora, c'est avec toi... le premier tour...

Par signes, Albert demanda à Hilaire de la mettre en position devant le premier gars rangé soit Maurice Nadeau. Et Hilaire reprit sa place.

Baiser rapide. Auscultation du tronc. Attouchement du sexe. Elle déclara :

–C'est Maurice.

Albert aussitôt cria :

–Qu'elle se trompe ou pas, les gars, nous autres, faut pas dire un mot. Autrement, ça serait un indice. Chance égale à toutes les femmes. Ah, les chanceuses qui peuvent en une petite demi-heure manipuler comme ça neuf hommes. Pas un, pas deux, pas cinq... neuf. Continue, Dora...

–Tes parents sont pas à maison ? demanda le vicaire à tit-Pat Martin qui se tenait au bord du chemin pour voir passer les retardataires.

–Sont allés su' monsieur Rousseau, j'pense.

–Chez monsieur Rousseau ? dit le curé à la forme interrogative.

–C'est ça qu'ils ont dit en partant.

–Ah !

–Voulez-vous que je leu' dise quelque chose ?

–Bien non, merci à toi ! Nous allons nous arrêter chez monsieur Rousseau en passant.

Et les deux hommes en noir poursuivirent leur chemin dans leur auto noire, le coeur rempli d'une colère encore plus noire en train de se nourrir à elle-même et à leurs propres faiblesses charnelles qu'ils allaient exorciser peut-être en exorcisant celles de ces pauvres pécheurs du cinquième rang.

Il y avait de la lumière chez les Poulin, mais visiblement personne. On poursuivit.

–Au lieu de perdre du temps à vérifier si les gens sont à la maison, allons chez Rousseau et si la réunion n'a pas lieu là, on cherchera où elle se tient.

–Vous avez bien raison, monsieur le curé. C'est en plein ce que nous allons faire...

Dora obtint un six sur dix, mais son résultat ne serait proclamé qu'à la fin de la première ronde. Elle put enlever son bandeau et assister à la suite du jeu. Les gars se mélangèrent quelque peu, puis fut nommée la deuxième participante : Marie-Jeanne Nadeau.

Il y avait en elle un désir de perdre. Qu'elle reconnaisse un homme et elle dirait un autre nom. Tout le plaisir de faire autrement. Et qu'importe si elle arrivait au neuvième rang, cela rassurerait les autres femmes. On se dirait qu'elle n'avait pas trop la mémoire des maris, donc le goût de certains en particulier. Mais peut-être aussi le faisait-elle parce qu'elle se savait enceinte du vicaire Morin ?

–Francis, déclara-t-elle quand elle eut fini de tâter le sexe du premier homme.

Mais il s'agissait plutôt de Josaphat qui ne put s'empêcher de rire. Elle le reconnut par cet indice qui ne trompait personne. Puis elle passa au suivant alors qu'Albert notait le résultat. C'était Joseph Roy. Pas moyen de se tromper devant pareil étalon. Et pourtant, elle déclara :

–Je dis que c'est... Romuald Rousseau.

Des 'ah' d'étonnement suivirent sa déclaration...

L'auto noire s'arrêta doucement à côté de la maison Rousseau dont les vitres étaient enflammées par les derniers rayons du soleil couchant. Chez les voisins du même côté, un oeil bienveillant regardait par une fenêtre. Désirée reconnut les deux prêtres. Elle se dit aussitôt qu'ils devaient avoir été invités à s'arrêter là pour peut-être bénir les gens réunis dans la grange comme Pierre avait pu le constater plus tôt. Elle avait une certaine tristesse au coeur de se savoir exclue de même que son époux... Mais de quoi étaient-ils donc exclus ? On commençait à croire que l'inavouable se produisait dans ces veillées-là, mais pas question de le conclure hors de tout doute et encore moins question d'en parler avec qui que ce soit.

L'abbé Morin se rendit frapper à la porte. On ne répondit pas. Il reluqua par une fenêtre. Rien.

–Comme l'autre fois, ça doit se passer dans la grange.

–En ce cas, allons-y, mon cher vicaire !

Et les deux hommes se hâtèrent d'aller rétablir les choses de la foi et celles de la loi de Moïse, deux ensembles de règles qui se confondaient par leur similitude.

Ils contournèrent la grange, purent apercevoir des attelages en attente à l'arrière, s'engagèrent dans la pente du 'gangway', atteignirent les portes. Impossible comme partout ailleurs et en tout temps d'ouvrir les grandes que l'on verrouillait toujours de l'intérieur, il leur fallait donc passer par la petite porte.

–Allons-y dans le plus grand silence ! ordonna le curé. Vous d'abord, monsieur le vicaire.

–D'accord !

Et l'abbé souleva tout doucement la clenche de bois, puis

poussa sur la porte. En vain !

–C'est bloqué de l'intérieur, dit-il à mi-voix.

–Comment peut-on entrer ? demanda son supérieur dans la même discrétion.

–Par l'étable et l'échelle qui permet de monter dans la grange en passant par la trappe à foin.

–Vous avez l'air de connaître les airs ?

–C'est pareil dans toutes les granges d'aujourd'hui.

Le curé soupira :

–Ils ont fait exprès. On ne pourrait pas les surprendre en passant par l'étable. Sans doute auront-ils verrouillé la trappe. Et s'il nous faut leur crier, ils auront le temps de mettre fin à leurs péchés en cours de commission. Essayons de pousser plus fort. Peut-être qu'à deux...

En fait, le vicaire craignait qu'une manoeuvre trop énergique ne révélât leur présence, et c'est pourquoi il n'avait pas poussé de toutes ses forces le premier coup. Cette fois, on parvint à pratiquer une entrée...

Dans la batterie, les 'frappeurs' étaient bien trop occupés à leur jeu de colin-maillard que pas un n'aurait même songé à regarder du côté des grandes portes bloquées par pas mal de foin en plus de la voiture fine.

En ce moment même, c'était Marie-Louise qui tâtait Jean Paré. Elle le reconnut sans peine. Marie-Louise en était à son septième homme et pas une seule fois, elle ne s'était trompée. Il y avait dans sa main droite la mémoire des sexes masculins. Car c'est par ce tâtonnement qu'elle trouvait la bonne réponse...

Le curé s'inséra le premier à l'intérieur et le mot insérer n'avait rien d'exagéré. Il pria la Vierge Marie de l'aider. Lui répondit-elle, toujours est-il qu'il perçut, à travers l'épaisseur de foin qui le retenait prisonnier en arrière, des lueurs jaunâtres. Et surtout des rires d'hommes et de femmes. Et puis la résistance du foin lui paraissait moindre à mesure qu'il se forçait un passage vers cette tanière de dépravés.

Le vicaire suivit. Il repoussa la porte à sa place et murmura à son collègue justicier :

–Je vais prendre par l'autre côté et attendre votre signal pour les surprendre. Ainsi, il y aura deux paires d'yeux sur eux sans compter ceux du Seigneur Dieu.

–Fort bien ! Quand je déciderai de foncer en avant, je lancerai un cri.

–Comme celui d'un général.

–En plein ça ! Un général d'armée. Et ce cri sera... attendez que je prenne le temps de trouver...

C'était au tour de la dernière concurrente, au jeu de société très érotique en cours, de peloter les hommes. Il lui restait trois hommes à 'jauger'. Pour mieux voir l'action qui se déroulait, les gars s'étaient mis en arc de cercle et les filles avaient droit de regarder, maintenant que leur tour était passé.

–Envoye, trompe-toi pas, Joséphine ! lança Angélina.

–Pas un mot ! protesta le meneur de jeu. Tout ce qu'on peut dire peut servir d'indice.

Et Joséphine mit sa main droite entre les jambes de Joseph Roy. Aussitôt, elle déclara :

–C'est Joseph.

Il y eut des murmures, mais retenus.

Le curé dont le corps et le regard avaient fini par accéder à un point d'observation valable, vit cette femme Poulin qu'il croyait jusque là une grande chrétienne, délaisser le sexe de l'un pour aller donner un baiser profond en pleine bouche à l'homme suivant...

Le pauvre prêtre figea sur place. Tous les principes reçus depuis l'enfance, ses valeurs, les enseignements assimilés, tout cela le mit dans un état d'hibernation momentané. En même temps, le vicaire parvenait lui aussi en un lieu, au coin de la tasserie et du tas de foin bloquant la porte, où l'action dans la batterie ne saurait lui échapper. Un moment, il déplaça du foin et il en tomba une galette le long de la voiture fine, mais personne ne le remarqua. Tous les yeux étaient rivés sur Joséphine et ses gestes très féminins et langoureux, qui, comme ceux de ses consoeurs préalablement, excitaient tous les autres participants, soit les dix-sept personnes qui complétaient le décor de ce joyeux enfer.

Joséphine laissa glisser sa main sur la culotte de Jean-Pierre et tâta le sexe. L'homme remplit ses poumons d'air et retint tout mot, toute onomatopée sonore. Le plaisir lui fit battre les paupières. Tout son visage lança un cri muet de volupté.

'Frappeurs' et prêtres n'étaient pas seuls toutefois dans cette grange de l'impureté. Il y avait aussi les démons. Et eux savaient qu'il y avait intrusion dans ce territoire du dévergondage qu'ils avaient inspiré via la pensée du vieux Théodore. L'un reçut pour mission de s'occuper du curé et un autre du vicaire. Le premier s'élança instantanément à travers la meule de foin et frappa l'abbé Lachance en plein entre les jambes, un lieu de l'anatomie masculine reconnu pour sa sensibilité extrême dépassant celle de tous les lieux de l'homme y compris le cerveau. Il se produisit alors une sorte de connection style vaudou entre ce que ressentait Jean-Pierre et ce que ressentit le prêtre. Son corps s'érigea et balaya d'un coup tous les principes, toutes les valeurs, toutes les prières et les remisa au fin fond rocailleux d'une tasserie croulant sous des tonnes et des tonnes de foin.

L'attaque subie par le vicaire fut de la même nature, de la même sauvagerie et produisit les mêmes résultats. Il banda si dur que sa verge, appuyée à un rayon de la roue arrière de la voiture, fine faillit soulever le tout...

–C'est... Hilaire, déclara Joséphine en souriant sous son masque blanc..

Elle récolta des rires qui pouvaient signifier qu'elle avait raison ou peut-être tout aussi bien qu'elle avait tort. Puis elle passa au dernier homme du rang. C'était Albert. Elle avait eu des rapports sexuels avec lui tout comme avec les huit autres gars du groupe. Dès le baiser, elle sut que c'était lui. Il avait une façon de lécher les lèvres d'une femme, du moins les siennes... Ses épaules ne lui dirent rien. Alors elle se souvint d'une caresse à deux mains qu'elle lui avait prodiguée quand ils avaient couché ensemble et procéda de la même manière. Elle obtint le même profond soupir...

–C'est Albert...

Et aussitôt, elle retira son bandeau tandis qu'on lui criait bravo et qu'on l'applaudissait. L'homme, quant à lui, reprit carnet et crayon et annota en disant :

–Je fais le compte et on couronne notre championne tout de suite après...

"Notre championne," pensa le vicaire. Cela voulait dire que toutes les femmes présentes avaient ainsi tâtonné tous les hommes présents. Colin-maillard de l'enfer, pensa-t-il. Pauvre humanité, par chance que le bon Dieu lui avait donné les prêtres ! Par bonheur, Désirée Goulet ne se trouvait pas parmi ces libertins. Par malheur, Marie-Jeanne Nadeau s'y trouvait. Il compta les pousses d'ivraie : dix-huit personnes, neuf couples. Tout le cinquième rang moins les Goulet. Encore un peu de temps et il n'y manquerait plus que le bossu Couët. Non, non, non, pauvre Désirée, il ne fallait pas qu'elle soit, elle aussi, absorbée par ce groupe de suborneurs dont les uns avaient entraîné les autres dans les marais fangeux de la luxure.

Mais alors le démon qui avait été lancé sur lui souffla de brûlants souvenirs à son oreille. Lui rappela qu'il avait connu le plaisir charnel là même, à l'autre extrémité de cette batterie. Lui suggéra qu'il pourrait le connaître encore, non pas qu'avec une seule de ces femmes mais avec toutes. Et peut-être de surcroît avec la belle Désirée qui brillait si fort par son absence.

"Bonne Vierge Marie, secourez-moi !" supplia-t-il mentalement.

–Mesdames, avant que je donne le résultat final, vous pouvez commencer à ôter vos robes. Vous resterez toutes en jupon. La deuxième période va commencer...

Il y avait au fond, à côté de la trappe, une table longue faite de planches jetées sur trois chevalets et qui faisait office de vestiaire. Même que par souci de propreté, Georgette avait recouvert les planches de deux vieux draps fraîchement lavés et repassés.

Elles s'en rapprochèrent et les premières, Dora et Blanche, déjà se dévêtaient pour apparaître les jambes et les bras nus et terriblement excitants pour ceux qui les regardaient. Dont les deux prêtres...

Le curé se demandait s'il devait mettre fin tout de suite à cette orgie. Mais puisque tous déjà se trouvaient en état de péché mortel, aussi bien constater jusqu'à quelle profondeur ils pouvaient descendre dans leur déchéance. Jamais l'Église n'avait dit qu'il pouvait se trouver plusieurs lieux en enfer, celui à petite vitesse, celui à moyenne vitesse, celui à haute vitesse et l'enfer à vitesse extrême plus... On ne pouvait pas être plus damné que damné. Aucun produit infernal n'avait été 'amélioré' au cours des siècles... 'amélioré' au sens de 'empiré'. L'avenir laisserait ça aux produits de consommation de l'an 2000...

Le vicaire se consolait d'attendre, à penser que le signal d'attaquer le mal viendrait de son supérieur enfoui, tout comme lui, dans cet amas de foin qui rendait la respiration passablement difficile en raison de la pression et de la poussière.

Le déshabillage se poursuivit au fond de la batterie. Puis les femmes revinrent au milieu deux à deux. Leurs compagnons se firent discrets et continuèrent de jaser en cercle sous l'oeil invisible mais terriblement coléreux du ciel et des hommes d'Église.

Albert monta dans la voiture fine et demanda l'attention de tous. Le vicaire, qui pouvait le voir, craignait ne pas pouvoir rester sans bouger. Et sans sa parfaite immobilité, on verrait le foin bouger, puisque tous les yeux regardaient en sa direction, la même que celle du meneur de jeu.

–Le moment est venu de couronner la reine de la première période. Je sais qu'aucune des perdantes ne sera jalouse de la championne, puisque c'est un jeu seulement et un jeu où la gagnante –et en deuxième ronde le gagnant– n'a aucun mérite de plus que les autres participantes. Il y a le hasard qui compte. Il y a l'intuition. Il y a le moment où chacune a participé. Si un homme est touché pour la septième ou huitième fois, il risque de faire montre de plus d'énergie vitale disons, que la première fois...

–En tout cas, c'est sûr dans mon cas ! lança Josaphat.

Et les rires fusèrent.

Le curé se retenait d'exploser. Il bouillait de colère mais aussi son corps lui faisait penser au geyser Old Faithful du Wyoming qu'il avait vu jaillir un jour déjà lointain de sa jeunesse. Le jet chaud restait prisonnier de la terre, mais son éruption était imminente...

Le vicaire, quant à lui, livrait un héroïque combat contre le démon qui le frappait maintenant dans toute sa substance y essaimant les molécules du désir qui se faisaient plus nombreuses et serrées que les flocons d'une tempête hivernale.

–Voici donc le résultat final. Elle a obtenu un résultat de dix sur dix. Elle a reconnu tous les hommes qui lui tombaient entre les mains sans aucune exception, et c'est... notre belle grande Marie...

Une rumeur joyeuse parcourut les assistants qui se mirent à applaudir la championne. Bravo ! Félicitations !

L'intéressée s'avança pour recevoir sa médaille et dit :

–C'est pas ça qui me rend meilleure. Je vous dirai que je me suis fiée d'abord à l'odeur... fumeurs, non fumeurs... eau de toilette, savon utilisé etc... Premier indice. Ensuite... ben la manière d'embrasser. D'aucuns, c'est mouillé, d'aucuns c'est sec. Des lèvres sont plus petites, des lèvres sont plus frisées...

–Les miennes content des menteries ! lança Josaphat.

On sourit et Marie reprit :

–Les épaules m'ont dit que c'était Jean-Pierre, ensuite Albert.

–Dépêche-toé de nous parler du reste ! dit encore Josaphat Poulin.

–Le reste a pas servi : c'était tout du pareil au même...

Ce fut un rire général qui, pour plusieurs gars, en fut un de soulagement.

Albert descendit de voiture et épingla la médaille sur le jupon de satin blanc. La jeune femme fit la révérence. On l'applaudit. Elle retourna avec les filles. Le meneur de jeu reprit la parole :

–Asteur, c'est à notre tour. Les filles, bandez les yeux des gars ben comme il faut. Ensuite, alignez-vous en arc de cercle comme les gars l'on fait tout à l'heure. C'est la deuxième période qui commence. Comme au hockey. Sauf que Howie Morenz pis Aurèle Joliat sont pas parmi nous.

"Associer nos stars du hockey à des jeux aussi... perfides

et dégradants !" songea le curé. Mais son corps continuait de le contredire. Il lui vint même une pensée libidineuse et fugitive pour la Cécile Bilodeau qu'il avait tant désirée dans ses rêves coupables...

Les préparatifs terminés, Albert désigna un homme sans le nommer tout haut afin que les filles ignorent qui jouait, qui les toucherait. Et le meneur annonça la règle de la seconde période du colin-maillard :

–Bien sûr que le jeu sera plus facile pour les gars, vu qu'il se trouve des femmes enceintes de plusieurs mois. Par contre, chacun pourrait prendre Marie-Louise pour Sophia ou Marie. Et puis ce sera chance égale pour tous. Donc un... un bec sur la bouche. Deux : mains sur le visage. Trois : mains sur la poitrine. Dix secondes pas plus pour tout ça ou vous pourriez, messieurs, vous faire disqualifier.

–Hein ? On va pas en bas ? demanda Josaphat.

–Non.

–Ah! c'est ben sûr, les femmes, en bas, ça se ressemble pas mal toutes !

Des 'hon' de protestation se firent entendre...

–Mais ça goûte pas la même chose ! enchérit Jean Paré.

Le curé ferma les yeux de honte. Le vicaire serra les mains sur une poignée de foin. La dépravation ne saurait être plus grande au fond de l'enfer. Et pourtant, ils avaient tous deux une grande fébrilité entre les cuisses...

–Les choses plus sérieuses, on fera ça au deuxième jeu que je vous ai préparé, dit Albert. À toi, ami numéro un !

Il désignait par là Hilaire Morin. Première du cercle féminin, Georgette se laissa embrasser, tâter le visage et les seins. Puis l'homme alla dire un nom à mi-voix à l'oreille du meneur qui nota dans son carnet. À la différence du premier tour, aucun nom ne serait lancé tout haut et le jeu procurerait ainsi un nouvel agrément, un autre suspense. Hilaire toucha les neuf femmes, identifia chacune au mieux de sa connaissance, puis ce fut au tour de Romuald Rousseau.

L'homme était en train de pétrir les seins d'Angélina Pépin quand le grand orage éclata brutalement. Le curé sortit de sa prison de foin en vociférant son formidable cri de guerre totale au péché :

–AU NOM DE L'IMMACULÉE CONCEPTION !

***

suite dans ***Les colères du ciel***
(3e tome de la série ***Le 5e rang*** *)*